일반순경 | 해양경찰 | 시험대비

박문각 경찰

브랜드만족 1위 박문각

2024

경찰직 모의고사

1권 | 헌법·형사법·경찰학

박충신 | 최정훈 | 박용증 편저

동영상강의 www.pmg.co.kr

문제 풀이영상 QR코드 수록

박문각

이 책의 차례 CONTENTS

1권 문제편

1권 정답 및 해설편

PART

01

경찰헌법

문제편

경찰헌법 1회 모의고사

01 합헌적 법률해석에 대한 설명으로 가장 적절하지 않은 것은? (다툼이 있는 경우 헌법재판소의 판례에 의함)

① 법률조항에 대한 해석이 한편에서는 합헌이라는 해석이, 다른 편에서는 위헌이라는 해석이 다 같이 가능하다면, 원칙적으로 헌법에 합치되는 해석을 선택하여야 한다는 헌법합치적 법률해석의 원칙도 존중되어야 한다.
② 헌법정신에 맞도록 법률의 내용을 해석・보충하거나 정정하는 헌법합치적 법률해석은 유효한 법률조항의 의미나 문구를 대상으로 하는 것이지, 이를 넘어 이미 실효된 법률조항을 대상으로 하여 헌법합치적인 법률해석을 할 수는 없는 것이어서, 유효하지 않은 법률조항을 유효한 것으로 해석하는 결과에 이르는 것은 헌법합치적 법률해석을 이유로도 정당화될 수 없다.
③ 한정위헌이란 한정위헌 선고된 범위에 해당 법률조항의 규범력을 일체 적용시킬 수 없다는 의미의, 말하자면 어떠한 상황에서 어떠한 요건을 이유로도 그 범위 영역에 대하여는 기본권 제한을 가할 수 없다는 절대적인 면책영역을 선언하는 형태의 위헌결정이다.
④ 한정위헌결정에 표현되어 있는 헌법재판소의 법률해석에 관한 견해는 법률의 의미・내용과 그 적용범위에 관한 헌법재판소의 견해를 일응 표명한 데 불과하여 법원에 전속되어 있는 법령의 해석・적용 권한에 대하여 어떠한 영향을 미치거나 기속력도 가질 수 없다.

02 영토조항과 관련한 설명으로 옳지 않은 것은? (다툼이 있는 경우 판례에 의함)

① 개별 법률의 적용 내지 준용에 있어서는 남북한의 특수관계적 성격을 고려하여 북한지역을 외국에 준하는 지역으로, 북한주민 등을 외국인에 준하는 지위에 있는 자로 규정할 수 있다.
② 북한의 의과대학은 헌법 제3조의 영토조항에 비추어 국내대학으로 인정될 수 있고, 보건복지부장관이 인정하는 외국의 대학에 해당하지 아니한다.
③ 아태위원회가 외환거래법 제15조 제3항에서 말하는 '거주자'나 '비거주자'에 해당하는지 또는 남북교류법상 '북한의 주민'에 해당하는지 여부는 법률해석의 문제에 불과한 것이고, 헌법 제3조의 영토조항과는 관련이 없다.
④ 대한민국의 영해는 기선(基線)으로부터 측정하여 그 바깥쪽 12해리의 선까지에 이르는 수역(水域)으로 한다. 다만, 대통령령으로 정하는 바에 따라 일정수역의 경우에는 12해리 이내에서 영해의 범위를 따로 정할 수 있다.

03 위헌정당해산제도에 대한 설명으로 옳지 않은 것은? (다툼이 있는 경우 판례에 의함)

① 정당해산심판에 관하여는 헌법재판소법에 특별한 규정이 있는 경우를 제외하고는 헌법재판의 성질에 반하지 아니하는 한도 내에서 민사소송에 관한 법령을 준용한다.
② 민사소송에 관한 법령의 준용이 배제되어 법률의 공백이 생기는 부분에 대하여는 헌법재판소가 정당해산심판의 성질에 맞는 절차를 창설하여 이를 메울 수 있다.
③ 헌법재판소의 정당해산결정이 있는 경우 그 정당 소속 국회의원의 의원직은 당선 방식을 불문하고 모두 상실된다.
④ 정당해산심판절차에서는 재심을 허용하지 아니함으로써 얻을 수 있는 법적 안정성의 이익보다 재심을 허용함으로써 얻을 수 있는 구체적 타당성의 이익이 더 적으므로 재심을 허용할 수 없다.

04 지방자치제도에 대한 설명으로 옳은 것은? (다툼이 있는 경우 판례에 의함)

① 행정심판청구를 인용하는 재결이 행정청을 기속하도록 규정한 행정심판법 제49조 제1항은 지방자치제도의 본질적 부분을 침해한다.
② 영일군을 폐치하여 포항시에 병합시킨 것은 헌법 제8장에서 보장하는 지방자치제도의 본질을 침해한다.
③ 지방자치단체의 자치사무에 대한 합목적성 감사의 근거가 되는 감사원법 제24조 제1항 제2호 등은 지방자치권의 본질을 침해하지 않는다.
④ 수도권의 공장총량제를 규정한 수도권정비계획법 제18조는 지방자치의 본질적 내용을 침해한다.

05 법인의 기본권 주체성에 대한 설명으로 옳지 않은 것은? (다툼이 있는 경우 판례에 의함)

① 헌법 제10조의 인간으로서의 존엄과 가치, 행복을 추구할 권리는 성질상 자연인에게 인정되는 기본권이라고 할 것이어서 법인에게는 적용되지 않는다.
② 법인도 법인의 목적과 사회적 기능에 비추어 볼 때 그 성질에 반하지 않는 범위 내에서 인격권의 한 내용인 사회적 신용이나 명예 등의 주체가 될 수 있다.
③ 평등권 및 평등선거의 원칙으로부터 나오는 선거에 있어서 기회균등의 원칙은 후보자에 대하여서는 물론 정당에 대하여서도 보장된다.
④ 종립학교의 학교법인은 국·공립학교의 경우와 마찬가지로 종교교육을 할 자유와 운영의 자유를 가지는 것은 아니다.

06 일반적 행동의 자유에 대한 설명으로 옳지 않은 것은? (다툼이 있는 경우 판례에 의함)

① 육군 장교가 민간법원에서 약식명령을 받아 확정되면 자진신고할 의무를 규정한 '2020년도 장교 진급 지시' 등은 과잉금지원칙에 반하여 일반적 행동의 자유를 침해하지 않는다.
② 의료분쟁 조정신청의 대상인 의료사고가 사망에 해당하는 경우 한국의료분쟁조정중재원의 원장은 지체 없이 조정절차를 개시해야 한다고 규정한 '의료사고 피해구제 및 의료분쟁 조정 등에 관한 법률' 조항은 청구인의 일반적 행동의 자유를 침해하지 않는다.
③ 신청인으로 하여금 '4·16 세월호 참사에 관하여 어떠한 방법으로도 일체의 이의를 제기하지 않을 것임을 서약합니다'라는 내용이 기재된 배상금 등 동의 및 청구서를 제출하도록 규정한 세월호피해지원법 시행령 부분은 법률유보원칙을 위반하여 청구인들의 일반적 행동의 자유를 침해하지 않는다.
④ 비어업인이 잠수용 스쿠버장비를 사용하여 수산자원을 포획·채취하는 것을 금지하는 수산자원관리법 시행규칙 제6조 부분은 청구인의 일반적 행동의 자유를 침해하지 않는다.

07 형벌불소급원칙에 대한 설명으로 옳지 않은 것은? (다툼이 있는 경우 판례에 의함)

① 형벌불소급원칙에서 의미하는 처벌은 단지 형법에 규정되어 있는 형식적 의미의 형벌 유형에 국한된다.
② 노역장유치는 벌금형에 부수적으로 부과되는 환형처분으로서, 그 실질은 신체의 자유를 박탈하여 징역형과 유사한 형벌적 성격을 가지고 있으므로, 형벌불소급원칙의 적용대상이 된다.
③ 형사처벌을 규정하고 있던 행위시법이 사후 폐지되었음에도 신법이 아닌 행위시법에 의하여 형사처벌하도록 규정한 것은 헌법 제13조 제1항의 형벌불소급원칙 보호영역에 포섭되지 아니한다.
④ 행위 당시의 판례에 의하면 처벌대상이 되지 아니하는 것으로 해석되었던 행위를 판례의 변경에 따라 확인된 내용의 형법 조항에 근거하여 처벌한다고 하여 그것이 형벌불소급원칙에 위반된다고 할 수 없다.

08 개인정보자기결정권에 대한 설명으로 옳지 않은 것은? (다툼이 있는 경우 판례에 의함)

① 전기통신역무제공에 관한 계약을 체결하는 경우 전기통신사업자로 하여금 가입자에게 본인임을 확인할 수 있는 증서 등을 제시하도록 요구하고 있는 전기통신사업법 조항은 개인정보자기결정권을 침해한다.

② 보호자가 자녀 또는 보호아동의 안전을 확인할 목적으로 CCTV 영상정보 열람을 할 수 있도록 정한 영유아보육법 조항은 어린이집 보육교사의 개인정보자기결정권을 침해하지 않는다.

③ 국민건강보험공단이 2013.12.20. 서울용산경찰서장에게 청구인들의 요양급여내역을 제공한 행위는 과잉금지원칙에 위배되어 청구인들의 개인정보자기결정권을 침해한다.

④ 공중밀집장소추행죄로 유죄판결이 확정된 자를 신상정보 등록대상자로 규정한 성폭력범죄의 처벌 등에 관한 특례법조항은 청구인의 개인정보자기결정권을 침해하지 않는다.

09 재산권에 대한 설명으로 옳지 않은 것은? (다툼이 있는 경우 판례에 의함)

① 환매권의 발생기간을 토지의 협의취득일 또는 수용의 개시일부터 10년 이내로 제한하고 있는 토지보상법 제91조 제1항 부분은 재산권을 침해한다.

② 선출직 공무원으로서 받게 되는 보수가 기존의 연금에 미치지 못하는 경우에도 연금 전액의 지급을 정지하도록 정한 공무원연금법 제47조 제1항 제2호 부분은 과잉금지원칙에 위배되지 않으며 재산권을 침해하지 않는다.

③ 사립학교 교원이 재직 중의 사유로 금고 이상의 형이 확정된 경우 퇴직급여를 감액하도록 하고 있는 구 사립학교교직원 연금법 제42조 제1항 부분은 청구인의 재산권을 침해하지 않는다.

④ 유족연금수급권은 그 급여의 사유가 발생한 날로부터 5년간 이를 행사하지 아니하면 시효로 인하여 소멸하도록 규정한 구 군인연금법 제8조 제1항 본문 부분은 유족연금수급권자의 인간다운 생활을 할 권리 및 재산권을 침해하지 않는다.

10 재판청구권에 대한 설명으로 옳지 않은 것은? (다툼이 있는 경우 판례에 의함)

① 변호사와 접견하는 경우에도 수용자의 접견은 원칙적으로 접촉차단시설이 설치된 장소에서 하도록 규정하고 있는 형의 집행 및 수용자의 처우에 관한 법률 시행령 조항은 재판청구권을 침해하지 않는다.

② 수형자와 소송대리인인 변호사의 접견을 일반접견에 포함시켜 시간은 30분 이내로, 횟수는 월 4회로 제한한 구 '형의 집행 및 수용자의 처우에 관한 법률 시행령' 조항은 청구인의 재판청구권을 침해한다.

③ 수형자인 청구인이 헌법소원사건의 국선대리인인 변호사를 접견함에 있어서 그 접견내용을 녹음, 기록한 피청구인의 행위는 청구인의 재판을 받을 권리를 침해한다.

④ 재판청구권은 기본권이 침해당하거나 침해당할 위험에 처해 있을 때 그에 대한 구제 또는 예방을 요청할 수 있는 권리라는 점에서 다른 기본권의 보장을 위한 기본권이라는 성격을 가지고 있다.

경찰헌법 2회 모의고사

01 재외국민보호의무에 관한 설명으로 옳지 않은 것은? (다툼이 있는 경우 판례에 의함)

① 재외국민을 보호할 국가의 의무에 의하여 재외국민이 거류국에 있는 동안 받는 보호는 조약 기타 일반적으로 승인된 국제법규와 당해 거류국의 법령에 의하여 누릴 수 있는 모든 분야에서의 정당한 대우를 받도록 거류국과의 관계에서 국가가 하는 외교적 보호와 국외거주 국민에 대하여 정치적인 고려에서 특별히 법률로써 정하여 베푸는 법률·문화·교육 기타 제반영역에서의 지원을 뜻한다.

② 대한민국 국적을 가지지 아니한 사람을 위로금 지급대상에서 제외한 국외강제동원자지원법 조항은 현저히 자의적이거나 불합리한 것으로서 평등원칙에 위배된다.

③ 북한주민은 '대일항쟁기 강제동원 피해조사 및 국외강제동원 희생자 등 지원에 관한 특별법'상 위로금 지급 제외대상인 '대한민국 국적을 갖지 아니한 사람'에 해당하지 않는다.

④ 국제협력요원으로 근무한 공익근무요원을 국가유공자법에 의한 보상에서 제외한 구 병역법 조항은 재외국민 보호의무에 위반되지 아니한다.

02 우리 헌법상 경제질서에 관한 설명으로 옳지 않은 것은? (다툼이 있는 경우 판례에 의함)

① 대한민국의 경제질서가 개인과 기업의 창의를 존중함을 기본으로 하고 있으나, 그것이 자유방임적 시장경제질서를 의미하는 것은 아니다.

② 헌법 제119조는 헌법상 경제질서에 관한 일반조항으로서 국가의 경제정책에 대한 하나의 헌법적 지침일 뿐 그 자체가 기본권의 성질을 가진다거나 독자적인 위헌심사의 기준이 된다고 할 수 없다.

③ 일반불법행위책임에 관하여는 과실책임의 원리를 기본원칙으로 하면서 특수한 불법행위책임에 관하여 위험책임의 원리를 수용하는 것은 입법정책에 관한 사항으로서 입법자의 재량에 속한다고 보기 어렵다.

④ 헌법 제119조 제2항에 규정된 '경제주체 간의 조화를 통한 경제민주화'의 이념은 경제영역에서 정의로운 사회질서를 형성하기 위하여 추구할 수 있는 국가목표로서 개인의 기본권을 제한하는 국가행위를 정당화하는 헌법규범이다.

03 선거운동의 제한에 대한 설명으로 옳지 않은 것은? (다툼이 있는 경우 판례에 의함)

① 예비후보자의 배우자가 함께 다니는 사람 중에서 지정한 자도 선거운동을 위하여 명함교부 및 지지호소를 할 수 있도록 한 공직선거법 조항은 배우자가 없는 청구인의 평등권을 침해한다.

② 후보자가 시각장애선거인을 위한 점자형 선거공보 1종을 책자형 선거공보 면수 이내에서 임의로 작성할 수 있도록 한 공직선거법 조항은 청구인의 선거권과 평등권을 침해하지 않는다.

③ 방송광고, 후보자 등의 방송연설, 방송시설주관 후보자연설의 방송, 선거방송토론위원회 주관 대담·토론회의 방송에서 한국수화언어 또는 자막의 방영을 재량사항으로 규정한 공직선거법 조항은 청구인들의 선거권을 침해하지 않는다.

④ 인터넷언론사는 선거운동기간 중 당해 홈페이지 게시판 등에 정당·후보자에 대한 지지·반대 등의 정보를 게시하는 경우 실명을 확인받는 기술적 조치를 하도록 정한 공직선거법 조항은 공정한 선거를 위한 것으로 게시판 이용자의 익명표현의 자유 및 개인정보자기결정권과 인터넷언론사의 언론의 자유를 침해하지 않는다.

04 국가와 지방자치단체의 관계에 대한 설명으로 옳지 않은 것은?

① 자치사무에 관한 명령이나 처분에 대한 주무부장관 또는 시·도지사의 시정명령, 취소 또는 정지는 법령을 위반한 것에 한정한다.
② 행정안전부장관이나 시·도지사는 지방자치단체의 자치사무에 관하여 보고를 받거나 서류·장부 또는 회계를 감사할 수 있다. 이 경우 감사는 법령 위반사항에 대해서만 한다.
③ 지방의회의 의결이 법령에 위반되거나 공익을 현저히 해친다고 판단되면 시·도에 대해서는 주무부장관이, 시·군 및 자치구에 대해서는 시·도지사가 해당 지방자치단체의 장에게 재의를 요구하게 할 수 있다.
④ 지방자치단체의 장은 재의결된 사항이 법령에 위반되거나 공익을 현저히 해친다고 판단되면 재의결된 날부터 20일 이내에 대법원에 소를 제기할 수 있다.

05 국가인권위원회에 대한 설명으로 옳지 않은 것은? (다툼이 있는 경우 판례에 의함)

① 법원의 재판을 국가인권위원회에 진정할 수 있는 대상에서 제외하는 것은 국민의 기본권을 침해한다.
② 국가인권위원회는 개인의 사생활을 침해하거나 계속 중인 재판 또는 수사 중인 사건의 소추(訴追)에 부당하게 관여할 목적으로 조사를 하여서는 아니 된다.
③ 국가인권위원회는 피해자의 명시한 의사에 반하여 법률구조 요청을 할 수 없다.
④ 국가인권위원회의 진정에 대한 조사·조정 및 심의는 비공개로 한다. 다만, 위원회의 의결이 있을 때에는 공개할 수 있다.

06 평등권에 대한 설명으로 옳지 않은 것은? (다툼이 있는 경우 판례에 의함)

① 사회복무요원에게 보수 외에 직무수행에 필요한 여비, 급식비 등 실비를 지급하도록 한 병역법 시행령 조항은 현역병에 비하여 사회복무요원을 합리적 이유 없이 차별하여 평등권을 침해하지 않는다.
② 법관의 명예퇴직수당 정년잔여기간 산정에 있어 정년퇴직일 전에 임기만료일이 먼저 도래하는 경우 임기만료일을 정년퇴직일로 보도록 정한 구 '법관 및 법원공무원 명예퇴직수당 등 지급규칙' 조항은 퇴직법관인 청구인의 평등권을 침해한다.
③ 대한민국 국적을 가지고 있는 영유아 중에서 재외국민인 영유아를 보육료·양육수당의 지원대상에서 제외한 보건복지부지침은 국내에 거주하면서 재외국민인 영유아를 양육하는 부모들의 평등권을 침해한다.
④ '65세 미만의 자로서 치매·뇌혈관성질환 등 대통령령으로 정하는 노인성 질병을 가진 자'의 장애인 활동지원급여 신청자격을 제한하는 '장애인활동 지원에 관한 법률' 조항은 평등원칙에 위반된다.

07 진술거부권에 대한 설명으로 옳지 않은 것은? (다툼이 있는 경우 판례에 의함)

① 진술거부권에 있어서의 진술이란 형사상 자신에게 불이익이 될 수 있는 진술이므로 범죄의 성립과 양형에서의 불리한 사실 등을 말하는 것이고, 그 진술내용이 자기의 형사책임에 관련되는 것일 것을 전제로 한다.
② 민사집행법상 재산명시의무를 위반한 채무자에 대하여 법원이 결정으로 20일 이내의 감치에 처하도록 규정한 민사집행법 조항은 청구인의 진술거부권을 침해한다.
③ 정치자금을 받고 지출하는 행위는 당사자가 직접 경험한 사실로서 이를 문자로 기재하도록 하는 것은 당사자가 자신의 경험을 말로 표출한 것의 등가물로 평가할 수 있으므로 진술의 범위에 포함된다.
④ 회계장부·명세서·영수증을 보존하는 행위는 진술거부권의 보호대상이 되는 진술, 즉 언어적 표출의 등가물로 볼 수 없다.

08 언론·출판의 자유에 대한 설명으로 옳지 않은 것은? (다툼이 있는 경우 판례에 의함)

① 헌법 제21조 제4항은 "언론·출판은 타인의 명예나 권리 또는 공중도덕이나 사회윤리를 침해하여서는 아니 된다."고 규정하고 있는바, 이는 헌법상 표현의 자유의 보호영역 한계를 설정한 것이다.

② 음란표현에 대한 최소한의 헌법상 보호마저도 부인하게 될 위험성이 농후하게 된다는 점을 고려할 때 음란표현은 헌법 제21조가 규정하는 언론·출판의 자유의 보호영역 내에 있다.

③ 언론·출판에 대한 허가·검열금지의 취지를 고려할 때 내용규제 그 자체가 아니거나 내용규제의 효과를 초래하는 것이 아니라면 허가에 해당되지 않는다.

④ 헌법 제21조 제2항의 검열은 그 명칭이나 형식과 관계없이 실질적으로 행정권이 주체가 되어 사상이나 의견 등이 발표되기 이전에 예방적 조치로서 그 내용을 심사, 선별하여 발표를 사전에 억제하는, 즉 허가받지 아니한 것의 발표를 금지하는 제도를 뜻한다.

09 직업의 자유에 대한 설명으로 옳지 않은 것은? (다툼이 있는 경우 판례에 의함)

① 의료법 등을 위반하여 금고 이상의 형을 선고받은 경우 의료인의 면허를 필요적으로 취소하도록 규정한 의료법 조항은 직업선택의 자유를 침해하지 않는다.

② 거짓이나 그 밖의 부정한 수단으로 운전면허를 받은 경우 모든 범위의 운전면허를 필요적으로 취소하도록 한 도로교통법 조항은 일반적 행동의 자유 또는 직업의 자유를 침해하지 않는다.

③ 사립학교 교원이 금고 이상의 형의 집행유예를 받은 경우 당연퇴직되도록 정한 사립학교법 제57조 본문 중 교육공무원법 제10조의4 제1호 부분은 사립학교 교원의 직업의 자유 등을 침해하지 않는다.

④ 약사 또는 한약사가 아닌 자연인의 약국 개설을 금지하고 위반 시 형사처벌하는 약사법 조항은 직업의 자유를 침해하지 않는다.

10 근로의 권리에 대한 설명으로 옳지 않은 것은? (다툼이 있는 경우 판례에 의함)

① 엄격한 의미에서 근로의 권리는 사회적 기본권으로서, 국가에 대하여 직접 일자리(직장)를 청구하거나 일자리에 갈음하는 생계비의 지급청구권을 의미하는 것이 아니라, 고용증진을 위한 사회적·경제적 정책을 요구할 수 있는 권리에 그친다.

② 근로의 권리는 근로자를 개인의 차원에서 보호하기 위한 권리로서 개인인 근로자가 근로의 권리의 주체가 되는 것이고, 노동조합은 그 주체가 될 수 없다.

③ 해고예고제도는 근로조건의 핵심적 부분인 해고와 관련된 사항일 뿐만 아니라, 근로자가 갑자기 직장을 잃어 생활이 곤란해지는 것을 막는 데 목적이 있으므로 근로자의 인간 존엄성을 보장하기 위한 최소한의 근로조건으로서 근로의 권리의 내용에 포함된다.

④ 최저임금을 청구할 수 있는 권리는 헌법 제32조 제1항의 근로의 권리에 의하여 보장된다.

경찰헌법 3회 모의고사

01 헌법의 제정과 개정에 관한 설명으로 가장 적절하지 않은 것은? (다툼이 있는 경우 판례에 의함)

① 우리나라와 같은 성문의 경성헌법 체제에서 인정되는 관습헌법사항은 하위규범형식인 법률에 의하여 개정될 수 없다.

② 특정의 법률이 반드시 헌법전에서 규율하여야 할 기본적인 헌법사항을 헌법을 대신하여 규율하는 경우에는 그 내용이 상위의 헌법규범에 배치되는지 여부와 관계없이 경성헌법의 체계에 위반하여 헌법위반에 해당하는 것이다.

③ 우리 헌법의 각 개별규정 가운데 무엇이 헌법제정규정이고 무엇이 헌법개정규정인지를 구분하는 것이 가능하지 아니할 뿐 아니라, 각 개별규정에 그 효력상의 차이를 인정하여야 할 형식적인 이유를 찾을 수 없다.

④ '대통령의 임기연장 또는 중임변경을 위한 헌법개정은 그 헌법개정 제안 당시의 대통령에 대하여는 효력이 없다.'는 헌법 제128조 제2항은 헌법개정의 실정법적 한계로 보는 데 이견이 없다.

02 국민주권원리 및 민주주의원리에 대한 설명으로 옳지 않은 것은? (다툼이 있는 경우 판례에 의함)

① 국민주권의 원리는 일반적으로 어떤 실천적인 의미보다는 국가권력의 정당성이 국민에게 있고 모든 통치권력의 행사를 최후적으로 국민의 의사에 귀착시킬 수 있어야 한다는 등 국가권력 내지 통치권을 정당화하는 원리로 이해되고 있다.

② 국민주권주의를 구현하기 위하여 헌법은 국가의 의사결정 방식으로 대의제를 채택하고, 이를 가능하게 하는 선거제도를 규정함과 아울러 선거권, 피선거권을 기본권으로 보장하며, 대의제를 보완하기 위한 방법으로 직접민주제 방식의 하나인 국민투표제도를 두고 있다.

③ 헌법적인 차원에서 직접민주제를 직접 헌법에 규정하는 것은 별론으로 하더라도 법률에 의하여 직접민주제를 도입하는 경우에는 기본적으로 대의제와 조화를 이루어야 하고, 대의제의 본질적인 요소나 근본적인 취지를 부정하여서는 아니된다는 내재적인 한계를 지닌다.

④ 국민주권・민주주의원리는 그 작용영역, 즉 공권력의 종류와 내용에 따라 구현방법이 상이할 수 없다.

03 위헌정당해산제도에 대한 설명으로 옳지 않은 것은? (다툼이 있는 경우 판례에 의함)

① 헌법 제8조 제4항에서 말하는 민주적 기본질서의 위배란 민주적 기본질서에 대한 단순한 위반이나 저촉을 의미하는 것이 아니라 그 정당의 목적이나 활동이 우리 사회의 민주적 기본질서에 대하여 실질적인 해악을 끼칠 수 있는 구체적 위험성을 초래하는 경우를 가리킨다.

② 헌법재판소가 정당해산결정을 내리기 위해서는 그 해산결정이 비례원칙에 부합하는지를 숙고해야 하는바 이 경우의 비례원칙 준수 여부는 그것이 통상적으로 기능하는 위헌심사의 척도가 된다.

③ 대통령의 직무상 해외 순방 중 국무총리가 주재한 국무회의에서 이루어진 정당해산심판청구서 제출안에 대한 의결은 위법하지 않다.

④ 정당해산심판에 가처분을 허용하는 헌법재판소법 제57조가 청구인의 정당활동의 자유를 침해하는 것은 아니다.

04 공무원의 기본권 주체성에 대한 설명으로 옳지 않은 것은? (다툼이 있는 경우 판례에 의함)

① 지방자치단체의 장이 공직의 상실이라는 개인적인 불이익과 연관된 공무담임권을 다투는 경우 기본권 주체성이 인정된다.

② 대통령이 소속 정당을 위하여 정당활동을 할 수 있는 사인으로서의 지위와 관련하여는 기본권 주체성이 인정된다.
③ 검사가 발부한 형집행장에 의하여 검거된 벌금미납자의 신병에 관한 업무와 관련하여 경찰공무원인 청구인에게 헌법소원을 제기할 청구인 적격이 인정된다.
④ 국회의원이 국회 내에서 행하는 질의권·토론권 및 표결권 등은 국회의원 개인에게 헌법이 보장하는 권리 즉 기본권으로 인정된 것이라고 할 수 없다.

05 일반적 행동의 자유에 대한 설명으로 옳지 않은 것은? (다툼이 있는 경우 판례에 의함)

① 개인이 대마를 자유롭게 수수하고 흡연할 자유는 헌법 제10조의 행복추구권에서 나오는 일반적 행동자유권의 보호영역에 속하지 않는다.
② 한자를 의사소통의 수단으로 사용하는 것은 행복추구권에서 파생되는 일반적 행동의 자유 내지 개성의 자유로운 발현의 한 내용이다.
③ 운전 중 휴대전화 사용을 금지하고 이를 위반한 경우 20만 원 이하의 벌금이나 구류 또는 과료에 처할 수 있다고 규정하고 있는 도로교통법 제49조 제1항 제1호 등은 자동차등 운전자의 일반적 행동자유권을 침해하지 않는다.
④ 병역의무의 이행으로서의 현역병 복무는 국가가 간섭하지 않으면 자유롭게 할 수 있는 행위에 속하지 않으므로, 현역병으로 복무할 권리가 일반적 행동자유권에 포함된다고 할 수도 없다.

06 죄형법정주의의 명확성원칙에 대한 설명으로 옳지 않은 것은? (다툼이 있는 경우 판례에 의함)

① 여러 사람의 눈에 뜨이는 곳에서 공공연하게 알몸을 지나치게 내놓거나 가려야 할 곳을 내놓아 다른 사람에게 부끄러운 느낌이나 불쾌감을 준 사람을 처벌하는 경범죄처벌법 제3조 제1항 제33호는 죄형법정주의의 명확성 원칙에 위배되지 않는다.
② 음주운전의 경우 운전의 개념에 도로 외의 곳을 포함하도록 한 도로교통법 제2조 제26호 등은 죄형법정주의의 명확성원칙에 위배되지 않는다.
③ 예시적 입법형식이 명확성원칙에 위배되지 않으려면, 예시한 개별적인 구성요건이 그 자체로 '일반조항의 해석을 위한 판단지침을 내포'하고 있어야 할 뿐만 아니라, 그 일반조항 자체가 그러한 '구체적인 예시를 포괄할 수 있는 의미를 담고 있는 개념'이 되어야 한다.
④ 음주운전 금지규정을 2회 이상 위반한 사람을 2년 이상 5년 이하의 징역이나 1천만 원 이상 2천만 원 이하의 벌금에 처하도록 한 구 도로교통법 제148조의2 제1항 부분은 죄형법정주의의 명확성원칙에 위반되지 않는다.

07 영장주의에 관한 설명 중 옳은 것은 모두 몇 개인가? (다툼이 있는 경우 판례에 의함)

㉠ 검사 또는 수사관서의 장 등이 전기통신사업자에게 수사, 형의 집행 또는 국가안전보장에 대한 위해 방지를 위한 정보수집을 위해 이용자의 성명 등 통신자료의 열람이나 제출을 요청할 수 있도록 한 전기통신사업법 제83조 제3항 부분이 영장주의의 적용을 받는다.
㉡ 채취대상자가 동의하는 경우에 영장 없이 디엔에이감식시료를 채취할 수 있도록 규정한 '디엔에이신원확인정보의 이용 및 보호에 관한 법률' 제8조 제3항이 영장주의와 적법절차원칙에 위배되어 신체의 자유를 침해하는 것은 아니다.
㉢ 국민건강보험공단이 2013.12.20. 서울용산경찰서장에게 청구인들의 요양급여내역을 제공한 행위가 영장주의에 위배되어 청구인들의 개인정보자기결정권을 침해하는 것은 아니다.
㉣ 김포시장이 2015.7.3. 김포경찰서장에게 청구인들의 이름, 생년월일, 전화번호, 주소를 제공한 행위가 영장주의에 위배되어 청구인들의 개인정보자기결정권을 침해하는 것은 아니다.

> ㉤ 통신사실 확인자료 제공요청은 수사 또는 내사의 대상이 된 가입자 등의 동의나 승낙을 얻지 아니하고도 공공기관이 아닌 전기통신사업자를 상대로 이루어지는 것으로 통신비밀보호법이 정한 수사기관의 강제처분으로서 헌법상 영장주의가 적용된다.

① 2개　② 3개　③ 4개　④ 5개

08 양심의 자유에 대한 설명으로 옳지 않은 것은? (다툼이 있는 경우 판례에 의함)

① 양심의 자유에서 보호하는 양심은 그 어느 것으로도 대체되지 아니하며, 그에 따라 행동함으로써 자기를 표현하고 인간으로서의 존엄과 가치를 확인하는 의미를 가지는 것이다.
② 헌법상 양심의 자유에 의해 보호받는 '양심'으로 인정할 것인지의 판단은 그것이 깊고, 확고하며, 진실된 것인지 여부에 따르게 된다.
③ 당해 실정법이 특정의 행위를 금지하거나 명령하는 것이 아니라 단지 특별한 혜택을 부여하거나 권고 내지 허용하고 있는 데에 불과한 경우에도 양심의 자유에 대한 침해가 될 수 있다.
④ 양심의 자유 중 양심형성의 자유는 내심에 머무르는 한, 절대적으로 보호되는 기본권이라 할 수 있는 반면, 양심적 결정을 외부로 표현하고 실현할 수 있는 권리인 양심실현의 자유는 법질서에 위배되거나 타인의 권리를 침해할 수 있기 때문에 법률에 의하여 제한될 수 있다.

09 재산권에 대한 설명으로 옳지 않은 것은? (다툼이 있는 경우 판례에 의함)

① 성매매에 제공되는 사실을 알면서 건물을 제공하는 행위를 처벌하는 구 성매매알선 등 행위의 처벌에 관한 법률 조항은 과잉금지원칙에 위반하여 건물소유자의 재산권을 침해하지 않는다.
② 피상속인에 대한 부양의무를 이행하지 않은 직계존속의 경우를 상속결격사유로 규정하지 않은 민법 제1004조는 청구인의 재산권을 침해하지 않는다.
③ 피상속인의 4촌 이내의 방계혈족을 4순위 법정상속인으로 규정하고 있는 민법 제1000조 제1항 제4호는 피상속인의 4촌 이내의 방계혈족의 재산권 및 사적 자치권을 침해하지 않는다.
④ 토지의 가격이 취득일 당시에 비하여 현저히 상승한 경우 환매금액에 대한 협의가 성립하지 아니한 때에는 사업시행자로 하여금 환매금액의 증액을 청구할 수 있도록 한 공익사업법 조항은 환매권자의 재산권을 침해한다.

10 청원권에 대한 설명으로 옳지 않은 것은? (다툼이 있는 경우 판례에 의함)

① 청원사항의 처리결과에 심판서나 재결서에 준하여 이유를 명시할 것을 요구하는 것은 청원권의 보호범위에 포함된다.
② 청원의 처리내용이 청원인이 기대한 바에 미치지 않는다고 하더라도 헌법소원의 대상이 되는 공권력의 행사 또는 불행사가 있다고 볼 수 없다.
③ 국회에 청원할 때 국회의원의 소개를 얻도록 한 국회법 조항은 청원권을 침해하지 않는다.
④ 청원을 소개한 의원은 소관 위원회 또는 청원심사소위원회의 요구가 있을 때에는 청원의 취지를 설명하여야 한다.

경찰헌법 4회 모의고사

01 국적 상실에 관한 설명으로 옳지 않은 것은? (다툼이 있는 경우 판례에 의함)

① 대한민국의 국민으로서 자진하여 외국 국적을 취득한 자가 외국 국적을 취득한 때부터 6개월 내에 법무부장관에게 대한민국 국적을 보유할 의사가 있다는 뜻을 신고하지 아니하면 그 외국 국적을 취득한 때로 소급(遡及)하여 대한민국 국적을 상실한 것으로 본다.
② 대한민국 국민이 자진하여 외국 국적을 취득한 경우 대한민국 국적을 상실하도록 한 국적법 제15조 제1항이 청구인의 거주・이전의 자유 및 행복추구권을 침해하는 것은 아니다.
③ 대한민국의 국민만이 누릴 수 있는 권리 중 대한민국의 국민이었을 때 취득한 것으로서 양도(讓渡)할 수 있는 것은 그 권리와 관련된 법령에서 따로 정한 바가 없으면 3년 내에 대한민국의 국민에게 양도하여야 한다.
④ 법무부장관으로 하여금 거짓이나 그 밖의 부정한 방법으로 귀화허가를 받은 자에 대하여 그 허가를 취소할 수 있도록 규정하고 있는 국적법 제21조 부분이 청구인의 거주・이전의 자유 및 행복추구권을 침해하는 것은 아니다.

02 소급입법금지원칙에 대한 설명으로 옳지 않은 것은?

① 2009.12.31. 개정된 공무원연금법 제64조 제1항 제1호를 2009.1.1.까지 소급하여 적용하도록 규정한 공무원연금법 부칙 제1조 단서 등은 소급입법금지원칙에 위배되지 않는다.
② 공무원의 퇴직연금 지급개시연령을 제한한 구 공무원연금법 제46조 제1항 제1호 및 공무원연금법 부칙 제10조 제2항 제6호가 소급입법에 해당되거나 신뢰보호원칙에 위배되어 재산권을 침해하지 않는다.
③ 친일재산을 그 취득・증여 등 원인행위시에 국가의 소유로 하도록 규정한 친일재산귀속법 제3조 제1항 본문이 진정소급입법으로서 헌법 제13조 제2항에 반하지 않는다.
④ 부당환급받은 세액을 징수하는 근거규정인 개정 조항을 개정된 법 시행 후 최초로 환급세액을 징수하는 부분부터 적용하도록 규정한 법인세법 부칙 제9조는 진정소급입법으로서 재산권을 침해한다.

03 선거권의 제한에 관한 설명으로 옳지 않은 것은? (다툼이 있는 경우 판례에 의함)

① 집행유예자와 수형자의 선거권 제한은 범죄자가 범죄의 대가로 선고받은 자유형의 본질에서 당연히 도출되는 것이 아니므로, 범죄자의 선거권 제한 역시 보통선거원칙에 기초하여 필요 최소한의 정도에 그쳐야 한다.
② 1년 이상의 징역의 형의 선고를 받고 그 집행이 종료되지 아니한 사람의 선거권을 제한하는 공직선거법 제18조 제1항 제2호 본문 부분은 청구인들의 선거권을 침해하지 않는다.
③ '선거범으로서 100만 원 이상의 벌금형의 선고를 받고 그 형이 확정된 후 5년을 경과하지 아니한 자 또는 형의 집행유예의 선고를 받고 그 형이 확정된 후 10년을 경과하지 아니한 자'에 대한 선거권을 제한하는 공직선거법 제18조 제1항 제3호 부분은 이중처벌금지원칙에 위배된다.
④ 선거범죄로 인하여 100만 원 이상의 벌금형이 선고되면 임원의 결격사유가 됨에도, 새마을금고법 제21조가 선거범죄와 다른 죄가 병합되어 경합범으로 재판하게 되는 경우 선거범죄를 분리 심리하여 따로 선고하는 규정을 두지 않은 것을 다투는 것이 과잉금지원칙에 반하여 새마을금고 임원이나 임원이 되고자 하는 사람의 직업선택의 자유를 침해한다.

04 기본권보호의무에 대한 설명으로 옳지 않은 것은? (다툼이 있는 경우 판례에 의함)

① 국가의 기본권보호의무는 타인에 의하여 개인의 신체나 생명 등 법익이 국가의 보호의무 없이는 무력화될 정도의 상황에서만 적용될 수 있다.

② 기본권에 대한 보호의무자로서의 국가는 국민의 기본권에 대한 침해자로서의 지위에 서는 것이 아니라 국민과 동반자로서의 지위에 서는 점에서 기본권의 소극적 방어권으로서의 측면과 다르다.
③ 국가가 국민의 기본권 보호의무를 이행함에 있어 그 행위의 형식에 관하여도 폭넓은 형성의 자유가 인정되나 반드시 법령에 의하여 이행하여야 한다.
④ 국가가 국민의 법익을 보호하기 위하여 전혀 아무런 보호조치를 취하지 않았든지 아니면 취한 조치가 법익을 보호하기에 명백하게 전적으로 부적합하거나 불충분한 경우에 한하여 헌법재판소는 국가의 보호의무의 위반을 확인할 수 있다.

05 **평등권에 대한 설명으로 옳지 않은 것은? (다툼이 있는 경우 판례에 의함)**

① 본인의 직계존・비속의 재산을 등록하도록 공직자윤리법이 개정되었음에도 이미 배우자의 직계존・비속의 재산을 등록한 혼인한 여성 등록의무자는 종전과 동일하게 배우자의 직계존・비속의 재산을 등록하도록 규정한 공직자윤리법 부칙규정은 평등원칙에 위배된다.
② 보훈보상대상자의 부모에 대한 유족보상금 지급 시 수급권자를 1인에 한정하고 나이가 많은 자를 우선하도록 규정한 '보훈보상대상자 지원에 관한 법률' 규정은 나이가 적은 부모의 평등권을 침해한다.
③ 독립유공자의 손자녀에 대한 보상금 지급 시 손자녀 1인에 한정하고, 나이가 많은 손자녀를 우선하도록 규정하고 있는 독립유공자예우에 관한 법률 규정은 나이가 적은 독립유공자 손자녀의 평등권을 침해한다.
④ 6・25전몰군경자녀에게 6・25전몰군경자녀수당을 지급하면서 그 수급권자를 6・25전몰군경자녀 중 1명에 한정하고, 나이가 많은 자를 우선하도록 정한 '국가유공자 등 예우 및 지원에 관한 법률' 규정은 나이가 적은 6・25전몰군경자녀의 평등권을 침해한다.

06 **영장주의 원칙에 대한 설명으로 옳지 않은 것은? (다툼이 있는 경우 판례에 의함)**

① 헌법상 영장주의의 본질은 체포・구속・압수・수색 등 기본권을 제한하는 강제처분을 함에 있어서는 중립적인 법관의 구체적 판단을 거쳐야 한다는 데에 있다.
② 물리적 강제력을 행사하는 경우뿐 아니라 상대방에게 의무를 부담하게 하는 경우이거나 상대방의 의사에 반하여 실질적으로 법익 또는 기본권을 침해하는 처분이면 강제처분에 해당된다.
③ 헌법 제12조 제3항 중 검사의 신청이라는 부분의 취지는 모든 영장의 발부에 검사의 신청이 필요하다는 것이 아니라 수사단계에서 영장의 발부를 신청할 수 있는 자를 검사로 한정한 것으로 해석함이 타당하다.
④ 헌법에 규정된 영장신청권자로서의 검사는 검찰권을 행사하는 국가기관인 검사로서 공익의 대표자이자 수사단계에서의 인권옹호기관으로서의 지위에서 그에 부합하는 직무를 수행하는 자를 의미하는 것이지, 검찰청법상 검사만을 지칭하는 것으로 보기 어렵다.

07 **사생활의 비밀과 자유에 대한 설명으로 옳지 않은 것은? (다툼이 있는 경우 판례에 의함)**

① 징벌혐의의 조사를 받고 있는 청구인이 변호인 아닌 자와 접견할 당시 교도관이 참여하여 대화내용을 기록하게 한 행위는 청구인의 사생활의 비밀과 자유를 침해하지 않는다.
② 구치소장이 청구인과 배우자의 접견을 녹음한 행위는 청구인의 사생활의 비밀과 자유를 침해하지 않는다.
③ 미결수용자의 접견내용의 녹음・녹화에 관해 규정하고 있는 형집행법 제41조 제2항 제1호 등은 과잉금지원칙에 위배되어 청구인의 사생활의 비밀과 자유 등을 침해하지 않는다.
④ 변호사에게 전년도에 처리한 수임사건의 건수 및 수임액을 소속 지방변호사회에 보고하도록 규정하고 있는 구 변호사법 제28조의2는 청구인들의 사생활의 비밀을 침해한다.

08 표현의 자유에서 명확성원칙에 관한 설명으로 가장 적절하지 않은 것은? (다툼이 있는 경우 판례에 의함)

① 불명확한 규범에 의한 규제는 헌법상 보호받는 표현에 대한 위축적 효과를 야기하고, 그로 인하여 다양한 의견, 견해, 사상의 표출을 통한 상호 검증이라는 표현의 자유의 본래의 기능을 상실하게 한다. 따라서 표현의 자유를 규제하는 법률은 규제되는 표현의 개념을 세밀하고 명확하게 규정할 것이 헌법적으로 요구된다.

② 표현의 자유를 규제하는 경우에 헌법이 요청하는 명확성의 기준이 일반적으로 강화된다고 할 것이고, 특히 국가공무원법조항 중 '그 밖의 정치단체'에 관한 부분과 같이, 어떤 단체에 가입하는가에 관한 집단적 형태의 '표현의 내용'에 근거한 규제인 경우에는, 더욱 더 규제되는 표현의 개념을 세밀하고 명확하게 규정할 것이 요구된다.

③ 초・중등학교의 교육공무원이 정치단체의 결성에 관여하거나 이에 가입하는 행위를 금지한 국가공무원법조항 중 '그 밖의 정치단체'에 관한 부분은 죄형법정주의원칙에서 파생되는 명확성원칙뿐만 아니라 표현의 자유를 규제하는 입법에 있어서의 명확성원칙에 부합하여야 하며, 그 정도는 완화된 의미에서의 명확성이라 할 것이다.

④ 표현의 자유를 제한하는 규제 대상이 다양・다기하다 하더라도, 개별화・유형화를 통한 명확성의 추구를 포기하여서는 아니 되고, 부득이한 경우 국가는 표현에 대한 규제의 과잉보다는 오히려 규제의 부족을 선택하여야 할 것이다.

09 직업의 자유에 대한 설명으로 옳지 않은 것은? (다툼이 있는 경우 판례에 의함)

① 청원경찰이 금고 이상의 형의 선고유예를 받은 경우 당연 퇴직되도록 규정한 청원경찰법 제10조의6 제1호 부분은 직업의 자유를 침해한다.

② 세무사 자격 보유 변호사로 하여금 세무사로서 세무사의 업무를 할 수 없도록 규정한 세무사법 제6조 제1항 등은 세무사 자격 보유 변호사의 직업선택의 자유를 침해한다.

③ 변호사의 자격이 있는 자에게 더 이상 세무사 자격을 부여하지 않는 구 세무사법 제3조는 시행일 이후 변호사 자격을 취득한 청구인들의 직업선택의 자유를 침해한다.

④ 아동학대관련범죄로 형을 선고받아 확정된 자로 하여금 그 형이 확정된 때부터 형의 집행이 종료되거나 집행을 받지 아니하기로 확정된 후 10년 동안 체육시설 및 학교를 운영하거나 취업 등을 제한한 아동복지법 조항은 청구인들의 직업선택의 자유를 침해한다.

10 교육을 받을 권리에 대한 설명으로 옳지 않은 것은? (다툼이 있는 경우 판례에 의함)

① 검정고시 응시자격을 제한하는 것은 국민의 교육받을 권리 중 사회권적 기본권을 제한하는 것이므로 그 제한에 대하여는 헌법 제37조 제2항의 과잉금지원칙에 따른 심사를 받아야 하는 것은 아니다.

② 교육을 받을 권리가 국가에 대하여 특정한 교육제도나 시설의 제공을 요구할 수 있는 권리를 뜻하는 것은 아니다.

③ 교육을 받을 권리는 교육영역에서의 기회균등을 내용으로 하는 것이지, 자신의 교육환경을 최상 혹은 최적으로 만들기 위해 타인의 교육시설 참여 기회를 제한할 것을 청구할 수 있는 기본권은 아니다.

④ 국가에게 능력에 따라 균등한 교육의 기회를 보장할 의무가 부여되어 있다 하더라도 이로부터 군인이 자기계발을 위하여 해외유학하는 경우에 그 교육비를 청구할 수 있는 권리가 도출된다고 할 수는 없다.

경찰헌법 5회 모의고사

01 헌정사에 대한 설명으로 옳지 않은 것은? (다툼이 있는 경우 판례에 의함)

① 교육부장관은 교육부 고시를 통해 '대한민국이 유엔에서 승인한 한국의 유일한 합법정부'라는 내용을 명시하여야 할 헌법상 작위의무가 인정된다.

② 1961년 5·16 쿠데타에 의해 정권을 잡은 군부가 제정한 국가재건비상조치법은 헌법과 같은 효력이 있는 기본법이다.

③ 1971년 12월 27일 제정된 국가보위에 관한 특별조치법은 초헌법적인 국가긴급권을 대통령에게 부여하고 있다는 점에서 헌법을 부정하고 파괴하는 반입헌주의, 반법치주의의 위헌법률이다.

④ 1980년 10월 28일 제정된 국가보위입법회의법에 의해 구성된 국가보위입법회의에서 제정된 법률은 "그 내용"이 현행 헌법에 저촉된다고 하여 이를 다투는 것은 별론으로 하고 "그 제정절차"에 하자가 있다는 것을 이유로 하여 이를 다툴 수는 없다.

02 영토조항에 대한 설명으로 옳지 않은 것은? (다툼이 있는 경우 판례에 의함)

① 우리 헌법이 "대한민국의 영토는 한반도와 그 부속도서로 한다"는 영토조항을 두고 있는 이상 대한민국의 헌법은 북한지역을 포함한 한반도 전체에 효력이 미치고 따라서 북한지역은 당연히 대한민국의 영토가 된다.

② 국민의 개별적 기본권이 아니라도 기본권보장의 실질화를 위하여 영토조항만을 근거로 하여 독자적으로는 헌법소원을 청구할 수 없다 할지라도 모든 국가권능의 정당성의 근원인 국민의 기본권 침해에 대한 권리구제를 위하여 그 전제조건으로서 영토에 관한 권리를 영토권이라 구성하여 헌법소원의 대상인 기본권의 하나로 간주하는 것은 가능하다.

③ 영토주권을 수호할 의무를 가진 대한민국 국민으로서 독도를 일본의 영토라고 주장하고 있는 주한 일본대사관을 대상으로 항의집회를 하는 것은 영토권을 행사하는 것이라 할 수 있다.

④ 국가보안법과 남북교류협력에 관한 법률은 상호 그 입법목적과 규제대상을 달리하고 있는 관계로 구 국가보안법 제6조 제1항 소정의 잠입·탈출죄에서의 "잠입·탈출"과 남북교류법 제27조 제2항 제1호 소정의 죄에서의 "왕래"는 그 각 행위의 목적이 다르다고 해석되고, 따라서 두 죄는 각기 그 구성요건을 달리하고 있다고 보아야 할 것이므로, 위 두 법률조항에 관하여 형법 제1조 제2항의 신법우선의 원칙이 적용될 수 없다.

03 헌법 제8조 정당 조항의 규범적 의미에 대한 설명으로 옳지 않은 것은? (다툼이 있는 경우 판례에 의함)

① 정당설립의 자유는 국민 개인과 정당의 기본권이라 할 수 있고, 당연히 이를 근거로 하여 헌법소원심판을 청구할 수 있다.

② 정당설립의 자유는 국민 개인과 정당 그리고 권리능력 없는 사단의 실체를 가지고 있는 등록취소된 정당에게 인정되는 기본권이다.

③ 정당설립의 자유는 설립할 정당의 조직형태를 어떠한 내용으로 할 것인가에 관한 정당조직 선택의 자유 및 그와 같이 선택된 조직을 결성할 자유를 포함한다.

④ 정당의 설립 및 가입을 금지하는 법률조항은 이를 정당화하는 사유의 중대성에 있어서 적어도 민주적 기본질서에 대한 위반에 버금가는 것이어야 하는 것은 아니다.

04 공무원의 신분보장에 대한 설명으로 옳지 않은 것은? (다툼이 있는 경우 판례에 의함)

① 공무원에게 직무의 내외를 불문하고 품위유지 의무를 부과하고, 품위손상행위를 공무원에 대한 징계사유로 규정한 국가공무원법 제63조 등은 명확성원칙에 위배된다.

② 지방공무원이 면직처분에 대해 불복할 경우 행정소송 제기에 앞서 반드시 소청심사를 거치도록 한 지방공무원법 제20조의2 부분은 재판청구권을 침해하거나 평등원칙에 위반되는지 않는다.
③ 지방공무원이 면직처분에 대해 불복할 경우 소청심사청구기간을 처분사유 설명서 교부일부터 30일 이내로 정한 구 소방공무원법 제21조 부분은 재판청구권을 침해하거나 평등원칙에 위반되지 않는다.
④ 일반군무원으로 전환된 경우 정년의 단계적 연장을 규정한 군인사법 부칙 제3조 부분은 청구인들의 평등권을 침해하지 않는다.

05 기본권의 주체에 관한 설명으로 가장 적절하지 않은 것은? (다툼이 있는 경우 판례에 의함)

① 공법인이나 이에 준하는 지위를 가진 자라 하더라도 공무를 수행하거나 고권적 행위를 하는 경우가 아닌 사경제 주체로서 활동하는 경우나 조직법상 국가로부터 독립한 고유 업무를 수행하는 경우, 그리고 다른 공권력 주체와의 관계에서 지배복종관계가 성립되어 일반 사인처럼 그 지배하에 있는 경우 등에는 기본권 주체가 될 수 있다.
② 교육의 자주성이나 대학의 자율성은 헌법 제22조 제1항이 보장하고 있는 학문의 자유의 확실한 보장수단으로 꼭 필요한 것으로서 이는 대학에게 부여된 헌법상의 기본권이다. 따라서 국립대학인 서울대학교는 다른 국가기관 내지 행정기관과는 달리 공권력의 행사자의 지위와 함께 기본권의 주체라는 점도 중요하게 다루어져야 한다.
③ 서울대학교가 기본권의 수범자로 기능하면서 행정심판의 피청구인이 된 경우에 심판청구를 인용하는 재결에 기속되도록 정한 행정심판법 조항의 위헌성을 다투는 사건에서 서울대학교는 기본권의 주체가 된다.
④ 재개발조합의 공공성과 '도시 및 주거환경정비법'에서 재개발조합에 행정처분을 할 수 있는 권한을 부여한 취지 등을 종합하여 볼 때, 재개발조합이 공법인의 지위에서 행정처분의 주체가 되는 경우에 있어서는 재개발조합은 재개발사업에 관한 국가의 기능을 대신하여 수행하는 공권력 행사자 내지 기본권 수범자의 지위에 있다.

06 생명권에 대한 설명으로 옳지 않은 것은? (다툼이 있는 경우 판례에 의함)

① 생명에 대한 권리는 비록 헌법에 명문의 규정이 없다 하더라도 인간의 생존본능과 존재목적에 바탕을 둔 선험적이고 자연법적인 권리로서 헌법에 규정된 모든 기본권의 전제로서 기능하는 기본권 중의 기본권이다.
② 사인의 범죄행위로 인해 일반국민의 생명권이 박탈되는 것을 방지할 수 있는 입법 등을 함으로써 일반국민의 생명권을 최대한 보호할 의무가 있다.
③ 국가에게 태아의 생명을 보호할 의무가 있으므로 생명의 연속적 발전과정에 대하여 생명이라는 공통요소만을 이유로 하여 언제나 동일한 법적 효과를 부여하여야 한다.
④ 인간이라는 생명체의 형성이 출생 이전의 그 어느 시점에서 시작됨을 인정하더라도, 법적으로 사람의 시기를 출생의 시점에서 시작되는 것으로 보는 것이 헌법적으로 금지된다고 할 수 없다.

07 죄형법정주의의 명확성원칙에 대한 설명으로 옳지 않은 것은? (다툼이 있는 경우 판례에 의함)

① 죄형법정주의에서 파생되는 명확성의 원칙은 누구나 법률이 처벌하고자 하는 행위가 무엇이며 그에 대한 형벌이 어떠한 것인지를 예견할 수 있고, 그에 따라 자신의 행위를 결정할 수 있도록 구성요건이 명확할 것을 의미한다.
② 처벌을 규정하고 있는 법률조항이 구성요건이 되는 행위를 직접 규정하지 않고 다른 법률조항을 원용하거나 그 내용 중 일부를 괄호 안에 규정한 것만으로 명확성원칙에 위반된다.
③ 형벌규정에 대한 예측가능성의 유무는 당해 특정조항 하나만을 가지고 판단할 것이 아니고, 관련 법조항 전체를 유기적・체계적으로 종합판단하여야 하며, 각 대상법률의 성질에 따라 구체적・개별적으로 검토하여야 한다.

④ 법규범이 불확정개념을 사용하는 경우라도 법률해석을 통하여 행정청과 법원의 자의적인 적용을 배제하는 합리적이고 객관적인 기준을 얻는 것이 가능한 경우, 즉 자의를 허용하지 않는 통상의 합리적 해석방법에 의하더라도 그 의미내용을 알 수 있는 경우는 명확성원칙에 반하지 아니한다.

08 신체의 자유에 대한 설명으로 옳은 것은? (다툼이 있는 경우 판례에 의함)

① 병(兵)에 대한 징계처분으로 일정기간 부대나 함정 내의 영창 그 밖의 구금장소에 감금하는 영창처분이 가능하도록 규정한 구 군인사법 제57조 제2항은 신체의 자유를 침해하지 않는다.

② 보호의무자 2인의 동의와 정신건강의학과 전문의 1인의 진단으로 정신질환자에 대한 보호입원이 가능하도록 한 정신보건법 제24조 제1항 및 제2항은 신체의 자유를 침해한다.

③ 강제퇴거명령을 받은 사람을 즉시 대한민국 밖으로 송환할 수 없으면 송환할 수 있을 때까지 보호시설에 보호할 수 있도록 규정한 출입국관리법 제63조 제1항은 과잉금지원칙에 반하여 신체의 자유를 침해한다.

④ 외국에서 형의 전부 또는 일부의 집행을 받은 자에 대하여 형을 감경 또는 면제할 수 있도록 규정한 형법 제7조가 신체의 자유를 침해하지 않는다.

09 양심의 자유에 대한 설명으로 옳지 않은 것은? (다툼이 있는 경우 판례에 의함)

① 헌법상 보호되는 양심은 어떤 일의 옳고 그름을 판단함에 있어서 그렇게 행동하지 아니하고는 자신의 인격적인 존재가치가 허물어지고 말 것이라는 강력하고 진지한 마음의 소리로서 절박하고 구체적인 양심을 말한다.

② 일반적으로 민주적 다수는 법과 사회의 질서를 그들의 정치적 의사와 도덕적 기준에 따라 형성하기 때문에, 국가의 법질서나 사회의 도덕률과 갈등을 일으키는 양심은 현실적으로 이러한 법질서나 도덕률에서 벗어나려는 소수의 양심이다.

③ 민사집행법상 재산명시의무를 위반한 채무자에 대하여 법원이 결정으로 20일 이내의 감치에 처하도록 규정한 민사집행법 제68조 제1항은 청구인의 양심의 자유를 침해한다.

④ 자신의 태도나 입장을 외부에 설명하거나 해명하는 행위는 진지한 윤리적 결정에 관계된 행위라기보다는 단순한 생각이나 의견, 사상이나 확신 등의 표현행위라고 볼 수 있어 양심의 자유의 보호영역에 포괄되지 아니한다.

10 인간다운 생활을 할 권리와 사회보장수급권에 대한 설명으로 옳지 않은 것은? (다툼이 있는 경우 판례에 의함)

① 퇴직연금 수급자가 유족연금을 함께 받게 된 경우 그 유족연금액의 2분의 1을 빼고 지급하도록 하는 구 공무원연금법 제45조 제4항 중 '퇴직연금 수급자'에 관한 부분이 청구인의 인간다운 생활을 할 권리 및 재산권을 침해하지 않는다.

② 선출직 공무원으로서 받게 되는 보수가 기존의 연금에 미치지 못하는 경우에도 연금 전액의 지급을 정지하도록 정한 공무원연금법 규정 중 지방의회의원에 관한 부분은 과잉금지원칙에 위배되어 재산권을 침해한다.

③ 업무상 재해에 통상의 출퇴근 재해를 포함시키는 개정 법률조항을 개정법 시행 후 최초로 발생하는 재해부터 적용하도록 하는 산업재해보상보험법 부칙 조항은 헌법상 평등원칙에 위반되지 않는다.

④ 65세 미만의 일정한 노인성 질병이 있는 사람의 장애인 활동지원급여 신청자격을 제한하는 장애인활동 지원에 관한 법률 규정은 평등원칙에 위반된다.

경찰헌법 6회 모의고사

01 국적 취득에 대한 설명으로 옳지 않은 것은? (다툼이 있는 경우 판례에 의함)

① 귀화허가는 외국인에게 대한민국 국적을 부여함으로써 국민으로서의 법적 지위를 포괄적으로 설정하는 행위에 해당한다.
② 법무부장관은 귀화신청인이 귀화 요건을 갖추었다 하더라도 귀화를 허가할 것인지 여부에 관하여 재량권을 가진다.
③ 대한민국 국적을 취득한 사실이 없는 외국인은 법무부장관의 귀화허가(歸化許可)를 받은 때에 대한민국 국적을 취득한다.
④ 외국인이 귀화허가를 받기 위한 요건으로 '품행이 단정할 것'은 '귀화신청자를 대한민국의 새로운 구성원으로서 받아들이는 데 지장이 없을 만한 품성과 행실을 갖춘 것'을 의미한다.

02 신뢰보호원칙에 대한 설명으로 옳지 않은 것은? (다툼이 있는 경우 판례에 의함)

① 국민은 현재의 법적 상태가 항상 지속되리라는 것을 원칙적으로 신뢰할 수 없다.
② 신뢰보호가치의 정도는 개인이 어느 정도로 법률개정을 예측할 수 있었는가에 따라서 결정된다.
③ 일반적으로 법률은 현실상황의 변화나 입법정책의 변경 등으로 언제라도 개정될 수 있는 것이기 때문에, 원칙적으로 법률의 개정은 예측할 수 있다고 보아야 한다.
④ 법률에 따른 개인의 행위가 단지 법률이 반사적으로 부여하는 기회의 활용을 넘어서 국가에 의하여 일정 방향으로 유인된 것이라면 특별히 보호가치가 있는 신뢰이익이 인정될 수 없다.

03 선거공영제와 선거부정방지제도에 대한 설명으로 옳지 않은 것은? (다툼이 있는 경우 판례에 의함)

① 선거공영제는 선거의 관리・운영에 필요한 비용을 후보자 개인에게 부담시키지 않고 국민 모두의 공평부담으로 하고자 하는 원칙이다.
② 선거범죄로 당선이 무효로 된 자에게 이미 반환받은 기탁금과 보전받은 선거비용을 다시 반환하도록 한 구 공직선거법 제265조의2 제1항 전문 부분은 선거공영제에 반한다.
③ 국회가 공직선거법 제122조의2를 개정하여 지방선거비용을 해당 지방자치단체에게 부담시킨 행위는 지방자치단체의 지방자치권을 침해하는 것은 아니다.
④ 선거기사심의위원회가 불공정한 선거기사를 보도하였다고 인정한 언론사에 대하여 언론중재위원회를 통하여 사과문을 게재할 것을 명하도록 하는 공직선거법 제8조의3 제3항 등은 언론사의 인격권을 침해한다.

04 주민투표에 대한 설명으로 옳지 않은 것은? (다툼이 있는 경우 판례에 의함)

① 주민투표권은 법률이 보장하는 권리일 뿐이지 헌법이 보장하는 기본권이 아니다.
② 지방자치단체가 중앙행정기관에게 주민투표의 실시요구를 해 줄 것을 요구할 수 있는 권한은 인정된다.
③ 주민투표에 부쳐진 사항은 주민투표권자 총수의 4분의 1 이상의 투표와 유효투표수 과반수의 득표로 확정된다.
④ 지방자치단체의 장 및 지방의회는 주민투표결과 확정된 사항에 대하여 2년 이내에는 이를 변경하거나 새로운 결정을 할 수 없다.

05 과잉금지원칙에 대한 설명으로 옳지 않은 것은? (다툼이 있는 경우 판례에 의함)

① 입법자가 택한 수단보다 국민의 기본권을 덜 침해하는 수단이 존재한다면 그 다른 수단이 효과 측면에서 입법자가 선택한 수단과 동등하거나 유사하다고 단정할 만한 명백한 근거가 없더라도, 그것은 과잉금지원칙에 반한다.

② 국민의 자유와 권리를 제한함에 있어서는 규제하려는 쪽에서 국민의 기본권을 보다 덜 제한하는 다른 방법이 있는지를 모색하여야 할 것이지, 제한당하는 국민의 쪽에서 볼 때 그 기본권을 실현할 다른 수단이 있다고 하여 그와 같은 사유만으로 기본권의 제한이 정당화되는 것은 아니다.

③ 전문직 자격제도에 관하여는 입법자에게 폭넓은 형성의 자유가 인정되므로, 심판대상조항이 직업선택의 자유를 최소한 침해하고 있는지 여부를 판단함에 있어서도 가장 덜 제약적인 방법인지가 아니라 입법목적을 달성하기 위해 필요한 범위 내의 것인지를 심사하는 방법에 따라야 한다.

④ 개인이 기본권의 행사를 통하여 일반적으로 타인과 사회적 연관관계에 놓여지는 경제적 활동을 규제하는 사회·경제정책적 법률을 제정함에 있어서는 입법자에게 보다 광범위한 형성권이 인정되므로, 이 경우 입법자의 예측판단이나 평가가 명백히 반박될 수 있는가 아니면 현저하게 잘못되었는가 하는 것만을 심사하는 것이 타당하다.

06 평등권 침해 여부를 심사하는 기준에 대한 설명으로 옳지 않은 것은? (다툼이 있는 경우 판례에 의함)

① 평등원칙 위반 여부를 심사함에 있어 엄격한 심사척도에 의할 것인지, 완화된 심사척도에 의할 것인지는 입법자에게 허용되는 입법형성권의 정도에 따라서 달라진다.

② 사람이나 사항에 대한 불평등대우가 기본권으로 보호된 자유의 행사에 불리한 영향을 미칠 수 있는 정도가 크면 클수록, 입법자의 형성의 여지에 대해서는 그만큼 더 넓은 한계가 설정되므로, 헌법재판소는 보다 완화된 심사척도를 적용함이 타당하다.

③ 자의심사의 경우에는 차별을 정당화하는 합리적인 이유가 있는지만을 심사하기 때문에 그에 해당하는 비교대상 간의 사실상의 차이나 입법목적(차별목적)을 발견·확인하는 데 그친다.

④ 헌법이 차별의 근거로 삼아서는 아니 되는 기준 또는 차별을 금지하고 있는 영역을 제시하고 있음에도 그러한 기준을 근거로 한 차별이나 그러한 영역에서의 차별의 경우 비례의 원칙에 따른 심사를 한다.

07 이중처벌금지원칙에 대한 설명으로 옳지 않은 것은? (다툼이 있는 경우 판례에 의함)

① 헌법 제13조 제1항에서 말하는 처벌은 범죄에 대한 국가의 형벌권 실행으로서의 과벌만을 의미하는 것이 아니라 국가가 행하는 일체의 제재나 불이익처분을 의미한다.

② 이중처벌금지의 원칙은 처벌 또는 제재가 동일한 행위를 대상으로 행해질 때에 적용될 수 있는 것이고, 그 대상이 동일한 행위인지의 여부는 기본적 사실관계가 동일한지 여부에 의하여 가려야 한다.

③ 하나의 형사재판절차에서 다루어진 사건을 대상으로 동시에 징역형과 자격정지형을 병과하는 것은 이중처벌금지원칙에 위반되지 아니한다.

④ 외국에서 형의 전부 또는 일부의 집행을 받은 자에 대하여 형을 감경 또는 면제할 수 있도록 규정한 형법 제7조는 이중처벌금지원칙에 위배되지 않는다.

08 다음 사례에 관한 설명 중 가장 적절하지 않은 것은? (다툼이 있는 경우 판례에 의함)

> 갑 등은 ○○중공업이 조선소 근로자를 정리해고한 것에 항의하여 크레인 점거 농성 중이던 을 등을 응원하고자 희망버스 집회를 개최하였다는 취지의 '집회 및 시위에 관한 법률' 위반 등 혐의로 기소된 사람들이다. 해당 수사기관은 위 사건의 수사 또는 체포영장의 집행을 위하여 법원의 허가를 얻어 전기통신사업자에게 갑 등에

> 대한 통신비밀보호법 제2조 제11호 바목에 해당하는 통신사실 확인자료의 제출을 요청하여 이를 제공받았고, 갑 등은 이후 해당 수사기관으로부터 위와 같은 통신사실 확인자료 제공사실을 통지받았다. 이에 갑 등은 통신비밀보호법 제2조 제11호 바목 등이 청구인들의 통신의 자유, 사생활의 비밀과 자유, 개인정보자기결정권 등 기본권을 침해한다고 주장하면서 헌법소원심판을 청구하였다.

① 위치정보 추적자료는 청구인들의 인적정보와 결합하여 특정인의 위치를 파악할 수 있는 개인정보이고, 수사기관은 정보주체의 동의 없이 제공받은 위치정보 추적자료를 통해 그의 활동반경·이동경로·현재위치 등을 확인할 수 있으므로, 이 사건 요청조항은 개인정보자기결정권을 제한하고 있다.

② 이 사건 요청조항은 수사기관이 전기통신사업자에게 위치정보 추적자료의 제공을 요청하여 이를 제공받도록 함으로써 정보주체인 전기통신가입자의 통신의 자유를 제한하므로 이에 대하여 판단한다.

③ 수사기관의 위치정보 추적자료 제공요청은 통신의 자유를 제한함과 동시에 사생활의 비밀과 자유도 제한하므로, 통신의 자유와 별도로 사생활의 비밀과 자유 침해 여부에 관하여 판단한다.

④ 통신사실 확인자료 제공요청은 수사 또는 내사의 대상이 된 가입자 등의 동의나 승낙을 얻지 아니하고도 공공기관이 아닌 전기통신사업자를 상대로 이루어지는 것으로 통신비밀보호법이 정한 수사기관의 강제처분이다.

09 **직업의 자유에 대한 설명으로 옳지 않은 것은? (다툼이 있는 경우 판례에 의함)**

① 화물자동차운송사업을 양수한 자는 양도한 자의 운송사업자로서의 지위를 승계하도록 하고 양도인의 위법행위를 원인으로 양수인에게 운행정지처분 등을 부과하는 구 화물자동차 운수사업법 조항은 화물자동차 운송사업의 양수인의 직업의 자유를 침해한다.

② 업무상 재해로 휴업하여 당해 연도에 출근의무가 없는 근로자에게도 유급휴가를 주도록 규정하고 있는 구 근로기준법 제60조 제1항 등은 사용자의 직업수행의 자유를 침해하지 않는다.

③ 비사업용 자동차의 외부에는 자기광고만 표시할 수 있도록 규정한 구 옥외광고물 등의 관리와 옥외광고산업 진흥에 관한 법률 시행령 조항은 청구인의 직업의 자유를 침해하지 않는다.

④ 자연인인 변호사의 영리행위 겸직을 원칙적으로 금지하고 지방변호사회의 허가를 받아 예외적으로 겸직할 수 있도록 한 변호사법 제38조 제2항을 법무법인에 대하여 준용하지 않고 있는 변호사법 제57조는 법무법인의 영업의 자유를 침해하지 않는다.

10 **근로의 권리에 관한 설명으로 가장 적절하지 않은 것은? (다툼이 있는 경우 판례에 의함)**

① 일할 환경에 관한 권리는 인간의 존엄성에 대한 침해를 막기 위한 권리로서 건강한 작업환경, 정당한 보수, 합리적 근로조건의 보장 등을 요구할 수 있는 권리까지를 포함한다.

② 근로의 권리는 근로자의 근로조건의 유지・개선을 위한 권리이므로 개인인 근로자만 근로의 권리의 주체가 되는 것이 아니라 노동조합도 그 주체가 될 수 있다.

③ 자본주의 경제질서하에서 근로자가 기본적 생활수단을 확보하고 인간의 존엄성을 보장받기 위하여 최소한의 근로조건을 요구할 수 있는 권리는 '자유권적 기본권'의 성격도 아울러 가지므로 이러한 경우 외국인 근로자에게도 그 기본권 주체성이 인정된다.

④ 산업연수생이 연수라는 명목하에 사업주의 지시・감독을 받으면서 사실상 노무를 제공하고 수당 명목의 금품을 수령하는 등 실질적인 근로관계에 있는 경우에도, 근로기준법이 보장한 근로기준 중 주요사항을 외국인 산업연수생에 대하여만 적용되지 않도록 하는 것은 합리적인 근거를 찾기 어렵다.

경찰헌법 7회 모의고사

01 **국민과 국적에 대한 설명으로 옳지 않은 것은? (다툼이 있는 경우 판례에 의함)**

① 국적은 성문의 법령을 통해서가 아니라 국가의 생성과 더불어 존재하는 것이므로, 헌법의 위임에 따라 국적법이 제정되나 그 내용은 국가의 구성요소인 국민의 범위를 구체화, 현실화하는 '헌법사항'을 규율하고 있는 것이다.
② 국민은 국가의 항구적 소속원이므로 어느 곳에 있든지 그가 속하는 국가의 통치권에 복종할 의무를 부담하고, 국외에 있을 때에는 예외적으로 거주국의 통치권에 복종하여야 한다.
③ 국적은 국가와 구성원 간의 법적 유대이고 보호와 복종관계를 뜻하므로 국가와 분리하여 생각할 수 없다. 즉 국적은 국가의 생성과 더불어 발생하고 국가의 소멸은 국적의 상실사유가 된다.
④ 헌법 제2조 제1항은 '대한민국의 국민이 되는 요건은 법률로 정한다'고 하여 대한민국 국적의 취득에 관하여 위임하고 있으나, 국적의 유지나 상실을 둘러싼 전반적인 법률관계를 법률에 규정하도록 위임하고 있는 것으로 풀이할 수는 없다.

02 **명확성원칙에 관한 설명으로 가장 적절하지 않은 것은? (다툼이 있는 경우 판례에 의함)**

① 청원주로 하여금 청원경찰이 품위를 손상하는 행위를 한 때에는 대통령령으로 정하는 징계절차를 거쳐 징계처분을 하도록 규정한 청원경찰법 조항은 명확성원칙에 위배되지 아니한다.
② 직계존속이 외국에서 영주할 목적 없이 체류한 상태에서 출생한 자는 병역의무를 해소한 경우에만 국적이탈을 신고할 수 있도록 하는 구 국적법 제12조 제3항은 명확성원칙에 위배되지 아니한다.
③ 복수국적자가 외국에 주소가 있는 경우에만 국적이탈을 신고할 수 있도록 하는 국적법 제14조 제1항 본문은 명확성원칙에 위배되지 아니한다.
④ "초·중등학교의 교육공무원은 '그 밖의 정치단체'의 결성에 관여하거나 이에 가입할 수 없다."고 규정한 국가공무원법 조항은 명확성원칙에 위배되지 아니한다.

03 **정당에 대한 설명으로 옳지 않은 것은? (다툼이 있는 경우 판례에 의함)**

① 정당의 법적 성격은 일반적으로 사적·정치적 결사 내지는 법인격 없는 사단으로 파악되고 있고, 이러한 정당의 법률관계에 대하여는 정당법의 관계 조문 이외에 일반 사법 규정이 적용되므로, 정당은 공권력 행사의 주체가 될 수 없다.
② 자유위임은 의회내에서의 정치의사형성에 정당의 협력을 배척하는 것이 아니며, 의원이 정당과 교섭단체의 지시에 기속되는 것을 배제하는 근거가 되는 것도 아니다.
③ 정당은 그 대의기관의 결의로써 해산할 수 있으며, 정당이 해산한 때에는 그 대표자는 지체없이 그 뜻을 국회에 신고하여야 한다.
④ 정당의 당원은 같은 정당의 타인의 당비를 부담할 수 없으며, 타인의 당비를 부담한 자와 타인으로 하여금 자신의 당비를 부담하게 한 자는 당비를 낸 것이 확인된 날부터 1년간 당해 정당의 당원자격이 정지된다.

04 **공무원의 신분보장에 대한 설명으로 옳지 않은 것은? (다툼이 있는 경우 판례에 의함)**

① 「지방공무원법」의 지방공무원의 전입에 관한 규정은 해당 지방공무원의 동의가 없더라도 그 공무원이 소속된 지방자치단체의 장의 동의를 얻어서 그 공무원을 전입할 수 있음을 규정하고 있는 것으로 보아야 한다.
② 수뢰죄를 범하여 금고 이상의 형의 선고유예를 받은 국가공무원은 당연퇴직하도록 한 국가공무원법 제69조 단서 부분은 청구인의 공무담임권을 침해하지 않는다.

③ 지방자치단체의 직제가 폐지된 경우에 해당 공무원을 직권면직할 수 있도록 규정하고 있는 지방공무원법 제62조 제1항 제3호는 직업공무원제도를 위반하지 않는다.
④ 원칙적으로 공직자선발에 있어 해당 공직이 요구하는 직무수행능력과 무관한 요소인 성별・종교・사회적 신분・출신지역 등을 이유로 하는 어떠한 차별도 허용되지 않는다고 할 것이나, 헌법의 기본원리나 특정조항에 비추어 능력주의 원칙에 대한 예외를 인정할 수 있는 경우가 있다.

05 태어난 즉시 '출생등록될 권리'에 관한 설명으로 가장 적절하지 않은 것은? (다툼이 있는 경우 판례에 의함)

① 태어난 즉시 '출생등록될 권리'는 아동이 사람으로서 인격을 자유로이 발현하고, 부모와 가족 등의 보호하에 건강한 성장과 발달을 할 수 있도록 최소한의 보호장치를 마련하도록 요구할 수 있는 권리로서 '출생 후 곧바로' 등록될 권리를 뜻한다.
② 아동의 부모에 관한 정보는 단순히 아동과의 혈연관계가 있음을 알리는 의미를 넘어서서 아동을 양육할 권리와 의무가 당해 부모에게 있음을 대외적으로 공표하는 의미를 갖는다.
③ 태어난 즉시 '출생등록될 권리'는 헌법에 명시되지 아니한 독자적 기본권으로서, 자유로운 인격실현을 보장하는 자유권적 성격과 아동의 건강한 성장과 발달을 보장하는 사회적 기본권의 성격을 함께 지닌다.
④ 혼인 중 여자와 남편 아닌 남자 사이에서 출생한 자녀에 대한 생부의 출생신고를 허용하도록 규정하지 아니한 '가족관계의 등록 등에 관한 법률' 조항은 혼인 외 출생자인 청구인들의 태어난 즉시 '출생등록될 권리'를 침해한다.

06 인격권에 대한 설명으로 옳지 않은 것은? (다툼이 있는 경우 판례에 의함)

① 교도소장이 민사법정 내에서 청구인으로 하여금 양손수갑 2개를 앞으로 사용하고 상체승을 한 상태에서 변론을 하도록 한 행위는 청구인의 인격권과 신체의 자유를 침해하지 않는다.
② 범죄수사를 위한 경찰의 촬영행위가 현재 범행이 이루어지고 있거나 행하여진 직후이고, 증거보전의 필요성 및 긴급성이 있으며, 일반적으로 허용되는 상당한 방법에 의한 경우라면 그 촬영행위가 영장 없이 이루어졌다 하더라도 위법하다고 할 수 없다.
③ 신상정보 공개・고지명령을 소급적용하는 '성폭력범죄의 처벌 등에 관한 특례법' 부칙 제7조 제1항 부분은 청구인들의 인격권 및 개인정보자기결정권을 침해하지 않는다.
④ 형집행법 제88조가 민사재판의 당사자로 출석하는 수형자에 대하여, 사복착용을 허용하는 형집행법 제82조를 준용하지 아니한 것은 공정한 재판을 받을 권리, 인격권, 행복추구권을 침해한다.

07 보안처분에 대한 설명으로 옳지 않은 것은? (다툼이 있는 경우 판례에 의함)

① 보안처분은 형벌과는 달리 행위자의 장래 재범의 위험성에 근거하는 것으로서, 행위 시가 아닌 재판 시의 재범위험성 여부에 대한 판단에 따라 보안처분 선고를 결정하므로 원칙적으로 재판 당시 현행법을 소급적용할 수 있다.
② 보안처분이라 하더라도 형벌적 성격이 강하여 신체의 자유를 박탈하거나 박탈에 준하는 정도로 신체의 자유를 제한하는 경우에는 소급입법금지원칙을 적용하는 것이 법치주의 및 죄형법정주의에 부합한다.
③ 성폭력범죄를 저지른 성도착증 환자로서 재범의 위험성이 인정되는 19세 이상의 사람에 대해 법원이 15년의 범위에서 치료명령을 선고할 수 있도록 한 법률규정은, 장기형이 선고되는 경우 치료명령의 선고시점과 집행시점 사이에 상당한 시간적 간극이 있어 집행시점에서 발생할 수 있는 불필요한 치료와 관련한 부분에 대해서는 침해의 최소성과 법익균형성이 인정되지 않기 때문에 피치료자의 신체의 자유를 침해한다.
④ 사회보호법 폐지 전에 이미 판결이 확정된 보호감호를 종전의 사회보호법에 따라 집행하도록 한 사회보호법 부칙 제2조는 신체의 자유 등을 침해하여 헌법에 위반된다.

08 개인정보자기결정권에 대한 설명으로 옳지 않은 것은? (다툼이 있는 경우 판례에 의함)

① 소년에 대한 수사경력자료의 삭제와 보존기간에 대하여 규정하면서 법원에서 불처분결정된 소년부송치 사건에 대하여 규정하지 않은 구 형의 실효 등에 관한 법률 규정은 과잉금지원칙에 반하여 개인정보자기결정권을 침해하지 않는다.

② 검사의 기소유예처분 등에 관한 수사경력자료의 보존 및 그 보존기간(5년)을 정한 형의 실효 등에 관한 법률 조항은 청구인의 개인정보자기결정권을 침해하지 않는다.

③ 수사경력자료의 보존 및 보존기간을 정하면서 범죄경력자료의 삭제에 대해 규정하지 않은 형의 실효 등에 관한 법률 조항은 청구인의 개인정보자기결정권을 침해하지 않는다.

④ 개인별로 주민등록번호를 부여하면서 주민등록번호 변경에 관한 규정을 두고 있지 않은 주민등록법 제7조는 개인정보자기결정권을 침해한다.

09 재산권에 대한 설명으로 옳지 않은 것은? (다툼이 있는 경우 판례에 의함)

① 재산권이 헌법 제23조에 의하여 보장된다고 하더라도, 입법자에 의하여 일단 형성된 구체적 권리가 그 형태로 영원히 지속될 것이 보장된다고까지 하는 의미는 아니다.

② 재산권의 내용을 새로이 형성하는 규정은 비례의 원칙을 기준으로 판단하였을 때 공익에 의하여 정당화되는 경우에만 합헌적이다.

③ 재산권의 내용과 한계를 정하는 법률의 경우에도 사유재산제도나 사유재산을 부인하는 것은 재산권 형성적 법률유보라는 이유로 정당화될 수 없다.

④ 재산권에 대한 제약이 비례원칙에 반하여 과잉된 것이라면 그 제약은 재산권의 사회적 제약의 한계를 넘는 것이나 입법자가 이를 완화하는 보상규정을 두어야 하는 것은 아니다.

10 인간다운 생활을 할 권리에 대한 설명으로 옳지 않은 것은? (다툼이 있는 경우 판례에 의함)

① 직장가입자가 소득월액보험료를 일정 기간 이상 체납한 경우 그 체납한 보험료를 완납할 때까지 가입자 및 피부양자에 대하여 보험급여를 실시하지 아니할 수 있도록 한 구 국민건강보험법 규정은 해당 직장가입자의 인간다운 생활을 할 권리 및 재산권을 침해하지 않는다.

② 공무원과 이혼한 배우자에 대한 분할연금액은 공무원의 퇴직연금액 중 혼인기간에 해당하는 연금액을 균등하게 나눈 금액으로 하면서 민법상 재산분할청구에 따라 연금분할이 별도로 결정된 경우에는 그에 따르도록 한 공무원연금법 규정은 분할연금 수급권자의 사회보장수급권 및 재산권을 침해하지 않는다.

③ 범죄의 종류와 그 형의 경중을 가리지 않고 일률적으로 재직 중의 사유로 금고 이상의 형이 있으면 퇴직급여 및 퇴직수당의 일부를 감액하도록 규정하고 있는 공무원연금법 조항은 재산권, 인간다운 생활을 할 권리를 침해하고, 평등원칙에 위배되지 않는다.

④ 공무원이거나 공무원이었던 사람이 재직 중의 사유로 금고 이상의 형을 받거나 형이 확정된 경우 퇴직급여 및 퇴직수당의 일부를 감액하여 지급함에 있어 그 이후 형의 선고의 효력을 상실하게 하는 특별사면 및 복권을 받은 경우를 달리 취급하는 규정을 두지 아니한 구 공무원연금법 조항은 재산권, 인간다운 생활을 할 권리를 침해한다.

경찰헌법 8회 모의고사

01 헌법개정에 대한 설명으로 옳은 것으로만 묶은 것은?

ㄱ. 국회는 헌법개정안이 공고된 날로부터 30일 이내에 의결하여야 하며, 국회의 의결은 출석의원 3분의 2 이상의 찬성을 얻어야 한다.
ㄴ. 제5차 개정헌법(1962년 헌법)은 대통령의 헌법 개정안 제안권을 삭제하였다.
ㄷ. 헌법개정안은 국회가 의결한 후 60일 이내에 국민투표에 붙여 국회의원선거권자 과반수의 투표와 투표자 과반수의 찬성을 얻어야 한다.
ㄹ. 제2차 개정헌법(1954년 헌법)은 헌법개정의 실정법적 한계를 규정하였다.

① ㄱ, ㄴ　② ㄱ, ㄷ
③ ㄴ, ㄹ　④ ㄷ, ㄹ

02 사회국가원리에 대한 설명으로 옳지 않은 것은? (다툼이 있는 경우 판례에 의함)

① 사회국가란 한마디로, 사회정의의 이념을 헌법에 수용한 국가, 사회현상에 대하여 방관적인 국가가 아니라 경제・사회・문화의 모든 영역에서 정의로운 사회질서의 형성을 위하여 사회현상에 관여하고 간섭하고 분배하고 조정하는 국가이며, 궁극적으로는 국민 각자가 실제로 자유를 행사할 수 있는 그 실질적 조건을 마련해 줄 의무가 있는 국가이다.
② 「국민건강보험법」상 보험료의 국고지원에 있어서 지역가입자와 직장가입자의 차별취급은 사회국가원리의 관점에서 합리적인 차별이 아니므로 평등원칙에 위반된다.
③ 사회국가의 원리는 자유민주적 기본질서의 범위 내에서 이루어져야 하고, 국민 개인의 자유와 창의를 보완하는 범위 내에서 이루어지는 내재적 한계를 지니고 있다.
④ 우리나라 헌법상의 경제질서는 사유재산제를 바탕으로 하고 자유경쟁을 존중하는 자유시장경제질서를 기본으로 하면서도 이에 수반되는 갖가지 모순을 제거하고 사회복지・사회정의를 실현하기 위하여 국가적 규제와 조정을 용인하는 '사회적 시장경제질서'로서의 성격을 띠고 있다.

03 선거제도에 대한 설명으로 옳지 않은 것은? (다툼이 있는 경우 판례에 의함)

① 18세 이상의 국민은 대통령 및 국회의원의 선거권이 있다.
② 지방자치단체의 장 선거권 역시 다른 선거권과 마찬가지로 헌법 제24조에 의해 보호되는 기본권으로 인정된다.
③ 범죄자에 대해 형벌의 내용으로 선거권을 제한하는 경우에도 선거권 제한 여부 및 적용범위의 타당성에 관하여 보통선거의 원칙에 입각한 선거권 보장과 그 제한의 관점에서 헌법 제37조 제2항에 따라 엄격한 비례심사를 하여야 한다.
④ 비례대표지방의회의원선거에 있어서는 당해 선거구선거관리위원회가 유효투표총수의 100분의 3 이상을 득표한 각 정당을 의석할당정당으로 확정한다.

04 외국인의 기본권 주체성에 대한 설명으로 옳지 않은 것은? (다툼이 있는 경우 판례에 의함)

① 직업의 자유는 원칙적으로 대한민국 국민에게 인정되는 기본권이지 외국인에게 인정되는 기본권이 아니다.
② 외국인이 국내에서 누리는 직업의 자유는 법률에 따른 정부의 허가에 의해 비로소 발생하는 권리이다.
③ 고용허가를 받아 우리 사회에서 정당한 노동인력으로서 지위를 부여받은 외국인들의 직장선택의 자유는 인간의 권리로서 보장된다.
④ 외국인에게 직장 선택의 자유에 대한 기본권 주체성을 인정한다는 것은 외국인에게 우리 국민과 동일한 수준의 직장선택의 자유가 보장된다는 것을 의미한다.

05 기본권 충돌에 대한 설명으로 옳지 않은 것은? (다툼이 있는 경우 판례에 의함)

① 기본권의 충돌이란 상이한 복수의 기본권 주체가 서로의 권익을 실현하기 위해 하나의 동일한 사건에서 국가에 대하여 서로 대립되는 기본권의 적용을 주장하는 경우를 말한다.

② 헌법재판소는 기본권 충돌의 문제에 관하여 충돌하는 기본권의 성격과 태양에 따라 그때그때마다 적절한 해결방법을 선택, 종합하여 이를 해결하여 왔다.

③ 상하의 위계질서가 있는 기본권끼리 충돌하는 경우에는 상위기본권 우선의 원칙에 따라 하위기본권이 제한될 수 있다.

④ 개인적 단결권과 집단적 단결권이 충돌하는 경우 기본권의 서열이나 법익의 형량을 통하여 어느 쪽을 우선시키고 다른 쪽을 후퇴시킬 수 있다.

06 평등권에 대한 설명으로 옳지 않은 것은? (다툼이 있는 경우 판례에 의함)

① 국가는 합리적인 기준에 따라 능력이 허용하는 범위 내에서 법적 가치의 상향적 구현을 위한 제도의 단계적 개선을 추진할 수 있는 길을 선택할 수 있다.

② 적극적 평등실현조치의 혜택을 받는 집단에 속하지 않는 사람들은 그 조치로 인하여 상대적으로 불이익을 받게 되므로, 실질적 평등을 실현하기 위한 위 조치가 오히려 평등원칙에 위배되는 차별이 아닌지 문제된다.

③ 헌법 제11조 제1항 후문의 차별금지사유는 불합리한 차별의 금지에 초점이 있고, 예시한 사유가 있는 경우에 절대적으로 차별을 금지할 것을 요구함으로써 입법자에게 인정되는 입법형성권을 제한하는 것은 아니다.

④ 병역의무를 이행하고 있는 남성 단기복무군인과 달리 장교를 포함한 여성 단기복무군인에게만 육아휴직을 허용하는 것은 성별에 의한 차별이다.

07 무죄추정의 원칙에 대한 설명으로 옳지 않은 것은? (다툼이 있는 경우 판례에 의함)

① 지방자치단체의 장이 공소 제기된 후 구금상태에 있는 경우 부단체장이 그 권한을 대행하도록 규정한 지방자치법 제111조 제1항 제2호는 무죄추정의 원칙에 위반되지 않는다.

② 무죄추정이란 유죄의 판결이 확정되기 전에 죄 있는 자에 준하여 취급함으로써 법률적, 사실적 측면에서 유형, 무형의 불이익을 주는 것을 말하고, 여기서 불이익이란 유죄를 근거로 그에 대하여 사회적 비난 내지 기타 응보적 의미의 차별 취급을 가하는 유죄 인정의 효과로서의 불이익을 뜻한다.

③ 소년보호사건에 있어 제1심 결정에 의한 소년원 수용기간을 항고심 결정에 의한 보호기간에 산입하지 아니하는 소년법 제33조는 무죄추정원칙에 위배된다.

④ 무죄추정원칙이 제도적으로 표현된 것으로는, 공판절차의 입증단계에서 거증책임을 검사에게 부담시키는 제도, 보석 및 구속적부심 등 인신구속의 제한을 위한 제도, 그리고 피의자 및 피고인에 대한 부당한 대우 금지 등이 있다.

08 알 권리에 대한 설명으로 옳지 않은 것은? (다툼이 있는 경우 판례에 의함)

① 알 권리의 실현은 법률의 제정이 뒤따라 이를 구체화시키는 것이 충실하고도 바람직하지만, 그러한 법률이 제정되어 있지 않다고 하더라도 불가능한 것은 아니고 헌법 제21조에 의해 직접 보장될 수 있다.

② 정보통신망을 통해 청소년유해매체물을 제공하는 자에게 이용자의 본인확인 의무를 부과하고 있는 청소년보호법 제16조 제1항은 청구인들의 알 권리 및 개인정보자기결정권을 침해한다.

③ 개정 변호사시험법 시행일로부터 6개월로 성적 공개 청구기간을 한정하고 있는 변호사시험법 부칙 제2조는 청구인의 정보공개청구권을 침해한다.

④ 정치자금법에 따라 회계보고된 자료의 열람기간을 3월간으로 제한한 정치자금법 제42조 제2항 본문은 청구인의 알 권리를 침해한다.

09 직업의 자유에 대한 설명으로 옳지 않은 것은? (다툼이 있는 경우 판례에 의함)

① 직업선택의 자유에는 자신이 원하는 직업 내지 직종에 종사하는 데 필요한 전문지식을 습득하기 위한 직업교육장을 임의로 선택할 수 있는 직업교육장 선택의 자유도 포함된다.
② 법률조항에 의하여 금지되는 모의총포의 소지행위는 영업으로서 직업의 자유의 보호범위에 포함될 수 없다.
③ 직업의 자유는 독립적 형태의 직업활동뿐만 아니라 고용된 형태의 종속적인 직업활동도 보장한다. 따라서 직업선택의 자유는 직장선택의 자유를 포함한다.
④ 직업의 자유는 원하는 직장을 제공하여 줄 것을 청구하거나 한번 선택한 직장의 존속보호를 청구할 권리를 보장하지 않는다.

10 공무담임권에 대한 설명으로 옳지 않은 것은? (다툼이 있는 경우 판례에 의함)

① 지방자치단체장의 재임기간 동안 충실한 공직수행을 담보하기 위하여 이들을 위한 퇴직급여제도를 마련할 것까지 그 보호영역으로 한다고 볼 수 없다.
② 지역구국회의원 예비후보자에게 지역구국회의원이 납부할 기탁금의 100분의 20에 해당하는 금액을 기탁금으로 납부하도록 하는 것은 예비후보자의 공무담임권을 침해한다.
③ 공직을 직업으로 선택하는 경우에 있어서 직업선택의 자유는 공무담임권을 통해서 그 기본권 보호를 받게 된다고 할 수 있으므로 공무담임권을 침해하는지 여부를 심사하는 이상 이와 별도로 직업선택의 자유 침해 여부를 심사할 필요는 없다.
④ 공무담임권의 보호영역에 특별한 사정도 없이 공무원이 특정의 장소에서 근무하는 것이나 특정의 보직을 받아 근무하는 것을 포함하는 일종의 공무수행의 자유까지 포함된다고 보기 어렵다.

MEMO

PART

02

형사법

문제편

형사법 1회 모의고사

01 죄형법정주의에 대한 설명 중 가장 적절한 것은? (다툼이 있는 경우 판례에 의함)

① 위법성 및 책임의 조각사유나 소추조건, 또는 처벌조각사유인 형면제 사유에 관하여 그 범위를 제한적으로 유추적용하게 되면 행위자의 가벌성의 범위는 확대되어 행위자에게 불리하게 되므로 유추해석금지의 원칙에 반한다.
② 대법원 양형위원회가 설정한 양형기준이 발효하기 전에 공소가 제기된 범죄에 대하여 위 양형기준을 참고하여 형을 양정한 경우 피고인에게 불리한 법률을 소급하여 적용하였으므로 소급효 금지의 원칙에 반한다.
③ 가정폭력범죄의 처벌 등에 관한 특례법이 정한 보호처분 중의 하나인 사회봉사명령은 형벌 그 자체가 아니라 보안처분의 성격을 가지는 것이므로 형벌불소급의 원칙이 적용되지 않고 재판시법을 적용함이 상당하다.
④ 헌법재판소가 형벌조항에 대해 헌법불합치결정을 선고하면서 개정시한을 정하여 입법개선을 촉구하였는데도 위 시한까지 법률 개정이 이루어지지 않은 경우 공소가 제기된 피고사건에 대하여 형사소송법 제326조 제4호에 따라 면소를 선고하여야 한다.

02 甲의 죄책에 대한 다음 설명 중 옳지 않은 것은?

① 甲은 乙, 丙과 시비가 붙어 싸우다가 乙, 丙에 대하여 상해고의로 식칼을 휘둘렀다. 그런데 지나가다가 싸움을 말리던 丁이 칼에 맞아 상해를 입었다. 판례에 의하면 甲은 丁에 대한 상해기수의 죄책을 진다.
② 甲은 乙을 향해 돌을 던졌는데 丙의 자동차에 맞아 유리창이 깨진 경우 구체적 부합설과 법정적 부합설 중 어느 학설에 의하더라도 동일한 결과에 이른다.
③ 甲은 심야에 짖어대는 乙의 개 丙을 죽이려고 총을 발사하였다. 그런데 조준에 실패하여 乙이 총에 맞아 사망하였다. 추상적 부합설에 의할 경우 甲은 丙에 대한 재물손괴기수와 乙에 대한 살인미수죄의 상상적 경합범이 된다.
④ 캄캄한 밤중에 자신의 장모를 처로 오인하고 살해한 경우 판례에 따르면 형법 제15조 제1항에 의하여 보통살인죄로 처벌된다.

03 책임에 대한 설명으로 옳은 것은? (다툼이 있는 경우 판례에 의함)

① 증인으로 선서한 자가 사실대로 진술하면 자신의 범죄를 시인하는 것이 되고 증언을 거부하면 자신의 범죄를 암시하는 것이 되어 사실대로 진술하기 어려운 처지에서 증언거부권을 포기하고 허위의 진술을 한 경우 적법행위의 기대가능성이 없으므로 위증죄로 처벌할 수 없다.
② 병역법 제88조 제1항은 현역입영 또는 소집통지서를 받고도 정당한 사유 없이 이에 응하지 않은 사람을 처벌하는 규정인데, 여기에서 정당한 사유는 책임조각사유로서 기대불가능성을 의미한다.
③ 현행범을 체포한 대학생이 현행범은 24시간 이내에 경찰에 인도하면 적법하다고 생각하고 정당한 이유 없이 그를 자기 집에 20시간 감금하고 경찰에 인도한 경우 대학생의 형사책임에 대하여 엄격책임설과 제한적 책임설은 결론을 달리한다.
④ 형법 제10조 제3항의 원인에 있어서 자유로운 행위의 가벌성 근거에 대하여 책임능력과 행위의 동시존재원칙을 고수하는 견해에 따르면 원인설정행위시에 실행의 착수가 있다.

04 공범에 관한 설명 중 옳지 않은 것은? (다툼이 있는 경우 판례에 의함)

① 의사가 직접 환자를 진찰하지 않고 처방전을 작성하여 교부한 경우, 그 행위와 대향범 관계에 있는 '처방전을 교부받은 행위'를 한 자가 의사에게 진찰 없는 처방전 교부를 교사한 사실이 인정되더라도 그에게 「형법」 총칙상 교사범 규정을 적용할 수 없다.

② 교사를 받은 자가 범죄의 실행을 승낙하고 실행의 착수에 이르지 아니한 때에는 교사자와 피교사자를 예비 또는 음모에 준하여 처벌한다.

③ 수표의 발행인이 아닌 자는 「부정수표 단속법」 제4조가 정한 허위신고죄의 주체가 될 수 없으나, 허위신고의 고의 없는 발행인을 이용하여 간접정범의 형태로 허위신고죄를 범할 수 있다.

④ 「형법」상 과실범으로 처벌되는 자를 방조하여 범죄행위의 결과를 발생하게 한 자는 방조의 예에 의하여 처벌된다.

05 다음 설명 중 가장 적절하지 않은 것은? (다툼이 있는 경우 판례에 의함)

① 저작권법은 상습으로 동법 제136조 제1항의 죄를 저지른 경우를 가중처벌한다는 규정은 따로 두고 있지 않다. 따라서 수회에 걸쳐 저작권법 제136조 제1항의 죄를 범한 것이 상습성의 발현에 따른 것이라고 하더라도, 이는 원칙적으로 경합범으로 보아야 하는 것이지 하나의 죄로 처단되는 상습범으로 볼 것은 아니다.

② 피해자에 대한 폭행행위가 동일한 피해자에 대한 업무방해죄의 수단이 되었다면, 그러한 폭행행위는 이른바 불가벌적 수반행위에 해당하여 업무방해죄에 대하여 흡수관계에 있다.

③ 수수한 메스암페타민을 장소를 이동하여 투약하고서 잔량을 은닉하는 방법으로 소지한 행위는 사회통념상 수수행위와는 독립한 별개의 행위를 구성한다고 보아야 한다.

④ 국회의원 선거에서 정당의 공천을 받게 하여 줄 의사나 능력이 없음에도 이를 해줄 수 있는 것처럼 기망하여 공천과 관련하여 금품을 받은 경우, 공직선거법상 공천 관련 금품수수죄와 사기죄가 모두 성립하고 양자는 상상적 경합의 관계에 있다.

06 명예에 관한 죄에 대한 설명으로 가장 적절한 것은? (다툼이 있는 경우 판례에 의함)

① 장래의 희망이 아나운서라고 한 여학생들에게 "다 줄 생각을 해야 하는데, 그래도 아나운서 할 수 있겠느냐. ○○여대 이상은 자존심 때문에 그렇게 못하더라."라는 등의 말을 한 경우, 이른바 집단 표시에 의한 모욕으로서 여성 아나운서 개개인에 대한 모욕죄가 그 자체로 성립된다.

② 명예훼손죄에 있어서 피고인의 행위에 피해자를 비방할 목적이 함께 숨어 있었다면 그 주요한 동기가 공공의 이익을 위한 것이라도 「형법」 제310조의 적용이 배제된다.

③ 아파트 입주자 대표회의 감사가 업무처리에 항의하며 연장자인 관리소장에게 공연히 "야, 이 따위로 일할래.", "나이 처먹은 게 무슨 자랑이냐."라고 말한 경우는 모욕죄가 성립한다.

④ 영화가 허위의 사실을 표현하여 개인의 명예를 훼손한 경우에도 행위자가 그것을 진실이라고 믿었고 또 그렇게 믿을 만한 상당한 이유가 있어 그 행위자에게 명예훼손으로 인한 불법행위 책임을 물을 수 없다면 특별한 사정이 없는 한 그 광고·홍보행위가 별도로 명예훼손의 불법행위를 구성한다고 볼 수 없다.

07 공정증서원본부실기재에 관한 다음 설명 중 가장 옳은 것은? (다툼이 있는 경우 판례에 의함)

① 부동산에 관하여 경료된 소유권이전등기나 보존등기가 절차상 하자가 있거나 등기원인이 실재와 다르다면 그 등기가 실체적 권리관계에 부합하는 유효한 등기라 하더라도 공정증서원본부실기재죄가 성립한다.

② 가장매매로 인한 소유권이전등기를 경료한 경우에는 공정증서원본부실기재 및 동행사죄가 성립한다.

③ 발행인과 수취인이 통모하여 진정한 어음채무 부담이나 어음채권 취득 의사 없이 단지 발행인의 채권자에게서 채권 추심이나 강제집행을 받는 것을 회피하기 위하여 형식적으로만 약속어음의 발행을 가장한 후 공증인에게 마치 진정한 어음발행행위가 있는 것처럼 허위로 신고하여 어음공정증서원본을 작성·비치하게 한 경우에 공정증서원본부실기재 및 동행사죄가 성립한다.

④ 타인의 부동산을 자기의 소유라고 허위의 사실을 신고하여 소유권이전등기를 경료한 이후라면 그 부동산이 자기의 소유인 것처럼 가장하여 그 부동산에 관하여 자기 명의로 채권자와의 사이에 근저당권설정등기를 경료한 경우 별도로 공정증서원본부실기재 및 동행사죄가 성립하지 않는다.

08 전자정보의 압수·수색에 대한 설명으로 가장 적절하지 않은 것은? (다툼이 있는 경우 판례에 의함)

① 압수물인 디지털 저장매체로부터 출력한 문건을 증거로 사용하기 위해서는 디지털 저장매체 원본에 저장된 내용과 출력한 문건의 동일성이 인정되어야 하고, 이를 위해서는 디지털 저장매체 원본이 압수 시부터 문건 출력 시까지 변경되지 않았음이 담보되어야 한다.

② 전자정보에 대한 압수·수색영장을 집행할 때에는 원칙적으로 저장매체 자체를 수사기관 사무실 등으로 옮겨 혐의사실과 관련된 부분만을 문서로 출력하거나 해당 파일을 복사하는 방식으로 이루어져야 한다.

③ 전자정보가 담긴 저장매체 또는 복제본을 수사기관 사무실 등으로 옮겨 이를 복제·탐색·출력하는 경우, 피압수자 측에 절차 참여를 보장한 취지가 실질적으로 침해되었다면 수사기관이 저장매체 또는 복제본에서 혐의사실과 관련된 전자정보만을 복제·출력하였더라도 그 압수·수색은 위법하다.

④ 전자정보에 대한 압수·수색이 종료되기 전에 혐의사실과 관련된 전자정보를 적법하게 탐색하는 과정에서 별도의 범죄혐의와 관련된 전자정보를 우연히 발견한 경우, 수사기관은 더 이상의 추가 탐색을 중단하고 법원에서 별도의 범죄혐의에 대한 압수·수색영장을 발부받은 경우에 한하여 그러한 정보에 대하여도 적법하게 압수·수색을 할 수 있다.

09 다음 설명 중 옳지 않은 것은? (다툼이 있는 경우 판례에 의함)

① 선거관리위원회 위원·직원이 관계인에게 진술이 녹음된다는 사실을 미리 알려 주지 아니한 채 진술을 녹음하였다면, 그와 같은 조사절차에 의하여 수집한 녹음파일 내지 그에 터 잡아 작성된 녹취록은 형사소송법 제308조의2에서 정하는 '적법한 절차에 따르지 아니하고 수집한 증거'에 해당하여 원칙적으로 유죄의 증거로 쓸 수 없다.

② 위법한 강제연행 상태에서 호흡측정방법에 의한 음주측정을 한 다음, 강제연행 상태로부터 시간적·장소적으로 단절되었다고 볼 수 없는 상황에서 피의자가 호흡측정결과를 탄핵하기 위하여 스스로 혈액채취방법에 의한 측정을 할 것을 요구하여 혈액채취가 이루어진 경우 그러한 혈액채취에 의한 측정결과는 유죄 인정의 증거로 쓸 수 있다.

③ 현장에서 압수·수색을 당하는 사람이 여러 명일 경우에는 그 사람들 모두에게 개별적으로 영장을 제시해야 하는 것이 원칙이다.

④ 수사기관이 甲으로부터 乙의 마약류 관리에 관한 법률 위반 범행에 대한 진술을 듣고 추가적인 증거를 확보할 목적으로, 구속수감 중인 甲에게 그의 압수된 휴대전화를 제공하여 乙과 통화하고 범행에 관한 통화 내용을 녹음하게 한 행위는 불법감청에 해당하고, 그 녹음 자체는 물론 이를 근거로 작성된 녹취록 첨부 수사보고서도 증거로 사용할 수 없다.

10 **전문법칙 예외요건에 대한 설명으로 가장 적절하지 않은 것은? (다툼이 있는 경우 판례에 의함)**

① 피고인 甲이 공판정에서 공동피고인인 공범 乙에 대한 사법경찰관 작성 피의자신문조서의 내용을 부인하면 乙이 법정에서 그 조서의 내용을 인정하더라도 그 조서를 피고인 甲의 공소사실에 대한 증거로 사용할 수 없다.

② 참고인과의 전화대화내용을 문답형식으로 기재한 사법경찰리 작성의 수사보고서는 진술자의 서명 또는 날인이 없으므로 「형사소송법」 제313조의 진술기재서류가 아니지만, 피고인이 증거로 함에 동의한 경우에는 증거로 사용할 수 있다.

③ 「형사소송법」 제314조에 규정된 '특히 신빙할 수 있는 상태'란 그 진술내용이나 조서의 작성에 허위개입의 여지가 거의 없고, 그 진술내용의 신용성이나 임의성을 담보할 구체적이고 외부적인 정황이 있는 경우를 말하며, 검사가 자유로운 증명을 통하여 증명하여야 한다.

④ 검사 또는 사법경찰관이 검증의 결과를 기재한 조서는 적법한 절차와 방식에 따라 작성된 것으로서 공판준비 또는 공판기일에서의 원진술자의 진술에 따라 그 성립의 진정함이 증명된 때에는 증거로 할 수 있다.

형사법 2회 모의고사

01 **형법의 시간적 적용범위에 대한 설명으로 옳지 않은 것은? (다툼이 있는 경우 판례에 의함)**

① 특수상해죄(「형법」 제258조의2 제1항)를 신설하면서 그 법정형을 구 「폭력행위 등 처벌에 관한 법률」 제3조 제1항보다 낮게 규정한 것은 종전의 형벌규정이 과중하다는 데에서 나온 반성적 조치로서 「형법」 제1조 제2항의 '범죄 후 법률의 변경에 의하여 형이 구법보다 경한 때'에 해당한다.

② 피해자의 의사에 상관없이 처벌할 수 있었던 근로기준법위반죄가 반의사불벌죄로 개정되었으나 부칙에는 그 적용과 관련한 경과규정이 없다면, 개정 전의 행위에 대해서는 「형법」 제1조 제1항에 의하여 행위 시의 법률이 적용되어야 한다.

③ 포괄일죄로 되는 개개의 범죄행위가 법 개정의 전후에 걸쳐서 행하여진 경우에는 신·구법의 법정형에 대한 경중을 비교하여 볼 필요도 없이 범죄 실행 종료 시의 법인 신법을 적용하여 포괄일죄로 처단하여야 한다.

④ 형의 경중의 비교는 원칙적으로 법정형을 표준으로 하고, 병과형 또는 선택형이 있을 때에는 그중 가장 중한 형을 기준으로 하여 다른 형과 경중을 정하는 것이 원칙이다.

02 **다음 설명 중 옳지 않은 것은? (다툼이 있는 경우 판례에 의함)**

① 甲이 의도적으로 A를 술에 취하도록 유도하고 수차례 강간한 후 의식불명에 빠진 A를 비닐창고로 옮겨 놓아 A가 저체온증으로 사망한 경우 甲에게는 강간치사죄가 성립한다.

② 교제를 거절한다는 이유로 甲이 A의 배를 발로 차고 얼굴을 주먹으로 때리자 A가 계속되는 甲의 상해행위를 피하려고 도로를 건너 도주하다가 차량에 치여 사망한 경우 甲에게는 상해치사죄가 성립한다.

③ 甲이 살인의 고의로 A의 하복부에 칼로 심한 자상을 입힌 것이 A를 사망하게 한 직접적 원인이 아니었다면, 이로부터 발생된 다른 간접적 원인이 결합되어 사망의 결과가 발생하였더라도 甲에게는 살인죄가 성립하지 않는다.

④ 甲이 4일가량 물조차 제대로 마시지 못하고 잠도 자지 아니하여 거의 탈진 상태에 이른 A의 손과 발을 17시간 이상 묶어 두고 좁은 차량 속에서 움직이지 못하게 감금하자 혈전이 형성되고 그 혈전이 폐동맥을 막아 사망의 결과가 발생한 경우 甲에게는 감금치사죄가 성립한다.

03 **甲은 乙의 애인 A를 자신의 애인 B로 오인하여 놀라게 할 생각으로 뒤에서 그녀의 어깨를 껴안았는데, 乙은 甲을 성폭행범으로 오인하고 甲을 주먹으로 때려 전치 4주의 타박상을 입혔다. 이에 대한 설명으로 옳은 것은? (다툼이 있는 경우 판례에 의함)**

① 甲이 A를 B로 오인하였다고 하더라도 강제추행의 고의는 부정되지 않으므로 甲은 A에 대한 강제추행의 죄책을 진다.

② 乙이 甲을 성폭행범으로 오인하였다고 하더라도 乙이 의도적으로 甲을 때려 상해를 입힌 이상, 법효과제한적 책임설에 따르면 乙은 상해의 죄책을 진다.

③ 엄격책임설에 따르면 乙이 甲을 성폭행범으로 오인하는데 정당한 이유가 인정된다면 상해죄의 구성요건해당성은 인정되나 책임이 부정되어 상해죄는 성립하지 않는다.

④ 만약 甲이 추행의 의사로 A를 뒤에서 팔을 벌려 껴안으려 했다면 A가 뒤돌아보면서 소리치는 바람에 A를 껴안지 못하였더라도 甲은 A에 대한 강제추행 기수의 죄책을 진다.

04 다음 중 판례가 긍정하는 것만을 모두 고른 것은?

> ㉠ 편면적 방조에 있어서 공범종속성
> ㉡ 예비단계에 있어서 방조범 성립
> ㉢ 합동절도의 공동정범 성립
> ㉣ 허위공문서작성죄의 간접정범 성립
> ㉤ 강간치상죄의 동시범특례규정 적용

① ㉠, ㉢, ㉣　② ㉠, ㉢, ㉤
③ ㉡, ㉢, ㉣　④ ㉡, ㉣, ㉤

05 상해와 폭행의 죄에 관한 설명 중 가장 적절하지 않은 것은? (다툼이 있는 경우 판례에 의함)

① 태아를 사망에 이르게 하는 행위가 임산부 신체의 일부를 훼손하는 것이라거나 태아의 사망으로 인하여 그 태아를 양육, 출산하는 임산부의 생리적 기능이 침해되어 임산부에 대한 상해가 된다고 볼 수는 없다.
② 폭행죄의 폭행이란 소위 사람의 신체에 대한 유형력의 행사를 가리키며, 그 유형력의 행사는 신체적 고통을 주는 물리력의 작용을 의미하므로 신체의 청각기관을 직접적으로 자극하는 음향도 경우에 따라서는 유형력에 포함될 수 있다.
③ 폭행죄는 반의사불벌죄로서 개인적 법익에 관한 죄이므로 피해자가 폭행과 무관한 사유로 사망한 경우 그 상속인이 피해자를 대신하여 처벌불원의 의사표시를 할 수 있다.
④ 중상해죄는 사람의 신체를 상해하여 생명에 대한 위험을 발생하게 함으로써 성립한다.

06 친족상도례에 대한 설명 중 옳고 그름의 표시(○, ×)가 바르게 된 것은? (다툼이 있으면 판례에 의함)

> ㉠ 사돈지간인 자를 기망하여 재물을 편취한 경우에는 친족상도례가 적용된다.
> ㉡ 법원을 기망하여 제3자로부터 재물을 편취한 경우에 피해자인 제3자와 사기죄를 범한 자가 직계혈족 관계에 있을 때에는 그 범인에 대하여 형을 면제하여야 한다.
> ㉢ 횡령범인이 위탁자가 소유자를 위해 보관하고 있는 물건을 위탁자로부터 보관받아 이를 횡령한 경우에 횡령범인이 피해물건의 소유자와는 친족관계가 있으나 피해물건의 위탁자와는 친족관계가 없다면 친족상도례 규정이 적용되지 않는다.
> ㉣ 손자가 할아버지 소유의 농업협동조합 예금통장을 절취하여 이를 현금자동지급기에 넣고 조작하는 방법으로 예금 잔고를 자신의 거래 은행계좌로 이체한 경우에 컴퓨터 등 사용사기죄는 친족 간의 범행에 해당하여 친족상도례가 적용된다.

① ㉠ × ㉡ ○ ㉢ ○ ㉣ ×
② ㉠ × ㉡ × ㉢ ○ ㉣ ×
③ ㉠ ○ ㉡ × ㉢ × ㉣ ○
④ ㉠ × ㉡ ○ ㉢ × ㉣ ×

07 A국립고등학교 졸업생 甲은 이 학교 직원으로 있는 乙에게 현금 1,000만 원을 주면서, 교장 丙에게 뇌물로 전해 주고 허위의 성적증명서를 만들어 달라고 부탁하였다. 그러나 乙은 교장 도장을 도용하여 甲의 성적증명서를 위조한 후, 甲에게 전해 주고 그 돈은 자기가 소비하였다. 甲과 乙의 죄책에 대한 설명으로 옳은 것은? (다툼이 있는 경우 판례에 의함)

① 甲은 乙로 하여금 丙에게 뇌물을 전달하도록 하였으므로 「형법」 제133조 제1항의 뇌물공여죄가 성립한다.
② 乙에게 알선수뢰죄는 성립하지 않으나, 乙은 丙에게 주는 뇌물이라는 정을 알고 甲으로부터 현금을 교부받았으므로 「형법」 제133조 제2항의 증뇌물전달죄가 성립한다.
③ 乙이 권한 없이 성적증명서를 작성한 것이므로 甲과 乙에게는 공문서위조죄 및 동행사죄의 공동정범이 성립한다.
④ 乙은 丙에게 전해 주기로 하고 甲으로부터 받은 현금을 임의로 소비하였으므로 횡령죄가 성립한다.

08 **영장주의에 관한 설명 중 가장 적절하지 않은 것은? (다툼이 있는 경우 판례에 의함)**

① 법원이 직권으로 발부하는 영장은 집행기관에 대한 허가장의 성격을 가지나, 수사기관의 청구에 의하여 발부하는 영장은 수사기관에 대한 명령장으로서의 성질을 갖는 것으로 이해되고 있다.

② 교도소의 안전과 질서유지를 위하여 마약류 수형자에게 소변을 받아 제출하게 한 것은 응하지 않을 경우 불리한 처우를 받을 수 있다는 심리적 압박이 존재하리라는 것을 충분히 예상할 수 있는 점에 비추어 공권력의 행사에 해당하나, 영장 없이 실시되었다 하더라도 영장주의에 위배되지 않는다.

③ 법원이 피고인의 구속 또는 그 유지 여부의 필요성에 관하여 한 재판의 효력이 검사나 다른 기관의 이견이나 불복이 있다 하여 좌우되거나 제한받는다면 이는 헌법 제12조 제3항의 영장주의에 위배된다.

④ 수사기관이 영장에 의하지 아니하고 신용카드 회사가 발행한 매출전표의 거래명의자에 관한 정보를 획득하였다면, 그와 같이 수집된 증거는 원칙적으로 '적법한 절차에 따르지 아니하고 수집한 증거'에 해당하여 특별한 사정이 없는 한 유죄의 증거로 삼을 수 없다.

09 **수사상의 증거보전절차에 관한 설명 중 가장 적절하지 않은 것은?**

① 피고인, 피의자 또는 변호인뿐만 아니라 검사도 미리 증거를 보전하지 아니하면 그 증거를 사용하기 곤란한 사정이 있는 때에는 형사소송법 제184조에 따라 제1회 공판기일 전이라도 판사에게 압수, 수색, 검증, 증인신문 또는 감정을 청구할 수 있다. 이때 청구를 받은 판사는 그 처분에 관하여 법원 또는 재판장과 동일한 권한이 있다.

② 범죄의 수사에 없어서는 아니될 사실을 안다고 명백히 인정되는 자가 형사소송법 제221조에 의한 출석 또는 진술을 거부한 경우에는 검사는 제1회 공판기일 전에 한하여 판사에게 그에 대한 증인신문을 청구할 수 있다.

③ 판사는 형사소송법 제221조의2에 의한 검사의 증인신문 청구에 따라 증인신문기일을 정한 때에는 피고인 피의자 또는 변호인에게 이를 통지하여 증인신문에 참여할 수 있도록 하여야 하며, 증인신문을 한 후에는 이에 관한 서류를 판사 소속 법원에 보관하여야 한다.

④ 증거보전 또는 증인신문을 청구하는 자는 그 사유를 서면으로 소명하여야 한다.

10 **전문진술에 관한 설명 중 가장 적절하지 않은 것은? (다툼이 있는 경우 판례에 의함)**

① 피고인을 피의자로 조사하였던 자는 공판기일에서 피고인의 진술을 그 내용으로 하는 진술을 할 수 있고 피고인의 원진술이 특히 신빙할 수 있는 상태하에서 행하여졌음이 증명된 경우에는 증거능력이 있다.

② 피고인 아닌 자의 공판기일에서의 진술이 피고인의 진술을 그 내용으로 하는 것인 때에는 형사소송법 제316조 제1항이 적용되므로, 피고인 아닌 자의 공판기일에서의 진술이 공동피고인의 진술을 그 내용으로 하는 것인 때에도 공동피고인 역시 피고인의 지위인 이상 형사소송법 제316조 제1항이 적용된다.

③ 형사소송법 제316조 제2항의 피고인 아닌 자에는 공소제기 전에 피고인 아닌 타인을 조사하였던 자도 포함되지만 원진술자가 법정에 출석하여 수사기관에서의 진술을 부인하는 이상 원진술자의 진술을 내용으로 하는 조사자의 증언은 증거능력이 없다.

④ 전문의 진술을 증거로 함에 있어서는 전문진술자가 원진술자로부터 진술을 들을 당시 원진술자가 증언능력에 준하는 능력을 갖춘 상태에 있어야 한다.

형사법 3회 모의고사

01 부작위범에 관한 설명 중 가장 적절하지 않은 것은? (다툼이 있는 경우 판례에 의함)

① 진정부작위범과 부진정부작위범의 구별에 관한 학설 중 실질설은 거동범에 대하여는 부진정부작위범이 성립할 여지가 없다고 보는 반면에, 형식설은 결과범은 물론 거동범에 대하여도 부진정부작위범이 성립할 수 있다고 본다.
② 부작위에 의한 방조범이 보증인 지위에 있는 자로 한정되는 반면, 부작위범에 대한 교사범은 보증인 지위에 있는 자로 한정되지 않는다.
③ 보증인 지위와 보증인의무를 모두 부진정부작위범의 구성요건요소로 이해하는 견해에 따르면 부진정부작위범의 구성요건해당성이 지나치게 확대된다.
④ 하나의 행위가 작위범과 부작위범의 구성요건을 동시에 충족하는 경우도 있다.

02 다음 정당방위에 관한 설명 중 가장 적절하지 않은 것은? (다툼이 있는 경우 판례에 의함)

① 국군보안사령부의 민간인에 대한 정치사찰을 폭로한다는 명목으로 군무를 이탈한 행위는 정당방위나 정당행위에 해당하지 않는다.
② 싸움을 함에 있어서 격투를 하는 자 중의 한 사람의 공격이 그 격투에서 당연히 예상할 수 있는 정도를 초과하여 살인의 흉기 등을 사용하여 온 경우에는 이를 '부당한 침해'라고 아니할 수 없으므로 이에 대하여는 정당방위를 허용하여야 한다고 해석하여야 할 것이다.
③ 乙이 술에 만취하여 누나 丙과 말다툼을 하다가 丙의 머리채를 잡고 때리자, 丙의 남편인 甲이 이를 목격하고 화가 나서 乙과 싸우게 되었는데, 그 과정에서 몸무게가 85kg 이상이나 되는 乙이 62kg의 甲을 침대 위에 넘어뜨리고 가슴 위에 올라타 목 부분을 누르자 호흡이 곤란하게 된 甲이 안간힘을 쓰면서 허둥대다가 침대 위에 놓여있던 과도로 乙에게 상해를 가한 경우, 甲의 행위는 자신의 신체에 대한 현재의 부당한 침해를 방위하기 위한 행위가 그 정도를 초과한 경우인 과잉방위행위에 해당한다.
④ 甲은 자신이 점유하던 공사현장에 乙이 실력으로 행사하여 들어와 현수막 및 간판을 설치하고 담장에 글씨를 쓰자 그 현수막을 찢고 간판 및 담장에 쓰인 글씨를 지운 것은 그 침해를 방어하기 위한 행위로서 정당방위에 해당한다.

03 예비죄에 대한 설명으로 가장 적절한 것은? (다툼이 있는 경우 판례에 의함)

① 예비음모의 행위를 처벌하는 경우에 있어서 중지범의 관념을 인정할 수 있다.
② 甲이 행사할 목적으로 미리 준비한 물건들과 옵세트인쇄기를 사용하여 한국은행권 100원권을 사진찍어 그 필름 원판 7매와 이를 확대하여 현상한 인화지 7매를 만들었다면 통화위조의 착수에 이른 것이다.
③ 살인예비죄가 성립하기 위해서는 살인죄를 범할 목적 외에 살인의 준비에 관한 고의가 있어야 하고, 실행의 착수에 이르지 아니하는 살인죄 실현을 위한 준비행위가 있어야 하는데, 여기서의 준비행위는 단순한 범행의 의사 또는 계획만으로 족하다.
④ 절도를 준비하면서 뜻하지 않게 절도 범행이 발각될 경우에 대비하여 체포를 면탈할 목적으로 칼을 휴대하고 있었더라도 강도예비죄가 성립하지 않는다.

04 공범과 신분에 대한 설명으로 가장 적절하지 않은 것은? (다툼이 있는 경우 판례에 의함)

① 비공무원이 공무원과 공동가공의 의사와 이를 기초로 한 기능적 행위지배를 통하여 공무원의 직무에 관하여 뇌물을 수수한 경우, 공무원과 비공무원에게 뇌물수수죄의 공동정범이 성립한다.

② 업무상배임죄에서의 업무상의 임무라는 신분관계가 없는 자가 신분관계 있는 자와 공모한 경우, 신분관계가 없는 공범에 대하여는 「형법」 제33조 단서에 따라 단순배임죄에서 정한 형으로 처단하여야 한다.
③ 의사가 의사 면허 없는 일반인의 무면허의료행위에 공모하여 가공하는 등 기능적 행위지배가 인정된다면, 의사도 「의료법」상 무면허의료행위의 공동정범으로서의 죄책을 진다.
④ 도박의 습벽이 있는 자가 타인의 도박을 방조하면 상습도박방조의 죄에 해당하는 것이며, 도박의 습벽이 있는 자가 도박을 하고 또 도박방조를 하였을 경우, 상습도박죄와는 별도로 상습도박방조의 죄가 성립하고 양자는 실체적 경합관계에 있다.

05 협박의 죄에 대한 설명으로 가장 적절하지 않은 것은? (다툼이 있는 경우 판례에 의함)

① 조상천도제를 지내지 아니하면 좋지 않은 일이 생긴다는 취지의 해악의 고지는 길흉화복이나 천재지변의 예고로서 행위자에 의하여 직접・간접적으로 좌우될 수 없는 것이고 가해자가 현실적으로 특정되어 있지도 않으며 해악의 발생가능성이 합리적으로 예견될 수 있는 것이 아니므로 협박으로 평가될 수 없다.
② 피해자 본인이나 그 친족뿐만 아니라 그 밖의 제3자에 대한 법익 침해를 내용으로 하는 해악을 고지하는 것이라고 하더라도 피해자 본인과 제3자가 밀접한 관계에 있어 그 해악의 내용이 피해자 본인에게 공포심을 일으킬 만한 정도의 것이라면 협박죄가 성립할 수 있다. 이때 제3자에는 자연인뿐만 아니라 법인도 포함된다.
③ 협박죄는 사람의 의사결정의 자유를 보호법익으로 하는 위험범이라 봄이 상당하므로, 해악의 고지가 상대방에 도달은 하였으나 상대방이 이를 지각하지 못하였거나 고지된 해악의 의미를 인식하지 못한 경우라도 협박죄의 기수를 인정할 수 있다.
④ 사채업자인 피고인이 채무자 甲에게 채무를 변제하지 않으면 甲이 숨기고 싶어하는 과거 행적과 사채를 쓴 사실 등을 남편과 시댁에 알리겠다는 등의 문자메시지를 발송한 행위는 정당행위에 해당하지 않아 협박죄가 성립한다.

06 배임죄에 대한 설명으로 가장 적절하지 않은 것은? (다툼이 있는 경우 판례에 의함)

① 동산매매계약에서의 매도인은 매수인에 대하여 그의 사무를 처리하는 지위에 있지 아니하므로, 매도인이 목적물을 매수인에게 인도하지 아니하고 이를 타에 처분하였다 하더라도 매도인에게 형법상 배임죄가 성립하지 않는다.
② 채무담보를 위하여 채권자에게 부동산에 관하여 근저당권을 설정해 주기로 약정한 채무자가 담보목적물을 임의로 처분한 경우 채무자에게 배임죄가 성립하지 않는다.
③ 부동산 매도인인 피고인이 매수인 갑 등과 매매계약을 체결하고 갑 등으로부터 계약금과 중도금을 지급받은 후 매매목적물인 부동산을 제3자 을 등에게 이중으로 매도하고 소유권이전등기를 마쳐 준 것만으로는 피고인에게 배임죄가 성립하지 않는다.
④ 채무자가 금전채무를 담보하기 위하여 그 소유의 동산을 채권자에게 「동산・채권 등의 담보에 관한 법률」에 따른 동산담보로 제공함으로써 채권자인 동산담보권자에 대하여 담보물의 담보가치를 유지・보전할 의무 또는 담보물을 타에 처분하거나 멸실, 훼손하는 등으로 담보권 실행에 지장을 초래하는 행위를 하지 않을 의무를 부담하게 된 경우라도 채무자는 배임죄의 주체인 '타인의 사무를 처리하는 자'에 해당하지 않는다.

07 공무집행방해죄에 관한 다음 설명 중 가장 적절하지 않은 것은? (다툼이 있으면 판례에 의함)

① 위법한 집회·시위가 장차 특정지역에서 개최될 것이 예상된다고 하더라도, 이와 시간적·장소적으로 근접하지 않은 다른 지역에서 그 집회·시위에 참가하기 위하여 출발 또는 이동하는 행위를 함부로 제지하는 것은 공무집행방해죄의 보호대상이 되는 공무원의 적법한 직무집행이 아니다.

② 위계에 의한 공무집행방해죄(형법 제137조)에 있어서 구체적인 공무집행을 저지하거나 현실적으로 곤란하게 하는 데까지는 이르지 아니하고 미수에 그친 경우, 위계에 의한 공무집행방해죄로 처벌할 수는 없다.

③ 불심검문을 하게 된 경위, 불심검문 당시의 현장상황과 검문을 하는 경찰관들의 복장, 피고인이 공무원증 제시나 신분 확인을 요구하였는지 여부 등을 종합적으로 고려하여, 검문하는 사람이 경찰관이고 검문하는 이유가 범죄행위에 관한 것임을 피고인이 충분히 알고 있었다고 보이는 경우에는 신분증을 제시하지 않았다고 하여 그 불심검문이 위법한 공무집행이라고 할 수 없다.

④ 공무집행방해죄(형법 제136조 제1항)에 있어서의 범의는 상대방이 직무를 집행하는 공무원이라는 사실, 그리고 이에 대하여 폭행 또는 협박을 한다는 사실을 인식하는 것을 그 내용으로 하고, 그 인식은 불확정적인 것이라도 소위 미필적 고의가 있다고 보아야 하며, 그 직무집행을 방해할 의사를 반드시 필요로 한다.

08 엄격한 증명과 자유로운 증명에 대한 다음 설명(㉠~㉣) 중 옳고 그름의 표시(○, ×)가 바르게 된 것은? (다툼이 있는 경우 판례에 의함)

㉠ 내란선동죄에서 국헌문란의 목적은 초과주관적 위법요소로서 엄격한 증명사항에 속하므로 확정적 인식임을 요한다.

㉡ 법원은 재심청구 이유의 유무를 판단함에 필요한 경우에는 사실을 조사할 수 있으며, 공판절차에 적용되는 엄격한 증거조사 방식에 따라야 한다.

㉢ 공모관계를 인정하기 위해서는 엄격한 증명이 요구되지만 피고인이 공모관계를 부인하는 경우에는 상당한 관련성이 있는 간접사실 또는 정황사실을 증명하는 방법으로 이를 증명할 수밖에 없다.

㉣ 목적범의 목적은 내심의 의사로서 이를 직접 증명하는 것이 불가능하므로 고의 등과 같이 내심의 의사를 인정하는 통상적인 방법에 따라 정황사실 또는 간접사실 등에 의하여 이를 증명하여야 한다.

① ㉠ (○) ㉡ (○) ㉢ (○) ㉣ (×)
② ㉠ (○) ㉡ (×) ㉢ (○) ㉣ (○)
③ ㉠ (×) ㉡ (○) ㉢ (×) ㉣ (×)
④ ㉠ (×) ㉡ (×) ㉢ (○) ㉣ (○)

09 증거능력에 관한 설명 중 가장 적절한 것은? (다툼이 있는 경우 판례에 의함)

① 강도 현행범으로 체포된 피고인에게 진술거부권을 고지하지 아니한 채 강도범행에 대한 자백을 받았다면 그 이후 진술거부권을 고지받고 40여 일이 지난 후 공개된 법정에서 변호인의 조력을 받으며 임의로 이루어진 피고인의 자백이라도 위법한 자백에 기초하여 획득한 2차적 증거이므로 증거로 사용할 수 없다.

② 검사가 조사과정에서 피의자의 진술을 진술조서의 형식으로 작성한 경우 이는 피의자신문조서와 다르므로 피의자에게 진술거부권을 고지할 필요는 없고, 고지하지 않고 작성된 위 진술조서라도 증거능력이 있다.

③ 사법경찰관이 피의자신문조서를 작성하면서 피의자에게 진술거부권 등을 고지하고 행사여부를 질문하였다 하더라도 형사소송법 제244조의3 제2항에 규정된 방식인 자필 또는 사법경찰관이 피의자 답변을 작성한 부분에 피의자의 기명날인 또는 서명의 형식으로 답변이 기재되어 있지 아니하다면 그 피의자신문조서는 증거능력이 인정되지 않는다.

④ 수사기관이 구속수감되어 있던 자에게 그의 압수된 휴대전화를 제공하여 피고인과 통화하게 하고 범행에 관한 통화 내용을 녹음하게 하였더라도 그 녹음 자체는 수사기관이 아닌 사인이 수집한 증거에 해당하므로 피고인이 증거로 함에 동의한 이상 증거능력이 인정된다.

10 증거동의에 대한 설명으로 가장 적절하지 않은 것은? (다툼이 있는 경우 판례에 의함)

① 필요적 변호사건이라 하여도 피고인이 재판거부의 의사를 표시하고 재판장의 허가 없이 퇴정하고 변호인마저 이에 동조하여 퇴정해 버렸다면, 법원은 피고인이나 변호인의 재정 없이도 심리 판결할 수 있고 이 경우 피고인의 진의와는 관계없이 증거동의가 있는 것으로 간주된다.

② 개개의 증거에 대하여 개별적인 증거조사방식을 거치지 아니하고 검사가 제시한 모든 증거에 대하여 피고인이 증거로 함에 동의한다는 방식의 증거동의도 효력이 있다.

③ 약식명령에 불복하여 정식재판을 청구한 피고인이 정식재판 절차의 제1심에서 2회 불출정하여 「형사소송법」제318조 제2항에 따른 증거동의가 간주된 후 증거조사를 완료하였더라도 피고인이 항소심에 출석하여 간주된 증거동의를 철회 또는 취소한다는 의사표시를 하면 제1심에서 부여된 증거의 증거능력은 상실된다.

④ 피고인이 신청한 증인의 증언이 피고인 아닌 타인의 진술을 그 내용으로 하는 전문진술이라고 하더라도 피고인이 그 증언에 대하여 별 의견이 없다고 진술하였다면 그 증언을 증거로 함에 동의한 것으로 볼 수 있으므로 이는 증거능력이 있다.

형사법 4회 모의고사

01 고의에 관한 설명으로 옳은 것은?

① 규범적 구성요건요소에 관한 착오는 착오의 객체가 구성요건요소이기 때문에 법률의 착오가 될 수 없다.
② 행정상의 단속을 주안으로 하는 법규라 하더라도 명문규정이 있거나 해석상 과실범도 벌할 뜻이 명확한 경우를 제외하고는 형법의 원칙에 따라 고의가 있어야 벌할 수 있다.
③ 공무집행방해죄에 있어서의 범의를 인정하려면 공무원의 직무집행을 방해할 의사가 있어야 한다.
④ 고의범에서 고의는 미필적 인식으로 족하나, 목적범에서 목적은 확정적 인식을 요한다.

02 위법성조각사유에 대한 설명으로 가장 적절한 것은? (다툼이 있는 경우 판례에 의함)

① 甲이 스스로 야기한 강간범행의 와중에서 피해자 A가 甲의 손가락을 깨물며 반항하자 물린 손가락을 비틀며 잡아 뽑다가 A에게 치아결손의 상해를 입힌 경우 甲의 상해행위는 긴급피난으로 위법성이 조각된다.
② 대표이사 甲이 '회사의 직원이 회사의 이익을 빼돌린다'는 소문을 확인할 목적으로, 비밀번호를 설정함으로써 비밀장치를 한 전자기록인 피해자 A가 사용하던 '개인용 컴퓨터의 하드디스크'를 떼어내어 다른 컴퓨터에 연결한 다음 의심이 드는 단어로 파일을 검색한 결과 범죄행위를 확인할 수 있는 메신저 대화 내용, 이메일 등을 출력한 경우 甲의 전자기록등내용탐지행위는 정당행위로 위법성이 조각된다.
③ 甲이 교통사고를 가장하여 보험금을 편취할 목적으로 피해자 A와 공모하여 A의 승낙을 받고 그에게 상해를 가한 경우 甲의 상해행위는 피해자의 승낙에 의하여 위법성이 조각된다.
④ 甲이 피해자 A가 사용중인 공중화장실의 용변칸에 노크하여 남편으로 오인한 A가 용변칸 문을 열자 강간할 의도로 용변칸에 들어간 경우 A가 명시적 또는 묵시적으로 이를 승낙하였다고 볼 수 있으므로 甲의 주거침입행위는 위법성이 조각된다.

03 실행의 착수에 관한 판례의 입장과 부합하지 않는 것은?

① 야간에 아파트에 침입하여 물건을 훔칠 의도하에 아파트의 베란다 철제 난간까지 올라가 유리창문을 열려고 시도하였다면 야간주거침입절도죄의 실행의 착수가 인정된다.
② 태풍 피해복구보조금 지원절차가 행정당국에 의한 실사를 거쳐 피해자로 확인된 경우에 한하여 보조금 지원신청을 할 수 있도록 되어 있는 경우, 허위의 피해신고만으로는 위 보조금 편취범행의 실행에 착수한 것이라고 볼 수 없다.
③ 소송에서 주장하는 권리가 존재하지 않는 사실을 알고 있으면서도 법원을 기망한다는 인식을 가지고 소를 제기하면 소송사기의 실행의 착수가 인정된다.
④ 피고인이 신고하지 않은 외화 400만 엔이 들어 있는 휴대용 가방을 보안검색대에 올려놓거나 이를 휴대하고 통과하지 않더라도 공항 내에서 탑승을 기다리고 있던 중에 체포된 경우라면 이미 외국환거래법이 규정한 국외반출죄의 실행의 착수는 인정된다.

04 포괄일죄에 관한 다음 설명 중 가장 옳지 않은 것은? (다툼이 있는 경우 판례에 의함)

① 포괄일죄로 되는 개개의 범죄행위가 법 개정의 전후에 걸쳐서 행하여진 경우, 범죄 실행 종료시의 법이라고 할 수 있는 신법을 적용한다.
② 포괄일죄의 중간에 다른 종류의 확정판결이 끼어 있는 경우에는 그 확정판결 때문에 포괄적 범죄가 둘로 나뉘는 것이고, 이를 그 확정판결 후의 범죄로서 다룰 것은 아니다.

③ 범죄단체를 구성하거나 이에 가입한 자가 더 나아가 구성원으로 활동하는 경우 이는 포괄일죄의 관계에 있다.

④ 포괄일죄에 있어서는 그 죄의 일부를 구성하는 개개의 행위에 대하여 구체적으로 특정하지 않더라도 그 전체 범행의 시기와 종기, 범행방법, 범행횟수 또는 피해액의 합계 및 피해자나 상대방을 명시하면 이로써 그 범죄사실은 특정된다.

05 **강간과 추행의 죄에 대한 아래 ㉠부터 ㉣까지의 설명 중 옳고 그름의 표시(○, ×)가 모두 바르게 된 것은? (다툼이 있는 경우 판례에 의함)**

> ㉠ 강간과 추행의 죄에서 말하는 '성적 자유'는 적극적으로 성행위를 할 수 있는 자유가 아니라 소극적으로 원치 않는 성행위를 하지 않을 자유를 말하고, '성적 자기결정권'은 성행위를 할 것인가 여부, 성행위를 할 때 그 상대방을 누구로 할 것인가 여부, 성행위의 방법 등을 스스로 결정할 수 있는 권리를 의미한다.
>
> ㉡ 강제추행죄는 자수범이라고 볼 수 없으므로 처벌되지 아니하는 타인을 도구로 삼아 피해자를 강제로 추행하는 간접정범의 형태로도 범할 수 있으나, 여기에서의 강제추행에 관한 간접정범의 의사를 실현하는 도구로서의 타인에는 피해자가 포함되지 않는다.
>
> ㉢ 위계에 의한 간음죄에서 행위자의 위계적 언동이 존재하였다는 사정만으로 위계에 의한 간음죄가 성립하는 것은 아니고, 위계적 언동의 내용 중에 피해자가 성행위를 결심하게 된 중요한 동기를 이룰 만한 사정이 포함되어 있어 피해자의 자발적인 성적 자기결정권의 행사가 없었다고 평가할 수 있어야 한다.
>
> ㉣ '미성년자 또는 심신미약자에 대하여 위계 또는 위력으로써 간음 또는 추행'한 자를 처벌하는 「형법」 제302조는, 미성년자나 심신미약자와 같이 판단능력이나 대처능력이 일반인에 비하여 낮은 사람은 낮은 정도의 유·무형력의 행사에 의해서도 저항을 제대로 하지 못하고 피해를 입을 가능성이 있기 때문에 그 범죄의 성립요건을 강간죄나 강제추행죄보다 완화된 형태로 규정한 것이다.

① ㉠ (○) ㉡ (×) ㉢ (○) ㉣ (○)
② ㉠ (○) ㉡ (×) ㉢ (○) ㉣ (×)
③ ㉠ (○) ㉡ (○) ㉢ (×) ㉣ (○)
④ ㉠ (×) ㉡ (○) ㉢ (×) ㉣ (×)

06 **문서에 관한 죄에 대한 설명으로 가장 적절하지 않은 것은? (다툼이 있는 경우 판례에 의함)**

① 명의인이 실재하지 않는 허무인이거나 또는 문서의 작성일자 전에 이미 사망하였다고 하더라도 그러한 문서 역시 공공의 신용을 해할 위험성이 있으므로 문서위조죄의 객체가 되며, 이는 공문서뿐만 아니라 사문서의 경우에도 마찬가지이다.

② 문서가 원본인지 여부가 중요한 거래에서 문서의 사본을 진정한 원본인 것처럼 행사할 목적으로 다른 조작을 가함이 없이 문서의 원본을 그대로 컬러복사기로 복사한 후 복사한 문서의 사본을 원본인 것처럼 행사한 행위는 문서위조죄 및 동행사죄에 해당한다.

③ 간접정범을 통한 위조문서행사범행에 있어 도구로 이용된 자라고 하더라도 문서가 위조된 것임을 알지 못하는 자에게 행사한 경우에는 위조문서행사죄가 성립한다.

④ 허위공문서작성의 주체는 직무상 그 문서를 작성할 권한이 있는 공무원에 한하므로 작성권한이 없는 기안담당 공무원 갑이 그 직위를 이용하여 행사할 목적으로 허위의 내용이 기재된 문서 초안을 그 정을 모르는 작성권한이 있는 상사에게 제출하여 결재하도록 하는 등의 방법으로 허위의 공문서를 작성하게 한 경우에는 갑에게 허위공문서작성죄의 간접정범이 성립하지 않는다.

07 체포 및 구속에 대한 설명으로 옳은 것만을 모두 고르면? (다툼이 있는 경우 판례에 의함)

㉠ 현행범인 체포의 요건으로는 행위의 가벌성, 범죄의 현행성·시간적 접착성, 범인·범죄의 명백성 외에 체포의 필요성, 즉 도망 또는 증거인멸의 염려가 있을 것을 요한다.
㉡ 현행범인 체포에 있어서 체포 당시의 상황으로 보아 체포의 요건에 관한 수사주체의 판단이 경험칙에 비추어 현저히 합리성이 없다고 인정되지 않는 한, 수사주체의 현행범인 체포를 위법하다고 단정할 수 없다.
㉢ 법원은 피고인에 대한 구속영장을 발부함에 있어서, 피고인에게 범죄사실의 요지, 구속의 이유와 변호인을 선임할 수 있음을 말하고 변명할 기회를 주는 것을 합의부원으로 하여금 이행하게 할 수 있다.
㉣ "검사 또는 사법경찰관에 의하여 구속되었다가 석방된 자는 다른 중요한 증거를 발견한 경우를 제외하고는 동일한 범죄사실에 관하여 재차 구속하지 못한다."라는 「형사소송법」 규정은 법원이 피고인을 구속하는 경우에는 적용되지 않는다.

① ㉠, ㉣ ② ㉠, ㉡, ㉢
③ ㉡, ㉢, ㉣ ④ ㉠, ㉡, ㉢, ㉣

08 과학적 증거에 대한 판례의 태도로서 옳지 않은 것은?

① 범죄구성요건에 해당하는 사실을 증명하기 위한 근거가 되는 과학적인 연구 결과는 적법한 증거조사를 거친 증거능력 있는 증거에 의하여 엄격한 증명으로 증명되어야 한다.
② 유전자검사나 혈액형검사 등 과학적 증거방법은 그 전제로 하는 사실이 모두 진실임이 입증되고 그 추론의 방법이 과학적으로 정당하여 오류의 가능성이 전무하거나 무시할 정도로 극소한 것으로 인정되는 경우에는 법관이 사실인정을 함에 있어 상당한 정도로 구속력을 가진다.
③ 전문 감정인이 공인된 표준 검사기법으로 분석한 후 법원에 제출한 과학적 증거는 모든 과정에서 시료의 동일성이 인정되고 인위적인 조작·훼손·첨가가 없었음이 담보되었다면, 각 단계에서 시료에 대한 정확한 인수·인계 절차를 확인할 수 있는 기록이 유지되지 않았다 하더라도 사실인정에 있어서 상당한 정도로 구속력을 가진다.
④ 컴퓨터 디스켓에 들어 있는 문건이 증거로 사용되는 경우 그 컴퓨터 디스켓은 그 기재의 매체가 다를 뿐 실질에 있어서는 피고인 또는 피고인 아닌 자의 진술을 기재한 서류와 크게 다를 바 없고, 압수 후의 보관 및 출력과정에 조작의 가능성이 있으며, 기본적으로 반대신문의 기회가 보장되지 않는 점 등에 비추어 그 기재내용의 진실성에 관하여는 전문법칙이 적용된다.

09 자백배제법칙에 대한 설명으로 가장 적절하지 않은 것은? (다툼이 있는 경우 판례에 의함)

① 일정한 증거가 발견되면 피의자가 자백하겠다고 한 약속이 검사의 강요나 위계에 의하여 이루어졌다던가 또는 불기소나 경한 죄의 소추 등 이익과 교환 조건으로 된 것으로 인정되지 않는다면 위와 같은 자백의 약속하에 된 자백이라 하여 곧 임의성이 없는 자백이라고 단정할 수 없다.
② 피고인이 수사기관에서 가혹행위 등으로 인하여 임의성 없는 자백을 하고, 그 후 법정에서도 임의성 없는 심리상태가 계속되어 동일한 내용의 자백을 하였다면 법정에서의 자백도 임의성 없는 자백이라고 보아야 한다.
③ 진술의 임의성에 다툼이 있을 때에는 검사가 그 임의성의 의문점을 없애는 증명을 하여야 하며, 검사가 이를 증명하지 못하면 그 진술증거의 증거능력은 부정된다.
④ 검찰에서의 피고인의 자백이 임의성이 있어 그 증거능력이 부여된다면 자백의 진실성과 신빙성까지도 당연히 인정된다.

10 다음 사례에 대한 설명으로 옳은 것은? (다툼이 있는 경우 판례에 의함)

> 민원인 甲이 건축허가 담당공무원 乙에게 건축허가를 신청하자 乙이 건축허가와 관련하여 뇌물을 요구하였고, 이에 甲은 뇌물을 제공하였다. 이후 검사는 뇌물죄에 대한 혐의로 甲과 乙을 공동피고인으로 기소하였다.

① 甲과 乙이 서로 뇌물을 주고받은 사실이 없다고 주장하며 다투는 경우, 이들은 소송절차가 분리되어 피고인의 지위에서 벗어나더라도 다른 공동피고인에 대한 공소사실에 관하여 증인이 될 수 없다.

② 甲이 공판정에서 "乙로부터 '해외여행을 가려고 하는데 여행사에 대금을 대신 내주면 잘 봐주겠다'라는 말을 들었다."는 취지의 진술을 한 경우, 甲의 진술로 증명하고자 하는 사실이 '乙이 위와 같은 내용의 말을 하였다'는 것이라면 甲이 乙로부터 위와 같은 말을 들었다고 하는 진술은 전문증거가 아니라 본래증거에 해당한다.

③ 만약 甲만이 검거되어 검사가 甲을 증뢰죄로 기소하였다면, 그로 인한 공소시효 정지의 효력은 乙의 수뢰죄에 대하여도 미친다.

④ 공판정에서 甲은 범행을 자백하였으나 乙이 범행을 부인하고 있는 경우, 甲의 자백이 乙에게 불이익한 유일한 증거라면 법원은 甲의 자백을 乙의 범죄사실을 인정하는데 있어서 증거로 쓸 수 없다.

형사법 5회 모의고사

01 책임능력에 대한 설명으로 가장 적절하지 않은 것은? (다툼이 있는 경우 판례에 의함)

① 충동조절장애와 같은 성격적 결함은 원칙적으로 심신장애에 해당하지 않으나 그 정도가 매우 심각하여 원래의 의미의 정신병을 가진 사람과 동등하다고 평가할 수 있는 경우에는 심신장애를 인정할 수 있다.
② 행위자에게 정신적 장애가 있는 경우라고 하여도 범행 당시 정상적인 사물변별능력과 행위통제능력이 있었다면 심신장애로 볼 수 없다.
③ 「형법」 제10조에 규정된 심신장애의 유무 및 정도의 판단은 의학적 판단으로서 법원이 반드시 전문감정인의 의견에 기속되어야 하는 것은 아니다.
④ 형사미성년자의 행위는 벌하지 아니하고, 농아자의 행위는 형을 필요적으로 감경한다.

02 책임능력에 대한 설명 중 가장 적절하지 않은 것은? (다툼이 있는 경우 판례에 의함)

① 정신적 장애가 있는 자라고 하여도 범행 당시 정상적인 사물판별능력이나 행위통제능력이 있었다면 심신장애로 볼 수 없다.
② 심신장애로 인하여 사물을 변별할 능력이 없거나 의사를 결정할 능력이 없는 자의 행위는 벌하지 아니하며, 심신장애로 인하여 위의 능력이 미약한 자의 행위에 대해서는 형을 감경한다.
③ 스스로 절도의 충동을 억제하지 못하는 충동조절장애와 같은 성격적 결함은 원칙적으로 심신장애에 해당한다고 볼 수 없고, 다만 그 증상이 매우 심각하여 원래의 의미의 정신병이 있는 사람과 동등하다고 평가할 수 있다면 심신장애를 인정할 여지가 있다.
④ 형법 제10조 제3항은 고의에 의한 원인에 있어서의 자유로운 행위만이 아니라 과실에 의한 원인에 있어서의 자유로운 행위까지도 포함하는 것으로서 위험의 발생을 예견할 수 있었는데도 자의로 심신장애를 야기한 경우 그 적용대상이 된다.

03 책임능력에 대한 설명으로 가장 적절한 것은? (다툼이 있는 경우 판례에 의함)

① 「형법」 제10조 제3항은 고의에 의한 원인에 있어 자유로운 행위만이 아니라 과실에 의한 원인에 있어 자유로운 행위까지도 적용된다.
② 「형법」 제10조 제2항에 의하면 심신미약자의 행위는 형을 감경하여야 한다.
③ 「형법」 제10조에서 말하는 사물을 판별할 능력 또는 의사를 결정할 능력은 자유의사를 전제로 한 의사결정의 능력에 관한 것으로서, '그 능력의 유무와 정도' 및 '그 능력에 관해 확정된 사실이 심신상실 또는 심신미약에 해당하는지 여부'는 모두 감정사항에 속하는 사실문제에 해당한다.
④ 법률상 감경을 규정한 「소년법」 제60조 제2항의 적용대상인 소년인지 여부를 판단하는 기준시점은 사실심 판결선고 시가 아니라 행위 시이다.

04 원인에 있어서 자유로운 행위에 대한 설명으로 가장 적절하지 않은 것은? (다툼이 있는 경우 판례에 의함)

① 원인에 있어서 자유로운 행위는 「형법」상 책임능력자의 행위와 동일하게 처벌된다.
② 판례는 「형법」 제10조 제3항이 고의에 의한 원인에 있어서의 자유로운 행위뿐만 아니라 과실에 의한 원인에 있어서의 자유로운 행위까지도 포함하는 것이라고 판시하였다.
③ 실행의 착수시기와 관련하여 원인행위를 실행행위로 보는 견해에 의하면 행위와 책임의 동시존재의 원칙을 유지할 수 있다.
④ 원인에 있어서 자유로운 행위의 가벌성 근거를 원인행위 자체에서 찾는 견해에 따르면 책임능력 결함상태에서 구성요건 해당행위를 시작한 때에 실행의 착수가 있는 것으로 본다.

05 원인에 있어서 자유로운 행위에 관한 설명 중 가장 적절한 것은? (다툼이 있는 경우 판례에 의함)

① 우리 형법상 원인에 있어서 자유로운 행위에는 심신상실, 심신미약 규정을 적용하지 아니하므로 책임조각 내지 책임감경이 되지 아니하고 책임능력자로 취급하여 처벌하고 있다.

② 원인에 있어서 자유로운 행위의 가벌성의 근거를 자신을 도구로 이용하는 간접정범으로 이해하여 원인설정행위를 실행행위로 파악하여 원인설정행위 시의 책임능력을 기초로 책임을 인정하는 견해는 구성요건의 정형성을 중시하여 죄형법정주의의 보장적 기능을 관철하는데 부합하는 이론이다.

③ 원인에 있어서 자유로운 행위의 가벌성의 근거를 원인설정행위와 실행행위의 불가분적 관련에서 찾는 견해는 행위와 책임능력의 동시존재의 원칙을 따르는 이론이다.

④ 원인에 있어서 자유로운 행위에 관한 형법 제10조 제3항은 위험의 발생을 예견할 수 있었는데도 자의로 심신장애를 야기한 경우에는 적용되지 않는다.

06 법률의 착오에 대한 설명으로 가장 적절하지 않은 것은? (다툼이 있는 경우 판례에 의함)

① 자기의 행위가 법령에 의하여 죄가 되지 아니하는 것으로 오인한 행위는 그 오인에 정당한 이유가 있는 때에 한하여 벌하지 아니한다.

② 「자격기본법」에 의한 민간자격관리자로부터 대체의학자격증을 수여받은 자가 사업자등록을 한 후 침술원을 개설하였다고 한다면, 자신의 행위가 무면허 의료행위에 해당되지 아니하여 죄가 되지 않는다고 믿은 데에 정당한 사유가 있었다고 볼 수 있다.

③ 숙박업자가 자신이 운영하는 숙박업소에서 위성방송수신장치를 이용하여 수신한 외국의 음란한 위성방송프로그램을 투숙객 등에게 제공하였는데, 그 이전에 그와 유사한 행위로 '혐의없음' 처분을 받은 전력이 있다거나 일정한 시청차단장치를 설치하였더라도 「형법」 제16조의 정당한 이유가 있다고 볼 수 없다.

④ 광역시의회 의원이 선거구민들에게 의정보고서를 배부하기에 앞서 관할 선거관리위원회 소속 공무원들에게 자문을 구하고 그들의 지적에 따라 수정한 의정보고서를 배부한 경우, 「형법」 제16조의 정당한 이유가 있다고 볼 수 있다.

07 법률의 착오에 관한 설명 중 가장 적절하지 않은 것은? (다툼이 있는 경우 판례에 의함)

① 마약취급면허가 없는 자가 제약회사에 근무한다는 자로부터 마약이 없어 약을 제조하지 못하니 구해달라는 거짓 부탁을 받고 제약회사에서 쓰는 마약은 구해 주어도 죄가 되지 아니하는 것으로 믿고 생아편을 구해 주었다 하더라도 오인에 정당한 이유가 있는 경우라고 볼 수 없다.

② 정부공인 체육종목인 '활법'의 사회체육지도사 자격증을 취득한 자가 기공원을 운영하면서 환자들을 대상으로 척추교정시술행위를 한 자신의 행위가 무면허 의료행위에 해당되지 아니하여 죄가 되지 않는다고 믿었다면 정당한 이유가 있는 법률의 착오에 해당한다.

③ 채광업자가 허가를 담당하는 공무원에게 문의한 결과 허가를 요하지 않는다고 잘못 알려준 것을 믿고 허가 없이 산림을 훼손한 경우에는 허가를 받지 않더라도 죄가 되지 않는 것으로 착오를 일으킨데 대하여 정당한 이유가 있는 경우에 해당한다.

④ 20여년간 경찰공무원으로 근무해온 형사계 강력반장이 검사의 수사지휘대로 하면 적법한 것이라 믿고 허위공문서를 작성한 경우에는 그 오인에 정당한 이유가 있다고 볼 수 없다.

08 금지착오에 대한 설명 중 가장 적절한 것은? (다툼이 있는 경우 판례에 의함)

① 위법성의 인식에 필요한 노력의 정도는 행위자 개인의 인식능력과 행위자가 속한 사회집단에 따라 달리 평가되어서는 안되며, 사회 평균적 일반인의 입장에서 객관적으로 판단되어야 한다.

② 숙박업자가 자신이 운영하는 숙박업소에서 위성방송수신장치를 이용하여 수신한 외국의 음란한 위성방송프로그램을 투숙객등에게 제공한 경우 그 이전에 그와 유사한 행위로 '혐의없음' 처분을 받은 전력이 있거나 일정한 시청차단장치를 설치하였다면 형법 제16조의 정당한 이유가 인정된다.

③ 법률 위반 행위 중간에 일시적으로 판례에 따라 그 행위가 처벌대상이 되지 않는 것으로 해석되었던 적이 있었다고 하더라도 그것만으로 자신의 행위가 처벌되지 않는 것으로 믿은 데에 정당한 이유가 있다고 할 수 없다.

④ 처벌규정이 존재함에도 불구하고 행위자가 처벌규정의 존재를 인식하지 못한 법률의 부지의 경우 그 오인에 정당한 이유가 있으면 벌하지 아니한다.

09 위법성조각사유의 전제사실에 대한 착오의 설명으로 가장 적절한 것은? (다툼이 있는 경우 판례에 의함)

① 엄격책임설에 의하면 위법성조각사유의 전제사실에 대한 착오의 경우 「형법」 제13조를 직접 적용함으로써 고의범의 성립이 부정되고 과실이 있는 경우 과실범으로 처벌한다.

② 위법성조각사유의 요건을 총체적 불법구성요건의 소극적 표지로 이해하는 소극적 구성요건표지이론에 의하면 위법성조각사유의 전제사실에 대한 착오를 고의범으로 처벌한다.

③ 고의설과 법효과제한책임설은 위법성조각사유의 전제사실에 대한 착오의 법적 효과에 있어 동일한 결론을 취한다.

④ 유추적용설에 의하면 위법성조각사유의 전제사실에 대한 착오의 경우 「형법」 제13조를 유추적용함으로써 구성요건적 고의는 인정되지만 책임고의를 부정하여 고의범의 성립을 부정한다.

10 기대가능성에 대한 설명으로 가장 적절하지 않은 것은? (다툼이 있는 경우 판례에 의함)

① 피고인에게 적법행위를 기대할 가능성이 있는지 여부를 판단하기 위하여는 행위 당시의 구체적인 상황하에 행위자 대신에 사회적 평균인을 두고 이 평균인의 관점에서 그 기대가능성 유무를 판단하여야 한다.

② 「형법」 제12조 소정의 '저항할 수 없는 폭력'은 심리적인 의미에 있어서 육체적으로 어떤 행위를 절대적으로 할 수밖에 없게 하는 경우와 윤리적 의미에서 강압된 경우를 의미한다.

③ 이미 유죄의 확정판결을 받은 피고인이라도 자신의 형사사건에서 시종일관 범행을 부인하였다면, 그 피고인이 별건으로 기소된 공범의 형사사건에서 증인으로 진술하는 경우 자기부죄거부의 권리에 입각하여 그 피고인에게 사실대로 진술할 것을 기대할 수는 없다.

④ 직장 상사의 지시로 인하여 그 부하가 범법행위에 가담한 경우 비록 직무상 지휘·복종 관계가 인정된다고 하더라도 그것 때문에 범법행위에 가담하지 않을 기대가능성이 부정된다고 볼 수는 없다.

형사법 6회 모의고사

01 **고소에 관한 다음 설명 중 가장 옳지 않은 것은? (다툼이 있는 경우 판례에 의함)**

① 친고죄에서 공범 중 일부에 대하여만 처벌을 구하고 나머지에 대하여는 처벌을 원하지 않는 내용의 고소는 적법한 고소라고 할 수 없고, 공범 중 1인에 대한 고소취소는 고소인의 의사와 상관없이 다른 공범에 대하여도 효력이 있다.

② 항소심에서 공소장의 변경에 의하여 친고죄가 아닌 범죄를 친고죄로 인정하였더라도, 항소심에 이르러 비로소 고소인이 고소를 취소하였다면 이는 친고죄에 대한 고소취소로서의 효력은 없다.

③ 친고죄의 공범 중 그 일부에 대하여 제1심판결이 선고된 후에는 제1심판결선고전의 다른 공범자에 대하여는 그 고소를 취소할 수 없고 그 고소의 취소가 있다 하더라도 그 효력을 발생할 수 없다.

④ 피해자가 반의사불벌죄의 공범 중 1인에 대하여 처벌을 희망하는 의사를 철회한 경우, 다른 공범자에 대하여도 처벌희망의사가 철회된 것으로 볼 수 있다.

02 **친고죄에서의 고소취소 및 고소권 포기에 대한 설명으로 가장 적절하지 않은 것은? (다툼이 있는 경우 판례에 의함)**

① 고소를 한 피해자가 가해자에게 합의서를 작성하여 준 것만으로는 적법한 고소취소로 보기 어렵지만, '가해자와 원만히 합의하였으므로 피해자는 가해자를 상대로 이 사건과 관련한 어떠한 민·형사상의 책임도 묻지 아니한다.'는 취지의 합의서를 공소제기 이전 수사기관에 제출하였다면 고소취소의 효력이 있다.

② 고소는 제1심판결 선고 전까지 취소할 수 있지만, 항소심에서 공소장변경절차를 거치지 아니하고 법원이 직권으로 친고죄가 아닌 범죄를 친고죄로 인정한 경우, 항소심에서 고소인이 고소를 취소하였다면 친고죄에 대한 고소취소로서 효력을 갖는다.

③ 일단 고소를 취소한 자는 고소기간이 남았더라도 다시 고소하지 못한다.

④ 고소권은 고소 전에 포기될 수 없으므로, 비록 고소 전에 피해자가 처벌을 원치 않았다 하더라도 피해자가 고소장을 제출하여 처벌을 희망하는 의사를 분명히 표시한 후 그 고소를 취소한 바 없다면 피해자의 고소는 유효하다.

03 **친고죄와 반의사불벌죄에 관한 다음 설명 중 가장 옳지 않은 것은? (다툼이 있는 경우 판례에 의함)**

① 반의사불벌죄에 있어서 처벌불원의 의사표시의 부존재는 법원이 직권으로 조사·판단하여야 한다.

② 항소심에 이르러 비로소 반의사불벌죄가 아닌 죄에서 반의사불벌죄로 공소장이 변경된 경우 그 처벌을 희망하는 의사표시를 철회할 수 있다.

③ 친고죄의 공범 중 공범자 1인에 대하여 제1심판결이 선고된 후에는 나머지 공범자에 대하여 고소를 취소할 수 없다.

④ 고소인이 민·형사상의 아무런 이의를 제기하지 않는다는 합의서를 피고인에게 작성하여준 것만으로는 고소가 적법하게 취소된 것으로 볼 수 없다.

04 **수사에 대한 설명으로 옳지 않은 것은? (다툼이 있는 경우 판례에 의함)**

① 임의동행은 「경찰관 직무집행법」 제3조 제2항에 따른 행정경찰 목적의 경찰활동으로 행하여지는 것 외에도 「형사소송법」 제199조 제1항에 따라 범죄 수사를 위하여 오로지 피의자의 자발적인 의사에 의하여 이루어진 경우에도 가능하다.

② 범의를 가진 자에 대하여 단순히 범행의 기회를 제공하거나 범행을 용이하게 하는 것에 불과한 수사방법이 경우에 따라 허용될 수 있음은 별론으로 하고, 본래 범의를 가지지 아니한 자에 대하여 수사기관이 사술이나 계략 등을

써서 범의를 유발케 하여 범죄인을 검거하는 함정수사는 위법하므로 이러한 함정수사에 기한 공소제기에 대해 법원은 공소기각결정을 선고해야 한다.

③ 범죄의 인지는 실질적인 개념이므로 인지절차를 거치기 전에 범죄의 혐의가 있다고 보아 수사를 개시하는 행위를 한 때에 범죄를 인지한 것으로 보아야 하며, 그 뒤 범죄인지서를 작성하여 사건수리 절차를 밟은 때에 비로소 범죄를 인지하였다고 볼 것은 아니다.

④ 검사가 조사실에서 피의자를 신문할 때 도주, 자해 등의 위험이 없다면 교도관에게 피의자의 수갑 해제를 요청할 의무가 있고, 교도관은 이에 응하여야 한다.

05 통신비밀보호법상 사법경찰관의 통신제한조치(전기통신의 감청)에 관한 설명으로 옳은 것을 모두 고른 것은?

㉠ 일정한 요건이 구비된 경우에는 검사에 대하여 각 피의자별 또는 각 피내사자별로 통신제한조치에 대한 허가를 신청하고, 검사는 법원에 대하여 그 허가를 청구할 수 있다.

㉡ 통신제한조치의 기간은 3개월을 초과하지 못하나 허가요건이 존속하는 경우에는 3개월의 범위에서 통신제한조치기간의 연장을 청구할 수 있다. 다만 통신제한조치의 연장을 청구하는 경우에 통신제한조치의 총 연장기간은 1년(일정한 범죄의 경우는 3년)을 초과할 수 없다.

㉢ 통신제한조치를 집행한 사건에 관하여 검사로부터 공소를 제기하거나 제기하지 아니하는 처분(기소중지 또는 참고인중지결정은 제외한다)의 통보를 받거나 검찰송치를 하지 아니하는 처분(수사중지 결정은 제외한다) 또는 내사사건에 관하여 입건하지 아니하는 처분을 한 때에는 그 날부터 30일 이내에 감청의 대상이 된 전기통신의 가입자에게 통신제한조치를 집행한 사실과 집행기관 및 그 기간 등을 서면으로 통지하여야 한다.

㉣ 인터넷 회선을 통하여 송신 수신하는 전기통신을 대상으로 통신제한조치를 집행한 경우 그 전기통신의 보관 등을 하고자 하는 때에는 집행종료일부터 10일 이내에 보관 등이 필요한 전기통신을 선별하여 검사에게 보관 등의 승인을 신청하고, 검사는 신청일부터 10일 이내에 통신제한조치를 허가한 법원에 그 승인을 청구할 수 있다.

① ㉠, ㉢　② ㉠, ㉣
③ ㉡, ㉢　④ ㉡, ㉣

06 피의자신문에 대한 설명으로 가장 적절한 것은? (다툼이 있는 경우 판례에 의함)

① 피의자신문에 대한 변호인의 참여권은 구속된 피의자의 방어권을 실질적으로 보장하기 위한 취지이므로 불구속 피의자의 피의자신문에 대해서는 정당한 사유가 있는 경우에만 변호인의 참여가 허용된다.

② 피의자신문에 참여한 변호인은 신문 후 의견을 진술할 수 있고, 부당한 신문방법에 대하여는 신문 중이더라도 이의를 제기하고 의견을 진술할 수 있다. 다만, 부당한 신문방법에 대한 신문 중의 이의제기는 검사 또는 사법경찰관의 승인을 얻어야 한다.

③ 피의자가 “변호인의 조력을 받을 권리를 행사할 것인가요”라는 사법경찰관의 물음에 “예”라고 답변하였음에도 사법경찰관이 변호인의 참여를 제한하여야 할 정당한 사유 없이 변호인이 참여하지 아니한 상태에서 계속하여 피의자를 상대로 신문을 행한 경우, 그 내용을 기재한 피의자신문조서는 적법한 절차에 따르지 않고 수집한 증거에 해당한다.

④ 변호인에게 피의자신문 참여권을 인정하는 이유는 피의자 등이 가지는 ‘변호인의 조력을 받을 권리’를 충실하게 보장하기 위한 목적에서 비롯된 것이지, 그것이 변호인 자신의 기본권을 보장하기 위하여 인정되는 권리라고 볼 수는 없다.

07 임의수사에 대한 설명으로 가장 적절하지 않은 것은? (다툼이 있는 경우 판례에 의함)

① 즉결심판 피의자의 정당한 귀가요청을 거절한 채 다음날 즉결심판법정이 열릴 때까지 피의자를 경찰서 보호실에 강제유치시키려고 함으로써 피의자를 경찰서 내 즉결피의자 대기실에 10~20분 동안 있게 한 행위는 불법한 감금행위에 해당한다.

② 변사체를 검시하는 검사 혹은 검사의 명을 받은 사법경찰관은 변사자의 검시 결과 범죄의 혐의가 인정되고 긴급을 요할 때에는 영장 없이 검증할 수 있다.

③ 수사기관은 피의자신문절차에서 피의자의 동의 없이도 피의자의 진술을 영상녹화할 수 있으며, 영상녹화물의 내용에 대해 피의자가 이의를 진술하는 경우 그 진술을 따로 영상녹화하여 첨부하여야 한다.

④ 특별한 이유 없이 호흡측정기에 의한 측정에 불응하는 운전자에게 경찰공무원이 혈액채취에 의한 측정방법이 있음을 고지하고 그 선택 여부를 물어야 할 의무가 있다고는 할 수 없다.

08 체포에 관한 다음 설명 중 가장 옳은 것은? (다툼이 있는 경우 판례에 의함)

① 체포영장의 청구를 받은 지방법원판사는 필요하다고 인정할 때에는 발부 전에 영장실질심사를 위해서 피의자심문을 할 수 있다.

② 검사 또는 사법경찰관은 긴급체포한 피의자에 대하여 구속영장을 청구하지 않거나 발부받지 못하여 석방한 경우에는 다른 중요한 증거를 발견한 경우를 제외하고는 동일한 범죄사실로 다시 체포하지 못한다.

③ 검사의 체포영장 청구를 기각한 지방법원판사의 재판에 대하여는 항고나 준항고가 허용되지 않는다.

④ 긴급체포의 요건을 갖추었는지 여부는 체포 당시의 상황과 사후에 밝혀진 사정을 종합하여 판단하여야 하고, 이에 관한 검사나 사법경찰관 등 수사주체의 판단에는 상당한 재량의 여지가 있다.

09 긴급체포에 대한 설명으로 옳지 않은 것은? (다툼이 있는 경우 판례에 의함)

① 피의자가 마약투약을 하였다고 의심할 만한 상당한 이유가 있었더라도, 경찰관이 이미 피의자의 신원과 주거지 및 전화번호 등을 모두 파악하고 있었고 당시 증거가 급속하게 소멸될 상황도 아니었다면 긴급체포의 요건으로 미리 체포영장을 받을 시간적 여유가 없었던 경우에 해당하지 않는다.

② 긴급체포 후 석방된 자 또는 그 변호인·법정대리인·배우자·직계친족·형제자매는 통지서 및 관련 서류를 열람하거나 등사할 수 있다.

③ 수사기관이 긴급체포된 자에 대하여 구속영장을 청구하지 아니하거나 발부받지 못한 때에는 피의자를 즉시 석방하여야 하고, 이 경우 석방된 자는 영장 없이는 동일한 범죄사실에 관하여 체포하지 못한다.

④ 사법경찰관이 검사에게 긴급체포된 피의자에 대한 승인 건의와 함께 구속영장을 신청한 경우 검사는 긴급체포의 합당성이나 구속영장 청구에 필요한 사유를 보강하기 위하여 긴급체포한 피의자를 검찰청으로 출석시켜 직접 대면조사할 수 있다.

10 현행범인 또는 준현행범인 체포에 관한 다음 설명 중 옳은 것은 모두 몇 개인가? (다툼이 있으면 판례에 의함)

㉠ 현행범인은 누구든지 영장 없이 체포할 수 있는데, 현행범인으로 체포하기 위하여는 행위의 가벌성, 범죄의 현행성・시간적 접착성, 범인・범죄의 명백성 이외에 체포의 필요성 즉, 도망 또는 증거인멸의 염려가 있어야 하는 것은 아니다.

㉡ '범죄의 실행행위를 종료한 직후'라고 함은 범죄행위를 실행하여 끝마친 순간 또는 이에 아주 접착된 시간적 단계를 의미하는 것으로 해석되므로, 시간적으로나 장소적으로 보아 체포를 당하는 자가 방금 범죄를 실행한 범인이라는 점에 관한 죄증이 명백히 존재하는 것으로 인정되는 경우에만 현행범인으로 볼 수 있다.

㉢ 경찰관의 현행범인 체포경위 및 그에 관한 현행범인체포서와 범죄사실의 기재에 다소 차이가 있더라도, 그것이 논리와 경험칙상 장소적・시간적 동일성이 인정되는 범위 내라면 그 체포행위가 공무집행방해죄의 요건인 적법한 공무집행에 해당한다.

㉣ 다액 50만원 이하의 벌금, 구류 또는 과료에 해당하는 죄의 현행범인에 대하여는 범인의 주거가 분명하지 아니한 때에 한하여 현행범인으로 체포할 수 있다.

㉤ 사법경찰관리가 현행범인의 인도를 받은 때에는 체포자의 성명, 주거, 체포의 사유를 물어야 하고 필요하더라도 체포자에 대하여 경찰관서에 동행함을 요구할 수는 없다.

① 1개 ② 2개
③ 3개 ④ 4개

형사법 7회 모의고사

01 예비죄에 대한 설명으로 가장 적절한 것은? (다툼이 있는 경우 판례에 의함)

① 예비음모의 행위를 처벌하는 경우에 있어서 중지범의 관념을 인정할 수 있다.
② 甲이 행사할 목적으로 미리 준비한 물건들과 옵세트인쇄기를 사용하여 한국은행권 100원권을 사진찍어 그 필름 원판 7매와 이를 확대하여 현상한 인화지 7매를 만들었다면 통화위조의 착수에 이른 것이다.
③ 살인예비죄가 성립하기 위해서는 살인죄를 범할 목적 외에 살인의 준비에 관한 고의가 있어야 하고, 실행의 착수에 이르지 아니하는 살인죄 실현을 위한 준비행위가 있어야 하는데, 여기서의 준비행위는 단순한 범행의 의사 또는 계획만으로 족하다.
④ 절도를 준비하면서 뜻하지 않게 절도 범행이 발각될 경우에 대비하여 체포를 면탈할 목적으로 칼을 휴대하고 있었더라도 강도예비죄가 성립하지 않는다.

02 예비 · 음모죄에 대한 설명으로 가장 적절하지 않은 것은? (다툼이 있는 경우 판례에 의함)

① 예비행위를 자의로 중지한 경우 중지미수에 관한 「형법」 제26조가 준용된다.
② 「형법」 제28조는 예비죄의 처벌이 가져올 범죄의 구성요건을 부당하게 유추 내지 확장해석하는 것을 금지하고 있기 때문에 형법각칙의 예비죄를 처단하는 규정을 바로 독립된 구성요건 개념에 포함시킬 수는 없다.
③ 판례는 예비죄의 공동정범 성립이 가능하다는 입장이다.
④ 내란음모죄에 해당하는 합의가 있다고 하기 위해서는 단순히 내란에 관한 범죄결심을 외부에 표시 · 전달하는 것만으로는 부족하고 객관적으로 내란범죄의 실행을 위한 합의라는 것이 명백히 인정되고, 그러한 합의에 실질적인 위험성이 인정되어야 한다.

03 실행의 착수가 인정되는 경우로 가장 적절하지 않은 것은? (다툼이 있으면 판례에 의함)

① 소매치기의 경우 피해자의 양복상의 주머니로부터 금품을 절취하려고 그 호주머니에 손을 뻗쳐 그 겉을 더듬은 때
② 공범들이 피해회사 건물의 담을 넘어 마당에 들어가 그중 1명이 그 곳에 있는 구리를 찾기 위해 담에 붙어 걸어간 때
③ 평소 잘 아는 피해자에게 전화채권을 사주겠다고 하면서 골목길로 유인하여 돈을 절취하려고 기회를 엿본 경우
④ 피해자 소유 자동차 안에 들어 있는 밍크코트를 발견하고 이를 절취할 생각으로 공범이 위 차 옆에서 망을 보는 사이, 위 차 오른쪽 앞문을 열려고 앞문 손잡이를 잡아당긴 때

04 실행의 착수시기 또는 기수시기에 관한 설명 중 가장 적절하지 않은 것은? (다툼이 있는 경우 판례에 의함)

① 사기도박에서 사기적인 방법으로 도금을 편취하려고 하는 자가 상대방에게 도박에 참가할 것을 권유하는 등 기망행위를 개시한 때에 실행의 착수가 있는 것으로 보아야 한다.
② 소송사기의 고의로 소를 제기한 경우 아직 그 소장이 피고에게 송달되지 않아도 사기죄의 실행의 착수가 인정된다.
③ 금융기관 직원이 전산단말기를 이용하여 다른 공범들이 지정한 특정 계좌에 돈이 입금된 것처럼 허위의 정보를 입력하는 방법으로 위 계좌로 돈이 입금되도록 하였으나 그 후 그러한 입금이 취소되어 현실적으로 인출되지 못하였다면 컴퓨터등사용사기죄의 미수에 해당한다.
④ 피고인이 지하철 환승 에스컬레이터 내에서 카메라폰으로 성적 수치심을 느낄 수 있는 치마 속 신체부위를 피해자 의사에 반하여 동영상 촬영 중 경찰관에게 발각되어 저장버튼을 누르지 않고 촬영을 종료하였더라도 구 성폭력범죄의 처벌 및 피해자보호 등에 관한 법률에서 정한 '카메라등이용촬영죄'의 기수에 해당한다.

05 실행의 착수시기에 관한 설명 중 가장 적절하지 않은 것은? (다툼이 있는 경우 판례에 의함)

① 주거침입의 실행의 착수는 주거자, 관리자, 점유자 등의 의사에 반하여 주거나 관리하는 건조물 등에 들어가는 행위, 즉 구성요건의 일부를 실현하는 행위까지 요구하는 것은 아니고, 범죄구성요건의 실현에 이르는 현실적 위험성을 포함하는 행위를 개시하는 것으로 족하다.
② 입영대상자가 병역면제처분을 받을 목적으로 병원으로부터 허위의 병사용진단서를 발급받은 행위만으로는 사위행위에 의한 병역기피를 이유로 한 병역법위반죄의 실행에 착수한 것이 아니다.
③ 피담보채권인 공사대금 채권을 실제와 달리 허위로 부풀려 유치권에 의한 경매를 신청한 경우 소송사기죄의 실행의 착수가 인정되지 않는다.
④ 위조사문서행사죄는 상대방이 위조된 문서의 내용을 실제로 인식할 필요 없이 상대방으로 하여금 위조된 문서를 인식할 수 있는 상태에 둠으로써 기수가 된다.

06 미수에 관한 설명으로 가장 적절하지 않은 것은? (다툼이 있으면 판례에 의함)

① 원료불량으로 인한 제조상의 애로, 제품의 판로문제, 범행 탄로 시의 처벌공포, 원심 상피고인의 포악성 등으로 인하여 히로뽕 제조를 단념한 경우, 그와 같은 사정이 있었다는 것만으로서는 이를 중지미수라 할 수 없다.
② 가압류는 강제집행의 보전 방법에 불과한 것이어서 허위의 채권을 피보전권리로 삼아 가압류를 하였다고 하더라도 그 채권에 관하여 현실적으로 청구의 의사표시를 한 것이라고는 볼 수 없으므로, 본안소송을 제기하지 아니한 채 가압류를 한 것만으로는 사기죄의 실행에 착수하였다고 할 수 없다.
③ 불능미수의 위험성 판단과 관련하여 행위자가 인식한 사정과 일반인이 인식할 수 있었던 사정이 일치하지 않는 경우에 어느 사정을 기초로 판단할 것인지가 명확하지 않다는 비판을 받고 있는 견해에 의하면, 명백히 사정거리 밖에 있는 자에 대해 사정거리 안에 있는 것으로 오인하고 총격한 경우에 위험성이 부정된다.
④ 히로뽕 제조를 공모하고 그 제조원료인 염산에페트린과 파라디움, 에테르 등 수종의 화공약품을 사용하여 히로뽕 제조를 시도하였으나 그 제조기술의 부족으로 히로뽕 완제품을 제조하지 못하였고 미완성품에서도 히로뽕 성분이 검출되지 아니하였다면 향정신성의약품제조미수죄가 성립한다고 할 수 없다.

07 불능미수에 대한 설명 중 가장 적절하지 않은 것은? (다툼이 있는 경우 판례에 의함)

① 불능미수는 실행의 수단이나 대상의 착오로 처음부터 구성요건이 충족될 가능성이 없는 경우로, 결과적으로 구성요건의 충족은 불가능하지만 그 행위의 위험성이 있으면 불능미수로 처벌한다.
② 불능미수는 행위자가 실제로 존재하지 않는 사실을 존재한다고 오인하였다는 측면에서 존재하는 사실을 인식하지 못한 사실의 착오와 다르다.
③ '결과 발생의 불가능'은 실행의 수단 또는 대상의 원시적 불가능성으로 인하여 범죄가 기수에 이를 수 없는 것을 의미한다고 보아야 한다.
④ 불능범과 구별되는 불능미수의 성립요건인 '위험성'은 행위 당시에 행위자가 인식한 사정과 일반인이 인식할 수 있는 사정을 기초로 일반적 경험법칙에 따라 판단해야 한다.

08 다음 중 갑의 행위와 미수(불가벌적 불능범 포함)의 연결이 바르게 된 것을 모두 고른 것은? (다툼이 있는 경우 판례에 의함)

> ㉠ 소송비용을 편취할 의사로 「민사소송법」상 소송비용의 지급을 구하는 손해배상청구의 소를 제기한 갑의 행위 – 「형법」 제347조 사기죄의 불능미수
> ㉡ 갑은 피해자가 심신상실 또는 항거불능의 상태에 있다고 인식하고 그러한 상태를 이용하여 간음할 의사로 피해자를 간음하였으나 피해자가 실제로는 심신상실 또는 항거불능의 상태에 있지 않은 경우, 갑의 행위 – 「형법」 제299조 준강간죄의 불가벌적 불능범
> ㉢ 피해자를 살해하기 위해 그의 목 부위와 왼쪽 가슴 부위를 칼로 수 회 찔렀으나 피해자의 가슴 부위에서 많은 피가 흘러나오는 것을 발견하고 겁을 먹고 범행을 그만둔 갑의 행위 – 「형법」 제250조 살인죄의 중지미수
> ㉣ 강도행위 중에 피해자를 강간하려고 작은 방으로 끌고가 팬티를 강제로 벗기고 음부를 만지자 피해자가 수술한 지 얼마 안되어 배가 아프다면서 애원하는 바람에 강간을 그만둔 갑의 행위 – 「형법」 제339조 강도강간죄의 장애미수

① ㉠, ㉡, ㉣ ② ㉠, ㉢
③ ㉡, ㉢ ④ ㉣

09 미수에 대한 설명으로 가장 적절한 것은? (다툼이 있는 경우 판례에 의함)

① 불능미수의 성립요건인 '위험성'은 피고인이 행위 당시에 인식한 사정과 일반인이 인식할 수 있었던 사정을 놓고 일반인이 객관적으로 판단하여 결과 발생의 가능성이 있는지 여부를 따져야 한다.
② 불능미수에서 '결과의 발생이 불가능'하다는 것은 범죄행위의 성질상 그 어떠한 경우에도 구성요건의 실현이 불가능하다는 것을 의미한다.
③ 예비 · 음모의 행위를 한 후 실행의 착수로 나아가기 전에 자의로 중지한 경우에는 예비 · 음모죄의 중지미수를 인정할 수 있다.
④ 타인의 재물을 공유하는 자가 공유자의 승낙을 받지 않고 공유대지를 담보에 제공하고 가등기를 경료한 후 자의로 가등기를 말소하였다면 이는 횡령죄의 중지미수에 해당한다.

10 실행의 착수시기 및 미수에 대한 설명으로 가장 적절한 것은? (다툼이 있는 경우 판례에 의함)

① 피고인이 임야를 편취할 목적으로 소송을 제기하였으나 소 제기시 이미 소송의 상대방이 사망하였을 경우에는 소송에서 승소판결을 받는다고 하더라도 판결의 효력이 해당 임야의 재산상속인에게 미칠 수 없으므로 이는 사기죄의 불능미수에 해당한다.
② 행위자가 처음부터 미수에 그치겠다는 고의를 가진 경우라도 미수범이 성립할 수 있다.
③ 금융기관 직원이 전산단말기를 이용하여 다른 공범들이 지정한 특정계좌에 돈이 입금된 것처럼 허위의 정보를 입력하는 방법으로 위 계좌로 입금되도록 한 경우, 그 후 그러한 입금이 취소되어 현실적으로 인출되지 못한 경우는 컴퓨터등사용사기미수죄에 해당한다.
④ 甲이 부동산 경매절차에서 피담보채권인 공사대금채권을 실제와 달리 허위로 부풀려 유치권에 의한 경매를 신청한 경우 소송사기죄의 실행의 착수에 해당한다.

형사법 8회 모의고사

01 **공범에 관한 설명 중 가장 적절하지 않은 것은? (다툼이 있는 경우 판례에 의함)**

① 전국노점상연합회가 주관한 도로 행진 시위 단순참가자 甲이 다른 시위 참가자들과 시위 중 경찰관 등에 대한 특수공무집행방해 행위로 체포된 경우 체포된 이후에 이루어진 다른 시위 참가자들의 범행에 대해서는 공모공동정범의 죄책을 인정할 수 없다.

② 甲은 어느 행위로 인하여 처벌되지 아니하는 乙의 행위를 적극적으로 유발하였으나 그 과정에서 乙의 의사를 부당하게 억압한 것은 아니었던 경우 甲이 乙의 행위를 이용하여 자신의 범죄를 실현하였다고 하더라도 형법 제34조 제1항이 정하는 간접정범의 죄책을 지는 것은 아니다.

③ 공모자가 공모에 주도적으로 참여하여 다른 공모자의 실행에 영향을 미친 때에는 범행을 저지하기 위하여 적극적으로 노력하는 등 실행에 미친 영향력을 제거하지 아니하는 한 공모관계에서 이탈하였다고 할 수 없다.

④ 공범자의 범인 도피 행위 도중에 그 범행을 인식하면서 그와 공동의 범의를 가지고 기왕의 범인 도피 상태를 이용하여 스스로 범인 도피 행위를 계속한 자는 범인도피죄의 공동정범이 성립한다.

02 **필요적 공범에 대한 설명 중 가장 적절한 것은? (다툼이 있는 경우 판례에 의함)**

① 필요적 공범인 뇌물공여죄와 뇌물수수죄가 성립하기 위해서는 반드시 관여된 자 모두의 행위가 범죄로 성립되어야 하므로 일방에게 뇌물공여죄가 성립하려면 상대방 측에서 뇌물수수죄가 성립되어야 한다.

② 공무원이 직무상 비밀을 누설한 경우 「형법」 제127조의 공무상비밀누설죄로 처벌이 되며, 그 대향범인 비밀누설을 받은 자는 형법총칙의 공범 규정이 적용되어 공무상비밀누설죄의 공범이 된다.

③ 변호사 甲이 변호사 아닌 자에게 고용되어 법률사무소를 개설·운영하는 행위에 관여한 행위가 형법총칙의 교사·방조에 해당 할 경우 변호사 甲을 구 「변호사법」 제109조 제2호, 제34조 제4항 위반죄의 공범으로 처벌할 수 있다.

④ 甲이 세무사의 사무직원으로부터 그가 직무상 보관하고 있던 임대사업자 등의 인적 사항, 사업자소재지가 기재된 서면을 교부받은 경우 구 「세무사법」상 직무상 비밀누설죄의 공동정범에 해당하지 않는다.

03 **간접정범에 대한 설명으로 가장 적절하지 않은 것은? (다툼이 있는 경우 판례에 의함)**

① 정유회사 경영자인 甲의 청탁으로, A 지역구 국회의원 乙이 甲과 A 지역구 지방자치단체장 사이에 정유공장의 지역구 유치를 위한 간담회를 주선하고, 甲은 위와 같은 사실을 알지 못하는 자신의 회사 직원들로 하여금 乙이 사실상 지배·장악하고 있던 후원회에 후원금을 기부하게 한 경우, 乙은 정치자금법 위반죄가, 甲은 정치자금법 위반죄의 간접정범이 성립한다.

② 공무원이 아닌 甲이 관공서에 허위내용의 증명원을 제출하여 그러한 사실을 모르는 공무원인 A로부터 그 증명원 내용과 같은 증명서를 발급받은 경우, 甲은 공문서위조죄의 간접정범에 해당하지 아니한다.

③ 甲이 채권의 존재에 관하여 乙과 다툼이 있는 상황에서 존재하지 않는 약정이자에 관한 내용을 부가하여 위조한 乙 명의 차용증을 바탕으로 乙에 대한 차용금채권을 丙에게 양도하고, 이러한 사정을 모르는 丙으로 하여금 乙을 상대로 양수금 청구 소송을 제기하게 한 경우, 甲은 소송 당사자가 아니므로 甲의 위와 같은 행위는 사기죄에 해당하지 아니한다.

④ 경찰서 보안과장인 甲이 A의 음주운전을 눈감아주기 위하여 그에 대한 음주운전 적발 보고서를 찢어버리고, 부하인 B로 하여금 일련번호가 동일한 가짜 음주운전 적발 보고서에 乙에 대한 음주운전 사실을 기재케 하여 그 정을 모르는 담당 경찰관으로 하여금 주취 운전자 음주 측정 처리부에 乙에 대한 음주운전 사실을 기재하도록 한 경우, 甲은 허위공문서작성 및 동 행사죄의 간접정범에 해당한다.

04 공동정범에 대한 설명으로 가장 적절하지 않은 것은? (다툼이 있는 경우 판례에 의함)

① 甲이 부녀를 유인하여 성매매를 통해 수익을 얻을 것을 乙과 공모한 후, 乙로 하여금 유인된 A녀(16세)의 성매매 홍보용 나체사진을 찍도록 하고, A가 중도에 약속을 어길 경우 민・형사상 책임을 진다는 각서를 작성하도록 하였지만, 甲이 별건으로 체포되어 구치소에 수감 중인 동안 A가 乙의 관리 아래 성매수의 대가로 받은 돈을 A, 乙 및 甲의 처 등이 나누어 사용한 경우, 甲은 공모관계에서 이탈한 것으로 인정된다.

② 甲이 피해자 일행을 한 사람씩 나누어 강간하자는 乙의 제의에 아무런 대답도 하지 않고 따라다니다가 자신의 강간 상대방으로 남겨진 A에게 일체의 신체적 접촉도 시도하지 않은 채 乙이 인근 숲속에서 강간을 마칠 때까지 A와 함께 이야기만 나눈 경우, 甲에게 乙의 강간 범행에 공동으로 가공할 의사가 있었다고 볼 수 없다.

③ 2인 이상이 범죄에 공동 가공하는 공범 관계에서 공모는 법률상 어떤 정형을 요구하는 것이 아니고, 2인 이상이 공모하여 어느 범죄에 공동 가공하여 그 범죄를 실현하려는 의사의 결합만 있으면 되는 것으로서, 비록 전체의 모의과정이 없었다고 하더라도 수인 사이에 순차적으로 또는 암묵적으로 상통하여 그 의사의 결합이 이루어지면 공모관계가 성립한다.

④ 건설 관련 회사의 유일한 지배자인 甲이 회사 대표의 지위에서 장기간에 걸쳐 건설공사 현장 소장들의 뇌물공여행위를 보고받고 이를 확인・결재하는 등의 방법으로 위 행위에 관여하였다면, 비록 사전에 구체적인 대상 및 액수를 정하여 뇌물공여를 지시하지 않았다고 하더라도 공모공동정범의 죄책이 인정된다.

05 공동정범에 대한 설명 중 가장 적절한 것은? (다툼이 있는 경우 판례에 의함)

① 공동가공의 의사는 공동행위자 상호 간에 있어야 하며 행위자 일방의 가공 의사만으로는 공동정범 관계가 성립할 수 없다.

② 甲이 피해자 일행을 한 사람씩 나누어 강간하자는 일행들의 제의에 아무런 대답도 하지 않고 따라 다니다가 자신의 강간 상대방으로 남겨진 A에게 일체의 신체적 접촉도 시도하지 않은 채 다른 일행이 인근 숲속에서 강간을 마칠 때까지 A와 함께 이야기만 나눈 경우 강간죄의 공동정범이 성립한다.

③ 회사직원이 영업비밀을 경쟁업체에 유출하거나 스스로의 이익을 위하여 이용할 목적으로 무단으로 반출한 때 업무상배임죄의 기수에 이르렀으며, 그 이후에 위 직원과 접촉하여 영업비밀을 취득하려고 한 자는 업무상배임죄의 공동정범이 된다.

④ 포괄일죄의 범행 도중에 공동정범으로 범행에 가담한 자가 그 범행에 가담할 때에 이미 이루어진 종전의 범행을 알았다면 가담 이후의 범행뿐만 아니라 가담 이전의 범행에 대하여도 공동정범으로 책임을 진다.

06 교사의 착오에 관한 설명으로 가장 적절하지 않은 것은? (다툼이 있으면 다수설 · 판례에 의함)

① 甲이 乙에게 丙을 살해할 것을 교사하고 乙이 이를 승낙한 후 실행의 착수에 이르지 아니한 경우, 甲은 살인의 예비 · 음모죄로 처벌된다.
② 甲이 乙에게 강도를 교사하였으나 乙이 강간을 실행한 경우, 甲은 강도죄의 예비 · 음모로 처벌된다.
③ 甲이 乙에게 丙을 상해할 것을 교사하였으나 乙에 의해 상해를 입은 丙이 사망한 경우, 乙에게 피해자의 사망에 대한 예견가능성이 인정되는 한 甲도 상해치사죄의 죄책을 진다.
④ 甲이 乙에게 강도를 교사하였으나 乙이 절도죄만 범한 경우, 甲은 강도예비 · 음모죄와 절도죄의 교사범의 상상적 경합범이 되지만 형이 중한 강도예비 · 음모의 형으로 처벌된다.

07 교사범에 대한 설명 중 가장 적절하지 않은 것은? (다툼이 있는 경우 판례에 의함)

① 교사범이 그 공범 관계로부터 이탈하기 위해서는 피교사자가 범죄의 실행행위에 나아가기 전에 교사범에 의하여 형성된 피교사자의 범죄 실행의 결의를 해소하는 것이 필요하다.
② 교사범이 성립하기 위해서는 교사자의 교사행위와 정범의 실행행위가 있어야 하는 것이므로, 정범의 성립은 교사범의 구성요건의 일부를 형성하고 교사범이 성립함에는 정범의 범죄행위가 인정되는 것이 그 전제요건이 된다.
③ 교사범의 교사가 정범이 죄를 범한 유일한 조건일 필요는 없으므로, 교사행위에 의하여 정범이 실행을 결의하게 된 이상 비록 정범에게 범죄의 습벽이 있어 그 습벽과 함께 교사행위가 원인이 되어 정범이 범죄를 실행한 경우에도 교사범의 성립에 영향이 없다.
④ 교사자의 교사행위에도 불구하고 피교사자가 범행을 승낙하지 아니하거나 피교사자의 범행결의가 교사자의 교사행위에 의하여 생긴 것으로 보기 어려운 경우에는 이른바 효과 없는 교사로서 형법 제31조 제2항에 의하여 교사자와 피교사자 모두 음모 또는 예비에 준하여 처벌할 수 있다.

08 종범에 대한 설명으로 가장 적절하지 않은 것은? (다툼이 있는 경우 판례에 의함)

① 종범은 정범이 실행행위에 착수하여 범행을 하는 과정에서 이를 방조한 경우뿐 아니라, 정범의 실행의 착수 이전에 장래의 실행행위를 미필적으로나마 예상하고 이를 용이하게 하기 위하여 방조한 경우에도 그 후 정범이 실행행위에 나아갔다면 성립할 수 있다.
② 의사인 피고인이 입원치료를 받을 필요가 없는 환자들이 보험금 수령을 위하여 입원치료를 받으려고 하는 사실을 알면서도 입원을 허가하여 형식상으로 입원치료를 받도록 한 후 입원확인서를 발급하여 준 경우, 사기방조죄가 성립한다.
③ 피고인들이, 자신들이 개설한 인터넷 사이트를 통해 회원들로 하여금 음란한 동영상을 게시하도록 하고, 다른 회원들로 하여금 이를 다운받을 수 있도록 하는 방법으로 정보통신망을 통한 음란한 영상의 배포 · 전시를 방조한 행위가 단일하고 계속된 범의 아래 일정기간 계속하여 이루어졌고 피해법익도 동일한 경우, 방조행위는 포괄일죄의 관계에 있다.
④ 과실범에 대한 교사범은 성립할 수 있으나 과실범에 대한 방조범은 성립할 수 없다.

09 교사범 및 방조범에 관한 설명 중 가장 적절하지 않은 것은? (다툼이 있는 경우 판례에 의함)

① 형법 제127조는 공무원 또는 공무원이었던 자가 법령에 의한 직무상 비밀을 누설하는 행위만을 처벌하고 있을 뿐 직무상 비밀을 누설받은 상대방을 처벌하는 규정이 없으므로, 직무상 비밀을 누설받은 자를 공무상 비밀누설죄의 교사범 또는 방조범으로 처벌할 수 없다.

② 자기의 지휘, 감독을 받는 자를 방조하여 범죄의 결과를 발생하게 한 자는 정범에 정한 형의 장기 또는 다액에 그 2분의 1까지 가중한 형으로 처벌한다.

③ 무면허운전으로 사고를 낸 자가 동생을 경찰서에 대신 출두시켜 허위의 자백을 하게 하여 범인도피죄를 범하게 한 경우 동생이 친족간의 특례규정(형법 제151조 제2항)에 의하여 처벌을 받지 않더라도 범인도피죄의 교사범이 성립한다.

④ 효과 없는 교사는 교사자와 피교사자 모두 예비·음모에 준하여 처벌되지만, 효과 없는 방조는 처벌되지 않는다.

10 공범과 신분에 대한 설명 중 가장 적절하지 않은 것은? (다툼이 있는 경우 판례에 의함)

① 신분 관계라 함은 널리 일정한 범죄행위에 관련된 범인의 인적관계인 특수한 지위 또는 상태를 지칭하는 것이므로, 고의나 목적과 같이 행위 관련적 요소는 이에 포함되지 않는다.

② 신분 관계로 인하여 형의 경중이 있는 경우에 신분이 있는 자가 신분이 없는 자를 교사하여 죄를 범하게 한 때에는 형법 제33조 단서가 형법 제31조 제1항에 우선하여 적용됨으로써 신분이 있는 교사범이 신분이 없는 정범보다 중하게 처벌된다.

③ 공무원 아닌 자가 공무원과 공동하여 허위공문서작성죄를 범한 때에는 허위공문서작성죄의 공동정범이 된다.

④ 업무상배임죄에 있어서 업무상 임무라는 신분 관계가 없는 자가 그러한 신분 관계 있는 자와 공모하여 업무상배임죄를 저지르는 경우 신분 관계 없는 공범은 신분범인 업무상배임죄가 성립하고, 다만 과형에서만 무거운 형이 아닌 단순배임죄의 법정형이 적용된다.

형사법 9회 모의고사

01 죄형법정주의에 대한 설명으로 옳지 않은 것은? (다툼이 있는 경우 판례에 의함)

① 「의료법」 제41조가 "환자의 진료 등에 필요한 당직의료인을 두어야 한다."라고 규정하고 있을 뿐인데도 「의료법 시행령」 제18조 제1항이 당직의료인의 수와 자격 등 배치기준을 규정하고 이를 위반하면 「의료법」 제90조에 의한 처벌의 대상이 되도록 함으로써 형사처벌의 대상을 신설 또는 확장한 경우, 본 시행령 조항은 위임입법의 한계를 벗어나 무효이다.

② 허위로 신고한 사실이 무고행위 당시 형사처분의 대상이 될 수 있었던 경우에는 무고죄는 기수에 이르고, 이후 그러한 사실이 형사범죄가 되지 않는 것으로 판례가 변경되었더라도 특별한 사정이 없는 한 이미 성립한 무고죄에는 영향을 미치지 않는다.

③ 가정폭력범죄의 처벌 등에 관한 특례법상 사회봉사명령을 부과하면서, 행위시법상 사회봉사명령 부과시간의 상한인 100시간을 초과하여 상한을 200시간으로 올린 신법을 적용한 것은 위법하다.

④ 「도로교통법」상 도로가 아닌 곳에서 운전면허 없이 운전한 행위를 무면허운전으로 처벌하는 것은 유추해석금지원칙에 반하지 않는다.

02 사실의 착오에 대한 설명으로 옳은 것은? (다툼이 있는 경우 판례에 의함)

① 甲은 A를 살해할 의사로 농약을 숭늉그릇에 투입하여 A의 집안에 놓아두었는데, 이러한 사정을 모르는 B가 이를 마시고 사망했다. 甲에게는 B에 대한 살인죄가 성립한다.

② 甲이 형 A를 살해하려고 기다리다가 아버지 B를 A로 오인하고 살해한 경우, 판례에 따르면 甲에게 보통살인죄의 미수와 존속살해죄의 상상적 경합이 성립한다.

③ 甲이 형수 A를 살해하기 위하여 몽둥이를 휘둘렀으나 몽둥이가 빗나가서 형수 A가 업고 있던 조카 B가 맞고 사망한 경우, 법정적 부합설에 따르면 甲에게 A에 대한 살인미수죄와 B에 대한 과실치사죄의 상상적 경합이 성립한다.

④ 甲은 A와 시비가 붙어 싸우다가 힘이 달리자 상해의 고의로 칼을 가지고 나와 A를 향해 휘두르다가 옆에서 싸움을 말리면서 칼을 뺏으려던 B의 귀를 찔러 상해를 입혔다. 甲에게는 B에 대한 과실치상죄가 성립한다.

03 범죄성립을 조각하는 사유에 대한 설명으로 옳은 것은? (다툼이 있는 경우 판례에 의함)

① 甲이 스스로 야기한 강간범행의 와중에서 피해자 A가 甲의 손가락을 깨물며 반항하자 물린 손가락을 비틀며 잡아 뽑다가 A에게 치아결손의 상해를 입힌 경우, 甲의 상해행위는 긴급피난으로 위법성이 조각된다.

② 대표이사 甲이 '회사의 직원이 회사의 이익을 빼돌린다'는 소문을 확인할 목적으로, 비밀번호를 설정함으로써 비밀장치를 한 전자기록인 피해자 A가 사용하던 '개인용 컴퓨터의 하드디스크'를 떼어내어 다른 컴퓨터에 연결한 다음 의심이 드는 단어로 파일을 검색한 결과 범죄행위를 확인할 수 있는 메신저 대화 내용, 이메일 등을 출력한 경우, 甲의 전자기록등내용탐지행위는 정당행위로 위법성이 조각된다.

③ 甲이 교통사고를 가장하여 보험금을 편취할 목적으로 피해자 A와 공모하여 A의 승낙을 받고 그에게 상해를 가한 경우, 甲의 상해행위는 피해자의 승낙에 의하여 위법성이 조각된다.

④ 처분할 수 있는 자의 승낙에 의하여 그 법익을 훼손한 행위는 법률에 특별한 규정이 있는 경우에만 벌하지 아니한다.

04 실행의 착수시기 및 기수에 대한 설명으로 옳지 않은 것은? (다툼이 있는 경우 판례에 의함)

① 필로폰을 매수하려는 자에게서 필로폰을 구해 달라는 부탁과 함께 돈을 지급받은 경우 당시 필로폰을 소지 또는 입수한 상태에 있었거나 그것이 가능하였다는 등 매매행위에 근접・밀착한 상태에서 대금을 지급받은 것이라면 마약류관리에 관한 법률위반(향정)죄의 필로폰 매매행위의 실행에 착수하였다고 볼 수 있다.

② 피고인이 방화의 의사로 뿌린 휘발유가 인화성이 강한 상태로 주택 주변과 피해자의 몸에 적지 않게 살포되어 있는 사정을 알면서도 라이터를 켜 불꽃을 일으킴으로써 피해자의 몸에 불이 붙은 경우, 비록 외부적 사정에 의하여 불이 방화 목적물인 주택 자체에 옮겨 붙지는 아니하였다 하더라도 현주건조물방화죄의 실행의 착수가 있었다고 볼 수 있다.

③ 금융기관 직원이 전산단말기를 이용하여 다른 공범들이 지정한 특정계좌에 돈이 입금된 것처럼 허위의 정보를 입력하는 방법으로 위 계좌로 입금되도록 한 경우, 그 후 그러한 입금이 취소되어 현실적으로 인출되지 못하였다면 컴퓨터 등 사용사기죄의 미수에 해당한다.

④ 피고인이 피해자 A를 추행하기 위하여 뒤따라가다가 외진 곳에서 가까이 접근하여 껴안으려 하였으나, A가 뒤돌아보면서 소리치자 그 상태로 몇 초 동안 쳐다보다가 다시 오던 길로 되돌아간 경우, 피고인의 팔이 A의 몸에 닿지 않았지만 양팔을 높이 들어 갑자기 뒤에서 껴안으려고 하는 것만으로도 강제추행죄의 실행의 착수가 있다고 볼 수 있다.

05 공범과 신분에 대한 설명으로 옳지 않은 것은? (다툼이 있는 경우 판례에 의함)

① 업무상 타인의 사무를 처리하는 자가 그러한 신분관계가 없는 자와 공모하여 업무상 배임죄를 저질렀다면 그러한 신분관계가 없는 자에 대하여는 「형법」 제33조 단서에 의하여 단순배임죄가 성립한다.

② 「공직선거법」에서 규정하는 각 기부행위제한 위반죄의 주체 및 각 기부행위의 주체로 인정되지 아니하는 자가 주체자 등과 공모하여 기부행위를 한 경우, 주체자에 해당하는 법조 위반죄의 공동정범으로 처벌할 수 없다.

③ 의료인일지라도 의료인 아닌 자의 의료행위에 공모하여 가공하면 의료법위반(무면허의료)죄의 공동정범으로서의 책임을 진다.

④ 공무원이 아닌 자는 공정증서원본등불실기재의 경우를 제외하고는 허위공문서작성죄의 간접정범으로 처벌할 수 없으나, 공무원이 아닌 자가 공무원과 공동하여 허위공문서작성죄를 범한 때에는 공무원이 아닌 자도 허위공문서작성죄의 공동정범이 된다.

06 죄수 및 경합에 대한 설명으로 옳은 것은? (다툼이 있는 경우 판례에 의함)

① 허위공문서작성죄와 동행사죄가 수뢰후 부정처사죄와 각각 상상적 경합관계에 있을지라도 허위공문서작성죄와 동행사죄 상호 간은 실체적 경합범관계에 있으므로 따로이 경합가중을 해야 한다.
② 감금행위가 단순히 강도상해 범행의 수단이 되는데 그치지 아니하고 강도상해의 범행이 끝난 뒤에도 계속된 경우에는 1개의 행위가 감금죄와 강도상해죄에 해당하는 경우라고 볼 수 있다.
③ 甲이 乙의 재물을 강취한 뒤 乙을 살해할 의사로 乙의 집에 방화하여 乙을 살해한 행위는 강도살인죄와 현주건조물방화치사죄의 실체적 경합이 성립한다.
④ 甲은 현주건조물에 방화를 한 후 불이 붙은 집에서 빠져 나오려는 乙이 탈출하지 못하도록 방문 앞에 버티어 서서 지킨 결과 乙을 소사케 한 경우, 甲은 현주건조물방화죄와 살인죄의 실체적 경합이 성립한다.

07 다음 설명 중 옳지 않은 것은? (다툼이 있으면 판례에 의함)

① 협박죄는 자연인만을 그 대상으로 예정하고 있을 뿐 법인은 협박죄의 객체가 될 수 없다.
② 폭행죄는 미수범 처벌규정이 없으나, 협박죄의 미수범은 처벌된다.
③ 甲정당의 국회 예산안 강행처리에 화가 나서 경찰서에 전화를 걸어 전화를 받은 경찰관에게 관할구역에 있는 甲정당의 당사를 폭파하겠다고 말한 행위는 공무집행방해죄뿐만 아니라 그 경찰관에 대한 협박죄를 구성한다.
④ 피해자 본인이나 그 친족뿐만 아니라 그 밖의 제3자에 대한 법익 침해를 내용으로 하는 해악을 고지하는 것이라고 하더라도 피해자 본인과 제3자가 밀접한 관계에 있어 그 해악의 내용이 피해자 본인에게 공포심을 일으킬 만한 정도의 것이라면 협박죄가 성립할 수 있다. 이때 제3자에는 자연인뿐만 아니라 법인도 포함된다.

08 절도의 죄 및 강도의 죄에 대한 설명으로 옳지 않은 것은? (다툼이 있으면 판례에 의함)

① 타인의 명의를 모용하여 발급받은 신용카드를 사용하여 현금자동지급기에서 현금대출을 받는 행위는 카드회사에 의하여 미리 포괄적으로 허용된 행위가 아니라, 현금자동지급기의 관리자의 의사에 반하여 그의 지배를 배제한 채 그 현금을 자기의 지배하에 옮겨 놓는 행위로서 절도죄에 해당한다.
② 피고인이 강도하기로 모의를 한 후 남성피해자의 금품을 빼앗고, 그 기회에 이어서 여성피해자를 강간하였다면 강도죄와 강간죄의 경합범이 성립한다.
③ 피고인 甲이 자신의 모(母) 乙명의로 구입・등록하여 乙에게 명의신탁한 자동차를 丙에게 담보로 제공한 후, 丙 몰래 가져가 절취하였다는 내용으로 기소된 사안에서, 丙에 대한 관계에서 자동차의 소유자는 乙이고 피고인 甲은 소유자가 아니므로 丙이 점유하고 있는 자동차를 임의로 가져간 이상 절도죄가 성립한다.
④ 절도미수범이 체포를 면탈할 목적으로 피해자를 폭행한 경우에는 준강도죄의 미수범이 성립한다.

09 사기의 죄에 대한 설명으로 옳지 않은 것은? (다툼이 있는 경우 판례에 의함)

① 중고 자동차 매매에 있어서 매도인의 할부금융회사 또는 보증보험에 대한 할부금 채무가 매수인에게 당연히 승계되는 것은 아니므로 그 할부금 채무의 존재를 매수인에게 고지하지 아니한 것은 부작위에 의한 기망에 해당하지 아니한다.
② 예금주인 피고인이 제3자에게 편취당한 송금의뢰인으로부터 자신의 은행계좌에 계좌 송금된 돈을 출금한 사안에서, 피고인은 예금주로서 은행에 대하여 예금반환을 청구할 수 있는 권한을 가진 자이므로, 위 은행을 피해자로 한 사기죄가 성립하지 않는다.

③ 재물을 편취한 후 현실적인 자금의 수수 없이 형식적으로 기왕에 편취한 금원을 새로이 장부상으로만 재투자하는 것으로 처리한 경우 그 재투자금액은 편취액의 합산에서 제외하여야 한다.
④ 상습사기 미수범을 처벌하는 규정은 없다.

10 **횡령죄와 배임죄에 대한 설명으로 옳지 않은 것은? (다툼이 있는 경우 판례에 의함)**

① 어음의 할인을 위하여 배서양도의 형식으로 약속어음을 교부받은 자가 이를 자신의 채무변제에 충당한 경우, 이는 위탁의 취지에 반하는 것으로 횡령죄가 성립한다.
② 질권설정자가 타인에 대한 채무의 담보로 제3채무자에 대한 채권에 대하여 권리질권을 설정하면서 제3채무자에게 질권설정의 사실을 통지한 때에는, 질권설정자가 질권자의 동의 없이 제3채무자에게서 질권의 목적인 채권의 변제를 받았다 하더라도 배임죄가 성립하지 않는다.
③ 타인의 위탁에 의하여 사무를 처리하는 자가 그 사무처리상 임무에 위배하여 본인을 기망하고 착오에 빠진 본인으로부터 재물을 교부받은 경우에는 사기죄가 성립하며, 별도로 배임죄가 성립하지 않는다.
④ 주식회사의 대표이사가 그 임무에 위배하여 약속어음을 발행한 행위가 있었다면, 어음발행행위가 무효가 되었다 하더라도 그 어음이 실제로 제3자에게 유통되었다면 그 어음채무가 실현되기 전이라 하더라도 배임죄의 기수범이 된다.

형사법 10회 모의고사

01 유가증권에 관한 죄에 대한 설명으로 옳지 않은 것은? (다툼이 있는 경우 판례에 의함)

① 자기앞수표의 발행인이 수표의뢰인으로부터 수표자금을 입금받지 아니한 채 자기앞수표를 발행하더라도 허위유가증권작성죄가 성립하지 아니한다.

② 「형법」 제214조의 유가증권이 되기 위해서는 재산권이 증권에 화체된다는 것과 그 권리의 행사와 처분에 증권의 점유를 필요로 한다는 두 가지 요소를 갖추면 족하지 반드시 유통성을 가질 필요는 없다.

③ 이미 타인에 의하여 위조된 약속어음의 기재사항을 권한 없이 변경하였다고 하더라도 유가증권변조죄는 성립하지 않는다.

④ 타인이 위조한 액면과 지급기일이 백지로 된 약속어음을 구입하여 행사의 목적으로 백지인 액면란에 금액을 기입하여 그 위조어음을 완성하는 행위는 백지어음 형태의 위조행위와 별개의 유가증권위조죄를 구성하지 않는다.

02 다음 설명 중 옳은 것은? (다툼이 있는 경우 판례에 의함)

① 무고죄에 있어서 허위사실 적시의 정도는 수사관서 또는 감독관서에 대하여 수사권 또는 징계권의 발동을 촉구하는 정도의 것이면 충분하고 반드시 범죄구성요건 사실이나 징계요건 사실을 구체적으로 명시하여야 하는 것은 아니다.

② 피고인이 사립대학교 교수인 피해자들로 하여금 징계처분을 받게 할 목적으로 국민권익위원회에서 운영하는 범정부 국민포털인 국민신문고에 민원을 제기한 경우, 피고인의 행위가 무고죄에 해당한다.

③ 「성폭력범죄의 처벌 등에 관한 특례법」 제13조의 통신매체이용음란죄는 성적 자기결정권에 반하여 성적 수치심을 일으키는 그림 등을 개인의 의사에 반하여 접하지 않을 권리를 보장하기 위한 것으로 개인의 성적 자유를 보호하기 위한 것이며, 사회적 법익으로서 건전한 성풍속을 보호하기 위한 구성요건이 아니다.

④ 「형법」 제156조의 무고죄는 국가의 형사사법권 또는 징계권의 적정한 행사를 보호법익으로 하며, 부당하게 처벌 또는 징계받지 않을 개인적 이익을 보호하기 위한 구성요건이 아니다.

03 뇌물의 죄에 대한 설명으로 옳지 않은 것은? (다툼이 있는 경우 판례에 의함)

① 뇌물죄에서 뇌물의 내용인 이익이라 함은 금전, 물품 기타의 재산적 이익뿐만 아니라 사람의 수요·욕망을 충족시키기에 족한 일체의 유형·무형의 이익을 포함하며, 제공된 것이 성적 욕구의 충족이라고 하여 달리 볼 것이 아니다.

② 구 해양수산부 해운정책과 소속 공무원인 피고인이 甲 해운회사의 대표이사 등에게서 중국의 선박운항허가 담당부서가 관장하는 중국 국적 선사의 선박에 대한 운항허가를 받을 수 있도록 노력해 달라는 부탁을 받고 돈을 받은 경우, 뇌물수수죄가 성립한다.

③ 뇌물을 수수한 자가 공동수수자 아닌 교사범에게 뇌물 중 일부를 사례금으로 교부하였다면, 이는 부수적 비용의 지출 또는 뇌물의 소비행위에 지나지 않으므로 뇌물수수자에게서 수뢰액 전부를 추징하여야 한다.

④ 공무원이 직무집행의 의사 없이 타인을 공갈하여 재물을 교부하게 한 경우에는 공갈죄만이 성립하고 뇌물공여죄는 성립하지 않는다.

04 공무집행방해죄에 대한 설명으로 옳지 않은 것은? (다툼이 있으면 판례에 의함)

① 음주운전을 하다가 교통사고를 야기한 후 그 형사처벌을 면하기 위하여 타인의 혈액을 자신의 혈액인 것처럼 교통사고 조사 경찰관에게 제출하여 감정하도록 한 행위는, 단순히 피의자가 수사기관에 대하여 허위사실을 진술하거

나 자신에게 불리한 증거를 은닉하는 데 그친 것이 아니라 수사기관의 착오를 이용하여 적극적으로 피의사실에 관한 증거를 조작한 것으로서 위계에 의한 공무집행방해죄가 성립한다.

② 공무집행방해죄에서 폭행이라 함은 공무원에 대하여 직접적인 유형력의 행사뿐만 아니라 간접적으로 유형력을 행사하는 행위도 포함하는 것이고, 음향으로 상대방의 청각기관을 직접적으로 자극하여 육체적·정신적 고통을 주는 행위도 유형력의 행사로서 폭행에 해당할 수 있다.

③ 화물자동차 운송주선사업자인 피고인이 관할 행정청에 주기적으로 허가기준에 관한 사항을 신고하는 과정에서 가장납입에 의해 발급받은 허위의 예금잔액증명서를 제출하는 부정한 방법으로 허가를 받은 경우 위계에 의한 공무집행방해죄가 성립하지 않는다.

④ 위계에 의한 공무집행방해죄에서 공무원의 직무집행이란 법령의 위임에 따른 공무원의 적법한 공무집행인 이상 공권력의 행사를 내용으로 하는 권력적 작용뿐만 아니라 사경제주체로서의 활동을 제외한 비권력적 작용도 포함된다.

05 수사의 개시에 관한 설명 중 가장 적절한 것은? (다툼이 있는 경우 판례에 의함)

① 고발이란 범죄사실을 수사기관에 고하여 그 소추를 촉구하는 것으로서 범인을 지적하여야 하므로 고발에서 지정한 범인이 진범인이 아니라면 고발의 효력은 진범인에게 미치지 않는다.

② 변사자 검시를 통하여 범죄의 혐의를 인정한 때에는 이미 수사가 개시된 것으로 볼 수 있으므로 긴급을 요하는 경우라 하더라도 반드시 영장을 발부받은 후에 검증하여야 한다.

③ 불심검문 대상자 해당 여부를 판단할 때에는 불심검문 당시의 구체적 상황은 물론 사전에 얻은 정보나 전문적 지식 등에 기초하여 불심검문 대상자인지를 객관적 합리적인 기준에 따라 판단하여야 하나, 반드시 불심검문 대상자에게 형사소송법상 체포나 구속에 이를 정도의 혐의가 있을 것을 요한다고 할 수는 없다.

④ 경찰관 직무집행법 제3조 제4항은 경찰관이 불심검문을 하고자 할 때에는 자신의 신분을 표시하는 증표를 제시하여야 한다고 규정하고, 법 시행령 제5조는 위 법 소정의 신분을 표시하는 증표는 경찰관의 공무원증이라고 규정하고 있는바, 검문하는 사람이 경찰관이고 검문하는 이유가 범죄행위에 관한 것임을 피고인이 충분히 알고 있었다고 보이는 경우에도 경찰관의 공무원증을 제시하지 않았다면 그 불심검문은 위법한 공무집행이 된다.

06 체포와 구속에 대한 설명 중 옳은 것(○)과 옳지 않은 것(×)을 바르게 연결한 것은? (다툼이 있는 경우 판례에 의함)

㉠ 체포된 피의자에 대하여 구속영장을 청구받은 판사는 지체없이 피의자를 심문하여야 한다. 이 경우 특별한 사정이 없는 한 구속영장이 청구된 날의 다음날까지 심문하여야 한다.
㉡ 사법경찰관리가 현행범인의 인도를 받은 때에는 체포자의 성명, 주거, 체포의 사유를 물어야 하고 필요한 때에는 체포자에 대하여 경찰관서에 동행함을 요구할 수 있다.
㉢ 구속의 사유가 없거나 소멸된 때에는 피고인, 피고인의 변호인·법정대리인·배우자·직계친족·형제자매·가족·동거인 또는 고용주는 법원에 구속된 피고인의 구속취소를 청구할 수 있다.
㉣ 구속기간이 만료될 무렵에 종전 구속영장에 기재된 범죄사실과 다른 범죄사실로 피고인을 구속하였다는 사정만으로는 피고인에 대한 구속이 위법하다고 할 수 없다.

	㉠	㉡	㉢	㉣
①	㉠ (○)	㉡ (○)	㉢ (○)	㉣ (○)
②	㉠ (×)	㉡ (○)	㉢ (○)	㉣ (○)
③	㉠ (○)	㉡ (×)	㉢ (○)	㉣ (×)
④	㉠ (○)	㉡ (○)	㉢ (×)	㉣ (○)

07 전자정보의 압수·수색 및 증거능력에 대한 설명 중 가장 적절하지 않은 것은? (다툼이 있는 경우 판례에 의함)

① 전자정보에 대한 압수수색영장을 집행할 때에는 원칙적으로 영장발부의 사유인 혐의사실과 관련된 부분만을 문서 출력물로 수집하거나 수사기관이 휴대한 저장매체에 해당 파일을 복사하는 방법으로 이루어져야 한다.

② 압수수색영장에 저장매체 자체를 직접 또는 하드카피나 이미징 등 형태로 수사기관 사무실 등 외부로 반출하여 해당 파일을 압수·수색할 수 있도록 기재되어 있지 않더라도, 수사기관이 전자정보의 복사 또는 출력이 불가능하거나 현저히 곤란한 부득이한 사정이 있을 때에는 압수목적물인 저장매체 자체를 수사관서로 반출할 수 있다.

③ 검사가 영장을 집행하면서 영장기재 압수·수색의 장소에서 압수할 전자정보를 용이하게 하드카피·이미징 또는 문서로 출력할 수 있음에도 저장매체 자체를 반출하여 가지고 간 경우, 이에 대하여 불복이 있으면 그 직무집행지의 관할법원 또는 검사의 소속검찰청에 대응한 법원에 그 처분의 취소 또는 변경을 청구할 수 있다.

④ 피고인 또는 피고인 아닌 사람이 컴퓨터용 디스크 그 밖에 이와 비슷한 정보저장매체에 입력하여 기억된 문자정보 또는 그 출력물을 증거로 사용하는 경우, 그 내용의 진실성에 관하여는 전문법칙이 적용되고, 원칙적으로 「형사소송법」 제313조 제1항에 의하여 작성자 또는 진술자의 진술에 의하여 성립의 진정함이 증명된 때에 한하여 이를 증거로 사용할 수 있다.

08 전문법칙에 관한 다음 설명 중 가장 옳지 않은 것은? (다툼이 있는 경우 판례에 의함)

① 어떤 진술이 범죄사실에 대한 직접증거로 사용함에 있어서는 전문증거가 된다고 하더라도 그와 같은 진술을 하였다는 것 자체 또는 그 진술의 진실성과 관계없는 간접사실에 대한 정황증거로 사용함에 있어서는 반드시 전문증거가 되는 것은 아니다.

② 정보통신망을 통하여 공포심이나 불안감을 유발하는 글을 반복적으로 상대방에게 도달하게 하는 행위를 하였다는 공소사실에 대하여 휴대전화기에 저장된 문자정보가 그 증거가 되는 경우, 그 문자정보는 범행의 직접적인 수단이고 경험자의 진술에 갈음하는 대체물에 해당하지 않으므로, 전문법칙이 적용되지 않는다.

③ 디지털 녹음기에 녹음된 내용을 전자적 방법으로 테이프에 전사한 사본인 녹음테이프를 대상으로 법원이 검증절차를 진행하여, 녹음된 내용이 녹취록의 기재와 일치하고 그 음성이 진술자의 음성임을 확인하였다면, 녹음테이프의 증거능력을 인정할 수 있다.

④ 참고인의 진술에 임의성이 인정되지 아니하여 그 진술조서가 증거능력이 없는 경우에는 피고인이 증거로 함에 동의하더라도 이를 증거로 삼을 수 없다.

09 사법경찰관 작성 피의자신문조서의 증거능력에 대한 설명으로 가장 적절하지 않은 것은? (다툼이 있는 경우 판례에 의함)

① 사법경찰관이 작성한 피의자신문조서는 적법한 절차와 방식에 따라 작성된 것으로서 공판준비 또는 공판기일에 그 피의자였던 피고인 또는 변호인이 그 내용을 인정할 때에 한하여 증거로 할 수 있다.

② 피의자의 진술을 녹취 내지 기재한 서류 또는 문서가 수사기관에서의 조사 과정에서 작성된 것이지만 그것이 진술서라는 형식을 취하였다면 피의자신문조서와 달리 보아야 한다.

③ 당해 피고인과 공범관계가 있는 다른 피의자에 대한 사법경찰관 작성 피의자신문조서에 대하여는 사망 등 사유로 인하여 법정에서 진술할 수 없는 때에 예외적으로 증거능력을 인정하는 규정인 「형사소송법」 제314조가 적용되지 아니한다.

④ 「형사소송법」 제312조 제3항은 사법경찰관이 작성한 당해 피고인에 대한 피의자신문조서를 유죄의 증거로 하는 경우뿐만 아니라 사법경찰관이 작성한 당해 피고인과 공범관계에 있는 다른 피고인이나 피의자에 대한 피의자신문조서를 당해 피고인에 대한 유죄의 증거로 채택할 경우에도 적용된다.

10 증거동의에 관한 설명 중 가장 적절하지 않은 것은? (다툼이 있으면 판례에 의함)

① 피고인은 증거로 할 수 있음에 동의하는 의사표시를 하였더라도 증거조사가 완료되기 전까지 그 의사를 철회할 수 있다.

② 긴급체포를 할 당시 물건을 압수하였는데 그 후 압수수색영장을 발부받지 않았음에도 즉시 반환하지 않은 경우 피고인이나 변호인이 이를 증거로 함에 동의하더라도 증거능력은 인정되지 않는다.

③ 검사와 피고인이 증거로 할 수 있음을 동의한 서류 또는 물건은 진정한 것으로 인정한 때에는 증거로 할 수 있다.

④ 소유자, 소지자 또는 보관자가 아닌 자로부터 제출받은 물건을 영장 없이 압수한 경우 그 '압수물' 및 '압수물을 찍은 사진'은 이를 유죄 인정의 증거로 사용할 수 없는 것이지만, 피고인이나 변호인이 이를 증거로 함에 동의하였다면 유죄 인정의 증거로 사용할 수 있다.

PART

03

경찰학

문제편

경찰학 1회 모의고사

01 「경찰 인권 보호 규칙」(경찰청 훈령)에 대한 설명으로 옳지 않은 것은?

① 경찰청장은 경찰 인권정책 기본계획을 5년마다 수립하고, 인권교육종합계획을 3년 단위로 수립하여 해야 한다.
② 경찰청장은 경찰청 인권위원회의 권고 등의 내용을 이행할 경우, 구체적인 이행 계획을 권고 등을 받은 날로부터 30일 이내에 위원회에 서면으로 제출해야 하며, 권고 등의 내용을 이행하지 않을 경우 그 이유를 위원회에 서면으로 제출하여야 한다.
③ 인권위원회는 위원장 1명을 포함하여 7명 이상 11명 이하의 위원으로 구성하며, 정기회의는 경찰청은 월 1회, 시·도경찰청은 분기 1회 개최한다.
④ 경찰의 직에 있거나 그 직에서 퇴직한 날부터 3년이 지나지 아니한 사람은 위원이 될 수 없다.

02 「경찰청 공무원 행동강령」에 대한 내용으로 가장 옳지 않은 것은?

① 공무원은 「범죄수사규칙」 제30조에 따른 경찰관서 내 수사 지휘에 대한 이의제기와 관련하여 행동강령책임관에게 상담을 요청하여야 한다.
② 공무원은 정치인이나 정당 등으로부터 부당한 직무수행을 강요받거나 청탁을 받은 경우에는 소속 기관의 장에게 보고하거나 행동강령책임관과 상담한 후 처리하여야 한다.
③ 공무원은 직무의 범위를 벗어나 사적 이익을 위하여 소속 기관의 명칭이나 직위를 공표·게시하는 등의 방법으로 이용하거나 이용하게 하여서는 아니 된다.
④ 공무원은 수사 중인 사건의 관계자(해당 사건의 처리와 법률적·경제적 이해관계가 있는 자로서 경찰청장이 지정하는 자를 말한다)와 부적절한 사적 접촉을 해서는 아니 되며, 소속 경찰관서 내에서만 접촉하여야 한다. 다만, 현장 조사 등 공무상 필요한 경우 외부에서 접촉할 수 있으며, 이 경우에는 수사서류 등 공문서에 기록하여야 한다.

03 범죄 원인론 및 통제이론에 대한 설명으로 옳지 않은 것은?

① Shaw & Mckay는 시카고 시(市)의 전이지대(transition zone)에서 범죄율이 가장 높게 나타났으며, 이 지역은 인종이나 국적이 바뀌어도 범죄율에 변화가 없는 것은 지역의 특성과 범죄가 연관된다고 보았다.
② Sutherland는 차별적 접촉이론에서 범죄행위의 학습 과정은 일반적 학습 과정의 기제와는 다르다고 하였다.
③ '이 사회를 운영하는 지도층도 다들 부패했고 도둑놈들이기 때문에 법을 어기는 것은 괜찮아. 그들은 내가 하는 것에 대해서 비판하는 위선자들일 뿐이야. 그렇게 존경받는 사람들이 저지르는 화이트칼라 범죄를 봐.' 라고 말한다면 이것은 Matza & Sykes의 중화기술이론에서 비난자에 대한 비난으로 분류될 수 있다.
④ Mendelsohn이 범죄피해자 유형을 5가지로 분류한 기준은 피해자의 유책성(귀책성)이다.

04 경찰작용 및 경찰공무원을 통제하는 행정기관의 역할과 기능에 관한 설명 중 옳지 않은 것을 모두 몇 개인가?

㉠ 행정심판위원회는 경찰관청의 위법한 처분 및 대통령의 부작위에 대해서 심리하여 침해된 국민의 권리를 구제하고 경찰행정의 적정한 운영을 도모한다. ㉡ 시·도자치경찰위원회는 자치경찰 사무 담당 경찰공무원에 대한 징계를 요구할 수 있다. ㉢ 국민권익위원회는 누구든지 경찰공무원 등의 부패행위를 알게 된 때에는 무기명으로 신고할 수 있도록 하고 있다.

> ㉣ 경찰의 위법 또는 부당한 처분에 대한 행정심판제도는 행정통제로서 사전통제에 해당한다.
> ㉤ 상급 기관의 하급 기관에 대한 훈령권은 내부적 통제에 해당한다.

① 1개　② 2개　③ 3개　④ 4개

05 「공공기관의 정보공개에 관한 법률」상 정보공개위원회와 정보공개심의회에 대한 설명으로 옳은 것은?

① 정보공개에 관한 정책 수립 및 제도 개선에 관한 사항 등을 심의·조정하기 위하여 국무총리 소속으로 정보공개위원회를 둔다.
② 정보공개위원회는 성별을 고려하여 11명의 위원으로 구성하되, 위원장을 제외한 7명은 공무원이 아닌 사람으로 위촉하여야 한다.
③ 정보공개심의회는 공공기관의 정보공개 운영실태 평가 및 그 결과 처리에 관한 사항을 심의·조정한다.
④ 정보공개심의회는 위원장 1명을 포함하여 5명 이상 7명 이하의 위원으로 구성하며, 위원장은 위원 중에서 국가기관 등의 장이 지명하거나 위촉한다.

06 행정법의 법원(法源)에 관한 설명이다. 다음 중 가장 적절하지 않은 것은? (다툼이 있으면 판례에 의함)

① 법원(法院)은 보충적 법원(法源)으로서의 조리에 따라 재판할 수 있다.
② 행정의 자기 구속의 원칙은 처분청이 아닌 제3자 행정청에 대해서도 적용된다.
③ 도로교통법 시행규칙 [별표 16]의 운전면허 행정처분기준은 부령의 형식으로 되어 있으나, 그 규정의 성질과 내용이 운전면허의 취소처분 등에 관한 사무처리기준과 처분절차 등 행정청 내부의 사무처리 준칙을 규정한 것에 지나지 아니한다.
④ 일반적으로 승인된 국제법규는 국회에 의한 입법 절차를 거치지 않고도 행정법의 법원(法源)이 된다.

07 「국가경찰과 자치경찰의 조직 및 운영에 관한 법률」상 국가경찰위원회의 심의·의결을 거쳐야 하는 사항으로 옳지 않은 것은?

① 국가경찰 사무에 관한 인사, 예산, 장비, 통신 등에 관한 주요 정책 및 경찰 업무 발전에 관한 사항
② 국가경찰 사무 외에 다른 국가기관으로부터의 업무협조 요청에 관한 사항
③ 시·도자치경찰위원회 위원 추천, 자치경찰 사무에 대한 주요 법령·정책 등에 관한 사항
④ 그 밖에 위원장이 중요하다고 인정하여 국가경찰위원회의 회의에 부친 사항

08 「국가공무원법」 및 「공무원보수규정(대통령령)」상 휴직에 대한 설명으로 가장 옳지 않은 것은?

① 공무상 질병 또는 부상으로 본인의 의사에 불구하고 휴직한 경우에는 그 기간 중 봉급 전액을 지급한다.
② 공무상 질병 또는 부상으로 인한 휴직 기간은 3년 이내로 하되, 의학적 소견 등을 고려하여 대통령령 등으로 정하는 바에 따라 2년의 범위에서 연장할 수 있다.
③ 공무원이 공무상 질병 또는 부상이 아닌 신체·정신상의 장애로 휴직을 원하면 휴직을 명할 수 있다. 이 경우 휴직 기간을 1년 이내로 하되, 부득이한 경우 1년의 범위에서 연장할 수 있다.
④ 위 ③의 사유로 휴직한 공무원에게는 휴직 기간이 1년 이하인 경우에는 봉급의 70퍼센트, 휴직 기간이 1년 초과 2년 이하인 경우에는 봉급의 50퍼센트를 지급한다.

09 「경찰관 직무집행법」에 대한 내용으로 가장 옳은 것은?

① 경찰청장, 시・도경찰청장 또는 경찰서장은 범인 또는 범인의 소재를 신고하여 검거하게 한 사람에게 보상금을 지급하여야 한다.

② 국가는 경찰관의 적법한 직무집행으로 인하여, 손실 발생의 원인에 대하여 책임이 있는 자가 자신의 책임에 상응하는 정도를 초과하는 생명・신체 또는 재산상의 손실을 입은 경우 정당한 보상을 하여야 한다.

③ 경찰관은 '현행범이나 사형・무기 또는 장기 3년 이상의 징역이나 금고에 해당하는 죄를 범한 범인의 체포 또는 도주 방지', '자신이나 다른 사람의 생명・신체 및 재산의 보호', '공무집행에 대한 항거 제지'의 직무를 수행하기 위하여 필요하다고 인정되는 상당한 이유가 있을 때에는 그 사태를 합리적으로 판단하여 필요한 한도 내에서 경찰 장구를 사용할 수 있다.

④ 경찰관은 수상한 행동이나 그 밖의 주위 사정을 합리적으로 판단해 볼 때 보호조치 대상자에 해당하는 것이 명백하고 응급구호가 필요하다고 믿을만한 상당한 이유가 있는 사람을 발견하였을 때는 보건의료기관이나 공공 구호 기관에 긴급 구호를 요청하거나 경찰관서에 보호하는 등 적절한 조치를 하여야 한다.

10 「스토킹 범죄의 처벌 등에 관한 법률」에 대한 설명으로 옳지 않은 것은 모두 몇 개인가?

㉠ 「개인정보 보호법」 제2조 제1호의 개인정보를 정보통신망을 이용하여 제3자에게 제공하거나 배포 또는 게시하는 행위는 스토킹 행위에 해당한다.

㉡ 사법경찰관리는 진행 중인 스토킹 행위에 대하여 신고를 받은 경우 즉시 현장에 나가 스토킹 행위의 제지, 향후 스토킹 행위의 중단 통보 및 스토킹 행위를 지속적 또는 반복적으로 할 경우 처벌받을 수 있음을 서면으로 경고할 수 있다.

㉢ 사법경찰관은 긴급응급조치를 하였을 때에는 지체 없이 검사에게 해당 긴급응급조치에 대한 잠정조치를 지방법원 판사에게 청구하여 줄 것을 신청하여야 한다.

㉣ 국가경찰관서의 유치장 또는 구치소에의 유치를 하는 잠정조치 기간은 1개월을 초과할 수 없다.

㉤ 경찰관서의 장(국가수사본부장, 시・도경찰청장 및 경찰서장을 의미한다)은 스토킹 범죄 전담 사법경찰관을 지정하여 특별한 사정이 없으면 스토킹 범죄 전담 사법경찰관이 피해자를 조사하게 하여야 한다.

① 1개 ② 2개 ③ 3개 ④ 4개

경찰학 2회 모의고사

01 경찰의 임무와 관할에 대한 설명 중 옳지 않은 것은?

① 외관적 위험에 대한 경찰권 발동은 경찰상 위험에 해당하는 적법한 개입이므로 경찰관에게 민・형사상 책임을 물을 수 없다. 단, 경찰개입으로 인한 피해가 '공공필요에 의한 특별한 희생'에 해당하는 경우에는 국가의 손실보상 책임은 발생할 수 있다.
② 경찰 임무를 수행하기 위한 수단으로 수사권은 일반적인 처분이 가능하고 경찰책임자 이외에 경찰 비책임자에 대해서도 권한을 발동할 수 있다.
③ 행정경찰 작용은 편의주의가 적용되지만, 사법경찰 작용은 법정주의가 적용된다.
④ 인적관할이란 광의의 경찰권이 발동될 수 있는 인적 범위를 의미한다.

02 다음은 범죄자 甲과 乙의 범행장소 선정에 관한 가상 시나리오이다. 경찰의 순찰강화가 B지역과 C지역에 미친 효과에 해당하는 것으로 가장 적절하게 연결한 것은?

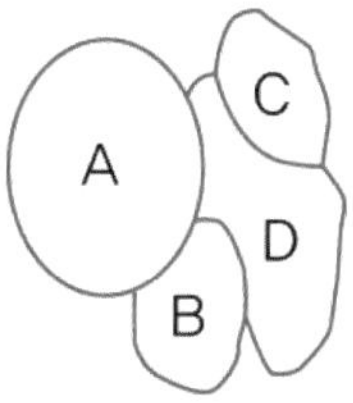

범죄자 甲은 A지역에서 범죄를 할 예정이었으나, A지역의 순찰이 강화된 것을 확인하고 C지역으로 이동해서 범죄를 저질렀다. 범죄자 乙은 B지역에서 범행을 계획하였으나, A지역의 순찰이 강화된 것을 인지하고 A지역과 인접한 B지역 대신 멀리 떨어진 지역으로 이동해서 범죄를 저질렀다.

① B지역 – 이익의 확산(diffusion of benefits)
C지역 – 범죄전이(crime displacement)
② B지역 – 범죄전이(crime displacement)
C지역 – 억제효과(deterrent effect)
③ B지역 – 범죄전이(crime displacement)
C지역 – 이익의 확산(diffusion of benefits)
④ B지역 – 이익의 확산(diffusion of benefits)
C지역 – 억제효과(deterrent effect)

03 외국 경찰에 대한 설명으로 옳지 않은 것은 모두 몇 개인가?

㉠ 중세 영국의 경찰에서 치안판사의 감독을 받으며 범죄자의 체포, 세금징수, 술집영업규제, 부랑자 단속 등 다양한 업무를 수행하였던 사람은 보안관(Sheriff)이었다.
㉡ 미국의 경호업무를 담당하는 특별업무국(Secret Service)은 국토안보부 소속이다.
㉢ 독일의 주경찰은 강력한 중앙집권적 피라미드 구조로서, 연방내무부장관을 정점으로 연방경찰이 주경찰을 지휘한다.
㉣ 프랑스의 행정경찰과 사법경찰은 엄격히 구분되어 행정경찰은 내무부 소속이지만 사법경찰은 법무부 소속이다.
㉤ 일본의 국가공안위원회는 합의제 행정관청이다.

① 1개 ② 2개
③ 3개 ④ 4개

04 「언론중재 및 피해구제 등에 관한 법률」에 대한 내용으로 옳지 않은 것은?

① 정정보도의 청구를 받은 언론사의 대표자는 3일 이내에 그 수용 여부에 대한 통지를 청구인에게 발송하여야 하며, 그 정정보도 청구를 수용할 때에는 그 청구를 받은 날부터 10일 내에 정정보도문을 방송하거나 게재하여야 한다.
② 피해자가 정정보도청구권을 행사할 정당한 이익이 없는 경우 언론사는 정정보도 청구를 거부할 수 있다.
③ 언론중재위원회에 위원장 1명과 2명 이내의 부위원장 및 2명 이내의 감사를 두며, 각각 중재위원 중에서 호선한다.
④ 위원장, 부위원장, 감사 및 중재위원의 임기는 각각 3년으로 하며, 1차에 한하여 연임할 수 있다.

05 「개인정보 보호법」상 영상정보처리기기의 설치·운영에 관한 내용으로 옳지 않은 것은?

① 누구든지 공개된 장소에 고정형 영상정보처리기기를 설치·운영할 수 있는 것이 원칙이다.
② 업무를 목적으로 이동형 영상정보처리기기를 운영하려는 자는 공개된 장소에서 이동형 영상정보처리기기로 사람 또는 그 사람과 관련된 사물의 영상(개인정보에 해당하는 경우로 한정한다)을 원칙적으로 촬영할 수 없다.
③ 촬영 사실을 명확히 표시하여 정보주체가 촬영 사실을 알 수 있도록 하였음에도 불구하고 촬영 거부 의사를 밝히지 아니한 경우(정보주체의 권리를 부당하게 침해할 우려가 없고 합리적인 범위를 초과하지 아니하는 경우로 한정한다)에는 이동형 영상정보처리기기로 사람 또는 그 사람과 관련된 사물의 영상을 촬영할 수 있다.
④ 이동형 영상정보처리기기로 사람 또는 그 사람과 관련된 사물의 영상을 촬영하는 경우에는 불빛, 소리, 안내판 등 대통령령으로 정하는 바에 따라 촬영 사실을 표시하고 알려야 한다.

06 법치행정에 관한 설명으로 옳지 않은 것은? (단, 다툼이 있는 경우 판례에 따름)

① 다수설에 따르면 행정지도에 관해서 개별법에 근거 규정이 없는 경우 행정지도의 상대방인 국민에게 미치는 효력을 고려하여 행정지도를 할 수 없다고 본다.
② 법률유보의 원칙에서 요구되는 법적 근거는 작용법적 근거를 의미한다.
③ 법률유보의 원칙은 '법률에 의한' 규율만을 뜻하는 것이 아니라 '법률에 근거한' 규율을 요청하는 것이므로 기본권 제한의 형식이 반드시 법률의 형식일 필요는 없다.
④ 법률의 법규창조력이란 국민의 권리의무관계에 구속력을 가지는 법규(법규범)를 창조하는 것은 국민의 대표기관인 의회에서 제정한 법률만이라고 한다.

07 행정관청의 권한의 위임과 대리에 대한 설명이다. 아래 ㉠부터 ㉣까지의 설명 중 옳고 그름의 표시(○, ×)가 바르게 된 것은?

> ㉠ 권한의 위임이란 상급관청이 하급관청에 권한의 전부를 이전하여 수임기관의 권한으로 행하도록 하는 것으로 위임의 범위에는 제한이 없는 것이 원칙이다.
> ㉡ 권한의 위임은 수임관청에 권한이 이전되므로 수임관청에 효과가 귀속되나, 권한의 대리는 직무의 대행에 불과하므로 임의대리든 법정대리든 피대리관청에 효과가 귀속된다.
> ㉢ 원칙적으로 임의대리는 권한의 일부에 대해서만 가능하고 복대리가 불가능하나, 법정대리는 권한의 전부에 대해서 가능하고 복대리가 가능하다.
> ㉣ 임의대리의 경우 피대리관청은 대리기관의 행위에 대한 지휘·감독상의 책임을 지나, 법정대리의 경우 피대리관청은 원칙적으로 지휘·감독상의 책임을 지지 않는다.

① ㉠ (○) ㉡ (○) ㉢ (×) ㉣ (○)
② ㉠ (×) ㉡ (○) ㉢ (○) ㉣ (×)
③ ㉠ (×) ㉡ (○) ㉢ (○) ㉣ (○)
④ ㉠ (×) ㉡ (×) ㉢ (○) ㉣ (×)

08 「경찰공무원 복무규정」에 대한 설명으로 가장 옳지 않은 것은?

① 경찰공무원은 상사의 허가를 받거나 그 명령에 의한 경우를 제외하고는 직무와 관계없는 장소에서 직무수행을 하여서는 아니 된다.
② 경찰공무원은 신규채용·승진·전보·파견·출장·연가·교육훈련기관에의 입교 기타 신분관계 등의 변동이 있는 때에는 소속 기관장에게 신고를 하여야 한다.
③ 경찰공무원은 휴무일 또는 근무시간 외에 2시간 이내에 직무에 복귀하기 어려운 지역으로 여행을 하고자 할 때에는 소속 경찰기관의 장에게 신고를 하여야 한다.
④ 경찰기관의 장은 근무성적이 탁월하거나 다른 경찰공무원의 모범이 될 공적이 있는 경찰공무원에 대하여 1회 10일 이내의 포상휴가를 허가할 수 있다.

09 행정행위에 대한 설명으로 가장 적절하지 않은 것은? (다툼이 있는 경우 판례에 의함)

① 일반·추상적인 사항을 규율하는 행정규칙은 행정행위에 해당하지 아니하지만, 부하 공무원에 대한 상관의 개별적인 직무명령은 행정행위에 해당한다.

② 일정한 불복기간이 경과하거나 쟁송수단을 다 거친 후에는 더 이상 행정행위를 다툴 수 없게 되는 효력을 행정행위의 불가쟁력이라 한다.

③ 행정재산의 사용·수익에 대한 허가는 순전히 사경제주체로서 행하는 사법상의 행위가 아니라 관리청이 공권력을 가진 우월적 지위에서 행하는 행정처분으로서 강학상 특허에 해당한다.

④ 행정재산의 사용·수익허가처분의 성질에 비추어 국민에게는 행정재산의 사용·수익허가를 신청할 법규상 또는 조리상의 권리가 있다고 할 것이므로 공유재산의 관리청이 행정재산의 사용·수익에 대한 허가 신청을 거부한 행위 역시 행정처분에 해당한다.

10 재난관리에 대한 설명으로 옳은 것은?

① 「재난 및 안전관리 기본법」상 "재난관리"란 재난이나 그 밖의 각종 사고로부터 사람의 생명·신체 및 재산의 안전을 확보하기 위하여 하는 모든 활동이다.

② 「재난 및 안전관리 기본법」상 재난관리주관기관의 장은 대통령령으로 정하는 재난이 발생하거나 발생할 우려가 있는 경우 사람의 생명·신체 및 재산에 미치는 중대한 영향이나 피해를 줄이기 위하여 긴급한 조치가 필요하다고 인정하면 중앙위원회의 심의를 거쳐 재난사태를 선포할 수 있다.

③ 「경찰 재난관리 규칙」상 재난관리를 위한 관계기관과의 협력과 재난지역 주민대피 지원 업무는 치안상황관리관이 수행한다.

④ 「경찰 재난관리 규칙」상 경찰청 차장은 경찰의 재난관리 업무를 총괄·조정한다.

경찰학 3회 모의고사

01 **분사기 및 가스 발사총에 대한 설명으로 옳은 것은?**

① 경찰관은 범인의 체포 또는 도주 방지, 타인 또는 경찰관의 생명·신체에 대한 방호, 공무집행에 대한 항거의 억제를 위하여 필요한 때에는 최소한의 범위 안에서 분사기(「총포·도검·화약류 등의 안전관리에 관한 법률」에 따른 분사기)를 사용할 수 있다.

② 「경찰 물리력 행사의 기준과 방법에 관한 규칙」상 경찰관은 정당방위나 긴급피난의 요건이 충족되지 않는 한, 대상자가 14세 미만이거나 임산부 또는 호흡기 질환을 가지고 있음을 인지한 경우 1m 이내의 거리에서 상대방의 얼굴을 향하여 분사기를 사용하여서는 아니 된다.

③ 경찰관은 범인의 체포 또는 도주 방지, 타인 또는 경찰관의 생명·신체에 대한 방호, 공무집행에 대한 항거의 억제를 위하여 필요한 때에는 최소한의 범위 안에서 가스 발사총을 사용할 수 있다.

④ 14세 미만이거나 임산부 또는 호흡기 질환을 가지고 있음을 인지한 경우 1미터 이내의 거리에서 상대방의 얼굴을 향하여 가스 발사총을 발사하여서는 아니 된다.

02 **「경찰 물리력 행사의 기준과 방법에 관한 규칙」에 대한 설명으로 가장 옳은 것은?**

① 대상자가 경찰관의 지시, 통제에 따르지만, 경찰관의 요구에 즉각 응하지 않고 약간의 시간만 지체하는 경우에, 경찰관은 대상자에 신체 접촉을 통해 경찰 목적 달성을 강제하지만, 신체적 부상을 야기할 가능성은 극히 낮은 물리력을 사용할 수 있다.

② 대상자가 자신에 대한 경찰관의 체포·연행 등 정당한 공무집행을 방해하지만, 경찰관 또는 제3자에 대해 위해 수준이 낮은 행위만을 하는 상태에서, 경찰관은 대상자에게 신체적 부상을 입힐 수 있으나 생명·신체에 대한 중대한 위해 발생 가능성은 낮은 물리력을 사용할 수 있다.

③ 경찰관이 정당한 이동 명령을 발하였음에도 가만히 서 있거나 앉아 있는 등 전혀 움직이지 않는 상태, 일부러 몸의 힘을 모두 빼거나, 고정된 물체를 꽉 잡고 버팀으로써 움직이지 않으려는 상태는 소극적 저항의 상태이다.

④ 대상자가 자신을 체포·연행하려는 경찰관으로부터 물리적으로 이탈하거나 도주하려는 행위, 체포·연행을 위해 팔을 잡으려는 경찰관의 손을 뿌리치거나, 경찰관을 밀고 잡아끄는 행위, 경찰관에게 침을 뱉거나 경찰관을 밀치는 행위 등은 폭력적 공격에 해당한다.

03 **「경찰관 직무집행법 시행령」상 손실보상에 대한 설명으로 옳지 아니한 것은?**

① 영업자가 손실을 입은 물건의 수리나 교환으로 인하여 영업을 계속할 수 없는 경우에는 직무집행과 상당한 인과관계가 있는 범위에서 보상한다.

② 경찰청장 등은 손실보상 심의위원회의 결정일부터 10일 이내에 그 결정 내용을 적어서 청구인에게 통지하여야 한다.

③ 손실보상 심의위원회는 보상금 지급과 관련된 심사자료와 결과를 반기별로 국가경찰위원회에 보고해야 한다.

④ 손실보상 심의위원회의 위원장이 부득이한 사유로 직무를 수행할 수 없는 때에는 위원장이 미리 지명한 위원이 그 직무를 대행한다.

04 **「경찰관 직무집행법」상 경찰관의 직무수행으로 인한 형의 감면(제11조의5)에 대한 설명으로 옳은 것은?**

① 형법상 강도에 관한 죄에 있어서 타인의 생명·신체·재산에 대한 위해 발생의 우려가 명백하고 긴급한 상황이어야 한다.

② 「형법」 제32장 강간과 추행의 죄 중 강간에 관한 범죄는 감면의 대상이 되는 범죄이지만 추행에 관한 범죄는 해당하지 않는다.

③ 「스토킹 범죄의 처벌 등에 관한 법률」에 의한 스토킹 범죄는 감면의 대상이 되는 범죄이다.

④ 경찰관의 직무수행이 불가피한 것이고 필요한 최소한의 범위에서 이루어졌으며 해당 경찰관에게 고의 또는 중대한 과실이 없는 때에는 그 정상을 참작하여 형을 감경하거나 면제한다.

05 다음 「행정절차법」이 규정하고 있는 내용으로 옳지 않은 것은? (다툼이 있는 경우 판례에 의함)

① 행정청은 청문하려면 청문이 시작되는 날부터 10일 전까지 의견제출 절차 등을 당사자 등에게 통지하여야 한다.
② 인허가 등의 취소, 신분・자격의 박탈, 법인이나 조합 등의 설립 허가의 취소를 할 때는 청문해야 한다.
③ 행정청이 당사자에게 의무를 부과하거나 권익을 제한하는 처분을 할 때 청문 또는 공청회를 개최하는 경우 외에는 당사자 등에게 의견제출의 기회를 주어야 한다.
④ 청문을 거치도록 규정하고 있음에도 이를 결여한 처분은 무효이다.

06 「행정심판법」에 대한 설명으로 옳은 것은?

① 행정심판은 처분이 있음을 알게 된 날부터 90일 이내에 또는 처분이 있었던 날부터 1년이 지나면 청구하지 못한다.
② 취소심판의 경우와 달리 무효등확인심판과 의무이행심판의 경우에는 심판청구의 기간에 제한이 없다.
③ 위원회는 심판청구가 적법하지 아니하면 그 심판청구를 각하(却下)하고, 심판청구가 이유가 없다고 인정하면 그 심판청구를 기각(棄却)한다.
④ 위원회는 심판청구가 이유가 있다고 인정하는 경우에도 이를 인용(認容)하는 것이 공공복리에 크게 위배된다고 인정하면 그 심판청구를 기각하는 재결을 할 수 있다. 이러한 재결은 의무이행 확인 심판에는 적용하지 아니한다.

07 「행정심판법」상 중앙행정심판위원회에 관한 내용 중 가장 적절하지 않은 것은?

① 위원장 1명을 포함하여 90명 이내의 위원으로 구성하되, 위원 중 상임위원은 3명 이내로 한다.
② 위원장은 국민권익위원회의 부위원장 중 1명이 된다.
③ 비상임위원은 제7조 제4항 각 호의 어느 하나에 해당하는 사람 중에서 중앙행정심판위원회 위원장의 제청으로 국무총리가 성별을 고려하여 위촉한다.
④ 비상임위원의 임기는 2년으로 하되, 2차에 한하여 연임할 수 있다.

08 행정심판에 대한 설명으로 옳지 않은 것은? (다툼이 있을 경우 판례에 의함)

① 심판청구를 인용하는 재결은 당사자와 피청구인 및 그 밖의 관계 행정청을 기속(羈束)한다.
② 재결에 의하여 취소되거나 무효 또는 부존재로 확인되는 처분이 당사자의 신청을 거부하는 것을 내용으로 하는 경우에는 그 처분을 한 행정청은 재결의 취지에 따라 다시 이전의 신청에 대한 처분을 하여야 한다.
③ 법원이 행정심판의 재결에 기속되어 모순되는 주장이나 판단을 할 수 없게 되는 것은 아니다.
④ 종전 처분이 재결에 의하여 취소된 경우 종전 처분 시와는 다른 사유를 들어서 처분을 하는 것은 기속력에 저촉되지 아니한다.

09 「행정소송법」 및 「행정심판법」에 대한 설명으로 옳지 않은 것은?

① 취소소송은 처분 등이 있은 날부터 1년을 경과하면 이를 제기하지 못한다. 다만, 정당한 사유가 있는 때에는 그러하지 아니하다.
② 취소소송의 제기는 처분 등의 효력이나 그 집행 또는 절차의 속행에 영향을 주지 아니한다.
③ 집행정지는 공공복리에 중대한 영향을 미칠 우려가 있을 때에는 허용되지 아니한다.
④ 행정심판위원회는 심판청구가 이유가 없다고 인정하는 경우에도 이를 기각하는 것이 공공복리에 크게 위배된다고 인정하면 그 심판청구를 인용하는 재결을 할 수 있다.

10 「국가배상법」 제2조에 따른 배상책임에 대한 설명으로 가장 옳지 않은 것은?

① 공무원에게 부과된 직무상 의무의 내용이 순전히 행정기관 내부의 질서를 유지하기 위한 것이거나 전체적으로 공공 일반의 이익을 도모하기 위한 것인 경우, 국가 또는 지방자치단체가 배상책임을 부담하지 아니한다.
② 공무원의 행위가 실질적으로 공무집행 행위가 아니라는 사정을 피해자가 알았다고 하더라도 그것만으로 국가배상책임을 부인할 수 없다.
③ 공무원의 직무집행이 법령이 정한 요건과 절차에 따라 이루어진 것이라면 특별한 사정이 없는 한 이는 법령에 적합한 것이나, 그 과정에서 개인의 권리가 침해된 경우에는 법령 적합성이 곧바로 부정된다.
④ 「국가배상법」이 정한 손해배상청구의 요건인 '공무원의 직무'에는 국가나 지방자치단체의 권력적 작용뿐만 아니라 비권력적 작용도 포함되지만 단순한 사경제의 주체로서 하는 작용은 포함되지 않는다.

경찰학 4회 모의고사

01 「경찰청과 그 소속기관 직제」상 경찰청 범죄예방대응국장의 분장사항에 해당하지 않는 것은 모두 몇 개인가?

㉠ 청원경찰의 운영 및 지도 ㉡ 경비업에 관한 연구 및 지도 ㉢ 아동학대 수사 및 피해자 보호에 관한 업무 ㉣ 즉결심판청구업무의 지도 ㉤ 각종 안전사고의 예방에 관한 사항 ㉥ 아동·청소년 대상 성매매 단속 ㉦ 사이버범죄 예방에 관한 사항

① 1개 ② 2개 ③ 3개 ④ 4개

02 「112치안종합상황실 운영 및 신고처리 규칙」에 관한 설명 중 가장 적절하지 않은 것은?

① "112요원"이란 112치안종합상황실에 근무하는 112신고 및 치안상황 처리 업무에 종사하는 자를 말하며, 112요원의 근무기간은 2년 이상으로 한다.
② 접수자는 불완전 신고로 인해 정확한 신고내용을 파악하기 힘든 경우라도 신속한 처리를 위해 우선 임의의 코드로 분류하여 하달할 수 있다.
③ 경찰서 지령자 및 현장 출동 경찰관은 시·도경찰청 지령자의 승인을 받아 하달된 코드를 변경할 수 있다.
④ 112치안종합상황실 자료 중 접수처리 입력자료는 1년간 보존하고, 무선지령내용 녹음자료는 24시간 녹음하고 3개월간 보존한다.

03 「지역경찰의 조직 및 운영에 관한 규칙」에 관한 설명으로 옳은 것은?

① "지역경찰관서"란 지구대, 파출소 및 출장소를 말한다.
② 지역경찰관서의 시설·장비의 관리 및 예산의 집행은 지역경찰관서장의 업무이다.
③ 관리팀원에 대한 일일근무 지정 및 지휘·감독은 순찰팀장의 업무이다.
④ 시·도경찰청장 및 경찰서장은 지역경찰에 대한 필요한 교육을 실시하며, 교육시간이나 방법 등과 관련된 세부적인 기준은 시·도경찰청장이 따로 정한다.

04 「지역경찰의 조직 및 운영에 관한 규칙」에 관한 설명 중 옳지 않은 것은 모두 몇 개인가?

㉠ 경찰서장은 인구, 면적, 행정구역, 교통·지리적 여건, 각종 사건사고 발생 등을 고려하여 경찰서의 관할구역을 나누어 지역경찰관서를 설치한다. ㉡ 시·도경찰청장은 지역치안을 효율적으로 수행하기 위하여 경찰서장소속하에 치안센터를 설치할 수 있다. ㉢ 치안센터는 24시간 상시 운영을 원칙으로 한다. 다만, 경찰서장은 지역 치안여건 및 인원여건을 고려, 운영시간을 탄력적으로 조정할 수 있다. ㉣ 출장소형 치안센터는 지리적 여건·치안수요 등을 고려하여 필요한 경우 직주일체형으로 운영할 수 있다. ㉤ 직주일체형 치안센터는 출장소형 치안센터 중 근무자가 치안센터 내에서 거주하면서 근무하는 형태의 치안센터를 말한다.

① 1개 ② 2개 ③ 3개 ④ 4개

05 다음 중 「경비업법」에 대한 설명으로 옳은 것은?

① 신변보호업무는 사람의 생명·신체·재산에 대한 위해의 발생을 방지하고 그 신변을 보호하는 업무이다.
② 시설주 등이 집단민원현장 발생 3개월 전까지 직접 고용한 경우에는 집단민원현장에 경비인력을 20명 이상 배치할 수 있다.
③ 경비업의 종류에는 시설경비업무, 호송경비업무, 신변보호업무, 기계경비업무, 특수경비업무, 혼잡경비업무가 있다.
④ 경비업을 영위하고자 하는 법인은 시·도경찰청장의 허가를 받아야 하며, 허가의 유효기간은 허가받은 날부터 3년으로 한다.

06 「총포·도검·화약류 등의 안전관리에 관한 법률」의 적용 대상이 아닌 것은 모두 몇 개인가?

㉠ 석궁	㉡ 분사기	㉢ 산업용총
㉣ 전자충격기	㉤ 살수차	㉥ 유해화학물질

① 1개 ② 2개
③ 3개 ④ 4개

07 「성매매알선 등 행위의 처벌에 관한 법률」에 대한 설명 중 옳지 않은 것은?

① 「청소년 보호법」 제2조 제1호에 따른 청소년은 자의로 성매매를 한 경우에도 성매매피해자에 해당한다.
② 성매매피해자의 성매매는 감경하거나 면제할 수 있다.
③ 수사기관은 신고자 등(신고한 사람 또는 성매매피해자)을 조사할 때에는 직권으로 또는 본인·법정대리인의 신청에 의하여 신뢰관계에 있는 사람을 동석하게 할 수 있다.
④ 성매매알선 등 행위를 한 사람이 그 행위와 관련하여 성을 파는 행위를 하였거나 할 사람에게 가지는 채권은 그 계약의 형식이나 명목에 관계없이 무효로 한다.

08 「경범죄 처벌법」에 대한 설명으로 가장 옳은 것은?

① 제3조(경범죄의 종류)의 죄를 짓도록 시키거나 도와준 사람은 죄를 지은 사람에 준하여 벌하며, 미수범에 대한 처벌규정은 없다.
② 자신의 집에서 거짓신고를 한 사람은 주거가 분명하여 현행범으로 체포할 수 없다.
③ 14세 이상인 사람에 대하여 통고처분할 수 있다.
④ 납부기간에 범칙금을 납부하지 아니한 사람은 납부 기간의 마지막 날의 다음 날부터 30일 이내에 통고받은 범칙금에 그 금액의 100분의 30을 더한 금액을 납부하여야 한다.

09 「경범죄 처벌법」에 대한 설명으로 가장 옳은 것은?

① '관공서에서의 주취소란'과 '장난전화'는 범인의 주거가 분명하더라도 현행범인 체포가 가능하다.
② '업무방해'와 '거짓 광고'는 20만원 이하의 벌금, 구류 또는 과료의 형으로 처벌한다.
③ 시·도경찰청장, 경찰서장, 해양경찰서장, 제주특별자치도지사 또는 철도특별사법경찰대장은 범칙자로 인정되는 사람에 대하여 그 이유를 명백히 나타낸 서면으로 범칙금을 부과하고 이를 납부할 것을 통고할 수 있다.
④ 범칙금 납부 기한 내 범칙금을 납부하지 않아 즉결심판이 청구된 피고인이 통고받은 범칙금에 그 금액의 100분의 50을 더한 금액을 납부하고 그 증명서류를 즉결심판 선고 전까지 제출하였을 때에는 경찰청장, 해양경찰청장, 제주특별자치도지사는 그 피고인에 대한 즉결심판 청구를 취소할 수 있다.

10 「유실물법」에 대한 설명으로 옳지 않은 것은?

① 습득일로부터 7일 이내에 습득물을 반환 또는 경찰서에 제출하지 아니한 경우에는 보상금을 받을 권리 및 습득물의 소유권을 취득할 권리를 상실한다.
② 착오로 점유한 물건에 대하여는 보상금을 청구할 수 없지만, 타인이 놓고 간 물건에 대해서는 보상금을 청구할 수 있다.
③ 유실물을 공고한 후 6개월 내에 소유자가 권리를 주장하지 아니하면 습득자가 그 소유권을 취득하며, 소유권 취득 후 6개월 내에 해당 습득물을 받아가지 아니하면 소유권이 상실된다.
④ 관리자가 있는 선박, 차량, 건축물, 그 밖에 일반인의 통행을 금지한 구내에서 타인의 물건을 습득한 자는 그 물건을 관리자에게 인계하여야 한다. 이 경우 보상금은 선박, 차량, 건축물 등의 점유자와 실제로 물건을 습득한 자가 반씩 나누어야 한다.

경찰학 5회 모의고사

01 「실종 아동 등 및 가출인 업무처리 규칙」에 관한 설명으로 옳은 것은?

① 시·도경찰청과 경찰서의 실종·유괴경보 운영책임자는 여성청소년과장이 하는 것이 원칙이다.
② 발견된 지적·자폐성·정신장애인 등 및 치매환자의 실종아동 등 프로파일링 시스템에 등록된 자료는 수배 해제 후로부터 5년간 보존해야 하지만 보호자가 삭제를 요구한 경우는 즉시 삭제하여야 한다.
③ 규칙상 "장기실종아동 등"이란 보호자로부터 이탈된 지 48시간이 경과하도록 발견하지 못한 실종아동 등을 말한다.
④ 규칙상 "가출인"이란 신고 당시 보호자로부터 이탈된 18세 이상의 사람을 의미한다.

02 다음 중 「청소년 보호법」상 청소년 출입과 고용이 모두 금지되는 업소는 모두 몇 개인가?

> ㉠ 「사행행위 등 규제 및 처벌 특례법」에 따른 사행행위영업
> ㉡ 「체육시설의 설치·이용에 관한 법률」에 따른 무도학원업 및 무도장업
> ㉢ 「영화 및 비디오물의 진흥에 관한 법률」에 따른 비디오물 소극장 업
> ㉣ 「식품위생법」에 따른 식품접객업 중 일명 티켓다방(종업원에게 영업장을 벗어나 차 종류 등을 배달·판매하게 하면서 소요 시간에 따라 대가를 받게 하거나 이를 조장 또는 묵인하는 형태로 운영되는 영업)
> ㉤ 「게임산업진흥에 관한 법률」에 따른 일반게임제공업

① 1개 ② 2개
③ 3개 ④ 4개

03 「성폭력범죄의 처벌 등에 관한 특례법」상 영상녹화에 대한 설명으로 가장 옳지 않은 것은?

① 사법경찰관은 19세미만피해자등(19세 미만인 피해자나 신체적인 또는 정신적인 장애로 사물을 변별하거나 의사를 결정할 능력이 미약한 피해자를 말한다)의 진술 내용과 조사 과정을 영상녹화하고, 그 영상녹화물을 보존하여야 한다.
② 사법경찰관은 19세미만피해자등을 조사한 후에 지체 없이 조사 과정이 영상녹화된 사실과 그 영상녹화물이 증거로 사용될 수 있다는 사실을 설명하여야 한다.
③ 19세미만피해자등 또는 그 법정대리인(법정대리인이 가해자이거나 가해자의 배우자인 경우는 제외한다)이 영상녹화를 원하지 아니하는 의사를 표시하는 경우에는 이를 하여서는 아니 된다.
④ 사법경찰관은 영상녹화를 마쳤을 때는 지체 없이 피해자 또는 변호사 앞에서 봉인하고 피해자로 하여금 기명날인 또는 서명하게 하여야 한다.

04 「성폭력범죄의 처벌 등에 관한 특례법」에 대한 설명으로 가장 옳지 않은 것은?

① 검사는 피해자에게 변호사가 없는 경우 국선변호사를 선정하여 형사절차에서 피해자의 권익을 보호할 수 있다. 다만, 19세미만피해자등에게 변호사가 없는 경우에는 국선변호사를 선정할 수 있다.
② 피해자가 공판기일에 출석하여 증언하는 것에 현저히 곤란한 사정이 있을 때는 검사에게 증거보전의 청구를 할 것을 요청할 수 있다. 이 경우 피해자가 19세미만피해자등인 경우에는 공판기일에 출석하여 증언하는 것에 현저히 곤란한 사정이 있는 것으로 본다.
③ 증거보전 기일에서의 신문의 경우 법원이 피의자나 피고인의 방어권이 보장된 상태에서 피해자에 대한 반대신문이 충분히 이루어졌다고 인정하는 경우로 한정하여 영상녹화된 것을 증거로 할 수 있다.

④ 19세미만피해자등이 사망, 외국 거주, 신체적, 정신적 질병・장애, 소재 불명 등의 사유로 공판준비기일 또는 공판기일에 출석하여 진술할 수 없는 경우(영상녹화 된 진술 및 영상녹화가 특별히 신빙(信憑)할 수 있는 상태에서 이루어졌음이 증명된 경우로 한정한다)에는 영상녹화된 것을 증거로 할 수 있다.

05 「아동・청소년의 성 보호에 관한 법률」에 규정된 범죄 중 미수범을 처벌하는 것은?

① 아동・청소년 성 착취물 판매
② 위계(僞計) 또는 위력으로써 아동・청소년을 추행
③ 아동・청소년에게 성을 팔도록 권유
④ 폭행이나 협박으로 아동・청소년 대상 성범죄의 피해자 또는 보호자를 상대로 합의 강요

06 「아동・청소년의 성 보호에 관한 법률」 및 동법 시행령상 신분 비공개수사에 대한 설명으로 가장 적절하지 않은 것은?

① 사법경찰관리가 신분 비공개수사를 진행하고자 할 때는 사전에 상급 경찰관서 수사부서의 장의 승인을 받아야 한다. 이 경우 그 수사 기간은 3개월을 초과할 수 없다.
② 신분 비공개는 경찰관임을 밝히지 않거나 부인(신분 위장 수사에 이르지 않는 행위로서 경찰관 외의 신분을 고지하는 방식을 포함한다) 하는 방법으로 한다.
③ 사법경찰관리는 19세 이상의 사람이 성적 착취를 목적으로 정보통신망을 통하여 아동・청소년에게 성적 욕망이나 수치심 또는 혐오감을 유발할 수 있는 대화를 지속적 또는 반복적으로 하는 행위에 대하여 신분 비공개수사를 할 수 있다.
④ 사법경찰관리는 신분 비공개수사의 방법으로 아동・청소년 성 착취물을 소지, 판매 또는 광고할 수 있다.

07 「가정폭력범죄의 처벌 등에 관한 특례법」상 가정폭력범죄에 해당하지 않는 것은 몇 개인가?

㉠ 주거침입죄	㉡ 퇴거불응죄	㉢ 중손괴죄
㉣ 공갈죄	㉤ 모욕죄	㉥ 약취유인
㉦ 강간치사	㉧ 상해치사	

① 3개　② 4개
③ 5개　④ 6개

08 「아동학대범죄의 처벌 등에 관한 특례법」에 대한 설명으로 가장 옳지 않은 것은?

① 아동학대 범죄 신고를 접수한 사법경찰관리나 아동학대 전담 공무원이 동행하여 현장 출동하지 아니한 경우 사법경찰관리 또는 아동학대 전담 공무원은 현장 출동에 따른 조사 등의 결과를 서로에게 통지하여야 한다.
② 응급조치는 72시간을 넘을 수 없다. 다만, 그 기간에 공휴일이나 토요일이 포함되는 경우로서 피해 아동 등의 보호를 위하여 필요하다고 인정되는 경우에는 48시간의 범위에서 그 기간을 연장할 수 있다.
③ 검사는 아동학대 범죄 사건의 증인이 피고인 또는 그 밖의 사람으로부터 생명・신체에 해를 입거나 입을 염려가 있다고 인정될 때에는 관할 경찰서장에게 증인의 신변안전을 위하여 필요한 조치를 할 것을 요청하여야 한다.
④ 판사가 아동학대 범죄의 원활한 조사・심리 또는 피해 아동 등의 보호를 위하여 필요하다고 인정하는 경우에는 결정으로 아동학대 행위자에게 경찰관서의 유치장 또는 구치소에 유치하는 조치를 할 수 있다.

09 「스토킹 범죄의 처벌 등에 관한 법률」에 대한 설명으로 가장 옳지 아니한 것은?

① "스토킹 행위"는 상대방 등의 개인정보나 위치정보를 정보통신망을 이용하여 제3자에게 제공하거나 배포 또는 게시하는 행위도 해당한다.
② "스토킹 범죄"란 지속적 또는 반복적으로 스토킹 행위를 하는 것을 말한다.
③ 스토킹 범죄를 저지른 사람은 3년 이하의 징역 또는 3천만 원 이하의 벌금에 처한다.
④ 사법경찰관리는 진행 중인 스토킹 행위에 대하여 신고를 받은 경우 즉시 현장에 나가 스토킹 행위의 제지, 향후 스토킹 행위의 중단 통보 및 스토킹 행위를 지속적 또는 반복적으로 할 경우 처벌 서면경고 조치를 할 수 있다.

10 「스토킹 범죄의 처벌 등에 관한 법률」에 대한 설명으로 가장 적절한 것은?

① 사법경찰관은 긴급 응급조치를 하였을 때는 지체 없이 검사에게 잠정조치 청구를 신청하여야 한다.
② 긴급 응급조치 기간은 1개월을 초과할 수 없다. 다만, 스토킹 행위가 지속적 또는 반복적으로 행하여질 우려가 있는 경우에는 검사에게 기간을 연장하여 줄 것을 신청할 수 있다.
③ 사법경찰관은 정당한 이유가 있다고 인정하는 경우에는 직권으로 또는 신청에 의하여 해당 긴급 응급조치를 취소할 수 있고, 지방법원 판사의 승인을 받아 긴급 응급조치의 종류를 변경할 수 있다.
④ 법원은 스토킹 행위자에게 피해자나 그 주거 등으로부터 100m 이내의 접근 금지 잠정조치와 위치추적 전자장치를 부착하는 잠정조치를 병과할 수 없다.

경찰학 6회 모의고사

01 「경찰청과 그 소속기관 직제」상 경찰청 형사국장의 분장 사항에 해당하지 않는 것은?

① 교통사고·교통범죄에 관한 수사 지휘·감독
② 부패범죄, 공공범죄, 경제범죄 및 금융범죄에 관한 수사 지휘·감독
③ 아동·청소년 대상 성매매 단속
④ 외국인 관련 범죄에 대한 통계 및 수사자료 분석

02 수사실행 5대 원칙에 대한 설명 중 옳은 것은?

① 여러 가지 추측 중에서 어떤 추측이 정당한 것인가를 가리기 위해서는 그들 추측 하나 하나를 모든 각도에서 검토해야 한다는 원칙은 '검증적 수사의 원칙'이다.
② 검증적 수사의 원칙은 '수사방법의 결정 → 수사사항의 결정 → 수사실행'이라는 순서에 따라 검토한다.
③ 수사관의 상식적 검토·판단에만 의할 것이 아니라 감식과학이나 과학적 지식 또는 시설장비를 최대한 유용하게 활용하여 수사를 해야 한다는 것은 '사실판단 증명의 원칙'이다.
④ 추측을 확인하는 작업인 동시에 다른 측면에서는 새로운 자료수집 행위이기도 한 것은 적절한 추리의 원칙이다.

03 「경찰수사규칙」 및 「입건 전 조사 사건 처리에 관한 규칙」에 의한 입건 전 조사에 대한 설명으로 옳지 않은 것은?

① 입건 전 조사는 임의적인 방법으로 하는 것을 원칙으로 하고, 대인적 강제 조치를 실시하는 경우에는 법률에서 정한 바에 따라 필요 최소한의 범위에서 남용되지 않도록 유의하여야 한다.
② 경찰관은 첩보사건의 조사를 착수하고자 할 때에는 입건 전 조사착수보고서를 작성하고, 소속 수사부서의 장에게 보고하고 지휘를 받아야 한다.
③ 진정·탄원·투서 등 서면으로 접수된 신고가 같은 내용으로 3회 이상 반복하여 접수되고 2회 이상 그 처리 결과를 통지한 신고와 같은 내용인 경우 '공람 후 종결'을 한다.
④ 진정·탄원·투서 등 서면으로 접수된 신고가 피혐의자 또는 참고인 등의 소재불명으로 입건 전 조사를 계속할 수 없는 경우에는 '입건전조사 중지'한다.

04 「검사와 사법경찰관의 상호협력과 일반적 수사준칙에 관한 규정」, 「경찰수사규칙」 및 「범죄수사규칙」에 의한 변사사건 처리 방법으로 옳은 것은?

① 경찰관은 변사자 또는 변사로 의심되는 시체를 발견하거나 시체가 있다는 신고를 받았을 때에는 즉시 관할 검사에게 보고하여야 한다.
② 경찰관은 검시를 한 경우에 범죄로 인한 사망이라 인식한 때에는 신속하게 수사를 개시하고 소속 경찰관서장 및 관할 검사에게 보고하여야 한다.
③ 사법경찰관이 검시를 할 때에는 의사와 검시조사관을 참여시켜야 한다.
④ 사법경찰관은 변사자에 대한 검시 또는 검증이 종료된 때에는 사체를 소지품 등과 함께 신속히 유족 등에게 인도한다.

05 「형사소송법」 및 「검사와 사법경찰관의 상호협력과 일반적 수사준칙에 관한 규정」에 대한 설명으로 옳은 것은?

① 검사는 사법경찰관이 사건을 송치하지 아니한 것이 위법 또는 부당한 때에는 그 이유를 문서로 명시하여 사법경찰관에게 보완수사를 요청할 수 있다.
② 검사는 사법경찰관으로부터 송치받은 사건에 대해 재수사가 필요하다고 인정하는 경우에는 특별히 직접 수사를 할 필요가 있다고 인정되는 경우를 제외하고는 사법경찰관에게 재수사를 요구하는 것을 원칙으로 한다.

③ 검사는 사법경찰관이 사건을 송치하지 아니한 것이 위법 또는 부당하여 재수사를 요청하려는 경우에는 관계 서류와 증거물을 송부받은 날부터 30일 이내에 해야 한다.
④ 검사는 재수사 결과를 통보받은 경우 다시 재수사를 요청할 수 없다.

06 「통신비밀보호법」의 내용으로 옳지 않은 것은?

① 범죄수사를 위한 통신사실확인자료를 요청하는 경우 실시간 추적자료와 특정 기지국에 대한 통신사실확인자료는 다른 방법으로는 범죄의 실행을 저지하기 어려운 경우 등 보충성의 요건이 필요하다.
② 범죄수사를 위한 통신제한조치의 기간은 2개월을 초과하지 못하고, 허가요건이 존속하는 경우에는 2개월의 범위에서 연장할 수 있다.
③ 국가안보를 위한 통신제한조치의 기간은 4월을 초과하지 못하고, 그 요건이 존속하는 경우에는 4월의 범위 이내에서 연장할 수 있다.
④ 긴급통신제한조치를 한 때부터 48시간 이내에 법원의 허가를 받지 못한 때에는 즉시 이를 중지하여야 한다.

07 「경찰수사규칙」 및 「범죄수사규칙」상 경찰수사의 공정성 확보와 관련한 내용으로 옳지 않은 것은?

① 피의자, 피해자와 그 변호인은 수사를 담당하는 경찰관에 대해 기피를 신청할 수 있다. 다만, 변호인은 피의자, 피해자의 명시한 의사에 반하지 아니하는 때에 한하여 기피를 신청할 수 있다.
② 기피 신청을 하려는 사람은 기피신청서를 작성하여 기피 신청 대상 경찰관이 소속된 수사부서의 장에게 제출하여야 하고, 기피 신청을 한 날부터 3일 이내에 기피사유를 서면으로 소명하여야 한다.
③ 소속 수사부서장이 기피 신청을 이유 있다고 인정하지 않는 때에는 감사부서의 장은 기피 신청 접수일부터 7일(공휴일과 토요일은 산입하지 않는다) 이내에 공정수사위원회를 개최하여 기피 신청 수용 여부를 결정하여야 한다.
④ 사법경찰관은 신고・고소・고발・진정・탄원에 따라 수사를 개시한 날 또는 이에 따른 수사를 개시한 날부터 매 1개월이 지난 날부터 7일 이내에 고소인 등에게 수사 진행상황을 통지해야 한다.

08 「피의자 유치 및 호송규칙」에 대한 설명으로 옳은 것은?

① 형사범과 구류 처분을 받은 자, 18세 이상의 사람과 18세 미만의 사람, 신체장애인 및 사건관련의 공범자 등은 유치실이 허용하는 범위 내에서 분리하여 유치하여야 한다.
② 간이검사란 죄질이 경미하고 동작과 언행에 특이사항이 없으며 위험물 등을 은닉하고 있지 않다고 판단되는 유치인에 대하여는 신체 등의 외부를 눈으로 확인하고 손으로 가볍게 두드려 만져 검사하는 것을 말한다.
③ 호송관서의 장은 피호송자가 5인 이상이 되는 호송일 때에는 경위 이상 계급의 1인을 지휘감독관으로 지정해야 한다.
④ 미체포 피의자가 구속 전 피의자심문에 임의로 출석한 경우에는 원칙적으로 수갑 및 포승을 사용하지 아니한다.

09 시체의 현상에 대한 설명으로 가장 적절하지 않은 것은?

① 백골화는 소아의 경우 4~5년, 성인의 경우 7~10년 후에 완전하게 이루어진다.
② 시체 굳음은 손가락에서 경직되기 시작하여 어깨와 턱으로 미친다.
③ 밀랍화는 수중이나 수분이 많은 지중(地中)에서 형성된다.
④ 시체얼룩은 중력으로 시체 아래에 피가 몰려 암적갈색을 띠는 것으로 주위 온도가 높을수록 빠르게 나타난다.

10 마약류에 대한 설명으로 가장 옳은 것은?

① 러미나(덱스트로메트로판)는 곡물의 곰팡이, 보리맥각에서 추출한 물질을 인공합성시켜 만든 것으로 미량을 유당 · 각설탕 · 과자 · 빵 등에 첨가시켜 먹거나 우편 · 종이 등의 표면에 묻혔다가 뜯어서 입에 넣는 방법으로 복용하기도 한다.

② 카리소프로돌은 중추신경에 작용하여 골격근 이완의 효과가 있는 근골격계 질환 치료제로서 과다복용시 인사불성, 혼수쇼크, 호흡저하를 겪게 된다.

③ 한외마약은 코데날, 코데잘, 코데솔, 코데인, 유코데, 세코날 등이 있다.

④ GHB는 무색무취의 짠맛이 나는 액체로 소다수 등의 음료에 타서 복용하며, 특히 미국, 유럽 등지에서 성범죄용으로 악용되어 '정글 주스'라고도 불린다.

경찰학 7회 모의고사

01 행사안전경비(혼잡경비)에 대한 설명으로 옳은 것은?

① 예비대 운용여부는 주최 측과 협조하여 실시한다.
② 「공연법」에 의하여 시·도경찰청장은 행사주최자에게 행사장에 자체 경비원을 배치 못 할 경우 24시간 전에 시·도경찰청장에게 통지하여 줄 것을 요청할 수 있다.
③ 공연장 외의 시설에서 500명 이상의 관람이 예상되는 공연을 하고자 하는 자는 재해대처계획을 관할 특별자치시장·특별자치도지사·시장·군수·구청장에게 신고하여야 한다.
④ 군중정리의 원칙 중 남보다 먼저 가려고 하는 군중의 심리상태로 순서에 의하여 움직일 때 순조롭게 모든 일이 잘될 수 있다는 것을 납득시킬 수 있도록 차분한 목소리로 안내방송을 하는 것은 '경쟁적 사태의 해소'이다.

02 「재난 및 안전관리 기본법」에 대한 설명으로 가장 옳은 것은?

① "재난관리"란 재난이나 그 밖의 각종 사고로부터 사람의 생명·신체 및 재산의 안전을 확보하기 위하여 하는 모든 활동이다.
② 재난의 대응 단계에서 중앙대책본부장은 중앙위원회의 심의를 거쳐 특정 지역을 특별재난지역으로 선포할 것을 대통령에게 건의할 수 있고 건의받은 대통령은 해당 지역을 특별재난지역으로 선포할 수 있다.
③ 국무총리는 대통령령으로 정하는 재난이 발생하거나 발생할 우려가 있는 경우 사람의 생명·신체 및 재산에 미치는 중대한 영향이나 피해를 줄이기 위하여 긴급한 조치가 필요하다고 인정하면 중앙위원회의 심의를 거쳐 재난사태를 선포할 수 있다.
④ 재난관리주관기관의 장은 대통령령으로 정하는 재난에 대한 징후를 식별하거나 재난발생이 예상되는 경우에는 그 위험 수준, 발생 가능성 등을 판단하여 그에 부합되는 조치를 할 수 있도록 위기경보를 발령할 수 있다. 다만, 다수의 재난관리주관기관이 관련되는 재난에 대해서는 행정안전부장관이 위기경보를 발령할 수 있다.

03 「통합방위법」에 대한 설명으로 옳지 않은 것은?

① "병종사태"란 일부 또는 여러 지역에서 적이 침투·도발하여 단기간 내에 치안이 회복되기 어려워 지역군사령관의 지휘·통제하에 통합방위작전을 수행하여야 할 사태를 말한다.
② 국무총리 소속으로 중앙 통합방위협의회를 둔다.
③ 통합방위본부장은 합동참모의장이 되고 부본부장은 합동참모본부 합동작전본부장이 된다.
④ 둘 이상의 시·도에 걸쳐 병종사태에 해당하는 상황이 발생하였을 때에, 행정안전부장관 또는 국방부장관은 즉시 국무총리를 거쳐 대통령에게 통합방위사태의 선포를 건의하여야 한다.

04 「국민보호와 공공안전을 위한 테러방지법」에 관한 설명으로 가장 적절하지 않은 것은?

① 제17조의 죄(테러단체 구성죄 등)는 대한민국 영역 밖에서 저지른 외국인에게도 국내법을 적용한다.
② 테러로 인하여 신체 또는 재산의 피해를 입은 국민은 관계기관에 즉시 신고하여야 한다. 다만, 인질 등 부득이한 사유로 신고할 수 없을 때에는 법률관계 또는 계약관계에 의하여 보호의무가 있는 사람이 이를 알게 된 때에 즉시 신고하여야 한다.
③ 테러로 인하여 생명의 피해를 입은 사람의 유족 또는 신체상의 장애 및 장기치료가 필요한 피해를 입은 사람에 대해서는 그 피해의 정도에 따라 등급을 정하여 특별위로금을 지급할 수 있다. 다만, 「여권법」 제17조 제1항 단서에 따른 외교부장관의 허가를 받지 아니하고 방문 및 체류가 금지된 국가 또는 지역을 방문·체류한 사람에 대해서는 그러하지 아니하다.

④ 관계기관의 대테러활동으로 인한 국민의 기본권 침해 방지를 위하여 국가테러대책위원회 소속으로 대테러 인권보호관 1명을 둘 수 있다.

05 「청원경찰법」 및 동법 시행령상 청원경찰에 대한 설명으로 가장 옳지 않은 것은?

① 청원경찰은 청원경찰의 배치 결정을 받은 자와 배치된 기관·시설 또는 사업장 등의 구역을 관할하는 시·도경찰청장의 감독을 받아 그 경비구역만의 경비를 목적으로 필요한 범위에서 「경찰관 직무집행법」에 따른 경찰관의 직무를 수행한다.
② 청원주는 항상 소속 청원경찰의 근무 상황을 감독하고, 근무 수행에 필요한 교육을 하여야 한다.
③ 청원경찰은 청원주가 임용하되, 임용을 할 때에는 미리 시·도경찰청장의 승인을 받아야 한다.
④ 시·도경찰청장은 청원경찰이 직무를 수행하기 위하여 필요하다고 인정하면 청원주의 신청을 받아 관할 경찰서장으로 하여금 청원경찰에게 무기를 대여하여 지니게 할 수 있다.

06 「도로교통법」 및 동법 시행령상 긴급자동차에 대한 설명으로 가장 옳은 것은?

① 모든 긴급자동차에 대하여 앞지르기 금지 시기·장소·방법에 관한 규정을 적용하지 아니한다.
② 모든 긴급자동차에 대하여 도로교통법 제5조에 따른 신호위반에 대한 규정을 적용하지 아니한다.
③ 수사기관의 자동차 중 범죄수사를 위하여 사용되는 자동차의 운전자가 그 차를 본래의 긴급한 용도로 운행하는 중에 교통사고를 일으킨 경우에는 형을 감경하거나 면제할 수 있다.
④ 대통령령으로 정하는 경찰용 자동차의 운전자에 대하여 도로교통법 제151조(물피사고)에 따른 형을 감경하거나 면제할 수 있다.

07 다음 중 운전면허에 대한 설명으로 옳지 않은 것은?

① 제1종 대형 면허 소지자는 총중량 3.5톤 이하의 견인형 특수차를 운전할 수 있다.
② 12인승 승합차를 10인승 승합차로 차종 변경하여 승인을 받으면, 2종 보통면허로 운전할 수 있다.
③ 2종 보통면허로 총중량 3.5톤의 캠핑카(특수자동차)를 운전할 수 있다.
④ 어떤 종류의 운전면허를 취득하더라도 원동기장치자전거는 운전할 수 있다.

08 다음 중 음주운전에 대한 판례의 설명으로 옳지 않은 것은?

① 「도로교통법」상 무면허 운전과 음주운전은 상상적 경합관계에 있다.
② 음주로 인한 「특정범죄가중처벌 등에 관한 법률」상 위험운전치사상죄는 「도로교통법」상 음주운전에 해당하는 운전자가 사람을 상해 또는 사망에 이르게 한 행위를 처벌대상으로 하고 있다.
③ 「특정범죄가중처벌 등에 관한 법률」상 위험운전치사상죄와 「도로교통법」상 음주운전죄는 실체적 경합 관계에 있다.
④ 흉골 골절로 인한 통증으로 깊은 호흡을 할 수 없어 십여 차례 음주측정기를 불었으나 끝내 음주측정이 되지 아니한 경우에는 음주측정불응죄가 성립하지 아니한다.

09 음주운전 관련 판례에 대한 설명으로 가장 옳지 않은 것은?

① 호흡측정을 한 운전자에게 혈중알코올농도가 음주운전 처벌기준 수치에 미달하였더라도 위드마크 공식에 의한 역추산 방식에 의하여 음주운전 처벌기준 수치 이상이 될 가능성이 있다는 취지를 운전자에게 미리 고지하여야 할 의무는 없다.

② 음주운전을 한 운전자에 대한 「경찰관직무집행법」상 보호조치를 함에 있어서 '술에 취한 상태'라 함은 피구호자가 술에 만취하여 정상적인 판단능력이나 의사능력을 상실할 정도에 이르러야만 하는 것은 아니다.

③ 음주 운전자에 대하여 보호조치가 필요한 피구호자에 해당하는지 여부는 구체적인 상황을 고려하여 경찰관 평균인을 기준으로 판단하여야 한다.

④ 술에 취하지 않은 처를 태우고 음주운전을 하다가 적발이 된 운전자에 대하여 경찰관이 보호조치를 하고자 하였다면, 운전자를 그의 처에 인계하여야 함에도 지구대로 데려간 것은 위법한 보호조치이다.

10 다음 중 판례의 태도로 가장 옳지 않은 것은?

① 자동차 운전자가 고속도로 또는 자동차전용도로가 아닌 일반도로의 중앙선 우측차로 내에서 후진하는 행위는 「교통사고처리 특례법」 제3조(처벌의 특례) 제2항 단서의 규정을 위반한 것으로 볼 수 없다.

② 내리막길에 주차되어 있는 자동차의 핸드 브레이크를 풀어 타력주행을 하는 행위는 '운전'에 해당하지 아니한다.

③ 무단횡단하던 보행자가 중앙선 부근에 서 있다가 마주 오던 차에 충격당하여 자신이 운전하던 차량 앞으로 쓰러지는 것을 피하지 못하고 역과시킨 경우 업무상과실이 있다고 볼 수 없다.

④ 교통사고 발생 시의 구호조치의무 및 신고의무는 당해 사고의 발생에 귀책사유가 없는 경우에도 인정되는 의무이다.

경찰학 8회 모의고사

01 「경찰청과 그 소속기관 직제」상 치안정보국의 업무에 대한 설명으로 옳지 않은 것은?

① 정책에 관한 정보활동은 공공의 안녕과 질서유지를 위한 정보활동에 한정하고 있다.
② 재난에 대한 정보활동도 명시되어 있다.
③ 국가중요시설 및 주요 인사의 안전·보호에 관한 정보활동도 포함된다.
④ 국가기관·지방자치단체·공공기관의 장이 요청한 신원조사 및 사실확인에 관한 정보활동도 포함된다.

02 정보의 질적요건에 대한 설명으로 가장 옳은 것은?

① 적시성의 기준은 정보 사용자의 요구 시점이다.
② 정보가 정보사용자의 사용목적과 관련되는 것이어야 한다는 것은 적실성의 문제이다.
③ 임진왜란 직전 일본에 파견되었던 황윤길과 김성일은 상반된 내용을 보고하였다. 이것은 정보의 정확성과 관련된다.
④ 징기스칸은 다양한 간첩을 주변에 침투시켜 입수된 첩로를 여러 경로로 확인하였다. 이것은 정보의 객관성과 관련된다.

03 정보의 순환과정에 대한 다음 설명 중 가장 옳지 않은 것은?

① 정보의 순환과정 중 가장 중요하고도 어려운 단계는 첩보의 수집 단계이다.
② 정보요구단계의 소순환과정은 첩보의 기본요소 결정 → 첩보수집계획서의 작성 → 명령·하달 → 사후검토 순이다.
③ 첩보수집의 소순환과정은 첩보의 수집계획 → 출처개척 → 획득 → 전달 순이다.
④ 정보생산단계의 소순환과정은 선택 → 평가 → 기록 → 분석 → 종합 → 해석이다.

04 「집회 및 시위에 관한 법률」 및 동법 시행령의 질서유지선에 대한 설명 중 옳지 않은 것은? (다툼이 있을 경우 판례에 의함)

① 경찰관서장이 질서유지선을 설정할 때 질서유지인에게 서면으로 알려야 하는 것은 아니다.
② 질서유지선으로 띠 외에 방책이나 차선 등의 경계 표지를 이용할 수 있지만, 경찰관들이 현장에서 줄지어 서는 방법으로 사용할 수는 없다.
③ 옥외집회 신고 여부를 불문하고 집회·시위 현장에 설치된 질서유지선을 침범하거나 손괴·은닉·이동 또는 제거하거나 그 밖의 방법으로 그 효용을 해치는 경우에는 6개월 이하의 징역 또는 50만원 이하의 벌금·구류 또는 과료에 처한다.
④ 집회·시위의 장소를 한정하거나 집회·시위의 참가자와 일반인을 구분할 필요가 있을 때 질서유지선을 설치할 수 있다.

05 집회현장에서 확성기 등의 소음기준(집시법 시행령 별표2) 중 최고소음도에 대한 내용이다. ㉠과 ㉡을 합한 값은?

대상 지역	시간대		
	주간 (07:00~해지기 전)	야간 (해진 후~24:00)	심야 (00:00~07:00)
주거지역, 학교, 종합병원	85 이하	80 이하	(㉠) 이하
그 밖의 지역	(㉡) 이하		

① 160　　② 165
③ 170　　④ 175

06 집회 또는 시위의 시간과 장소가 중복되는 2개 이상의 신고가 있는 경우 「집회 및 시위에 관한 법률」에 의한 절차 중 옳은 것은?

① 관할경찰관서장이 각 옥외집회 또는 시위 간에 시간을 나누거나 장소를 분할하여 개최하도록 권유하였으나 받아들여지지 아니하면 뒤에 접수된 옥외집회 또는 시위에 대하여 금지를 통고해야 한다.

② 뒤에 접수된 옥외집회 또는 시위가 금지 통고된 경우 먼저 신고를 접수하여 옥외집회 또는 시위를 개최할 수 있는 자는 집회 시작 1시간 전에 관할경찰관서장에게 집회 개최 사실을 통지하여야 하며, 이를 위반한 경우에는 100만원 이하의 과태료를 부과한다.

③ 뒤에 접수된 옥외집회·시위가 금지 통고되었음에도 먼저 신고된 옥외집회·시위의 주최자가 옥외집회·시위를 하지 아니하게 된 경우에는 신고서에 적힌 집회 일시 24시간 전에 철회신고서를 제출하여야 하며, 위반 시 100만원 이하의 벌금에 처한다.

④ 철회신고서를 받은 관할경찰관서장은 금지 통고를 받은 주최자에게 그 사실을 즉시 알려야 하고, 통지를 받은 주최자는 그 금지 통고된 집회 또는 시위를 최초에 신고한 대로 개최할 수 있다. 다만, 금지 통고 등으로 시기를 놓친 경우에는 일시를 새로 정하여 집회 또는 시위를 시작하기 24시간 전에 관할경찰관서장에게 신고서를 제출하고 집회 또는 시위를 개최할 수 있다.

07 다음 설명 중 옳지 않은 것은 모두 몇 개인가? (판례에 의함)

> ㉠ 1인은 피켓을 들고 다른 2~4인은 별도로 구호를 외치거나 전단을 배포하는 행위 없이 그 옆에 서 있는 방법으로 돌아가면서 시위를 하였다면 「집회 및 시위에 관한 법률」이 적용되는 집회·시위로 볼 수 없다.
> ㉡ 신고한 행진 경로를 행진하면서 하위 1개 차로에서 2회에 걸쳐 약 15분 동안 연좌한 경우는 신고한 범위를 뚜렷이 벗어나는 경우에 해당하지 아니한다.
> ㉢ 관공서 건물 로비에 무단 집단 진입하여 구호를 외치고 노래를 부르며 퇴거요구에 불응하는 경우라도 옥내집회에 해당하여 「집회 및 시위에 관한 법률」상 해산명령의 대상이 될 수 없다.
> ㉣ 집회신고를 하지 아니하고 타워크레인을 무단으로 점거한 후 부당해고 철회 등을 요구한 경우 미신고 옥외집회에 해당한다.
> ㉤ 근로자들이 외부인의 출입이 차단된 회사 구내 옥외 주차장에서 업무시간을 피하여 약 40분씩 5회에 걸쳐 집회를 개최한 경우 미신고 옥외집회 개최로 처벌하기 곤란하다.

① 1개 ② 2개
③ 3개 ④ 4개

08 다음 중 간첩망의 일반적인 형태에 대한 설명으로 옳지 않은 것은?

① 단일형은 대남간첩의 가장 많은 유형으로서 활동범위가 좁고 공작성과가 낮다.

② 삼각형은 3명 이내의 행동공작원을 포섭하여 종횡으로 연결하는 방식으로 검거시 간첩의 정체가 쉽게 노출되고 활동범위가 좁다.

③ 써클형은 합법적 신분을 이용하여 침투하며 간첩의 정체가 노출될 경우 외교적 문제가 발생될 수 있다.

④ 레포형은 피라미드형에서 상호 간에 연락원을 두고 종횡으로 연결하는 방식이다.

09 「국가보안법」상 주체의 제한에 대한 설명으로 가장 잘못된 것은?

① 자진지원죄(제5조 제1항)는 반국가단체 구성원 또는 그 지령을 받은 자를 제외한 모든 사람이 주체가 된다.

② 금품수수죄(제5조 제2항)는 주체에 아무런 제한이 없기 때문에 반국가단체의 구성원도 가능하다.

③ 반국가단체란 국헌문란을 목적으로 하는 국내외의 결사 또는 집단으로서 지휘통솔체제를 갖춘 단체를 말한다.

④ 편의제공죄(제9조)는 반국가단체 구성원 또는 그 지령을 받은 자도 주체가 될 수 있다.

10 「보안관찰법」 및 동법 시행령에 대한 설명으로 옳은 것은?

① 「형법」상 간첩죄, 내란목적살인죄, 일반이적죄는 "보안관찰해당범죄"에 속한다.

② 보안관찰처분대상자는 보안관찰 해당 범죄 또는 이와 경합된 범죄로 금고 이상의 형의 선고를 받고 그 형기 합계가 5년 이상인 자로서 형의 전부 또는 일부의 집행을 받은 사실이 있는 자이다.

③ 피보안관찰자가 신고사항에 변동이 있을 때에 7일 이내에 지구대・파출소장을 거쳐 관할경찰서장에게 신고해야 하는 의무는 과잉금지원칙을 위반하여 사생활의 비밀과 자유 및 개인정보자기결정권을 침해한다는 이유로 헌법불합치결정 선고를 받았다.

④ 검사는 피보안관찰자가 도주하거나 1월 이상 그 소재가 불명한 때에는 보안관찰처분의 집행중지결정을 할 수 있다. 그 사유가 소멸된 때에는 지체 없이 그 결정을 취소하여야 한다.

경찰학 9회 모의고사

01 경찰개념에 관한 설명 중 가장 적절하지 않은 것은?

① 경찰개념은 역사적으로 발전되고 형성된 개념이므로, 근대국가에서의 일반적인 경찰개념을 '공공의 안녕과 질서유지를 위한 권력작용'이라고 할 경우, 이는 각국의 실정법상 경찰개념과 반드시 일치한다고는 할 수 없다.
② 실질적 의미의 경찰을 보안경찰과 협의의 행정경찰로 구분하는 것이 일반적 견해라고 할 때, 보안경찰은 경찰이 아닌 일반행정기관이 관할하지만, 협의의 행정경찰은 독립적인 경찰기관이 관장하는 경우가 많다.
③ 18~19세기에 등장한 법치국가는 절대주의적 경찰국가에 대항하는 의미에서 자유주의적 법치국가의 성격을 띠었고, 이와 같은 법치국가적 경찰개념이 처음으로 법제화된 경우로는 1794년의 '프로이센 일반란트법'을 들 수 있다.
④ 경찰의 개념을 형식적 의미의 경찰과 실질적 의미의 경찰로 구분할 때, 사법경찰(수사경찰)은 형식적 의미의 경찰에 해당한다.

02 경찰의 기본적 임무에 대한 설명으로 옳지 않은 것은?

① '위험'은 가까운 장래에 공공의 안녕에 손해가 나타날 가능성이 개개의 경우에 충분히 존재하는 상태를 말한다.
② 경찰의 범죄예방 및 위험방지 행위의 준비는 추상적 위험이 존재하는 경우에도 가능하다.
③ 외관적 위험의 경우 적법한 경찰개입이므로 경찰관 개인에게 민·형사상 책임을 물을 수 없다.
④ 공항에 폭발물이 설치되어 있다는 익명의 신고에 모든 사람을 대피시킨 경우는 위험의 인식에 있어서 '위험혐의'보다는 '외관적 위험'에 해당한다.

03 경찰문화의 냉소주의와 회의주의에 대한 설명으로 옳지 않은 것은?

① 니더호프는 냉소주의를 자신의 신념체제가 붕괴되었지만 새로운 것에 의해 대체되지 않을 때 나타나는 도덕적 아노미 현상으로 보았다.
② 냉소주의 극복을 위한 가장 효과적인 조직관리 방안은 맥그리거(McGregor)의 X이론에 입각하여 금전적 보상이나 제재 등 외재적 유인을 활용하는 것이다.
③ 냉소주의와 회의주의 모두 불신을 바탕으로 한다는 공통점이 있다.
④ 회의주의는 대상이 특정화되어 있지만 냉소주의는 대상이 특정되어 있지 않고 제도 전반에 대하여 신뢰하지 않는 것이다.

04 「부정청탁 및 금품 등 수수의 금지에 관한 법률」에 대한 설명으로 가장 옳지 않은 것은?

① 공직자 등은 직무와 관련되더라도 대가성이 없다면 동일인으로부터 1회에 100만원 또는 매 회계연도에 300만원 이하의 금품 등을 받거나 요구 또는 약속할 수 있다.
② 이 법에서 규정하는 "공직자 등"의 범위에 언론사의 대표자와 그 임직원도 포함된다.
③ 공직자 등은 부정청탁을 받았을 때에는 부정청탁을 한 자에게 부정청탁임을 알리고 이를 거절하는 의사를 명확히 표시하였음에도 불구하고 동일한 부정청탁을 다시 받은 경우에는 이를 소속기관장에게 서면(전자문서를 포함한다)으로 신고하여야 한다.
④ 불특정 다수인에게 배포하기 위한 기념품 또는 홍보용품 등이나 경연·추첨을 통하여 받는 보상 또는 상품 등은 수수를 금지하는 금품 등에 해당하지 아니한다.

05 「공직자의 이해충돌방지법」에 대한 설명으로 가장 옳지 않은 것은?

① "공공기관"에는 「사립학교법」에 따른 학교법인과 언론사가 포함되지 아니한다.
② "이해충돌"이란 공직자가 직무를 수행할 때에 자신의 사적 이해관계가 관련되어 공정하고 청렴한 직무수행이 저해되거나 저해될 우려가 있는 상황을 말한다.
③ "고위공직자"에는 경무관 이상의 경찰공무원 및 시·도경찰청장이 포함된다.
④ 공직자는 직무관련자(직무관련자의 대리인을 포함한다)가 사적이해관계자임을 안 날부터 14일 이내에 소속 기관장에게 그 사실을 서면으로 신고하고 회피를 신청하여야 한다.

06 지역사회 경찰활동에 대한 설명으로 가장 옳지 않은 것은?

① 전략지향 경찰활동(Strategic Oriented Policing), 문제지향 경찰활동(Problem Oriented Policing), 이웃지향 경찰활동(Neighborhood Oriented Policing) 등으로 구성되어 있다.
② 문제지향 경찰활동에서는 문제들에 대한 효과적인 대응 전략들을 마련하면서 필요한 경우 경찰과 지역사회가 협력할 수 있는 대응전략들에 보다 높은 가치를 부여한다.
③ 범죄의 진압·수사 같은 사후대응적 경찰활동보다는 범죄예방과 같은 사전예방적 경찰활동을 강조한다.
④ 지역사회 문제 해결을 위해 SARA모형이 강조되며 이는 조사(Scanning) - 평가(Assessment) - 대응(Response) - 분석(Analysis)으로 진행되는 문제해결 단계를 제시한다.

07 자랑스런 우리나라 경찰의 활동에 대한 설명으로 옳지 않은 것은?

① 최천 경무관 - 1968년 무장공비 침투사건(1.21 사태) 당시 종로경찰서 자하문검문소에서 무장공비를 온몸으로 막아내고 순국함으로써 청와대를 사수하고 대한민국을 위기에서 건져 올린 호국경찰의 표상이다.
② 차일혁 경무관 - 일제 강점기에 항일투쟁을 하였고 6·25전쟁 기간 제18전투경찰대장으로 부임하여 빨치산토벌작전에서 탁월한 전공을 세웠으며, 1954년 충주경찰서장으로서 충주직업청소년학교를 설립하여 전쟁고아들에게 학교공부와 직업교육의 기회를 주었다.
③ 안종삼 총경 - 1950년 7월 24일 구례경찰서 서장으로서 경찰서에 구금 중이던 480명의 국민보도연맹원들을 사살하라는 상부의 명령을 받았으나, 이를 거부하고 전원 석방함으로써 국가범죄의 비극적 살육을 막아냈다.
④ 문형순 경감 - 제주 모슬포 경찰서장으로 근무할 당시 제주 4·3 사건 때 좌익 명단에 오른 100명의 주민을 자수시킨 뒤 훈방하여 처형을 막았다.

08 경찰조직편성의 원리에 관한 설명 중 가장 옳지 않은 것은?

① '통솔의 범위'는 한 사람의 상관이 효과적으로 감독할 수 있는 최대한의 부하의 수를 말한다.
② '계층제'는 권한과 책임의 정도에 따라 직무를 등급화함으로써 상·하계층 간 직무상 지휘·감독관계에 놓이게 하는 것을 말한다.
③ '조정의 원리'는 조직의 목적 달성을 위해 구성원의 행동이 통일을 기하도록 집단적 노력을 질서 있게 배열하는 과정이다.
④ '할거주의'는 타기관 및 타부처에 대한 횡적인 조정과 협조를 용이하게 만드는 대표적인 요인으로 조정·통합의 원리에 필수적인 요소이다.

09 예산 제도에 대한 설명 중 가장 옳지 않은 것은?

① 품목별 예산은 세부항목에 집중하여 의사결정을 위한 자료제시가 부족하지만, 성과주의 예산은 의사결정을 위한 충분한 자료가 제시된다.
② 성과주의 예산은 국민의 입장에서 이해하기 용이하지만 계획예산은 그렇지 못하다.
③ 영기준 예산은 예산편성 시 전년도 예산을 기준으로 점증적으로 예산을 책정한다.
④ 자본예산은 정부예산을 경상지출과 자본지출로 구분하여 경상지출은 경상수입으로 충당시켜 균형을 이루도록 하고, 자본지출은 적자재정과 공채발행으로 수입에 충당케 하여 불균형 예산을 편성하는 제도이다.

10 「개인정보 보호법」에 관한 다음 설명 중 가장 옳지 않은 것은?

① "개인정보"란 살아 있거나 사망한 개인에 관한 정보로서 성명, 주민등록번호 및 영상 등을 통하여 개인을 알아볼 수 있는 정보는 "개인정보"에 해당한다.
② "가명처리"란 개인정보의 일부를 삭제하거나 일부 또는 전부를 대체하는 등의 방법으로 추가 정보가 없이는 특정 개인을 알아볼 수 없도록 처리하는 것을 말한다.
③ "정보주체"란 처리되는 정보에 의하여 알아볼 수 있는 사람으로서 그 정보의 주체가 되는 사람을 말한다.
④ "개인정보처리자"란 업무를 목적으로 개인정보파일을 운용하기 위하여 스스로 또는 다른 사람을 통하여 개인정보를 처리하는 공공기관, 법인, 단체 및 개인 등을 말한다.

경찰학 10회 모의고사

01 「행정기본법」에 관한 설명으로 가장 옳지 않은 것은?

① 행정에 관한 기간의 계산에 관하여는 이 법 또는 다른 법령 등에 특별한 규정이 있는 경우를 제외하고는 「민법」을 준용한다.
② 행정에 관한 나이는 다른 법령 등에 특별한 규정이 있는 경우에도 출생일을 산입하지 않고 만(滿) 나이로 계산하고, 연수(年數)로 표시하되, 1세에 이르지 아니한 경우에는 월수(月數)로 표시할 수 있다.
③ 행정작용은 법률에 위반되어서는 아니 되며, 국민의 권리를 제한하거나 의무를 부과하는 경우와 그 밖에 국민생활에 중요한 영향을 미치는 경우에는 법률에 근거하여야 한다.
④ 행정청은 법률로 정하는 바에 따라 완전히 자동화된 시스템(인공지능 기술을 적용한 시스템을 포함한다)으로 처분을 할 수 있다. 다만, 처분에 재량이 있는 경우는 그러하지 아니하다.

02 「국가경찰과 자치경찰의 조직 및 운영에 관한 법률」상 다음 ( )안에 들어갈 숫자의 합은?

> ㉠ 국가경찰위원회는 위원장 1명을 포함한 7명의 위원으로 구성하되, 위원장 및 ( )명의 위원은 비상임으로 한다.
> ㉡ 시·도자치경찰위원회는 위원장 1명을 포함한 7명의 위원으로 구성하되, ( )명의 위원은 비상임으로 한다.
> ㉢ 시·도자치경찰위원회 위원장과 위원의 임기는 ( )년으로 하며, 연임할 수 없다.
> ㉣ 국가경찰위원회 위원 중 ( )명은 법관의 자격이 있는 사람이어야 한다.

① 14　② 15
③ 16　④ 17

03 「경찰공무원법」상 경찰공무원 임용결격 사유에 해당하지 않는 사람은?

① 복수국적자
② 파산선고를 받고 복권되지 아니한 사람
③ 벌금 이상의 형(刑)을 선고받은 사람
④ 징계에 의하여 파면 또는 해임처분을 받은 사람

04 「경찰공무원법」상 경찰공무원의 시보임용에 대한 설명으로 옳지 않은 것은?

① 총경 이하의 경찰공무원을 신규 채용할 때는 2년간 시보(試補)로 임용하고, 그 기간이 만료된 다음 날에 정규 경찰공무원으로 임용한다.
② 휴직 기간, 직위 해제 기간 및 징계에 의한 정직처분 또는 감봉처분을 받은 기간은 시보임용기간에 산입하지 아니한다.
③ 시보임용기간 중에 있는 경찰공무원이 근무성적 또는 교육훈련성적이 불량할 때는 면직시키거나 면직을 제청할 수 있다.
④ 경찰대학을 졸업한 사람 또는 경찰간부후보생으로서 정하여진 교육을 마친 사람을 경위로 임용하는 경우에는 시보임용을 거치지 아니한다.

05 「경찰관 직무집행법」에 규정된 불심검문에 대한 설명으로 가장 적절하지 않은 것은?

① 경찰관은 수상한 행동이나 그 밖의 주위 사정을 합리적으로 판단하여 볼 때 어떠한 죄를 범하였거나 범하려 하고 있다고 의심할 만한 상당한 이유가 있는 사람을 정지시켜 질문할 수 있다.
② 경찰관은 정지시킨 장소에서 질문을 하는 것이 불심검문 대상자에게 불리하거나 교통에 방해가 된다고 인정될 때에는 가까운 경찰서·지구대·파출소 또는 출장소(지방해양경찰관서를 포함, 이하 "경찰관서")로 동행할 것을 요구할 수 있다.
③ 경찰관은 불심검문 대상자가 흉기를 가지고 있는지를 조사할 수 있다.
④ 경찰관은 불심검문 대상자를 경찰관서에 임의동행할 경우 진술을 거부할 수 있는 권리가 있음을 알려야 한다.

06 「경찰관직무집행법」상 '위험 방지를 위한 출입'에 대한 설명으로 옳지 않은 것은?

① 경찰관이 제7조(위험 방지를 위한 출입)에 의하여 필요한 장소에 출입할 때에 정복을 착용한 경우에는 그 신분을 표시하는 증표를 제시할 의무는 없다.
② 경찰관은 제5조 제1항・제2항 및 제6조에 따른 위험한 사태가 발생하여 사람의 생명・신체 또는 재산에 대한 위해가 임박한 때에 그 위해를 방지하거나 피해자를 구조하기 위하여 부득이하다고 인정하면 합리적으로 판단하여 필요한 한도에서 다른 사람의 토지・건물・배 또는 차에 출입할 수 있다.
③ 새벽에 영업이 끝난 식당에 주인만 머무르는 경우에는 범죄의 예방을 위해 출입을 요구할 수 없다.
④ 무장공비 검거를 위하여 주인의 허락 없이 작전구역 안에 있는 극장을 검색할 수 있다.

07 「위해성 경찰장비의 사용기준 등에 관한 규정」에 대한 설명으로 옳지 않은 것은?

① 경찰관은 공공의 안전을 위협하는 동물을 사살하기 위하여 부득이한 때에는 권총 또는 소총을 사용할 수 있다.
② 전자충격기와 전자방패는 무기에 해당한다.
③ "경찰장구"에는 수갑・포승(捕繩)・호송용포승・경찰봉・호신용경봉・방패 및 전자방패가 포함된다.
④ "분사기・최루탄등"에는 근접분사기・가스분사기・가스발사총(고무탄 발사겸용을 포함한다), 최루탄(그 발사장치를 포함한다)이 포함한다.

08 「경찰청과 그 소속기관 직제」상 소관 사무의 연결이 옳지 않은 것은?

① 범죄예방대응국장 – 지구대・파출소 운영체계의 기획 및 관리
② 경비국장 – 예비군의 무기 및 탄약 관리의 지도
③ 국제협력관 – 외사정보의 수집・분석 및 관리
④ 형사국장 – 외국인 관련 범죄 수사에 관한 기획

09 「스토킹범죄의 처벌 등에 관한 법률」에 대한 설명으로 옳지 않은 것은?

① "스토킹행위"에 상대방 등의 주거 등 또는 그 부근에 놓여져 있는 물건 등을 훼손하는 행위가 포함된다.
② "스토킹행위"에 정보통신망을 통하여 상대방 등의 이름, 명칭, 사진, 영상 또는 신분에 관한 정보를 이용하여 자신이 상대방 등인 것처럼 가장하는 행위가 포함된다.
③ "피해자"란 스토킹범죄로 직접적인 피해를 입은 사람을 말한다.
④ 한 번이라도 스토킹행위를 하는 경우 "스토킹범죄"에 해당한다.

10 다음 중 「도로교통법」 및 「도로교통법 시행규칙」에 따라 제2종 보통 연습면허만을 받은 사람이 운전연습 목적으로 운전할 수 있는 차량은?

① 승차정원 10명 이하의 승합자동차
② 총중량 3.5톤 이하의 견인형 특수자동차
③ 적재중량 5톤 이하의 화물자동차
④ 건설기계(도로를 운행하는 3톤 미만의 지게차로 한정)

PART

01

경찰헌법

정답 및 해설편

경찰헌법 1회 모의고사 정답 및 해설

제1회 모의고사 정답

01	④	02	②	03	④	04	③	05	④
06	③	07	①	08	①	09	②	10	①

01 정답 ④

④ (×) 대법원은 "한정위헌 결정에 표현되어 있는 헌법재판소의 법률해석에 관한 견해는 법률의 의미·내용과 그 적용범위에 관한 헌법재판소의 견해를 일응 표명한 데 불과하여 이와 같이 법원에 전속되어 있는 법령의 해석·적용 권한에 대하여 어떠한 영향을 미치거나 기속력도 가질 수 없다."는 입장이나 (대판 1996.4.9, 95누11405), 헌법재판소는 "합헌적인 한정축소해석은 위헌적인 해석 가능성과 그에 따른 법적용을 소극적으로 배제한 것이고, 적용범위의 축소에 의한 한정적 위헌선언은 위헌적인 법적용 영역과 그에 상응하는 해석 가능성을 적극적으로 배제한다는 뜻에서 차이가 있을 뿐, 본질적으로는 다 같은 부분위헌결정이다. 헌법재판소의 또 다른 변형결정의 하나인 헌법불합치결정의 경우에도 개정입법 시까지 심판의 대상인 법률조항은 법률문언의 변화 없이 계속 존속하나, 헌법재판소에 의한 위헌성 확인의 효력은 그 기속력을 가지는 것이다."라고 판시하였다(헌재 1997.12.24, 96헌마172).

① (○) 법률조항에 대한 해석이 한편에서는 합헌이라는 해석이, 다른 편에서는 위헌이라는 해석이 다 같이 가능하다면, 원칙적으로 헌법에 합치되는 해석을 선택하여야 한다는 '헌법합치적 법률해석'의 원칙도 존중되어야 하는 것은 당연할 것이다 (헌재 2012.5.31, 2009헌바123).

② (○) 헌법정신에 맞도록 법률의 내용을 해석·보충하거나 정정하는 '헌법합치적 법률해석' 역시 '유효한' 법률조항의 의미나 문구를 대상으로 하는 것이지, 이를 넘어 이미 실효된 법률조항을 대상으로 하여 헌법합치적인 법률해석을 할 수는 없는 것이어서, 유효하지 않은 법률조항을 유효한 것으로 해석하는 결과에 이르는 것은 '헌법합치적 법률해석'을 이유로도 정당화될 수 없다(헌재 2012.5.31, 2009헌바123).

③ (○) 한정위헌이란 한정위헌 선고된 범위에 해당 법률조항의 규범력을 일체 적용시킬 수 없다는 의미의, 말하자면 어떠한 상황에서 어떠한 요건을 이유로도 그 범위 영역에 대하여는 기본권 제한을 가할 수 없다는 절대적인 면책영역을 선언하는 형태의 위헌결정이다(헌재 2011.12.29, 2007헌마1001).

02 정답 ②

② (×) 의료법 제5조는 의사면허 등 의료면허의 취득에 관하여 규정하면서 국내대학 졸업자와 외국대학 졸업자를 구별하여 그 요건을 달리 정하고 있는데, 북한의 의과대학이 헌법 제3조의 영토조항에도 불구하고 국내대학으로 인정될 수 없고 또한 보건복지부장관이 인정하는 외국의 대학에도 해당하지 아니하므로, 북한의 의과대학 등을 졸업한 탈북의료인의 경우 국내 의료면허취득은 북한이탈주민의 보호 및 정착지원에 관한 법률 제14조에 의할 수밖에 없다(헌재 2006.11.30, 2006헌마679).

① (○) 개별 법률의 적용 내지 준용에 있어서는 남북한의 특수관계적 성격을 고려하여 북한지역을 외국에 준하는 지역으로, 북한주민 등을 외국인에 준하는 지위에 있는 자로 규정할 수 있다(헌재 2005.6.30, 2003헌바114).

③ (○) 아태위원회가 외환관리법 제15조 제3항에서 말하는 '거주자'나 '비거주자'에 해당하는지 또는 남북교류법상 '북한의 주민'에 해당하는지 여부는 법률해석의 문제에 불과한 것이고, 헌법 제3조의 영토조항과는 관련이 없다(헌재 2005.6.30, 2003헌바114).

④ (○) 대한민국의 영해는 기선(基線)으로부터 측정하여 그 바깥쪽 12해리의 선까지에 이르는 수역(水域)으로 한다. 다만, 대통령령으로 정하는 바에 따라 일정수역의 경우에는 12해리 이내에서 영해의 범위를 따로 정할 수 있다(영해법 제1조).

03 정답 ④

④ (×) 정당해산심판은 원칙적으로 해당 정당에게만 그 효력이 미치며, 정당해산결정은 대체정당이나 유사정당의 설립까지 금지하는 효력을 가지므로 오류가 드러난 결정을 바로잡지 못한다면 장래 세대의 정치적 의사결정에까지 부당한 제약을 초래할 수 있다. 따라서 정당해산심판절차에서는 재심을 허용하지 아니함으로써 얻을 수 있는 법적 안정성의 이익보다 재심을 허용함으로써 얻을 수 있는 구체적 타당성의 이익이 더 크므로 재심을 허용하여야 한다. 한편, 이 재심절차에서는 원칙적으로 민사소송법의 재심에 관한 규정이 준용된다(헌재 2016.5.26, 2015헌아20).

① (○) 정당해산심판에 관하여는 헌법재판소법에 특별한 규정이 있는 경우를 제외하고는 헌법재판의 성질에 반하지 아니하는 한도 내에서 민사소송에 관한 법령을 준용한다(헌법재판소법 제40조 제1항).

② (○) 민사소송에 관한 법령의 준용이 배제되어 법률의 공백이 생기는 부분에 대하여는 헌법재판소가 정당해산심판의 성질에 맞는 절차를 창설하여 이를 메울 수밖에 없다. 이와 같이 법률의 공백이 있는 경우 정당해산심판제도의 목적과 취지에 맞는 절차를 창설하여 실체적 진실을 발견하고 이에 근거하여 헌법정신에 맞는 결론을 도출해내는 것은 헌법이 헌법재판소에 부여한 고유한 권한이자 의무이다(헌재 2014.12.19, 2013헌다1).

③ (○) 헌법재판소의 해산결정으로 정당이 해산되는 경우에 그 정당 소속 국회의원이 의원직을 상실하는지에 대하여 명문의 규정은 없으나, 정당해산심판제도의 본질은 민주적 기본질서

에 위배되는 정당을 정치적 의사형성과정에서 배제함으로써 국민을 보호하는 데에 있는데 해산정당 소속 국회의원의 의원직을 상실시키지 않는 경우 정당해산결정의 실효성을 확보할 수 없게 되므로, 이러한 정당해산제도의 취지 등에 비추어 볼 때 헌법재판소의 정당해산결정이 있는 경우 그 정당 소속 국회의원의 의원직은 당선 방식을 불문하고 모두 상실되어야 한다(헌재 2014.12.19. 2013헌다1).

04 정답 ③

③ (○) 헌법이 감사원을 독립된 외부감사기관으로 정하고 있는 취지, 중앙정부와 지방자치단체는 서로 행정기능과 행정책임을 분담하면서 중앙행정의 효율성과 지방행정의 자주성을 조화시켜 국민과 주민의 복리증진이라는 공동목표를 추구하는 협력관계에 있다는 점을 고려하면 지방자치단체의 자치사무에 대한 합목적성 감사의 근거가 되는 이 사건 관련규정은 그 목적의 정당성과 합리성을 인정할 수 있다. 또한 감사원법에서 지방자치단체의 자치권을 존중할 수 있는 장치를 마련해 두고 있는 점, 국가재정지원에 상당부분 의존하고 있는 우리 지방재정의 현실, 독립성이나 전문성이 보장되지 않은 지방자치단체 자체감사의 한계 등으로 인한 외부감사의 필요성까지 감안하면, 감사원법 제24조 제1항 제2호 등 관련규정이 지방자치단체의 고유한 권한을 유명무실하게 할 정도로 지나친 제한을 함으로써 지방자치권의 본질적 내용을 침해하였다고는 볼 수 없다(헌재 2008.5.29. 2005헌라3).

① (×) 행정심판제도가 행정통제기능을 수행하기 위해서는 중앙정부와 지방정부를 포함하여 행정청 내부에 어느 정도 그 판단기준의 통일성이 갖추어져야 하고, 행정청이 가진 전문성을 활용하고 신속하게 문제를 해결하여 분쟁해결의 효과성과 효율성을 높이기 위해 사안에 따라 국가단위로 행정심판이 이루어지는 것이 더욱 바람직할 수 있다. 이 사건 법률조항은 다층적・다면적으로 설계된 현행 행정심판제도 속에서 각 행정심판기관의 인용재결의 기속력을 인정한 것으로서, 이로 인하여 중앙행정기관이 지방행정기관을 통제하는 상황이 발생한다고 하여 그 자체로 지방자치제도의 본질적 부분을 훼손하는 정도에 이른다고 보기 어렵다. 그러므로 이 사건 법률조항은 지방자치제도의 본질적 부분을 침해하지 아니한다(헌재 2014.6.26. 2013헌바122).

② (×) 지방자치제도의 보장은 지방자치단체에 의한 자치행정을 일반적으로 보장한다는 것뿐이고 특정자치단체의 존속을 보장한다는 것은 아니며 지방자치단체의 폐치・분합에 있어 지방자치권의 존중은 법정절차의 준수(의견개진의 기회부여)로 족한 것이다. 그러므로 군 및 도의회의 결의에 반하여 법률로 군을 폐지하고 타시에 병합하여 시를 설치한다 하여 주민들의 자치권을 침해하는 결과가 된다거나 헌법 제8장에서 보장하는 지방자치제도의 본질을 침해하는 것이라고 할 수 없다(헌재 1995.3.23. 94헌마175).

④ (×) 지방자치단체의 존재 자체를 부인하거나 각종 권한을 말살하는 것과 같이 그 본질적 내용을 침해하지 않는 한 법률에 의한 통제는 가능한 것인바, 이 사건 법률조항에 의하여 지방자치단체는 총량을 초과하는 경우의 허가권 행사가 제한될 뿐 그밖에는 여전히 주민의 복리에 관한 사무를 처리할 수 있는 것이므로, 이 사건 법률조항이 지방자치의 본질적 내용을 침해하여 지방자치에 관한 헌법 제117조 제1항에 위반된다고 할 수 없다(헌재 2001.11.29. 2000헌바78).

05 정답 ④

④ (×) 종립학교의 학교법인이 국・공립학교의 경우와는 달리 종교교육을 할 자유와 운영의 자유를 가진다고 하더라도, 그 종립학교가 공교육체계에 편입되어 있는 이상 원칙적으로 학생의 종교의 자유, 교육을 받을 권리를 고려한 대책을 마련하는 등의 조치를 취하는 속에서 그러한 자유를 누린다고 해석하여야 한다(대판 2010.4.22. 2008다38288).

① (○) 헌법 제10조의 인간으로서의 존엄과 가치, 행복을 추구할 권리는 성질상 자연인에게 인정되는 기본권이라고 할 것이어서 법인에게는 적용되지 않는다(헌재 2006.12.28. 2004헌바67).

② (○) 법인도 법인의 목적과 사회적 기능에 비추어 볼 때 그 성질에 반하지 않는 범위 내에서 인격권의 한 내용인 사회적 신용이나 명예 등의 주체가 될 수 있고 법인이 이러한 사회적 신용이나 명예 유지 내지 법인격의 자유로운 발현을 위하여 의사결정이나 행동을 어떻게 할 것인지를 자율적으로 결정하는 것도 법인의 인격권의 한 내용을 이룬다고 할 것이다. 그렇다면 방송사업자에게 사과방송을 명할 수 있도록 한 이 사건 심판대상 조항은 방송사업자의 의사에 반한 사과행위를 강제함으로써 방송사업자의 인격권을 제한한다(헌재 2012.8.23. 2009헌가27).

③ (○) 평등권 및 평등선거의 원칙으로부터 나오는(선거에 있어서의) 기회균등의 원칙은 후보자에 대하여서는 물론 정당에 대하여서도 보장되는 것이며, 따라서 정당추천의 후보자가 선거에서 차등대우를 받는 것은 바로 정당이 선거에서 차등대우를 받는 것과 같은 결과가 되는 것이다. 이와 같이 정당이 선거에 있어서 기회균등의 보장을 받을 수 있는 헌법적 권리는 정당활동의 기회균등의 보장과 헌법상 참정권보장에 내포되어 있다(헌재 1991.3.11. 91헌마21).

06 정답 ③

③ (×) 세월호피해지원법은 배상금 등의 지급 이후 효과나 의무에 관한 일반규정을 두거나 이에 관하여 범위를 정하여 하위법규에 위임한 바가 전혀 없다. 따라서 세월호피해지원법 제15조 제2항의 위임에 따라 시행령으로 규정할 수 있는 사항은 지급신청이나 지급에 관한 기술적이고 절차적인 사항일 뿐이다. 신청인에게 지급결정에 대한 동의의 의사표시 전에

숙고의 기회를 보장하고, 그 법적 의미와 효력에 관하여 안내해 줄 필요성이 인정된다 하더라도, 세월호피해지원법 제16조에서 규정하는 동의의 효력범위를 초과하여 세월호 참사 전반에 관한 일체의 이의제기를 금지시킬 수 있는 권한을 부여받았다고 볼 수는 없다. 따라서 이의제기 금지조항은 법률유보원칙을 위반하여 법률의 근거 없이 대통령령으로 청구인들에게 세월호 참사와 관련된 일체의 이의제기 금지의무를 부담시킴으로써 일반적 행동의 자유를 침해한다(헌재 2017.6.29. 2015헌마654).

① (○) 형사사법정보시스템과 육군 장교 관련 데이터베이스를 연동하여 신분을 확인하는 방법 또는 범죄경력자료를 조회하는 방법 등은, 군사보안 및 기술상의 한계가 존재하고 파악할 수 있는 약식명령의 범위도 한정되므로, 자진신고의무를 부과하는 방법과 같은 정도로 입법목적을 달성하기 어렵다. 청구인들이 자진신고의무를 부담하는 것은 수사 및 재판 단계에서 의도적으로 신분을 밝히지 않은 행위에서 비롯된 것으로서 이미 예상가능한 불이익인 반면, '군사법원에서 약식명령을 받아 확정된 경우'와 그 신분을 밝히지 않아 '민간법원에서 약식명령을 받아 확정된 경우' 사이에 발생하는 인사상 불균형을 방지함으로써 군 조직의 내부 기강 및 질서를 유지하고자 하는 공익은 매우 중대하다. 20년도 육군지시 자진신고조항 및 21년도 육군지시 자진신고조항은 과잉금지원칙에 반하여 일반적 행동의 자유를 침해하지 않는다(헌재 2021.8.31. 2020헌마12).

② (○) 환자의 사망이라는 중한 결과가 발생한 경우 환자 측으로서는 피해를 신속·공정하게 구제하기 위해 조정절차를 적극적으로 활용할 필요가 있고, 보건의료인의 입장에서도 이러한 경우 분쟁으로 비화될 가능성이 높아 원만하게 분쟁을 해결할 수 있는 절차가 마련될 필요가 있으므로, 의료분쟁 조정절차를 자동으로 개시할 필요성이 인정된다. 조정절차가 자동으로 개시되더라도 피신청인은 이의신청을 통해 조정절차에 참여하지 않을 수 있고, 조정의 성립까지 강제되는 것은 아니므로 합의나 조정결정의 수용 여부에 대해서는 자유롭게 선택할 수 있으며, 채무부존재확인의 소 등을 제기하여 소송절차에 따라 분쟁을 해결할 수도 있다. 따라서 의료사고로 사망의 결과가 발생한 경우 의료분쟁 조정절차를 자동으로 개시하도록 한 심판대상조항이 청구인의 일반적 행동의 자유를 침해한다고 할 수 없다(헌재 2021.5.27. 2019헌마321).

④ (○) 이 사건 규칙조항은 수산자원을 유지·보존하고 어업인들의 재산을 보호함으로써, 단기적으로는 어업인의 생계를 보장하고 장기적으로는 수산업의 생산성을 향상시키고자 함에 그 목적이 있는바 이러한 입법목적에는 정당성이 인정되며, 비어업인이 잠수용 스쿠버장비를 사용하여 수산자원을 포획·채취하는 것을 금지하는 것은 이러한 입법목적을 달성하기 위한 적절한 수단이다. 잠수용 스쿠버장비를 사용하여 잠수하는 경우에는 해수면 상에서 잠수여부를 쉽게 확인할 수 없고, 잠수시간이 길어 단속을 쉽게 피할 수 있으므로, 잠수용 스쿠버장비의 사용을 허용하면서 구체적인 행위태양이나 포획·채취한 수산자원의 종류와 양, 포획·채취가 이루어진 지역 등을 통제하는 것은 현실적으로 거의 불가능하다. 그리고 여가생활 또는 오락으로 잠수용 스쿠버다이빙을 즐기면서 수산자원을 포획하거나 채취하지 못함으로 인하여 청구인이 입는 불이익에 비해 수산자원을 보호해야 할 공익은 현저히 크다고 할 것이므로, 이 사건 규칙조항은 침해의 최소성과 법익의 균형성도 갖추었다. 따라서 이 사건 규칙조항은 청구인의 일반적 행동의 자유를 침해하지 아니한다(헌재 2016.10.27. 2013헌마450).

07 정답 ①

① (×) 형벌불소급원칙이 적용되는 '처벌'의 범위를 형법이 정한 형벌의 종류에만 한정되는 것으로 보게 되면, 형법이 정한 형벌 외의 형태로 가해질 수 있는 형사적 제재나 불이익은 소급적용이 허용되는 결과가 되어, 법적 안정성과 예측가능성을 보장하여 자의적 처벌로부터 국민을 보호하고자 하는 형벌불소급원칙의 취지가 몰각될 수 있다. 형벌불소급원칙에서 의미하는 '처벌'은 단지 형법에 규정되어 있는 형식적 의미의 형벌 유형에 국한되지 않는다(헌재 2017.10.26. 2015헌바239).

② (○) 노역장유치는 벌금형에 부수적으로 부과되는 환형처분으로서, 그 실질은 신체의 자유를 박탈하여 징역형과 유사한 형벌적 성격을 가지고 있으므로, 형벌불소급원칙의 적용대상이 된다(헌재 2017.10.26. 2015헌바239).

③ (○) 형사처벌을 규정하고 있던 행위시법이 사후 폐지되었음에도 신법이 아닌 행위시법에 의하여 형사처벌하도록 규정한 것은 헌법 제13조 제1항의 형벌불소급원칙 보호영역에 포섭되지 아니한다(헌재 2015.2.26. 2012헌바268).

④ (○) 행위 당시의 판례에 의하면 처벌대상이 되지 아니하는 것으로 해석되었던 행위를 판례의 변경에 따라 확인된 내용의 형법 조항에 근거하여 처벌한다고 하여 그것이 형벌불소급원칙에 위반된다고 할 수 없다(헌재 2014.5.29. 2012헌바390).

08 정답 ①

① (×) 심판대상조항이 이동통신서비스 가입 시 본인확인절차를 거치도록 함으로써 타인 또는 허무인의 이름을 사용한 휴대전화인 이른바 대포폰이 보이스피싱 등 범죄의 범행도구로 이용되는 것을 막고, 개인정보를 도용하여 타인의 명의로 가입한 다음 휴대전화 소액결제나 서비스요금을 그 명의인에게 전가하는 등 명의도용범죄의 피해를 막고자 하는 입법목적은 정당하고, 이를 위하여 본인확인절차를 거치게 한 것은 적합한 수단이다. 가입자는 자신의 주민등록번호를 제공해야 하지만 특히 뒷자리 중 성별을 지칭하는 숫자 외의 6자리는 일회적인 확인 후 폐기되므로 주민등록번호가 이동통신사에 보관되어 계속적으로 이용되는 것이 아니다. 가입자는 대면(오프라인)가입 대신 온라인 가입절차에서 공인인증서로 본인확인하는 방법을 택하여 주민등록번호의 직접 제공을 피할 수

도 있다. … 개인정보 자기결정권, 통신의 자유가 제한되는 불이익과 비교했을 때, 명의도용피해를 막고, 차명휴대전화의 생성을 억제하여 보이스피싱 등 범죄의 범행도구로 악용될 가능성을 방지함으로써 잠재적 범죄 피해 방지 및 통신망 질서 유지라는 더욱 중대한 공익의 달성효과가 인정된다. 따라서 심판대상조항은 청구인들의 개인정보자기결정권 및 통신의 자유를 침해하지 않는다(헌재 2019.9.26, 2017헌마1209).

② (O) 심판대상조항은 어린이집 안전사고 내지 아동학대 적발 및 방지를 위한 것으로, 아동학대 등이 의심되는 경우 보호자가 영상정보 열람을 통해 이를 확인할 수 있도록 하는 것은 어린이집에 CCTV 설치를 의무화하는 이유이다. 법은 CCTV 열람의 활용 목적을 제한하고 있고, 어린이집 원장은 열람시간 지정 등을 통해 보육활동에 지장이 없도록 보호자의 열람 요청에 적절히 대응할 수 있으므로 이 조항으로 어린이집 원장이나 보육교사 등의 기본권이 필요 이상으로 과도하게 제한된다고 볼 수 없다. 또한 이를 통해 달성할 수 있는 보호자와 어린이집 사이의 신뢰회복 및 어린이집 아동학대 근절이라는 공익의 중대함에 반하여, 제한되는 사익이 크다고 보기 어렵다. 따라서 법 제15조의5 제1항 제1호는 과잉금지원칙을 위반하여 어린이집 보육교사 등의 개인정보 자기결정권 및 어린이집 원장의 직업수행의 자유를 침해하지 아니한다(헌재 2017.12.28, 2015헌마994).

③ (O) 이 사건 정보제공행위에 의하여 제공된 청구인 김○환의 약 2년 동안의 총 44회 요양급여내역 및 청구인 박○만의 약 3년 동안의 총 38회 요양급여내역은 건강에 관한 정보로서 '개인정보 보호법' 제23조 제1항이 규정한 민감정보에 해당한다. 서울용산경찰서장은 청구인들을 검거하기 위해서 국민건강보험공단에게 청구인들의 요양급여내역을 요청한 것인데, 서울용산경찰서장은 그와 같은 요청을 할 당시 전기통신사업자로부터 위치추적자료를 제공받는 등으로 청구인들의 위치를 확인하였거나 확인할 수 있는 상태였다. 따라서 서울용산경찰서장이 청구인들을 검거하기 위하여 청구인들의 약 2년 또는 3년이라는 장기간의 요양급여내역을 제공받는 것이 불가피하였다고 보기 어렵다. 한편 급여일자와 요양기관명은 피의자의 현재 위치를 곧바로 파악할 수 있는 정보는 아니므로, 이 사건 정보제공행위로 얻을 수 있는 수사상의 이익은 없었거나 미약한 정도였다. 반면 서울용산경찰서장에게 제공된 요양기관명에는 전문의의 병원도 포함되어 있어 청구인들의 질병의 종류를 예측할 수 있는 점, 2년 내지 3년 동안의 요양급여정보는 청구인들의 건강 상태에 대한 총체적인 정보를 구성할 수 있는 점 등에 비추어 볼 때, 이 사건 정보제공행위로 인한 청구인들의 개인정보자기결정권에 대한 침해는 매우 중대하다. 그렇다면 이 사건 정보제공행위는 이 사건 정보제공조항 등이 정한 요건을 충족한 것으로 볼 수 없고, 침해의 최소성 및 법익의 균형성에 위배되어 청구인들의 개인정보자기결정권을 침해하였다(헌재 2018.8.30, 2014헌마368).

④ (O) 심판대상조항은 공중밀집장소추행죄로 유죄판결이 확정되면 모두 신상정보 등록대상자가 되도록 함으로써 그 관리의 기초를 마련하기 위한 것이므로, 등록대상 여부를 결정함에 있어 대상 성범죄로 인한 유죄판결 이외에 반드시 재범의 위험성을 고려해야 한다고 보기 어렵고, 현재 사용되는 재범의 위험성 평가 도구의 오류 가능성을 배제하기 어려워 일정한 성폭력범죄자를 일률적으로 등록대상자가 되도록 하는 것이 불가피한 점, 등록대상 성폭력범죄로 유죄판결을 선고할 경우 등록대상자에게 등록대상자라는 사실과 신상정보 제출의무가 있음을 알려주도록 하며, 등록대상자의 범위, 신상정보 제출의무의 내용 및 신상정보의 등록·보존·관리 또한 법률에서 규율하고 있는 점 등을 고려할 때, 심판대상조항은 청구인의 개인정보자기결정권을 침해하였다고 볼 수 없다(헌재 2020.6.25, 2019헌마699).

09 정답 ②

② (×) 심판대상조항은 악화된 연금재정을 개선하여 공무원연금제도의 건실한 유지·존속을 도모하고 연금과 보수의 이중수혜를 방지하기 위한 것이다. 퇴직공무원의 적정한 생계 보장이라는 공무원연금제도의 취지에 비추어, 연금 지급을 정지하기 위해서는 '연금을 대체할 만한 소득'이 전제되어야 한다. 지방의회의원이 받는 의정비 중 의정활동비는 의정활동 경비 보전을 위한 것이므로, 연금을 대체할 만한 소득이 있는지 여부는 월정수당을 기준으로 판단하여야 하는데, 월정수당은 지방자치단체에 따라 편차가 크고 안정성이 낮음에도 불구하고 심판대상조항은 연금을 대체할 만한 적정한 소득이 있다고 할 수 없는 경우에도 일률적으로 연금전액의 지급을 정지하여 지급정지제도의 본질 및 취지와 어긋나는 결과를 초래한다. 심판대상조항과 같이 재취업소득액에 대한 고려 없이 퇴직연금 전액의 지급을 정지할 경우 재취업 유인을 제공하지 못하여 정책목적 달성에 실패할 가능성이 크다. 연금과 보수 중 일부를 감액하는 방식으로 선출직에 취임하여 보수를 받는 것이 생활보장에 더 유리하도록 하는 등 기본권을 덜 제한하면서 입법목적을 달성할 수 있는 다양한 방법이 있다. 따라서 심판대상조항은 과잉금지원칙에 위배되어 재산권을 침해한다(헌재 2022.1.27, 2019헌바161).

① (O) 토지수용 등 절차를 종료하였다고 하더라도 공익사업에 해당 토지가 필요 없게 된 경우에는 토지수용 등의 헌법상 정당성이 장래를 향하여 소멸한 것이므로, 이러한 경우 종전 토지소유자가 소유권을 회복할 수 있는 권리인 환매권은 헌법이 보장하는 재산권의 내용에 포함되는 권리이다. 환매권의 발생기간을 제한한 것은 사업시행자의 지위나 이해관계인들의 토지이용에 관한 법률관계 안정, 토지의 사회경제적 이용 효율 제고, 사회일반에 돌아가야 할 개발이익이 원소유자에게 귀속되는 불합리 방지 등을 위한 것인데, 그 입법목적은 정당하고 이와 같은 제한은 입법목적 달성을 위한 유효적절한 방법이라 할 수 있다. 그러나 환매권 발생기간 '10년'을 예외 없이 유지하게 되면 토지수용 등의 원인이 된 공익사업의 폐지 등으로 공공필요가 소멸하였음에도 단지 10년이 경과하

였다는 사정만으로 환매권이 배제되는 결과가 초래될 수 있다. 다른 나라의 입법례에 비추어 보아도 발생기간을 제한하지 않거나 더 길게 규정하면서 행사기간 제한 또는 토지에 현저한 변경이 있을 때 환매거절권을 부여하는 등 보다 덜 침해적인 방법으로 입법목적을 달성하고 있다. 이 사건 법률조항은 침해의 최소성 원칙에 어긋난다. 이 사건 법률조항으로 제한되는 사익은 헌법상 재산권인 환매권의 발생 제한이고, 이 사건 법률조항으로 환매권이 발생하지 않는 경우에는 환매권 통지의무도 발생하지 않기 때문에 환매권 상실에 따른 손해배상도 받지 못하게 되므로, 사익 제한 정도가 상당히 크다. 그런데 이 사건 법률조항이 추구하고자 하는 공익은 원소유자의 사익침해 정도를 정당화할 정도로 크다고 보기 어려우므로, 법익의 균형성을 충족하지 못한다. 결국 이 사건 법률조항은 헌법 제37조 제2항에 반하여 재산권을 침해한다(헌재 2020.11.26, 2019헌바131).

③ (○) 심판대상조항은 교원범죄를 예방하고 교원이 재직 중 성실히 근무하도록 유도하기 위한 것으로서 그 입법목적은 정당하고, 수단도 적합하다. 심판대상조항은 퇴직급여 등의 감액사유에서 '직무와 관련 없는 과실로 인하여 범죄를 저지른 경우' 등을 제외하고, 이러한 범죄행위로 인하여 '금고 이상의 형을 받은 경우'로 한정하는 등 입법목적의 달성을 위하여 필요한 범위 내에서 감액사유에 해당하는 범죄를 가능한 유형화하여 규정한 것으로 볼 수 있다. 감액의 범위도 국가 및 학교법인의 부담 부분을 넘지 않도록 한 점 등을 고려하면 침해의 최소성도 인정된다. 청구인은 퇴직급여의 일부가 감액되는 사익의 침해를 받지만, 이는 교원 자신이 저지른 범죄에서 비롯된 것인 점, 교원 개개인이나 교직에 대한 국민의 신뢰를 유지하고자 하는 공익이 결코 작지 않은 점, 특히 심판대상조항은 구 사립학교연금법조항보다 감액사유를 더욱 한정하여 침해되는 사익을 최소화하고자 하였다는 점에서 법익의 균형성도 인정된다. 따라서 심판대상조항은 청구인의 재산권을 침해하지 않는다(헌재 2019.11.28, 2018헌바455).

④ (○) 군인연금제도는 군인의 퇴직, 사망, 공무상 질병・부상 등의 사회적 위험을 구제하기 위한 사회보험의 일종으로, 장기적이고 안정적인 재정운용이 중요한 과제이다. 심판대상조항은 연금재정의 불안정성을 차단하여 연금재정을 합리적으로 운용하기 위한 것이다. 군인연금이라는 사회보장 제도의 운영 목적과 연금재정체계 및 다른 법률에 정한 급여수급권에 관한 소멸시효 규정과 비교할 때 소멸시효 기간을 5년으로 정한 것은 수긍할 만한 이유가 존재한다. 한편, 심판대상조항은 유족연금수급권자가 급여의 사유가 발생하였는지를 알고 있는지 여부를 고려하는 예외를 두고 있지 않으나, 피보험자에 의해 부양되고 있던 유족이 피보험자의 사망사실을 알지 못하는 경우까지 상정하여 보호하지 않는다고 하여 이를 두고 정의와 형평의 이념에 반한다고 보기 어렵다. 따라서 심판대상조항은 유족연금수급권자의 인간다운 생활을 할 권리 및 재산권을 침해한다고 볼 수 없다(헌재 2021.4.29, 2019헌바412).

10 정답 ①

① (×) 이 사건 접견조항에 따르면 수용자는 효율적인 재판준비를 하는 것이 곤란하게 되고, 특히 교정시설 내에서의 처우에 대하여 국가 등을 상대로 소송을 하는 경우에는 소송의 상대방에게 소송자료를 그대로 노출하게 되어 무기대등의 원칙이 훼손될 수 있다. 변호사 직무의 공공성, 윤리성 및 사회적 책임성은 변호사 접견권을 이용한 증거인멸, 도주 및 마약 등 금지물품 반입 시도 등의 우려를 최소화시킬 수 있으며, 변호사접견이라 하더라도 교정시설의 질서 등을 해할 우려가 있는 특별한 사정이 있는 경우에는 예외를 두도록 한다면 악용될 가능성도 방지할 수 있다. 따라서 이 사건 접견조항은 과잉금지원칙에 위배하여 청구인의 재판청구권을 지나치게 제한하고 있으므로, 헌법에 위반된다(헌재 2013.8.29, 2011헌마122 헌법불합치).

② (○) 수형자와 소송대리인인 변호사가 접견 이외에 서신, 전화통화를 통해 소송준비를 하는 것이 가능하다고 하더라도, 서신, 전화통화는 검열, 청취 등을 통해 그 내용이 교정시설 측에 노출되어 상담과정에서 위축되거나 공정한 재판을 받을 권리가 훼손될 가능성이 있으며, 서신은 접견에 비해 의견교환이 효율적이지 않고 전화통화는 시간이 원칙적으로 3분으로 제한되어 있어 소송준비의 주된 수단으로 사용하기에는 한계가 있다. 따라서 수형자의 재판청구권을 실효적으로 보장하기 위해서는 소송대리인인 변호사와의 접견 시간 및 횟수를 적절하게 보장하는 것이 필수적이다. 변호사 접견 시 접견 시간의 최소한을 정하지 않으면 접견실 사정 등 현실적 문제로 실제 접견 시간이 줄어들 가능성이 있고, 변호사와의 접견 횟수와 가족 등과의 접견 횟수를 합산함으로 인하여 수형자가 필요한 시기에 변호사의 조력을 받지 못할 가능성도 높아진다. 접견의 최소시간을 보장하되 이를 보장하기 어려운 특별한 사정이 있는 경우에는 예외적으로 일정한 범위 내에서 이를 단축할 수 있도록 하고, 횟수 또한 별도로 정하면서 이를 적절히 제한한다면, 교정시설 내의 수용질서 및 규율의 유지를 도모하면서도 수형자의 재판청구권을 실효적으로 보장할 수 있을 것이다. 이와 같이 심판대상조항들은 법률전문가인 변호사와의 소송상담의 특수성을 고려하지 않고 소송대리인인 변호사와의 접견을 그 성격이 전혀 다른 일반 접견에 포함시켜 접견 시간 및 횟수를 제한함으로써 청구인의 재판청구권을 침해한다(헌재 2015.11.26, 2012헌마858 헌법불합치).

③ (○) 수형자와 변호사와의 접견내용을 녹음, 녹화하게 되면 그로 인해 제3자인 교도소 측에 접견내용이 그대로 노출되므로 수형자와 변호사는 상담과정에서 상당히 위축될 수밖에 없고, 특히 소송의 상대방이 국가나 교도소 등의 구금시설로서 그 내용이 구금시설 등의 부당처우를 다투는 내용일 경우에 접견내용에 대한 녹음, 녹화는 실질적으로 당사자대등의 원칙에 따른 무기평등을 무력화시킬 수 있다. 변호사는 다른 전문직에 비하여도 더욱 엄격한 직무의 공공성 등이 강조되고 있는 지위에 있으므로, 소송사건의 변호사가 접견을 통하

여 수형자와 모의하는 등으로 법령에 저촉되는 행위를 하거나 이에 가담하는 등의 행위를 할 우려는 거의 없다. 또한, 접견의 내용이 소송준비를 위한 상담내용일 수밖에 없는 변호사와의 접견에 있어서 수형자의 교화나 건전한 사회복귀를 위해 접견내용을 녹음, 녹화할 필요성을 생각하는 것도 어렵다. 이 사건에 있어서 청구인과 헌법소원 사건의 국선대리인인 변호사의 접견내용에 대해서는 접견의 목적이나 접견의 상대방 등을 고려할 때 녹음, 기록이 허용되어서는 아니 될 것임에도, 이를 녹음, 기록한 행위는 청구인의 재판을 받을 권리를 침해한다(헌재 2013.9.26. 2011헌마398).

④ (O) 재판청구권은 기본권이 침해당하거나 침해당할 위험에 처해 있을 때 그에 대한 구제 또는 예방을 요청할 수 있는 권리라는 점에서 다른 기본권의 보장을 위한 기본권이라는 성격을 가지고 있으므로, 재판청구권에 관한 입법재량에도 한계가 있을 수밖에 없다. 단지 법원에 제소할 수 있는 형식적인 권리나 이론적인 가능성만 제공할 뿐 권리구제의 실효성이 보장되지 않는다면 이는 헌법상 재판청구권을 공허하게 만드는 것이므로 입법재량의 한계를 일탈한 것으로 보아야 한다(헌재 2018.12.27. 2015헌바77).

경찰헌법 2회 모의고사 정답 및 해설

제2회 모의고사 정답

01	②	02	③	03	④	04	④	05	①
06	②	07	②	08	①	09	②	10	④

01 정답 ②

② (×) 국가가 개인에게 특정한 이유로 시혜적 급부를 하는 경우, 이러한 급부는 국민이 낸 세금 등을 재원으로 하는 것이므로 특별한 사정이 없는 한 그 나라의 국민을 급부의 대상으로 하는 것이 원칙이고, 외국인이 그러한 급부에 필요한 재원을 충당하는 데 기여하였다는 등으로 외국인에게 급부를 하여야 할 특별한 사정이 있지 않는 한 외국인을 그 대상으로 하지 않는다고 하여 평등원칙에 위배된다고 보기는 어렵다. 국외강제동원자지원법은 국민이 부담하는 세금을 재원으로 하여 국외강제동원 희생자와 그 유족에게 위로금 등을 지급함으로써 그들의 고통과 희생을 위로해 주기 위한 법으로서 국가가 유족에게 일방적인 시혜를 베푸는 것이므로, 그 수혜범위에서 외국인인 유족을 배제하고 대한민국 국민인 유족만을 대상으로 한 것이다. 따라서 청구인과 같이 자발적으로 외국 국적을 취득하여 결과적으로 대한민국 국민으로서의 법적 지위와 권리·의무를 스스로 포기한 유족을 위로금 지급 대상에서 제외하였다고 하여 이를 현저히 자의적이거나 불합리한 것으로서 평등원칙에 위배된다고 볼 수 없다(헌재 2015.12.23. 2011헌바139).

① (○) 재외국민을 보호할 국가의 의무에 의하여 재외국민이 거류국에 있는 동안 받는 보호는 조약 기타 일반적으로 승인된 국제법규와 당해 거류국의 법령에 의하여 누릴 수 있는 모든 분야에서의 정당한 대우를 받도록 거류국과의 관계에서 국가가 하는 외교적 보호와 국외거주 국민에 대하여 정치적인 고려에서 특별히 법률로써 정하여 베푸는 법률·문화·교육 기타 제반영역에서의 지원을 뜻한다(헌재 1993.12.23. 89헌마189).

③ (○) 우리 헌법이 대한민국의 영토는 한반도와 그 부속도서로 한다는 영토조항을 두고 있는 이상 대한민국 헌법은 북한 지역을 포함한 한반도 전체에 효력이 미치므로 북한 지역도 당연히 대한민국의 영토가 되고, 북한주민 역시 일반적으로 대한민국 국민에 포함되는 점, 강제동원조사법은 위로금 지원 제외대상을 '대한민국 국적을 갖지 아니한 사람'으로 정하고 있을 뿐, 북한주민을 지원 대상에서 제외하는 명시적인 규정을 두고 있지 않은 점, 일제에 의한 강제동원으로 피해를 입은 사람 등의 고통을 치유하고자 하는 위 법의 입법 목적에 비추어 적용 범위를 남북 분단과 6·25 등으로 의사와 무관하게 북한정권의 사실상 지배 아래 놓이게 된 군사분계선 이북 지역의 주민 또는 그의 유족을 배제하는 방향으로 축소해석할 이유가 없는 점 등을 종합하면, 북한주민은 강제동원조사법상 위로금 지급 제외대상인 '대한민국 국적을 갖지 아니한 사람'에 해당하지 않는다(대판 2016.1.28. 2011두24675).

④ (○) 이 사건은 국제협력요원이 파견된 국가 내에서 해당 국가의 법령에 의하여 정당한 대우를 받지 못하는 불이익이 존재하여 국가의 외교적 보호가 필요하거나, 파견된 국가에 거주하는 국제협력요원에 대하여 정치적인 고려에서 특별히 법률로써 법률·문화·교육 기타 제반영역에서의 지원이 필요한 것에 관련된 것이 아니라, 국제협력요원이 병역의무를 이행하기 위하여 개발도상국 등에 파견되어 일정한 봉사업무에 종사하던 중 사망한 경우에 대한민국 내에서 위와 같은 사망자를 국가유공자법에 의하여 보상하여야 하는지에 관련된 것이다. 따라서 국가의 재외국민 보호의무를 규정하고 있는 헌법 제2조 제2항의 보호법익이 이 사건에 그대로 적용된다고 보기 어려우므로 이 사건 조항이 국제협력요원이 복무 중 사망한 경우에 국가유공자법에 의한 보상을 하지 않는다고 하여 국가가 헌법 제2조 제2항에 규정한 재외국민을 보호할 의무를 행하지 않은 경우라고는 볼 수 없다(헌재 2010.7.29. 2009헌가13).

02 정답 ③

③ (×) 자유시장 경제질서를 기본으로 하면서도 사회국가원리를 수용하고 있는 우리 헌법의 이념에 비추어 일반불법행위책임에 관하여는 과실책임의 원리를 기본원칙으로 하면서 이 사건 법률조항과 같은 특수한 불법행위책임에 관하여 위험책임의 원리를 수용하는 것은 입법정책에 관한 사항으로서 입법자의 재량에 속한다고 할 것이다(헌재 1998.5.28. 96헌가4).

① (○) 대한민국의 경제질서가 개인과 기업의 창의를 존중함을 기본으로 하고 있으나, 그것이 자유방임적 시장경제질서를 의미하는 것이 아님은 물론이다(헌법 제119조 제2항, 헌재 1996.8.29. 94헌마113).

② (○) 헌법 제119조는 헌법상 경제질서에 관한 일반조항으로서 국가의 경제정책에 대한 하나의 헌법적 지침일 뿐 그 자체가 기본권의 성질을 가진다거나 독자적인 위헌심사의 기준이 된다고 할 수 없다(헌재 2017.7.27. 2015헌바278).

④ (○) 헌법 제119조 제2항에 규정된 '경제주체 간의 조화를 통한 경제민주화'의 이념은 경제영역에서 정의로운 사회질서를 형성하기 위하여 추구할 수 있는 국가목표로서 개인의 기본권을 제한하는 국가행위를 정당화하는 헌법규범이다(헌재 2003.11.27. 2001헌바35).

03 정답 ④

④ (×) 선거운동기간 중 정치적 익명표현의 부정적 효과는 익명성 외에도 해당 익명표현의 내용과 함께 정치적 표현행위를 규제하는 관련 제도, 정치적·사회적 상황의 여러 조건들이 아울러 작용하여 발생하므로, 모든 익명표현을 사전적·포괄

적으로 규율하는 것은 표현의 자유보다 행정편의와 단속편의를 우선함으로써 익명표현의 자유와 개인정보자기결정권 등을 지나치게 제한한다. 정치적 의사표현을 자유롭게 할 수 있는 핵심적 기간이라 볼 수 있는 선거운동기간 중 익명표현의 제한이 구체적 위험에 기초한 것이 아니라 심판대상조항으로 인하여 위법한 표현행위가 감소할 것이라는 추상적 가능성에 의존하고 있는 점, 심판대상조항의 적용대상인 "인터넷언론사"의 범위가 광범위하다는 점까지 고려하면 심판대상조항으로 인한 기본권 제한의 정도는 결코 작다고 볼 수 없다. 현재 기술 수준에서 공직선거법에 규정된 수단을 통하여서도 정보통신망을 이용한 행위로서 공직선거법에 위반되는 행위를 한 사람의 인적사항을 특정하고, 궁극적으로 선거의 공정성을 확보할 수 있다. 심판대상조항은 정치적 의사표현이 가장 긴요한 선거운동기간 중에 인터넷언론사 홈페이지 게시판 등 이용자로 하여금 실명확인을 하도록 강제함으로써 익명표현의 자유와 언론의 자유를 제한하고, 모든 익명표현을 규제함으로써 대다수 국민의 개인정보자기결정권도 광범위하게 제한하고 있다는 점에서 이와 같은 불이익은 선거의 공정성 유지라는 공익보다 결코 과소평가될 수 없다. 그러므로 심판대상조항은 과잉금지원칙에 반하여 인터넷언론사 홈페이지 게시판 등 이용자의 익명표현의 자유와 개인정보자기결정권, 인터넷언론사의 언론의 자유를 침해한다(헌재 2021.1.28, 2018헌마456).

① (O) 이 사건 법률조항은, 배우자가 그와 함께 다니는 사람 중에서 지정한 1명까지 보태어 명함교부 및 지지호소를 할 수 있도록 하여 배우자 유무에 따른 차별효과를 크게 한다. 더욱이 배우자가 그와 함께 다니는 1명을 지정함에 있어 아무런 범위의 제한을 두지 아니하여, 배우자가 있는 예비후보자는 독자적으로 선거운동을 할 수 있는 선거운동원 1명을 추가로 지정하는 효과를 누릴 수 있게 된다. 이것은 명함 본래의 기능에 부합하지 아니할 뿐만 아니라, 선거운동 기회균등의 원칙에 반하고, 예비후보자의 선거운동의 강화에만 치우친 나머지, 배우자의 유무라는 우연적인 사정에 근거하여 합리적 이유 없이 배우자 없는 예비후보자를 차별 취급하는 것이므로, 이 사건 법률조항은 청구인의 평등권을 침해한다(헌재 2013.11.28, 2011헌마267).

② (O) 시각장애인은 의무적으로 시행되는 여러 선거방송을 통하여 선거에 관한 정보를 충분히 얻을 수 있다. 인터넷을 이용한 음성정보전송 방식의 선거운동이 특별한 제한 없이 허용되고 있고, 음성을 이용한 인터넷 정보 검색이 가능하며, 인터넷상의 문자정보를 음성으로 전환하는 기술이 빠르게 발전하고 있는 현실에 비추어 보면, 선거공보는 다양한 선거정보 제공 수단 중 하나에 불과하다. 시각장애인 중 상당수는 점자를 해독하지 못한다는 사정까지 감안하면 책자형 선거공보와 달리 점자형 선거공보의 작성을 의무사항으로 하는 것은 후보자의 선거운동의 자유에 대한 지나친 간섭이 될 수 있다. 따라서 심판대상조항이 점자형 선거공보의 작성 여부를 후보자의 임의사항으로 규정하고 그 면수를 책자형 선거공보의 면수 이내로 한정하고 있더라도, 시각장애인의 선거권과 평등권을 침해한다고 볼 수 없다(헌재 2014.5.29, 2012헌마913).

③ (O) 지상파방송사업자, 위성방송사업자, 종합편성・보도전문편성의 방송채널사용사업자, 그리고 종합유선방송사업자・방송채널사용사업자로서 해당 사업자의 매출액, 시청점유율 등을 고려하여 방송통신위원회가 고시하는 사업자는 방송법 제69조 제8항, 제9항, 같은 법 시행령 제52조에 따라 이 사건 선거방송에서 한국수어・폐쇄자막・화면해설 등을 이용한 방송을 할 의무를 부담한다. 지상파방송사업자, 종합편성・보도전문편성의 방송채널사용사업자는 '장애인방송 편성 및 제공 등 장애인 방송접근권 보장에 관한 고시'(장애인방송고시)에 따라 이 사건 선거방송 중 후보자 등의 방송연설, 방송시설주관 후보자연설의 방송, 선거방송토론위원회 주관 대담・토론회에서 반드시 폐쇄자막방송을 하여야 한다. 장애인복지법 제22조, 같은 법 시행령 제14조는 국가와 지방자치단체가 방송국의 장 등 민간사업자에게 이 사건 선거방송에 청각장애인을 위한 한국수어 또는 폐쇄자막 등을 방영하도록 요청하여야 하고, 그 요청을 받은 방송국의 장 등 민간사업자는 정당한 사유가 없으면 그 요청에 따라야 한다고 규정하고 있다. 적어도 최근 전국단위 주요 선거에서 선거방송토론위원회 주관 대담・토론회 방송은 100% 한국수어방송을 하고 있다는 점도 고려할 때 이 사건 한국수어・자막조항이 청구인들의 선거권을 침해한다고 보기 어렵다(헌재 2020.8.28, 2017헌마813).

04 정답 ④

④ (×) 지방자치단체의 장은 재의결된 사항이 법령에 위반된다고 판단되면 재의결된 날부터 20일 이내에 대법원에 소를 제기할 수 있다(지방자치법 제192조 제4항).

① (O) 자치사무에 관한 명령이나 처분에 대한 주무부장관 또는 시・도지사의 시정명령, 취소 또는 정지는 법령을 위반한 것에 한정한다(지방자치법 제188조 제5항).

② (O) 행정안전부장관이나 시・도지사는 지방자치단체의 자치사무에 관하여 보고를 받거나 서류・장부 또는 회계를 감사할 수 있다. 이 경우 감사는 법령 위반사항에 대해서만 한다(지방자치법 제190조 제1항).

③ (O) 지방의회의 의결이 법령에 위반되거나 공익을 현저히 해친다고 판단되면 시・도에 대해서는 주무부장관이, 시・군 및 자치구에 대해서는 시・도지사가 해당 지방자치단체의 장에게 재의를 요구하게 할 수 있다(지방자치법 제192조 제1항).

05 정답 ①

① (×) 구두심리 절차와 엄격한 증거방법을 모두 채택하기 어려운 국가인권위원회가 법원의 재판의 당부를 판단하는 것도 곤란한 측면이 있으며, 국가인권위원회가 법원의 재판을 진

정대상으로 삼는다면, 분쟁 또는 인권침해의 해결과정이 무한정 반복되고 지연될 가능성마저 있게 된다. 또한 국가인권위원회는 인권의 보호와 향상을 위하여 필요하다고 인정하는 경우에는 법원에 대하여 정책과 관행의 개선 또는 시정을 권고하거나 의견을 표명할 수 있고, 법원의 담당재판부에 사실상 또는 법률상의 사항에 관하여 의견을 제출할 수 있다. 이러한 사정을 종합하면 입법자가 법원의 재판을 국가인권위원회의 조사대상에 포함시키지 않은 것이 국민의 기본적 인권 보장을 다하지 못한 것이라고 단언할 수는 없어, 국가인권위원회법 제30조 제1항 제1호 중 '법원의 재판을 제외한다' 부분이 청구인의 기본권을 과도하게 침해하는 것이라고 할 수 없다(헌재 2004.8.26. 2002헌마302).

② (○) 위원회는 개인의 사생활을 침해하거나 계속 중인 재판 또는 수사 중인 사건의 소추(訴追)에 부당하게 관여할 목적으로 조사를 하여서는 아니 된다(국가인권위원회법 제35조 제2항).

③ (○) 법률구조 요청은 피해자의 명시한 의사에 반하여 할 수 없다(국가인권위원회법 제47조 제2항).

④ (○) 위원회의 진정에 대한 조사·조정 및 심의는 비공개로 한다. 다만, 위원회의 의결이 있을 때에는 공개할 수 있다(국가인권위원회법 제49조).

06 정답 ②

② (×) 법관의 임기제·연임제는 임기 동안 법관의 신분을 보장하여 사법권의 독립을 보장함과 동시에, 법관 직무의 중대성 등을 감안하여 직무를 제대로 수행하지 못하는 등의 경우 그러한 법관을 연임에서 제외함으로써 사법기능 및 업무의 효율성을 높이고자 함에 그 목적이 있는 점, 국가공무원 명예퇴직제도 자체가 퇴직시점에 법적으로 확보된 근속가능기간을 포기하고 자진퇴직하는 경우를 전제로 한다고 볼 수 있는 점, 법관의 연임결격사유를 엄격하게 해석할 필요가 있음은 별론으로 하더라도, 법적으로 확보된 근속가능기간 측면에서 10년마다 연임절차를 거쳐야 정년까지 근무할 수 있는 법관과 그러한 절차 없이도 정년까지 근무할 수 있는 다른 경력직공무원은 동일하다고 보기 어려운 점 등을 고려할 때, 심판대상조항이 임기만료일을 법관 명예퇴직수당 정년잔여기간 산정의 기준 중 하나로 정한 것은 그 합리성을 인정할 수 있다. 따라서 심판대상조항은 청구인의 평등권을 침해하지 않는다(헌재 2020.4.23. 2017헌마321 법관의 명예퇴직수당 정년잔여기간 산정방식 사건 기각).

① (○) 현역병과 달리 사회복무요원에게 보수 외에 중식비, 교통비, 제복 등을 제외한 다른 의식주 비용을 지급하지 않는 것은 해당 비용과 직무수행 간의 밀접한 관련성 유무를 고려한 것이다. 현역병은 엄격한 규율이 적용되는 내무생활을 하면서 총기·폭발물 사고 등 위험에 노출되어 있는데, 병역의무 이행에 대한 보상의 정도를 결정할 때 위와 같은 현역병 복무의 특수성을 반영할 수 있으며, 사회복무요원은 생계유지를 위하여 필요한 경우 복무기관의 장의 허가를 얻어 겸직할 수 있는 점 등을 고려하면, 실비지급조항이 현역병과 달리 사회복무요원에게는 중식비, 교통비, 제복 등을 제외한 다른 의식주 비용을 추가로 지급하지 않는다 하더라도, 사회복무요원을 현역병에 비하여 합리적 이유 없이 자의적으로 차별한 것이라고 볼 수 없다. 따라서 실비지급조항은 청구인의 평등권을 침해하지 아니한다(헌재 2019.4.11. 2018헌마920).

③ (○) 보육료는 어린이집을 이용하는 영유아의 출석일수에 따라 해당 어린이집으로 보육료를 입금하는 방식으로 지원되고, 영유아가 출국 후 91일째 되는 날에는 보육료 지원이 정지된다(법 제34조 제1항, 법 시행규칙 제35조의3, 보건복지부지침). 양육수당 역시 영유아가 90일 이상 해외에 장기 체류하는 경우에는 그 기간 동안 비용의 지원을 정지하도록 하였다(법 제34조의2 제3항). 이와 같은 법의 목적과 보육이념, 보육료·양육수당 지급에 관한 법 규정을 종합할 때, 보육료·양육수당은 영유아가 국내에 거주하면서 국내에 소재한 어린이집을 이용하거나 가정에서 양육되는 경우에 지원이 되는 것으로 제도가 마련되어 있다. 단순한 단기체류가 아니라 국내에 거주하는 재외국민, 특히 외국의 영주권을 보유하고 있으나 상당한 기간 국내에서 계속 거주하고 있는 자들은 주민등록법상 재외국민으로 등록·관리될 뿐 '국민인 주민'이라는 점에서는 다른 일반 국민과 실질적으로 동일하므로, 단지 외국의 영주권을 취득한 재외국민이라는 이유로 달리 취급할 아무런 이유가 없어 위와 같은 차별은 청구인들의 평등권을 침해한다(헌재 2018.1.25. 2015헌마1047).

④ (○) 65세 미만의 비교적 젊은 나이인 경우, 일반적 생애주기에 비추어 자립 욕구나 자립지원의 필요성이 높고, 질병의 치료효과나 재활의 가능성이 높은 편이므로 노인성 질병이 발병하였다고 하여 곧 사회생활이 객관적으로 불가능하다거나, 가내에서의 장기요양의 욕구·필요성이 급격히 증가한다고 평가할 것은 아니다. 또한 활동지원급여와 장기요양급여는 급여량 편차가 크고, 사회활동 지원 여부 등에 있어 큰 차이가 있다. 그럼에도 불구하고 65세 미만의 장애인 가운데 일정한 노인성 질병이 있는 사람의 경우 일률적으로 활동지원급여 신청자격을 제한한 데에 합리적 이유가 있다고 보기 어려우므로 심판대상조항은 평등원칙에 위반된다(헌재 2020.12.23. 2017헌가22).

07 정답 ②

② (×) 헌법상 진술거부권의 보호대상이 되는 '진술'이라 함은 언어적 표출 즉, 개인의 생각이나 지식, 경험사실을 정신작용의 일환인 언어를 통하여 표출하는 것을 의미한다. 채무자가 재산명시기일에 제출하는 재산목록에는 강제집행의 대상이 되는 재산과 일정한 범위 내의 유상양도 및 무상처분 등의 거래사항을 명시해야 하는바, 이는 채무자의 경험사실을 문자로 기재하도록 한 것이므로 '진술'의 범위에 포함된다. 진술거부권에 있어서의 진술이란 형사상 자신에게 불이익이 될 수 있는 진술이므로 범죄의 성립과 양형에서의 불리한 사실 등

을 말하는 것이고, 그 진술내용이 자기의 형사책임에 관련되는 것일 것을 전제로 한다. 그런데 심판대상조항에 의한 감치는 형사적 제재가 아니라 재산명시의무를 간접강제하기 위한 민사적 성격의 제재이다. 즉, 채무자가 재산목록의 작성·제출이라는 형태의 진술을 거부하였을 때 그에게 가해지는 제재는 형사상 책임이 아니라 민사적 구금제도로서의 감치이다. 그렇다면 채무자의 재산명시기일에서의 재산목록 작성·제출행위는 형사상 불이익한 진술에 해당한다고 볼 수 없다. 따라서 감치의 제재를 통해 채무자에게 재산목록을 제출하도록 강제하는 것이 형사상 불이익한 진술을 강요하는 것이라고 할 수 없으므로, 심판대상조항은 청구인의 진술거부권을 침해하지 아니한다(헌재 2014.9.25. 2013헌마11).

① (○) 진술거부권에 있어서의 진술이란 형사상 자신에게 불이익이 될 수 있는 진술이므로 범죄의 성립과 양형에서의 불리한 사실 등을 말하는 것이고, 그 진술내용이 자기의 형사책임에 관련되는 것일 것을 전제로 한다(헌재 2014.9.25. 2013헌마11).

③ (○) 헌법상 진술거부권의 보호대상이 되는 "진술"이라 함은 언어적 표출, 즉 개인의 생각이나 지식, 경험사실을 정신작용의 일환인 언어를 통하여 표출하는 것을 의미하는바, 정치자금을 받고 지출하는 행위는 당사자가 직접 경험한 사실로서 이를 문자로 기재하도록 하는 것은 당사자가 자신의 경험을 말로 표출한 것의 등가물(等價物)로 평가할 수 있으므로, 위 조항들이 정하고 있는 기재행위 역시 "진술"의 범위에 포함된다고 할 것이다(헌재 2005.12.22. 2004헌바25).

④ (○) 회계장부·명세서·영수증을 보존하는 행위는 진술거부권의 보호대상이 되는 "진술" 즉 언어적 표출의 등가물로 볼 수 없으므로, 위 조항은 헌법 제12조 제2항의 진술거부권을 침해하지 않는다(헌재 2005.12.22. 2004헌바25).

08 정답 ①

① (×) 헌법 제21조 제4항은 "언론·출판은 타인의 명예나 권리 또는 공중도덕이나 사회윤리를 침해하여서는 아니 된다." 고 규정하고 있는바, 이는 언론·출판의 자유에 따르는 책임과 의무를 강조하는 동시에 '언론·출판의 자유에 대한 제한의 요건'을 명시한 규정으로 볼 것이고, 헌법상 표현의 자유의 보호영역 한계를 설정한 것이라고는 볼 수 없다(헌재 2009.5.28. 2006헌바109).

② (○) 음란표현에 대한 최소한의 헌법상 보호마저도 부인하게 될 위험성이 농후하게 된다는 점을 간과할 수 없다. 따라서 음란표현은 헌법 제21조가 규정하는 언론·출판의 자유의 보호영역 내에 있다(헌재 2009.5.28. 2006헌바109).

③ (○) 언론·출판에 대한 허가·검열금지의 취지는 정부가 표현의 내용에 관한 가치판단에 입각해서 특정 표현의 자유로운 공개와 유통을 사전 봉쇄하는 것을 금지하는 데 있으므로, 내용규제 그 자체가 아니거나 내용규제의 효과를 초래하는 것이 아니라면 위의 금지된 "허가"에는 해당되지 않는다(헌재 2001.5.31. 2000헌바43).

④ (○) 헌법 제21조 제2항은 언론·출판에 대한 허가나 검열은 인정되지 아니한다고 규정하고 있다. 여기서 말하는 검열은 그 명칭이나 형식과 관계없이 실질적으로 행정권이 주체가 되어 사상이나 의견 등이 발표되기 이전에 예방적 조치로서 그 내용을 심사, 선별하여 발표를 사전에 억제하는, 즉 허가받지 아니한 것의 발표를 금지하는 제도를 뜻하고, 이러한 사전검열은 법률에 의하더라도 불가능하다. 언론·출판에 대하여 사전검열이 허용될 경우에는 국민의 예술활동의 독창성과 창의성을 침해하여 정신생활에 미치는 위험이 클 뿐만 아니라, 행정기관이 집권자에게 불리한 내용의 표현을 사전에 억제함으로써, 이른바 관제의견이나 지배자에게 무해한 여론만을 허용하는 결과를 초래할 것이다. 따라서 이러한 사전검열은 절대적으로 금지된다(헌재 2015.12.23. 2015헌바75).

09 정답 ②

② (×) 심판대상조항이 '부정 취득한 운전면허'를 필요적으로 취소하도록 한 것은, 임의적 취소·정지의 대상으로 전환할 경우 면허제도의 근간이 흔들리게 되고 형사처벌 등 다른 제재수단만으로는 여전히 부정 취득한 운전면허로 자동차 운행이 가능하다는 점에서, 피해의 최소성 원칙에 위배되지 않는다. 또한 부정 취득한 운전면허는 그 요건이 처음부터 갖추어지지 못한 것으로서 해당 면허를 박탈하더라도 기본권이 추가적으로 제한된다고 보기 어려워, 법익의 균형성 원칙에도 위배되지 않는다. 반면, 심판대상조항이 '부정 취득하지 않은 운전면허'까지 필요적으로 취소하도록 한 것은, 임의적 취소·정지 사유로 함으로써 구체적 사안의 개별성과 특수성을 고려하여 불법의 정도에 상응하는 제재수단을 선택하도록 하는 등 완화된 수단에 의해서도 입법목적을 같은 정도로 달성하기에 충분하므로, 피해의 최소성 원칙에 위배된다. 나아가, 위법이나 비난의 정도가 미약한 사안을 포함한 모든 경우에 부정 취득하지 않은 운전면허까지 필요적으로 취소하고 이로 인해 2년 동안 해당 운전면허 역시 받을 수 없게 하는 것은, 공익의 중대성을 감안하더라도 지나치게 기본권을 제한하는 것이므로, 법익의 균형성 원칙에도 위배된다. 따라서 심판대상조항 중 각 '거짓이나 그 밖의 부정한 수단으로 받은 운전면허를 제외한 운전면허'를 필요적으로 취소하도록 한 부분은, 과잉금지원칙에 반하여 일반적 행동의 자유 또는 직업의 자유를 침해한다(헌재 2020.6.25. 2019헌가9).

① (○) 의료인에 대한 신뢰를 보호하고자 의료관련범죄로 인하여 처벌받은 의료인에게 면허취소라는 불이익을 과하는 심판대상조항은 입법목적의 정당성 및 수단의 적절성이 인정된다. 나아가 의료법 제65조 제2항 단서는 면허취소의 경우 의료인의 자격을 영구히 상실하게 하고 있지 않고 3년이 경과하는 경우 면허를 다시 받을 수 있는 길을 열어둠으로써 의료인의 직업선택의 자유에 대한 제한을 완화하는 규정을 두고 있다. 양질의 의료서비스에 대한 국민들의 요구가 높아지고 있고, 3년의 기간은 변호사·공인회계사 등 다른 자격 제도들에서 금고 이상의 형의 선고로 인하여 자격 제한을 받는 기간들과

비교해 볼 때 크게 불합리할 정도로 길다고 보기도 어렵다. 이와 같은 점을 고려하면 심판대상조항은 최소침해성의 원칙에도 부합한다. 한편 면허취소로 인하여 의료인이 직업선택의 자유를 제한받는다고 하더라도 그로 인한 불이익이 의료인에 대한 공공의 신뢰확보라는 공공의 이익과 비교하여 더 크다고 할 수 없다. 그리고 금고 이상의 형이 선고되었다면 의료 업무의 공공성 및 윤리성에 비추어 볼 때 형의 집행을 유예받았거나 그 형기가 단기라 하여 그에 대한 공공의 신뢰 손상 및 사회적 비난가능성의 정도에 큰 차이가 있다고 보기도 어렵다. 따라서 심판대상조항은 법익의 균형성 요건도 갖추었다(헌재 2020.4.23, 2019헌바118).

③ (○) 이 사건 법률조항은 금고 이상의 형의 집행유예를 받은 자를 사립학교 교직에서 당연퇴직시킴으로써 교원의 사회적 책임 및 교직에 대한 국민의 신뢰를 제고하고 교원으로서의 성실한 직무수행을 담보하기 위한 법적 조치로서 그 입법목적이 정당하고, 금고 이상의 형의 집행유예를 받은 자를 교직에서 배제하도록 한 것은 위와 같은 입법목적을 달성하기 위한 효과적이고 적절한 수단이 될 수 있다. 나아가 위와 같은 입법목적을 효과적으로 달성하기 위한 덜 제약적인 대체적 입법수단의 존재가 명백하지 아니하고, 비록 이 사건 법률조항으로 인하여 교원 지위가 박탈된다고 하여도 그것이 위와 같은 공익에 비해 더 비중이 크다고 단정하기 어렵다. 결국 금고 이상의 형에 대한 집행유예 판결에 내포된 사회적 비난가능성과 공교육을 담당하는 교원에게 요구되는 사회적 책임 및 교직 수행에 대한 신뢰의 수준 등을 종합적으로 고려할 때, 금고 이상의 형의 집행유예를 사립학교 교원의 당연퇴직 사유로 하고 있는 이 사건 법률조항이 헌법 제37조 제2항에 위배하여 청구인의 직업선택의 자유를 침해한다고 볼 수는 없다(헌재 2020.6.25, 2018헌바256 합헌).

④ (○) 비약사의 약국 개설이 허용되면, 영리 위주의 의약품 판매로 인해 의약품 오남용 및 국민 건강상의 위험이 증대할 가능성이 높고, 대규모 자본이 약국시장에 유입되어 의약품 유통체계 및 판매질서를 위협할 우려가 있다. 또한 비약사의 약국 개설은, 개설등록 취소나 약사의 자격정지, 부당이득 보험급여 징수 등 행정제재만으로는 예방하기에 미흡하고, 그에 가담한 약사를 형사처벌 대상에서 제외할 특별한 사정이 있다고도 할 수 없다. 약국 개설은 전 국민의 건강과 보건, 나아가 생명과도 직결된다는 점에서, 달성되는 공익보다 제한되는 사익이 더 중하다고 볼 수 없다. 심판대상조항은 과잉금지원칙에 반하여 직업의 자유를 침해하지 않는다(헌재 2020.10.29, 2019헌바249).

10 정답 ④

④ (×) 헌법 제32조 제1항 후단은 "국가는 사회적・경제적 방법으로 근로자의 고용의 증진과 적정임금의 보장에 노력하여야 하며, 법률이 정하는 바에 의하여 최저임금제를 시행하여야 한다."라고 규정하고 있어서 근로자가 최저임금을 청구할 수 있는 권리도 헌법상 바로 도출되는 것이 아니라 최저임금법 등 관련 법률이 구체적으로 정하는 바에 따라 비로소 인정될 수 있다(헌재 2011.7.28, 2009헌마408). 따라서 최저임금을 청구할 수 있는 권리가 바로 헌법 제32조 제1항의 근로의 권리에 의하여 보장된다고 보기는 어려우므로, 이 사건 병의 봉급표가 청구인의 근로의 권리를 침해한다고 할 수 없다(헌재 2012.10.25, 2011헌마307).

① (○) 엄격한 의미에서 근로의 권리는 사회적 기본권으로서, 국가에 대하여 직접 일자리(직장)를 청구하거나 일자리에 갈음하는 생계비의 지급청구권을 의미하는 것이 아니라, 고용증진을 위한 사회적・경제적 정책을 요구할 수 있는 권리에 그친다. 근로의 권리를 직접적인 일자리 청구권으로 이해하는 것은 사회주의적 통제경제를 배제하고, 사기업 주체의 경제상의 자유를 보장하는 우리 헌법의 경제질서 내지 기본권 규정들과 조화될 수 없다(헌재 2002.11.28, 2001헌바50).

② (○) 헌법 제32조 제1항은 "모든 국민은 근로의 권리를 가진다. 국가는 사회적・경제적 방법으로 근로자의 고용의 증진과 적정임금의 보장에 노력하여야 하며, 법률이 정하는 바에 의하여 최저임금제를 시행하여야 한다."라고 규정하고 있다. 이는 국가의 개입・간섭을 받지 않고 자유로이 근로를 할 자유와, 국가에 대하여 근로의 기회를 제공하는 정책을 수립해 줄 것을 요구할 수 있는 권리 등을 기본적인 내용으로 하고 있고, 이때 근로의 권리는 근로자를 개인의 차원에서 보호하기 위한 권리로서 개인인 근로자가 근로의 권리의 주체가 되는 것이고, 노동조합은 그 주체가 될 수 없는 것으로 이해되고 있다. 그렇다면 사업소세 비과세 대상의 근거규정인 이 사건 법률조항이 노동조합을 비과세 대상으로 규정하지 않았다 하여 개인인 근로자를 주체로 하는 권리 규정인 헌법 제32조 제1항에 반한다고 볼 여지는 없다 할 것이다(헌재 2009.2.26, 2007헌바27).

③ (○) 해고예고제도는 근로조건의 핵심적 부분인 해고와 관련된 사항일 뿐만 아니라, 근로자가 갑자기 직장을 잃어 생활이 곤란해지는 것을 막는 데 목적이 있으므로 근로자의 인간 존엄성을 보장하기 위한 최소한의 근로조건으로서 근로의 권리의 내용에 포함된다. 해고예고제도의 입법 취지와 근로기준법 제26조 단서에서 규정하고 있는 해고예고 적용배제사유를 종합하여 보면, 원칙적으로 해고예고 적용배제사유로 허용될 수 있는 경우는 근로계약의 성질상 근로관계 계속에 대한 근로자의 기대가능성이 적은 경우로 한정되어야 한다. "월급근로자로서 6월이 되지 못한 자"는 대체로 기간의 정함이 없는 근로계약을 한 자들로서 근로관계의 계속성에 대한 기대가 크다고 할 것이므로, 이들에 대한 해고 역시 예기치 못한 돌발적 해고에 해당한다. 따라서 6개월 미만 근무한 월급근로자 또한 전직을 위한 시간적 여유를 갖거나 실직으로 인한 경제적 곤란으로부터 보호받아야 할 필요성이 있다. 그럼에도 불구하고 합리적 이유 없이 "월급근로자로서 6개월이 되지 못한자"를 해고예고제도의 적용대상에서 제외한 이 사건 법률조항은 근무기간이 6개월 미만인 월급근로자의 근로의 권리를 침해하고, 평등원칙에도 위배된다(헌재 2015.12.23, 2014헌바3).

경찰헌법 3회 모의고사 정답 및 해설

제3회 모의고사 정답

01	④	02	④	03	②	04	③	05	①
06	①	07	③	08	③	09	④	10	①

01 정답 ④

④ (×) '대통령의 임기연장 또는 중임변경을 위한 헌법개정은 그 헌법개정 제안 당시의 대통령에 대하여는 효력이 없다.'고 규정하고 있는 헌법 제128조 제2항의 법적 성격이 헌법개정의 한계규정인지에 대하여 견해가 대립하고 있는데, 동 조항은 헌법개정의 한계조항이 아니라 개정된 헌법규정의 인적 효력범위를 제한하는 규정으로 보는 인적효력범위제한설이 일반적 견해이다.

① (○) 우리나라와 같은 성문의 경성헌법 체제에서 인정되는 관습헌법사항은 하위규범형식인 법률에 의하여 개정될 수 없다(헌재 2004.10.21, 2004헌마554).

② (○) 특정의 법률이 반드시 헌법전에서 규율하여야 할 기본적인 헌법사항을 헌법을 대신하여 규율하는 경우에는 그 내용이 상위의 헌법규범에 배치되는지 여부와 관계없이 경성헌법의 체계에 위반하여 헌법위반에 해당하는 것이다(헌재 2004.10.21, 2004헌마554).

③ (○) 우리 헌법의 각 개별규정 가운데 무엇이 헌법제정규정이고 무엇이 헌법개정규정인지를 구분하는 것이 가능하지 아니할 뿐 아니라, 각 개별규정에 그 효력상의 차이를 인정하여야 할 형식적인 이유를 찾을 수 없다(헌재 1995.12.28, 95헌바3).

02 정답 ④

④ (×) 국민주권·민주주의원리는 그 작용영역, 즉 공권력의 종류와 내용에 따라 구현방법이 상이할 수 있다. 국회·대통령과 같은 정치적 권력기관은 헌법 규정에 따라 국민으로부터 직선된다. 그러나 지방자치기관은 그것도 정치적 권력기관이긴 하지만, 중앙·지방간 권력의 수직적 분배라고 하는 지방자치제의 권력분립적 속성상, 중앙정치기관의 구성과는 다소 상이한 방법으로 국민주권·민주주의원리가 구현될 수도 있다. 또한 교육부문에 있어서의 국민주권·민주주의의 요청도, 문화적 권력이라고 하는 국가교육권의 특수성으로 말미암아, 정치부문과는 다른 모습으로 구현될 수 있다(헌재 2000.3.30, 99헌바113).

① (○) 국민주권의 원리는 일반적으로 어떤 실천적인 의미보다는 국가권력의 정당성이 국민에게 있고 모든 통치권력의 행사를 최후적으로 국민의 의사에 귀착시킬 수 있어야 한다는 등 국가권력 내지 통치권을 정당화하는 원리로 이해되고 있다(헌재 2009.3.26, 2007헌마843).

② (○) 국민주권주의를 구현하기 위하여 헌법은 국가의 의사결정 방식으로 대의제를 채택하고, 이를 가능하게 하는 선거제도를 규정함과 아울러 선거권, 피선거권을 기본권으로 보장하며, 대의제를 보완하기 위한 방법으로 직접민주제 방식의 하나인 국민투표제도를 두고 있다(헌재 2009.3.26, 2007헌마843).

③ (○) 헌법적인 차원에서 직접민주제를 직접 헌법에 규정하는 것은 별론으로 하더라도 법률에 의하여 직접민주제를 도입하는 경우에는 기본적으로 대의제와 조화를 이루어야 하고, 대의제의 본질적인 요소나 근본적인 취지를 부정하여서는 아니 된다는 내재적인 한계를 지닌다(헌재 2009.3.26, 2007헌마843).

03 정답 ②

② (×) 정당해산심판제도에서는 헌법재판소의 정당해산결정이 정당의 자유를 침해할 수 있는 국가권력에 해당하므로 헌법재판소가 정당해산결정을 내리기 위해서는 그 해산결정이 비례원칙에 부합하는지를 숙고해야 하는바, 이 경우의 비례원칙 준수 여부는 그것이 통상적으로 기능하는 위헌심사의 척도가 아니라 헌법재판소의 정당해산결정이 충족해야 할 일종의 헌법적 요건 혹은 헌법적 정당화 사유에 해당한다(헌재 2014.12.19, 2013헌다1).

① (○) 헌법 제8조 제4항에서 말하는 민주적 기본질서의 위배란, 민주적 기본질서에 대한 단순한 위반이나 저촉을 의미하는 것이 아니라, 민주 사회의 불가결한 요소인 정당의 존립을 제약해야 할 만큼 그 정당의 목적이나 활동이 우리 사회의 민주적 기본질서에 대하여 실질적인 해악을 끼칠 수 있는 구체적 위험성을 초래하는 경우를 가리킨다(헌재 2014.12.19, 2013헌다1).

③ (○) 대통령은 국무회의의 의장으로서 회의를 소집하고 이를 주재하지만 대통령이 사고로 직무를 수행할 수 없는 경우에는 국무총리가 그 직무를 대행할 수 있고, 대통령이 해외 순방 중인 경우는 '사고'에 해당되므로, 대통령의 직무상 해외 순방 중 국무총리가 주재한 국무회의에서 이루어진 정당해산심판청구서 제출안에 대한 의결은 위법하지 아니하다(헌재 2014.12.19, 2013헌다1).

④ (○) 가처분조항은 정당해산심판이 갖는 헌법보호라는 측면에 비추어 그 필요성이 인정되므로 입법목적의 정당성 및 수단의 적절성이 인정된다. 또한 가처분 결정이 인용되려면 인용요건이 충족되어야 하고, 그 인용범위도 종국결정의 실효성을 확보하고 헌법질서를 보호하기 위해 필요한 범위 내로 한정되며, 인용 시 종국결정 선고 시까지만 정당의 활동을 정지시키므로 기본권 제한 범위가 광범위하다고 볼 수 없다. 나아가 가처분과 동등하거나 유사한 효과가 있는 보다 덜 침해적인 사후적 수단이 존재한다고 볼 수도 없으므로 침해최소성의 요건도 충족한다. 아울러 정당해산심판의 실효성 확보 및 헌법질서의 유지 및 수호라는 공익은 정당해산심판의 종

국결정 시까지 잠정적으로 제한되는 정당활동의 자유에 비하여 결코 작다고 볼 수 없으므로 법익균형성요건도 충족하였다. 따라서 가처분조항은 정당활동의 자유를 침해한다고 볼 수 없다(헌재 2014.2.27. 2014헌마7).

04 정답 ③

③ (×) 일반적으로 청구인과 같은 경찰공무원은 기본권의 주체가 아니라 국민 모두에 대한 봉사자로서 공공의 안전 및 질서유지라는 공익을 실현할 의무가 인정되는 기본권의 수범자라 할 것인바, 검사가 발부한 형집행장에 의하여 검거된 벌금미납자의 신병에 관한 업무는 국가 조직영역 내에서 수행되는 공적 과제 내지 직무영역에 대한 것으로 이와 관련해서 청구인은 국가기관의 일부 또는 그 구성원으로서 공법상의 권한을 행사하는 공권력행사의 주체일 뿐, 기본권의 주체라 할 수 없으므로 이 사건에서 청구인에게 헌법소원을 제기할 청구인 적격을 인정할 수 없다(헌재 2009.3.24. 2009헌마118).

① (○) 공직자가 국가기관의 지위에서 순수한 직무상의 권한행사와 관련하여 기본권 침해를 주장하는 경우에는 기본권의 주체성을 인정하기 어렵다 할 것이나, 그 외의 사적인 영역에 있어서는 기본권의 주체가 될 수 있는 것이다. 청구인은 선출직 공무원인 하남시장으로서 이 사건 법률 조항으로 인하여 공무담임권 등이 침해된다고 주장하여, 순수하게 직무상의 권한행사와 관련된 것이라기보다는 공직의 상실이라는 개인적인 불이익과 연관된 공무담임권을 다투고 있으므로, 이 사건에서 청구인에게는 기본권의 주체성이 인정된다(헌재 2009.3.26. 2007헌마843).

② (○) 대통령도 국민의 한 사람으로서 제한적으로나마 기본권의 주체가 될 수 있는바, 대통령은 소속 정당을 위하여 정당활동을 할 수 있는 사인으로서의 지위와 국민 모두에 대한 봉사자로서 공익실현의 의무가 있는 헌법기관으로서의 지위를 동시에 갖는데 최소한 전자의 지위와 관련하여는 기본권 주체성을 갖는다(헌재 2008.1.17. 2007헌마700).

④ (○) 국회의원이 국회 내에서 행하는 질의권·토론권 및 표결권 등은 입법권 등 공권력을 행사하는 국가기관인 국회의 구성원의 지위에 있는 국회의원에게 부여된 권한이지 국회의원 개인에게 헌법이 보장하는 권리 즉 기본권으로 인정된 것이라고 할 수 없으므로, 설사 국회의장의 불법적인 의안처리행위로 헌법의 기본원리가 훼손되었다고 하더라도 그로 인하여 헌법상 보장된 구체적 기본권을 침해당한 바 없는 국회의원인 청구인들에게 헌법소원심판청구가 허용된다고 할 수 없다(헌재 1995.2.23. 90헌마125).

05 정답 ①

① (×) 일반적 행동자유권은 적극적으로 자유롭게 행동을 하는 것은 물론 소극적으로 행동을 하지 않을 자유도 포함되고, 가치 있는 행동만 보호영역으로 하는 것은 아닌 것인바, 개인이 대마를 자유롭게 수수하고 흡연할 자유도 헌법 제10조의 행복추구권에서 나오는 일반적 행동자유권의 보호영역에 속한다(헌재 2005.11.24. 2005헌바46).

② (○) 언어와 그 언어를 표기하는 방식인 글자는 정신생활의 필수적인 도구이며 타인과의 소통을 위한 가장 기본적인 수단인바, 한자를 의사소통의 수단으로 사용하는 것은 행복추구권에서 파생되는 일반적 행동의 자유 내지 개성의 자유로운 발현의 한 내용이다(헌재 2009.5.28. 2006헌마618).

③ (○) 이 사건 법률조항의 입법목적은 운전 중 휴대용 전화의 사용으로 인한 교통사고 발생의 위험을 줄여 국민의 생명과 안전, 재산을 보호하고자 하는 것으로서 그 입법목적의 정당성이 인정된다. 또한 운전 중 휴대용 전화의 사용을 금지하고 위반할 경우 형사처벌하는 것은 위와 같은 입법목적을 달성하는 데 기여하므로 수단의 적합성도 인정된다. 자동차 운전 중 휴대용 전화 사용 행위로 인하여 생명·신체·재산에 대한 위험성이 크게 증대되는데, 운전 중 휴대전화 사용으로 단속된 건수 및 그로 인한 교통사고 발생 추세에 비추어 이러한 위험을 과태료 등 행정질서벌의 제재만으로도 충분히 방지할 수 있다고 단정할 수 없다. 따라서 자동차 운전 중 휴대용 전화 사용 금지에 실질적 강제력을 부여하기 위해 그 위반행위에 대하여 형벌을 부과하도록 규정한 입법자의 판단이 잘못되었다고 보기도 어려우므로 이 사건 법률조항이 자동차 운전 중 휴대용 전화 사용을 원칙적으로 금지하고 이를 형사처벌로써 강제하는 것이 침해의 최소성 원칙에 위반된다고 할 수 없다. 한편 이 사건 법률조항으로 인하여 청구인은 운전 중 휴대용 전화 사용의 편익을 누리지 못하고 그 의무에 위반할 경우 20만 원 이하의 벌금이나 구류 또는 과료에 처해질 수 있으나 이러한 부담은 크다고 보기 어렵다. 이에 비하여 운전 중 휴대용 전화 사용 금지로 교통사고의 발생을 줄이면 국민의 생명·신체·재산을 보호할 수 있으므로 이로 인해 달성되는 공익은 중대하다. 따라서 이 사건 법률조항은 법익의 균형성도 갖추었다. 이 사건 법률조항이 과잉금지원칙에 반하여 일반적 행동자유권을 침해한다고 볼 수 없다(헌재 2021.6.24. 2019헌바5).

④ (○) 헌법 제10조의 행복추구권에서 파생하는 일반적 행동자유권은 모든 행위를 하거나 하지 않을 자유를 내용으로 하나, 그 보호대상으로서의 행동이란 국가가 간섭하지 않으면 자유롭게 할 수 있는 행위 내지 활동을 의미하고, 이를 국가권력이 가로막거나 강제하는 경우 자유권의 침해로서 논의될 수 있다 할 것인데, 병역의무의 이행으로서의 현역병 복무는 국가가 간섭하지 않으면 자유롭게 할 수 있는 행위에 속하지 않으므로, 현역병으로 복무할 권리가 일반적 행동자유권에 포함된다고 할 수도 없다(헌재 2010.12.28. 2008헌마527).

06 정답 ①

① (×) 심판대상조항은 알몸을 '지나치게 내놓는' 것이 무엇인지 그 판단 기준을 제시하지 않아 무엇이 지나친 알몸노출행위인지 판단하기 쉽지 않고, '가려야 할 곳'의 의미도 알기 어렵다. 심판대상조항 중 '부끄러운 느낌이나 불쾌감'은 사람마다 달리 평가될 수밖에 없고, 노출되었을 때 부끄러운 느낌이나 불쾌감을 주는 신체부위도 사람마다 달라 '부끄러운 느낌이나 불쾌감'을 통하여 '지나치게'와 '가려야 할 곳' 의미를 확정하기도 곤란하다. 심판대상조항은 '선량한 성도덕과 성풍속'을 보호하기 위한 규정인데, 이러한 성도덕과 성풍속이 무엇인지 대단히 불분명하므로, 심판대상조항의 의미를 그 입법목적을 고려하여 밝히는 것에도 한계가 있다. 대법원은 '신체노출행위가 단순히 다른 사람에게 부끄러운 느낌이나 불쾌감을 주는 정도에 불과한 경우 심판대상조항에 해당한다.'라고 판시하나, 이를 통해서도 '가려야 할 곳', '지나치게'의 의미를 구체화할 수 없다. 심판대상조항의 불명확성을 해소하기 위해 노출이 허용되지 않는 신체부위를 예시적으로 열거하거나 구체적으로 특정하여 분명하게 규정하는 것이 입법기술상 불가능하거나 현저히 곤란하지도 않다. 예컨대 이른바 '바바리맨'의 성기노출행위를 규제할 필요가 있다면 노출이 금지되는 신체부위를 '성기'로 명확히 특정하면 될 것이다. 따라서 심판대상조항은 죄형법정주의의 명확성원칙에 위배된다(헌재 2016.11.24, 2016헌가3).

② (○) 심판대상조항에 규정된 '도로 외의 곳'이란 '도로 외의 모든 곳 가운데 자동차 등을 그 본래의 사용방법에 따라 사용할 수 있는 공간'으로 해석할 수 있다. 따라서 심판대상조항이 죄형법정주의의 명확성원칙에 위배된다고 할 수 없다(헌재 2016.2.25, 2015헌가11).

③ (○) 예시적 입법형식이 명확성원칙에 위배되지 않으려면, 예시한 개별적인 구성요건이 그 자체로 '일반조항의 해석을 위한 판단지침을 내포'하고 있어야 할 뿐만 아니라, 그 일반조항 자체가 그러한 '구체적인 예시를 포괄할 수 있는 의미를 담고 있는 개념'이 되어야 한다(헌재 2011.3.31, 2008헌가21).

④ (○) 심판대상조항의 문언, 입법목적과 연혁, 관련 규정과의 관계 및 법원의 해석 등을 종합하여 볼 때, 심판대상조항에서 '제44조 제1항을 2회 이상 위반한 사람'이란 '2006.6.1. 이후 도로교통법 제44조 제1항을 위반하여 술에 취한 상태에서 운전을 하였던 사실이 인정되는 사람으로서, 다시 같은 조 제1항을 위반하여 술에 취한 상태에서 운전한 사람'을 의미함을 충분히 알 수 있으므로, 심판대상조항은 죄형법정주의의 명확성원칙에 위반되지 아니한다(헌재 2021.11.25, 2019헌바446).

07 정답 ③

㉠ (×) 헌법상 영장주의는 체포・구속・압수・수색 등 기본권을 제한하는 강제처분에 적용되므로, 강제력이 개입되지 않은 임의수사에 해당하는 수사기관 등의 통신자료 취득에는 영장주의가 적용되지 않는다(헌재 2022.7.21, 2016헌마388 헌법불합치).

㉡ (○) 이 사건 채취동의조항은 채취대상자가 동의하는 경우에 영장 없이 디엔에이감식시료를 채취할 수 있도록 규정하여 신체의 자유에 대해 제한을 가한다. 이는 디엔에이감식시료의 채취는 법관의 영장에 의하도록 한 것을 대신하여 동의에 의하여 신체의 자유에 대한 제한을 허용하게 되므로, 영장주의와 적법절차원칙에 위배되어 신체의 자유를 침해하는지가 문제된다. 동의에 의하여 디엔에이감식시료를 채취하는 경우, 채취를 거부할 수 있음을 사전에 고지하고 서면으로 동의서를 받도록 하고 있으며(이 사건 법률 제8조 제3조 후문), 동의가 없으면 반드시 법관이 발부한 영장에 의하여 채취하도록 하고 있으므로, 동의에 의하여 디엔에이감식시료를 채취하도록 규정한 조항 자체가 영장주의를 회피하는 수단이 되어 영장주의와 적법절차원칙에 반한다고 보기는 어렵다(헌재 2014.8.28, 2011헌마28).

㉢ (○) 헌법 제12조 제3항 및 제16조가 규정한 영장주의는 형사절차와 관련하여 체포・구속・압수・수색의 강제처분을 함에 있어서는 사법권 독립에 의하여 신분이 보장되는 법관이 발부한 영장에 의하지 않으면 아니 된다는 원칙이다. 따라서 헌법상 영장주의의 본질은 체포・구속・압수・수색 등 기본권을 제한하는 강제처분을 함에 있어서는 중립적인 법관의 구체적 판단을 거쳐야 한다는 데에 있다(헌재 2018.6.28, 2012헌마191). 이 사건 사실조회조항은 수사기관이 공사단체 등에 대하여 범죄수사에 관련된 사실을 조회할 수 있다고 규정하여 수사기관에 사실조회의 권한을 부여하고 있을 뿐이고, 이에 근거한 이 사건 사실조회행위에 대하여 국민건강보험공단이 응하거나 협조하여야 할 의무를 부담하는 것이 아니다. 따라서 이 사건 사실조회행위는 강제력이 개입되지 아니한 임의수사에 해당하므로, 이에 응하여 이루어진 이 사건 정보제공행위에도 영장주의가 적용되지 않는다(헌재 2018.8.30, 2014헌마368).

㉣ (○) 이 사건 사실조회조항은 수사기관이 공사단체 등에 대하여 범죄수사에 관련된 사실을 조회할 수 있다고 규정하여 수사기관에 사실조회의 권한을 부여하고 있을 뿐이고, 김포시장은 이 사건 사실조회행위에 응하거나 협조하여야 할 의무를 부담하지 않는다. 따라서 이 사건 사실조회행위는 강제력이 개입되지 아니한 임의수사에 해당하므로, 이에 응하여 이루어진 이 사건 정보제공행위에도 영장주의가 적용되지 않는다(헌재 2018.8.30, 2016헌마483).

㉤ (○) 입법자는 수사기관의 강제처분에 관한 법률을 제정함에 있어, 헌법 제12조 제3항을 준수하는 범위 내에서 해당 강제처분의 특수성, 그 강제처분과 관련된 우리 사회의 법 현실, 국민의 법 감정 등을 종합적으로 고려해 정책적인 선택을 할 수 있다(헌재 2012.5.31, 2010헌마672). 통신사실 확인자료 제공요청은 수사 또는 내사의 대상이 된 가입자 등의 동의나 승낙을 얻지 아니하고도 공공기관이 아닌 전기통신사업자를 상대로 이루어지는 것으로 통신비밀보호법이 정한 수사기관의 강제처분이다. 이러한 통신사실 확인자료 제공요청과 관

련된 수사기관의 권한남용 및 그로 인한 정보주체의 기본권 침해를 방지하기 위해서는 법원의 통제를 받을 필요가 있으므로, 통신사실 확인자료 제공요청에는 헌법상 영장주의가 적용된다(헌재 2018.6.28. 2012헌마191).

08 정답 ③

③ (×) 양심의 자유는 내심에서 우러나오는 윤리적 확신과 이에 반하는 외부적 법질서의 요구가 서로 회피할 수 없는 상태로 충돌할 때에만 침해될 수 있다. 그러므로 당해 실정법이 특정의 행위를 금지하거나 명령하는 것이 아니라 단지 특별한 혜택을 부여하거나 권고 내지 허용하고 있는 데에 불과하다면, 수범자는 수혜를 스스로 포기하거나 권고를 거부함으로써 법질서와 충돌하지 아니한 채 자신의 양심을 유지, 보존할 수 있으므로 양심의 자유에 대한 침해가 된다할 수 없다. 따라서 양심의 자유를 침해하는 정도의 외부적 법질서의 요구가 있다고 할 수 있기 위해서는 법적 의무의 부과와 위반 시 이행강제, 처벌 또는 법적 불이익의 부과 등 방법에 의하여 강제력이 있을 것임을 요한다. 여기서 법적 불이익의 부과라고 함은 권리침해의 정도에는 이르지 아니하더라도 기존의 법적 지위를 박탈하거나 법적 상태를 악화시키는 등 적어도 현재의 법적 지위나 상태를 장래에 있어 불안하게 변모시키는 것을 의미한다(헌재 2002.4.25. 98헌마425).

① (○) 양심의 자유에서 보호하는 양심은 그 어느 것으로도 대체되지 아니하며, 그에 따라 행동함으로써 자기를 표현하고 인간으로서의 존엄과 가치를 확인하는 의미를 가지는 것이다. 따라서 강요에 의하여 그러한 신념을 의심하고 그 포기 여부를 선택해야 하는 상황에 처하는 것만으로도 개인의 인격에는 큰 타격이 될 수 있다. 자신이 전인격을 걸고 옳은 것이라고 믿는 신념을 변경하지 않을 경우 형벌과 사회생활에서의 제약 등 커다란 피해를 입는 것이 예정되어 있는 상황에 처하면, 개인은 선택의 기로에서 자신의 인격적 존재가치에 회의를 느끼지 않을 수 없고, 이는 결국 인간의 존엄성에 대한 손상으로 이어질 수밖에 없기 때문이다(헌재 2018.6.28. 2011헌바379).

② (○), ④ (○) 헌법상 양심의 자유에 의해 보호받는 '양심'으로 인정할 것인지의 판단은 그것이 깊고, 확고하며, 진실된 것인지 여부에 따르게 된다. 그리하여 양심적 병역거부를 주장하는 사람은 자신의 '양심'을 외부로 표명하여 증명할 최소한의 의무를 진다. 물론 그렇게 형성된 양심에 대한 사회적·도덕적 판단이나 평가는 당연히 가능하며, '양심'이기 때문에 무조건 그 자체로 정당하다거나 도덕적이라는 의미는 아니다. 양심의 자유 중 양심형성의 자유는 내심에 머무르는 한, 절대적으로 보호되는 기본권이라 할 수 있는 반면, 양심적 결정을 외부로 표현하고 실현할 수 있는 권리인 양심실현의 자유는 법질서에 위배되거나 타인의 권리를 침해할 수 있기 때문에 법률에 의하여 제한될 수 있다(헌재 2018.6.28. 2011헌바379).

09 정답 ④

④ (×) 이 사건 증액청구조항이 환매목적물인 토지의 가격이 통상적인 지가상승분을 넘어 현저히 상승하고 당사자 간 협의가 이루어지지 아니할 경우에 한하여 환매금액의 증액청구를 허용하고 있는 점, 환매권의 내용에 토지가 취득되지 아니하였다면 원소유자가 누렸을 법적 지위의 회복을 요구할 권리가 포함된다고 볼 수 없는 점, 개발이익은 토지의 취득 당시의 객관적 가치에 포함된다고 볼 수 없는 점, 환매권자가 증액된 환매금액의 지급의무를 부담하게 될 것을 우려하여 환매권을 행사하지 못하더라도 이는 사실상의 제약에 불과한 점 등에 비추어 볼 때, 위 조항이 재산권의 내용에 관한 입법형성권의 한계를 일탈하여 환매권자의 재산권을 침해한다고 볼 수 없다(헌재 2016.9.29. 2014헌바400).

① (○) 이 사건 법률조항은 성매매, 성매매알선 등 행위를 근절하고, 성매매피해자의 인권을 보호하는 데에 이바지하고자 하는 것으로서 입법목적의 정당성이 인정되고, 성매매에 제공되는 사실을 알면서 건물을 제공함으로써 성매매와 성매매알선이 용이해지고 그로 인한 재산상의 이익은 성매매에 대한 건물제공의 유인 동기가 되므로, 이를 형사처벌하는 것은 입법목적을 달성하기 위한 적절한 수단이다. 한편, 우리 사회의 심각한 성매매 실태에 비추어 볼 때 건물제공행위로 인하여 성매매가 지속적으로 이루어지는 점, 직접 성매매를 알선한 자만 처벌해서는 성매매 근절에 한계가 있으며, 성매매는 그 자체가 유해한 범죄행위로서 그것을 용이하게 한 건물제공행위를 범죄행위로 보고 형사처벌을 택한 것이 결코 과도한 기본권 제한이라고 볼 수 없는 점, 청구인은 성매매가 아닌 다른 목적의 임대를 통해 당해 건물을 사용·수익하는 것이 충분히 가능한 반면, 성매매에 제공되는 사실을 알면서 건물을 제공하는 행위를 규제함으로써 보호하고자 하는 성매매 근절 등의 공익이 더 크고 중요하다는 점을 고려하면, 이 사건 법률조항이 과잉금지원칙에 위반하여 재산권을 침해한다고 할 수 없다(헌재 2012.12.27. 2011헌바235).

② (○) 심판대상조항은 일정한 형사상의 범죄행위와 유언의 자유를 침해하는 부정행위 등 5가지를 상속결격사유로 한정적으로 열거하고 있다. 이는 극히 예외적인 경우를 제외하고는 상속인의 상속권을 보호함과 동시에 상속결격여부를 둘러싼 분쟁을 방지하고, 상속으로 인한 법률관계를 조속히 확정시키기 위함이다. 부양의무의 이행과 상속은 서로 대응하는 개념이 아니어서, 법정상속인이 피상속인에 대한 부양의무를 이행하지 않았다고 하여 상속인의 지위를 박탈당하는 것도 아니고, 반대로 법정상속인이 아닌 사람이 피상속인을 부양하였다고 하여 상속인이 되는 것도 아니다. 만약 직계존속이 피상속인에 대한 부양의무를 이행하지 않은 경우를 상속결격사유로 본다면, 과연 어느 경우에 상속결격인지 여부를 명확하게 판단하기 어려워 이에 관한 다툼으로 상속을 둘러싼 법적 분쟁이 빈번하게 발생할 가능성이 높고, 그로 인하여 상속관계에 관한 법적 안정성이 심각하게 저해된다. 나아가 민법은 유언이나 기여분 제도를 통하여 피상속인의 의사나 피상

속인에 대한 부양의무 이행 여부 등을 구체적인 상속분 산정에서 고려할 수 있는 장치를 이미 마련하고 있는 점들을 고려하면, 심판대상조항이 피상속인에 대한 부양의무를 이행하지 않은 직계존속의 경우를 상속결격사유로 규정하지 않았다고 하더라도 이것이 입법형성권의 한계를 일탈하여 다른 상속인인 청구인의 재산권을 침해한다고 보기 어렵다(헌재 2018.2.22, 2017헌바59).

③ (○) 심판대상조항은 피상속인의 4촌 이내의 방계혈족을 상속인의 범위에 포함시키되 그 순위를 피상속인의 직계비속・직계존속 및 형제자매에 이어 4순위로 정하고 있을 뿐, 피상속인의 4촌 이내의 방계혈족에게 상속의 효과를 확정적으로 귀속시키지는 아니한다. 민법은 제1019조 내지 제1021조에서 상속인으로 하여금 법정의 고려기간 내에 상속을 단순승인 또는 한정승인하거나 상속을 포기할 수 있도록 하는 한편 상속인의 구체적 상황에 따라 고려기간의 기산점을 달리 하거나 특별한정승인을 할 수 있도록 규정함으로써, 상속의 효과를 귀속 받을지 여부에 관한 상속인의 선택권을 보장하고 상속인에게 불측의 부담이 부과되는 것을 막는 법적 장치를 마련하고 있다. 그렇다면 입법자가 피상속인의 4촌 이내의 방계혈족을 일률적으로 4순위 법정상속인으로 규정한 것이 자의적인 입법형성권의 행사라고 보기 어렵고, 구체적 사안에서 피상속인의 4촌 이내의 방계혈족이 개인적 사정으로 고려기간 내에 상속포기를 하지 못하여 피상속인의 채무를 변제하게 되는 경우가 발생할 수 있다는 이유만으로 심판대상조항이 입법형성권의 한계를 일탈하였다고 볼 수도 없다. 따라서 심판대상조항은 피상속인의 4촌 이내의 방계혈족의 재산권 및 사적 자치권을 침해하지 아니한다(헌재 2020.2.27, 2018헌가11).

10 정답 ①

① (×) <u>청원사항의 처리결과에 심판서나 재결서에 준하여 이유를 명시할 것을 요구하는 것은 청원권의 보호범위에 포함되지 아니하므로</u>, 청원 소관관서는 청원법이 정하는 절차와 범위 내에서 청원사항을 성실・공정・신속히 심사하고 청원인에게 그 청원을 어떻게 처리하였거나 처리하려 하는지를 알 수 있는 정도로 결과통지함으로써 충분하다(헌재 1994.2.24, 93헌마213).

② (○) 청원이 구체적인 권리행사로서의 성질을 갖지 아니한 단순한 청원인 경우 청원서를 접수한 국가기관은 이를 적정히 처리하여야 할 의무를 부담하나, 그 의무이행은 청원법이 정하는 절차와 범위 내에서 청원사항을 성실・공정・신속히 심사하고 청원인에게 그 청원을 어떻게 처리하였거나 처리하려 하는지를 알 수 있을 정도로 결과통지함으로써 충분하고, 비록 그 처리내용이 청원인이 기대한 바에 미치지 않는다고 하더라도 헌법소원의 대상이 되는 공권력의 행사 또는 불행사가 있다고 볼 수 없다(헌재 2004.10.28, 2003헌마898).

③ (○) 의회에 대한 청원에 국회의원의 소개를 얻도록 한 것은 청원 심사의 효율성을 확보하기 위한 적절한 수단이다. 또한 청원은 일반의안과 같이 처리되므로 청원서 제출단계부터 의원의 관여가 필요하고, 의원의 소개가 없는 민원의 경우에는 진정으로 접수하여 처리하고 있으며, 청원의 소개의원은 1인으로 족한 점 등을 감안할 때 이 사건 법률조항이 국회에 청원을 하려는 자의 청원권을 침해한다고 볼 수 없다(헌재 2006.6.29, 2005헌마604).

④ (○) 청원을 소개한 의원은 소관 위원회 또는 청원심사소위원회의 요구가 있을 때에는 청원의 취지를 설명하여야 한다(국회법 제125조 제3항).

경찰헌법 4회 모의고사 정답 및 해설

제4회 모의고사 정답

01	①	02	①	03	③	04	③	05	③
06	②	07	④	08	③	09	③	10	①

01 정답 ①

① (×) 대한민국의 국민으로서 자진하여 외국 국적을 취득한 자는 그 외국 국적을 취득한 때에 대한민국 국적을 상실한다(국적법 제15조 제1항).

② (○) 국적에 관한 사항은 당해 국가가 역사적 전통과 정치·경제·사회·문화 등 제반사정을 고려하여 결정할 문제인바, 자발적으로 외국 국적을 취득한 자에게 대한민국 국적도 함께 보유할 수 있게 허용한다면, 출입국·체류관리가 어려워질 수 있고, 각 나라에서 권리만 행사하고 병역·납세와 같은 의무는 기피하는 등 복수국적을 악용할 우려가 있으며, 복수국적자로 인하여 외교적 보호권이 중첩되는 등의 문제가 발생할 여지도 있다. 한편, 국적법은 예외적으로 복수국적을 허용함과 동시에, 대한민국 국민이었던 외국인에 대해서는 국적회복허가라는 별도의 용이한 절차를 통해 국적을 회복시켜 주는 조항들을 두고 있다. 따라서 국적법 제15조 제1항이 대한민국 국민인 청구인의 거주·이전의 자유 및 행복추구권을 침해한다고 볼 수 없다(헌재 2014.6.26, 2011헌마502).

③ (○) 대한민국의 국민만이 누릴 수 있는 권리 중 대한민국의 국민이었을 때 취득한 것으로서 양도(讓渡)할 수 있는 것은 그 권리와 관련된 법령에서 따로 정한 바가 없으면 3년 내에 대한민국의 국민에게 양도하여야 한다(국적법 제18조 제2항).

④ (○) 심판대상조항은 국적 취득에 있어 진실성을 담보하고 사회구성원 사이의 신뢰를 확보하며 나아가 국가질서를 유지하기 위한 것으로 입법목적의 정당성이 인정되며, 하자 있는 국적회복허가를 취소하도록 하는 것은 위와 같은 입법목적을 달성하기 위한 적합한 방법이다. 또한 법무부장관은 국적회복허가의 취소 여부를 결정하면서 개입된 위법성의 정도, 위법한 행위가 발생한 시점부터 국적회복허가에 대한 취소권을 행사하는 시점까지 경과된 시간, 국적회복 후 형성된 생활관계나 국적회복허가취소 시 당사자가 받게 될 불이익 등을 충분히 고려하여 국적회복허가취소 여부를 결정할 수 있으므로 심판대상조항은 침해의 최소성에도 반하지 아니한다. 나아가 국적취득에 있어서 적법성 확보가 사회구성원들 사이의 신뢰를 확보하고 국가질서를 유지하는 근간이 됨을 고려할 때 심판대상조항을 통하여 달성하고자 하는 공익이 제한되는 사익에 비해 훨씬 크다고 할 것이므로 심판대상조항은 법익의 균형성도 갖추었다. 따라서 심판대상조항은 과잉금지원칙에 위배하여 거주·이전의 자유 및 행복추구권을 침해하지 아니한다(헌재 2020.2.27, 2017헌바434).

02 정답 ①

① (×) 헌법재판소의 헌법불합치결정에 따라 개선입법이 이루어질 것이 미리 예정되어 있기는 하였으나 그 결정이 내려진 2007.3.29.부터 잠정적용시한인 2008.12.31.까지 상당한 시간적 여유가 있었는데도 국회에서 개선입법이 이루어지지 아니하였다. 그에 따라 청구인들이 2009.1.1.부터 2009.12.31.까지 퇴직연금을 전부 지급받았는데 이는 전적으로 또는 상당 부분 국회가 개선입법을 하지 않은 것에 기인한 것이다. 그럼에도 이미 받은 퇴직연금 등을 환수하는 것은 국가기관의 잘못으로 인한 법집행의 책임을 퇴직공무원들에게 전가시키는 것이며, 퇴직급여를 소급적으로 환수당하지 않을 것에 대한 청구인들의 신뢰이익이 적다고 할 수도 없다. 이 사건 부칙조항으로 달성하려는 공무원범죄의 예방, 공무원의 성실근무 유도, 공무원에 대한 국민의 신뢰 제고, 제재의 실효성 확보 등은 범죄를 저지른 공무원을 당연퇴직시키거나, 장래 지급될 퇴직연금을 감액하는 방법으로 충분히 달성할 수 있고, 이 사건 부칙조항으로 보전되는 공무원연금의 재정규모도 그리 크지 않을 것으로 보이는 반면, 헌법불합치결정에 대한 입법자의 입법개선의무의 준수, 신속한 입법절차를 통한 법률관계의 안정 등은 중요한 공익상의 사유라고 볼 수 있다. 따라서 이 사건 부칙조항은 헌법 제13조 제2항에서 금지하는 소급입법에 해당하며 예외적으로 소급입법이 허용되는 경우에도 해당하지 아니하므로, 소급입법금지원칙에 위반하여 청구인들의 재산권을 침해한다(헌재 2013.8.29, 2011헌바391).

② (○) 이 사건 법률조항들은 현재 공무원으로 재직 중인 자가 퇴직하는 경우 장차 받게 될 퇴직연금의 지급시기를 변경한 것으로, 아직 완성되지 아니한 사실 또는 법률관계를 규율대상으로 하는 부진정소급입법에 해당되는 것이어서 원칙적으로 허용되고, 입법목적으로 달성하고자 하는 연금재정 안정 등의 공익이 손상되는 신뢰에 비하여 우월하다고 할 것이어서 신뢰보호원칙에 위배된다고 볼 수 없다. 따라서 이 사건 법률조항들은 공무원의 재산권을 침해하지 아니한다(헌재 2015.12.23, 2013헌바259).

③ (○) 이 사건 귀속조항은 진정소급입법에 해당하지만, 진정소급입법이라 할지라도 예외적으로 국민이 소급입법을 예상할 수 있었던 경우와 같이 소급입법이 정당화되는 경우에는 허용될 수 있다. 친일재산의 취득 경위에 내포된 민족배반적 성격, 대한민국임시정부의 법통 계승을 선언한 헌법 전문 등에 비추어 친일반민족행위자 측으로서는 친일재산의 소급적 박탈을 충분히 예상할 수 있었고, 친일재산 환수 문제는 그 시대적 배경에 비추어 역사적으로 매우 이례적인 공동체적 과업이므로 이러한 소급입법의 합헌성을 인정한다고 하더라도 이를 계기로 진정소급입법이 빈번하게 발생할 것이라는 우려는 충분히 불식될 수 있다. 따라서 이 사건 귀속조항은 진정소급입법에 해당하나 헌법 제13조 제2항에 반하지 않는다(헌재 2011.3.31, 2008헌바141).

④ (○) 심판대상조항은 개정조항이 시행되기 전 환급세액을 수령한 부분까지 사후적으로 소급하여 개정된 징수조항을 적용

하는 것으로서 헌법 제13조 제2항에 따라 원칙적으로 금지되는 이미 완성된 사실·법률관계를 규율하는 진정소급입법에 해당한다. 법인세를 부당 환급받은 법인은 소급입법을 통하여 이자상당액을 포함한 조세채무를 부담할 것이라고 예상할 수 없었고, 환급세액과 이자상당액을 법인세로서 납부하지 않을 것이라는 신뢰는 보호할 필요가 있다. 나아가 개정 전 법인세법 아래에서도 환급세액을 부당이득 반환청구를 통하여 환수할 수 있었으므로, 신뢰보호의 요청에 우선하여 진정소급입법을 하여야 할 매우 중대한 공익상 이유가 있다고 볼 수도 없다(헌재 2014.7.24. 2012헌바105).

03 정답 ③

③ (×) 헌법 제13조 제1항 후단에 규정된 이중처벌금지의 원칙에 있어 '처벌'이라 함은 원칙적으로 범죄에 대한 국가 형벌권 실행으로서의 형벌을 의미하는 것인데, 선거권 제한조항이 정하는 선거권의 제한은 범죄에 대한 국가 형벌권의 실행으로서의 형벌에 해당하지 않음이 명백하므로, 이 점에 대해서는 더 나아가 판단하지 않는다(헌재 2018.1.25. 2015헌마821).

① (○) 집행유예자와 수형자의 선거권 제한은 범죄자가 범죄의 대가로 선고받은 자유형의 본질에서 당연히 도출되는 것이 아니므로, 범죄자의 선거권 제한 역시 보통선거원칙에 기초하여 필요 최소한의 정도에 그쳐야 한다(헌재 2014.1.28. 2012헌마409).

② (○) 심판대상조항에 따른 선거권 제한 기간은 각 수형자의 형의 집행이 종료될 때까지이므로, 형사책임의 경중과 선거권 제한 기간은 비례하게 된다. 심판대상조항이 과실범, 고의범 등 범죄의 종류를 불문하고, 침해된 법익의 내용을 불문하며, 형 집행 중에 이뤄지는 재량적 행정처분인 가석방 여부를 고려하지 않고 선거권을 제한한다고 하여 불필요한 제한을 부과한다고 할 수 없다. 1년 이상의 징역형을 선고받은 사람의 선거권을 제한함으로써 형사적·사회적 제재를 부과하고 준법의식을 강화한다는 공익이, 형 집행기간 동안 선거권을 행사하지 못하는 수형자 개인의 불이익보다 작다고 할 수 없다. 따라서 심판대상조항은 과잉금지원칙을 위반하여 청구인의 선거권을 침해하지 아니한다(헌재 2017.5.25. 2016헌마292).

④ (○) 이 사건 법률조항은 비선거범죄가 선거범죄의 양형에 영향을 미치는 것을 최소화하기 위한 방안인 분리 선고 규정을 두지 아니하여 선거범죄와 다른 죄의 동시적 경합범의 경우 변론을 분리하지 않고 하나의 형을 선고하고, 그 선고형 전부를 선거범죄에 대한 형으로 의제하여 임원 자격의 제한 여부를 확정할 수밖에 없게 함으로써, 입법목적의 달성에 필요한 정도를 넘어서는 과도한 제한을 하여 침해의 최소성원칙에 위반된다. 그리고 이 사건 법률조항으로 인하여 달성하고자 하는 새마을금고 임원 선거제도의 공정성 확보라는 공익에 비하여 새마을금고의 임원이 되고자 하거나 이미 임원으로 당선된 사람이 그 자격을 박탈당함으로써 제한받는 사익의 정도가 더 중대하다고 할 것이므로 법익의 균형성원칙에도 위반된다. 따라서 이 사건 법률조항은 과잉금지원칙에 반하여 새마을금고 임원이나 임원이 되고자 하는 사람의 직업선택의 자유를 침해한다. 한편 이 사건 법률조항이 분리 선고 규정을 두지 않은 결과, 선거범죄가 경미하여 그것만으로 처벌되는 때에는 100만 원 미만의 벌금형을 선고받을 수 있음에도 불구하고 다른 범죄와 경합범으로 함께 처벌되면 100만 원 이상의 벌금형이나 징역형을 선고받을 수 있어 임원직을 상실할 수도 있게 되는바, 이 사건 법률조항은 선거범죄와 다른 죄의 경합범으로 기소, 처벌되는 사람과 별도로 기소, 처벌되는 사람 사이에 합리적 이유 없이 차별대우를 하는 결과를 초래하므로 헌법상 평등원칙에도 위반된다(헌재 2014.9.25. 2013헌바208 헌법불합치).

04 정답 ③

③ (×) 국가가 국민의 기본권 보호의무를 이행함에 있어 그 행위의 형식에 관하여도 폭넓은 형성의 자유가 인정되고, 그것도 반드시 법령에 의하여 이행하여야 하는 것은 아니며, 이 사건 고시와 같이 국가가 쇠고기 소비자의 생명·신체의 안전에 관한 보호의무를 이행하기 위하여 취한 행위의 경우 법령의 위임이 없거나 그 위임의 범위를 벗어난 것이라는 사유만으로는 보호의무를 위반하거나 그로 인하여 소비자의 기본권을 침해한 것으로 볼 수 없으므로, 청구인들의 이 부분 주장은 더 나아가 판단할 필요 없이 이유 없다(헌재 2008.12.26. 2008헌마419).

① (○) 기본권 보호의무란 기본권적 법익을 기본권 주체인 사인에 의한 위법한 침해 또는 침해의 위험으로부터 보호하여야 하는 국가의 의무를 말하며, 주로 사인인 제3자에 의한 개인의 생명이나 신체의 훼손에서 문제되는데, 이는 타인에 의하여 개인의 신체나 생명 등 법익이 국가의 보호의무 없이는 무력화될 정도의 상황에서만 적용될 수 있다(헌재 2009.2.26. 2005헌마764).

② (○) 국민의 기본권에 대한 국가의 적극적 보호의무는 궁극적으로 입법자의 입법행위를 통하여 비로소 실현될 수 있는 것이기 때문에, 입법자의 입법행위를 매개로 하지 아니하고 단순히 기본권이 존재한다는 것만으로 헌법상 광범위한 방어적 기능을 갖게 되는 기본권의 소극적 방어권으로서의 측면과 근본적인 차이가 있다. 즉 기본권에 대한 보호의무자로서의 국가는 국민의 기본권에 대한 침해자로서의 지위에 서는 것이 아니라 국민과 동반자로서의 지위에 서는 점에서 서로 다르다(헌재 1997.1.16. 90헌마110).

④ (○) 헌법재판소는 권력분립의 관점에서 소위 "과소보호금지원칙"을, 즉 국가가 국민의 법익보호를 위하여 적어도 적절하고 효율적인 최소한의 보호조치를 취했는가를 기준으로 심사하게 된다. 따라서 입법부작위나 불완전한 입법에 의한 기본권의 침해는 입법자의 보호의무에 대한 명백한 위반이 있는 경우에만 인정될 수 있다. 다시 말하면 국가가 국민의 법익을 보호하기 위하여 전혀 아무런 보호조치를 취하지 않았든지

아니면 취한 조치가 법익을 보호하기에 명백하게 전적으로 부적합하거나 불충분한 경우에 한하여 헌법재판소는 국가의 보호의무의 위반을 확인할 수 있을 뿐이다(헌재 1997.1.16, 90헌마110).

05 정답 ③

③ (×) 2014.5.21. 법률 제12668호로 개정된 '독립유공자예우에 관한 법률'은 대통령령으로 정하는 생활수준 등을 고려하여 손자녀 1명에게 보상금을 지급하도록 한바, 유족의 생활안정과 복지 향상을 도모하기 위하여 보상금이 가장 필요한 손자녀에게 보상금을 지급하여 보상금 수급권의 실효성을 보장하면서 아울러 국가의 재정부담 능력도 고려하였다. 아울러 독립유공자법은 2018.4.6. 법률 제15550호 개정으로 제14조의5를 신설하여 독립유공자법 제12조에 따른 보상금을 받지 아니하는 손자녀에게 생활안정을 위한 지원금을 지급할 수 있도록 한바, 보상금을 지급받지 못하는 손자녀들에 대한 생활보호 대책을 마련하고 독립유공자법에 따른 보훈에 있어 손자녀 간의 형평성도 고려하였다. 위와 같은 사정을 종합해 볼 때, 심판대상조항에 나타난 입법자의 선택이 명백히 그 재량을 일탈한 것이라고 보기 어려우므로 심판대상조항은 청구인의 평등권을 침해하지 아니한다(헌재 2018.6.28, 2015헌마304 기각).

① (○) 이 사건 부칙조항은 개정 전 공직자윤리법 조항이 혼인관계에서 남성과 여성에 대한 차별적 인식에 기인한 것이라는 반성적 고려에 따라 개정 공직자윤리법 조항이 시행되었음에도 불구하고, 일부 혼인한 여성 등록의무자에게 이미 개정 전 공직자윤리법 조항에 따라 재산등록을 하였다는 이유만으로 남녀차별적인 인식에 기인하였던 종전의 규정을 따를 것을 요구하고 있다. 그런데 혼인한 남성 등록의무자와 달리 혼인한 여성 등록의무자의 경우에만 본인이 아닌 배우자의 직계존·비속의 재산을 등록하도록 하는 것은 여성의 사회적 지위에 대한 그릇된 인식을 양산하고, 가족관계에 있어 시가와 친정이라는 이분법적 차별구조를 정착시킬 수 있으며, 이것이 사회적 관계로 확장될 경우에는 남성우위·여성비하의 사회적 풍토를 조성하게 될 우려가 있다. 이는 성별에 의한 차별금지 및 혼인과 가족생활에서의 양성의 평등을 천명하고 있는 헌법에 정면으로 위배되는 것으로 그 목적의 정당성을 인정할 수 없다. 따라서 이 사건 부칙조항은 평등원칙에 위배된다(헌재 2021.9.30, 2019헌가3 위헌).

② (○) 나이에 따른 차별은 연장자를 연소자에 비해 우대하는 전통적인 유교사상에 기초한 것으로 보이나, 부모 중 나이가 많은 자가 나이가 적은 자를 부양한다고 일반화할 합리적인 이유가 없고, 부모 상호 간에 노동능력 감소 및 부양능력에 현저히 차이가 있을 정도의 나이 차이를 인정하기 어려운 경우도 많다. 오히려 직업이나 보유재산에 따라 연장자가 경제적으로 형편이 더 나은 경우에도 그보다 생활이 어려운 유족을 배제하면서까지 연장자라는 이유로 보상금을 지급하는 것은 보상금 수급권이 갖는 사회보장적 성격에 부합하지 아니한다. 따라서 심판대상조항은 국가가 보훈보상대상자의 유족인 부모에게 보상금을 지급함에 있어 합리적인 이유 없이 보상금 수급권자의 수를 일률적으로 제한하고, 부모 중 나이가 많은 자와 그렇지 않은 자를 합리적인 이유 없이 차별하고 있으므로 나이가 적은 부모의 평등권을 침해하여 헌법에 위반된다(헌재 2018.6.28, 2016헌가14 헌법불합치).

④ (○) 6·25전몰군경자녀 중 1명에게만 6·25전몰군경자녀수당을 지급한다면, 소액의 수당조차 전혀 지급받지 못하는 자녀의 생활보호는 미흡하게 된다. 국가의 재정부담 능력 등 때문에 이 사건 수당의 지급 총액이 일정액으로 제한될 수밖에 없다고 하더라도, 그 범위 내에서 생활정도에 따라 이 사건 수당을 적절히 분할해서 지급한다면 이 사건 수당의 지급 취지를 살리면서도 1명에게만 지급됨으로 인해 발생하는 불합리를 해소할 수 있다. 따라서 이 사건 법률조항이 6·25전몰군경자녀 중 1명에 한정하여 이 사건 수당을 지급하도록 하고 수급권자의 수를 확대할 수 있는 어떠한 예외도 두지 않은 것에는 합리적 이유가 있다고 보기 어렵다. 산업화에 따른 핵가족화의 영향으로 형제간에도 결혼 후에는 경제적으로 의존하는 경우가 많지 않아 연장자인 자녀가 다른 자녀를 부양할 것을 기대하기 어렵고, 제사문화 역시 변화하고 있어 연장자가 반드시 제사주재자가 된다고 볼 수도 없다. 직업이나 보유재산 등에 따라서 연장자의 경제적 사정이 가장 좋은 경우도 있을 수 있다. 따라서 이 사건 법률조항이 6·25전몰군경자녀 중 나이가 많은 자를 이 사건 수당의 선순위 수급권자로 정하는 것은 이 사건 수당이 가지는 사회보장적 성격에 부합하지 아니하고, 나이가 많다는 우연한 사정을 기준으로 이 사건 수당의 지급순위를 정하는 것으로 합리적인 이유가 없다. 따라서 이 사건 법률조항은 나이가 적은 6·25전몰군경자녀의 평등권을 침해한다(헌재 2021.3.25, 2018헌가6 헌법불합치).

06 정답 ②

② (×) 헌법재판소는 강제처분의 개념에 대해 "물리적 강제력을 행사하는 경우뿐 아니라, '상대방에게 의무를 부담하게 하는 경우'가 강제처분에 포함된다고 하거나 '상대방의 의사에 반하여 실질적으로 법익 또는 기본권을 침해하는 처분'이면 강제처분에 해당된다고 본다면 지문채취의 간접적인 강요 역시 강제처분으로 볼 수도 있다. 그러나 수사절차에서 발생하는 의무부담 또는 기본권 제한의 경우 그 범위가 광범위하여 명확한 기준을 제시해 준다고 볼 수 없고, 모든 의무부담 또는 기본권 제한을 법관이 발부한 영장에 의하도록 하는 것이 가능하지도 않다. 이러한 이유로 우리 재판소는 영장주의가 적용되는 강제처분을 '물리적 강제력을 행사하는 경우'로 제한하고 있다."고 판시하였다(헌재 2004.9.23, 2002헌가17).

① (○) 헌법 제12조 제3항은 '체포·구속·압수 또는 수색을 할 때에는 적법한 절차에 따라 검사의 신청에 의하여 법관이 발부한 영장을 제시하여야 한다.'라고 규정하고, 헌법 제16조는

'주거에 대한 압수나 수색을 할 때에는 검사의 신청에 의하여 법관이 발부한 영장을 제시하여야 한다.'라고 규정함으로써 영장주의를 헌법적 차원에서 보장하고 있다. 우리 헌법이 채택하여 온 영장주의는 형사절차와 관련하여 체포・구속・압수・수색의 강제처분을 함에 있어서는 사법권 독립에 의하여 신분이 보장되는 법관이 발부한 영장에 의하지 않으면 아니된다는 원칙이다. 따라서 헌법상 영장주의의 본질은 체포・구속・압수・수색 등 기본권을 제한하는 강제처분을 함에 있어서는 중립적인 법관의 구체적 판단을 거쳐야 한다는 데에 있다(헌재 2018.6.28. 2012헌마191).

③ (○) 헌법 제12조 제3항 중 "검사의 신청"이라는 부분의 취지도 모든 영장의 발부에 검사의 신청이 필요하다는 것이 아니라 수사단계에서 영장의 발부를 신청할 수 있는 자를 검사로 한정한 것으로 해석함이 타당하다(헌재 1997.3.27. 96헌바28).

④ (○) 헌법에 규정된 영장신청권자로서의 검사는 검찰권을 행사하는 국가기관인 검사로서 공익의 대표자이자 수사단계에서의 인권옹호기관으로서의 지위에서 그에 부합하는 직무를 수행하는 자를 의미하는 것이지, 검찰청법상 검사만을 지칭하는 것으로 보기 어렵다. 검찰청법 제4조에 따른 검사의 직무 및 군사법원법 제37조에 따른 군검사의 직무를 수행하는 수사처검사는 공익의 대표자로서 다른 수사기관인 수사처수사관을 지휘・감독하고, 단지 소추권자로서 처벌을 구하는 데에 그치는 것이 아니라 피고인의 이익도 함께 고려하는 인권옹호기관으로서의 역할을 한다. 또한 수사처검사는 변호사 자격을 일정 기간 보유한 사람 중에서 임명하도록 되어 있으므로, 법률전문가로서의 자격도 충분히 갖추었다. 따라서 공수처법 제8조 제4항은 영장주의원칙을 위반하여 청구인들의 신체의 자유 등을 침해하지 않는다(헌재 2021.1.28. 2020헌마264).

07 정답 ④

④ (×) 일반적으로 경제적 내지 직업적 활동은 복합적인 사회적 관계를 전제로 하여 다수 주체 간의 상호작용을 통하여 이루어지는 것이고, 특히 변호사의 업무는 다른 어느 직업적 활동보다도 강한 공공성을 내포한다는 점 등을 감안하여 볼 때, 변호사의 업무와 관련된 수임사건의 건수 및 수임액이 변호사의 내밀한 개인적 영역에 속하는 것이라고 보기 어렵고, 따라서 이 사건 법률조항이 청구인들의 사생활의 비밀과 자유를 침해하는 것이라 할 수 없다(헌재 2009.10.29. 2007헌마667).

① (○) 접견내용을 녹음・녹화하는 경우 수용자 및 그 상대방에게 그 사실을 말이나 서면 등으로 알려주어야 하고 취득된 접견기록물은 법령에 의해 보호・관리되고 있으므로 사생활의 비밀과 자유에 대한 침해를 최소화하는 수단이 마련되어 있다는 점, 청구인이 나눈 접견내용에 대한 사생활의 비밀로서의 보호가치에 비해 증거인멸의 위험을 방지하고 교정시설 내의 안전과 질서유지에 기여하려는 공익이 크고 중요하다는 점에 비추어 볼 때, 이 사건 접견참여・기록이 청구인의 사생활의 비밀과 자유를 침해하였다고 볼 수 없다(헌재 2014.9.25. 2012헌마523).

② (○) 이 사건 녹음행위는 교정시설 내의 안전과 질서유지에 기여하기 위한 것으로서 그 목적이 정당할 뿐 아니라 수단이 적절하다. 또한, 소장은 미리 접견내용의 녹음 사실 등을 고지하며, 접견기록물의 엄격한 관리를 위한 제도적 장치도 마련되어 있는 점 등을 고려할 때 침해의 최소성 요건도 갖추었고, 이 사건 녹음행위는 미리 고지되어 청구인의 접견내용은 사생활의 비밀로서의 보호가치가 그리 크지 않다고 할 것이므로 법익의 불균형을 인정하기도 어려워, 과잉금지원칙에 위반하여 청구인의 사생활의 비밀과 자유를 침해하였다고 볼 수 없다(헌재 2012.12.27. 2010헌마153).

③ (○) 이 사건 녹음조항은 수용자의 증거인멸의 가능성 및 추가범죄의 발생 가능성을 차단하고, 교정시설 내의 안전과 질서유지를 위한 것으로 목적의 정당성이 인정되며, 수용자는 증거인멸 또는 형사 법령 저촉 행위를 할 경우 쉽게 발각될 수 있다는 점을 예상하여 이를 억제하게 될 것이므로 수단의 적합성도 인정된다. 미결수용자는 접견 시 지인 등을 통해 자신의 범죄에 대한 증거를 인멸할 가능성이 있고, 마약류사범의 경우 그 중독성으로 인하여 교정시설 내부로 마약을 반입하여 복용할 위험성도 있으므로 교정시설 내의 안전과 질서를 유지할 필요성은 매우 크다. 또한, 교정시설의 장은 미리 접견내용의 녹음 사실 등을 고지하며, 접견기록물의 엄격한 관리를 위한 제도적 장치도 마련되어 있는 점 등을 고려할 때 침해의 최소성 요건도 갖추고 있다. 나아가 청구인의 접견내용을 녹음・녹화함으로써 증거인멸이나 형사 법령 저촉 행위의 위험을 방지하고, 교정시설 내의 안전과 질서유지에 기여하려는 공익은 미결수용자가 받게 되는 사익의 제한보다 훨씬 크고 중요하므로 법익의 균형성도 인정된다. 따라서 이 사건 녹음조항은 과잉금지원칙에 위배되어 청구인의 사생활의 비밀과 자유 및 통신의 비밀을 침해하지 아니한다(헌재 2016.11.24. 2014헌바401).

08 정답 ③

③ (×) 국가공무원법조항 중 '그 밖의 정치단체'에 관한 부분은 '국가공무원법 제2조 제2항 제2호의 교육공무원 가운데 초・중등교육법 제19조 제1항의 교원은 그 밖의 정치단체의 결성에 관여하거나 이에 가입할 수 없다.'라고 규정하고 있다. 이를 위반한 자는 국가공무원법 제84조 제1항에 의하여 처벌되므로, 위 조항은 형벌의 구성요건을 규정하는 법률조항에 해당한다. 또한 위 조항은 교원이 정치단체의 결성에 관여하거나 이에 가입하는 행위를 금지함으로써 나머지 청구인들의 정치적 표현의 자유 및 결사의 자유를 제한하고 있다(헌재 2012.3.29. 2010헌마97). 그렇다면 국가공무원법조항 중 '그 밖의 정치단체'에 관한 부분은 죄형법정주의원칙에서 파생되는 명확성원칙뿐만 아니라 표현의 자유를 규제하는 입법에 있어서의 명확성원칙에 부합하여야 하며, 그 정도는 엄격한

의미에서의 명확성이라 할 것이다(헌재 2020.4.23, 2018헌마551).

① (○) 불명확한 규범에 의한 규제는 헌법상 보호받는 표현에 대한 위축적 효과를 야기하고, 그로 인하여 다양한 의견, 견해, 사상의 표출을 통한 상호 검증이라는 표현의 자유의 본래의 기능을 상실하게 한다. 따라서 표현의 자유를 규제하는 법률은 규제되는 표현의 개념을 세밀하고 명확하게 규정할 것이 헌법적으로 요구된다(헌재 2013.6.27, 2012헌바37).

② (○) 표현의 자유를 규제하는 경우에 헌법이 요청하는 명확성의 기준이 일반적으로 강화된다고 할 것이고, 특히 국가공무원법조항 중 '그 밖의 정치단체'에 관한 부분과 같이, 어떤 단체에 가입하는가에 관한 집단적 형태의 '표현의 내용'에 근거한 규제인 경우에는, 더욱 더 규제되는 표현의 개념을 세밀하고 명확하게 규정할 것이 요구된다(헌재 2002.6.27, 99헌마480 참조).

④ (○) 표현의 자유를 제한하는 규제 대상이 다양·다기하다 하더라도, 개별화·유형화를 통한 명확성의 추구를 포기하여서는 아니 되고, 부득이한 경우 국가는 표현에 대한 규제의 과잉보다는 오히려 규제의 부족을 선택하여야 할 것이다. 해악이 명백히 검증된 것이 아닌 표현을 규제하는 것은 득보다 실이 크다고 보는 것이 표현의 자유의 본질이기 때문이다(헌재 2002.6.27, 99헌마480).

09 정답 ③

③ (×) 변호사가 세무나 회계 등과 관련한 법률사무를 처리할 수 있다고 하여 변호사에게 반드시 세무사의 자격이 부여되어야 하는 것은 아니고 변호사에 대하여 세무사 자격을 부여할 것인지 여부는 국가가 입법 정책적으로 결정할 사안이라는 점, 세무사법은 세무사 제도가 정착되고 세무대리시장의 수급이 안정됨에 따라 세무사 자격 자동부여 대상을 점차 축소하는 방향으로 개정되어 왔다는 점, 변호사에게 세무사의 자격을 부여하면서도 현행법상 실무교육에 더하여 세무대리 업무에 특화된 추가교육을 이수하도록 하는 등의 대안을 통해서는 세무사 자격 자동부여와 관련된 특혜시비를 없애고 일반 국민과의 형평을 도모한다는 입법목적을 달성할 수 없는 점, 변호사의 자격을 가진 사람은 세무사 자격이 없더라도 세무사법 제2조 각 호에 열거되어 있는 세무사의 직무 중 변호사의 직무로서 할 수 있는 세무대리를 수행할 수 있고 현행법상 조세소송대리는 변호사만이 독점적으로 수행할 수 있는 점 등을 고려하면, 이 사건 법률조항이 피해의 최소성 원칙에 반한다고 보기 어렵다. 나아가, 청구인들은 이 사건 법률조항으로 인하여 변호사의 직무로서 세무대리를 하는 것 외에는 세무대리를 할 수 없게 되어 업무의 범위가 축소되는 불이익을 입었으나, 이러한 불이익이 위 조항으로 달성하고자 하는 공익보다 크다고 볼 수 없다. 따라서 이 사건 법률조항은 과잉금지원칙에 반하여 청구인들의 직업선택의 자유를 침해한다고 볼 수 없다(헌재 2021.7.15, 2018헌마279 기각).

① (○) 심판대상조항은 청원경찰이 저지른 범죄의 종류나 내용을 불문하고 금고 이상의 형의 선고유예를 받게 되면 당연히 퇴직되도록 규정함으로써 청원경찰에게 공무원보다 더 가혹한 제재를 가하고 있으므로, 침해의 최소성 원칙에 위배된다. 심판대상조항은 청원경찰이 저지른 범죄의 종류나 내용을 불문하고 범죄행위로 금고 이상의 형의 선고유예를 받게 되면 당연히 퇴직되도록 규정함으로써 그것이 달성하려는 공익의 비중에도 불구하고 청원경찰의 직업의 자유를 과도하게 제한하고 있어 법익의 균형성 원칙에도 위배된다. 따라서 심판대상조항은 과잉금지원칙에 반하여 직업의 자유를 침해한다(헌재 2018.1.25, 2017헌가26 위헌).

② (○) 세법 및 관련 법령에 대한 해석·적용에 있어서는 세무사나 공인회계사보다 변호사에게 오히려 전문성과 능력이 인정됨에도 불구하고, 심판대상조항은 세무사 자격 보유 변호사로 하여금 세무대리를 일체 할 수 없도록 전면적으로 금지하고 있으므로, 수단의 적합성을 인정할 수 없다. 세무사 자격 보유 변호사는 법률에 의해 세무사의 자격을 부여받은 이상 그 자격에 따른 업무를 수행할 자유를 회복한 것이고, 세무사의 업무 중 세법 및 관련 법령에 대한 해석·적용이 필요한 업무에 대한 전문성과 능력이 인정됨에도 불구하고, 심판대상조항이 세무사 자격 보유 변호사에 대하여 세무사로서의 세무대리를 일체 할 수 없도록 전면 금지하는 것은 세무사 자격 부여의 의미를 상실시키는 것일 뿐만 아니라, 세무사 자격에 기한 직업선택의 자유를 지나치게 제한하는 것이다. 따라서 심판대상조항은 침해의 최소성에도 반한다. 세무사로서 세무대리를 일체 할 수 없게 됨으로써 세무사 자격 보유 변호사가 받게 되는 불이익이 심판대상조항으로 달성하려는 공익보다 경미하다고 보기 어려우므로, 심판대상조항은 법익의 균형성도 갖추지 못하였다. 그렇다면, 심판대상조항은 과잉금지원칙을 위반하여 세무사 자격 보유 변호사의 직업선택의 자유를 침해하므로 헌법에 위반된다(헌재 2018.4.26, 2015헌가19 헌법불합치).

④ (○) 이 사건 법률조항은 아동학대관련범죄전력자를 10년 동안 아동관련기관인 체육시설 및 '초·중등교육법' 제2조 각 호의 학교에 취업을 제한하는 방법으로 아동학대를 예방함으로써, 아동들이 행복하고 안전하게 자라나게 하는 동시에 체육시설 및 학교에 대한 윤리성과 신뢰성을 높여 아동 및 그 보호자가 이들 기관을 믿고 이용할 수 있도록 하는 입법목적을 지니는바 이러한 입법목적은 정당하다. 그러나 이 사건 법률조항은 아동학대관련범죄전력만으로 그가 장래에 동일한 유형의 범죄를 다시 저지를 것을 당연시하고, 형의 집행이 종료된 때부터 10년이 경과하기 전에는 결코 재범의 위험성이 소멸하지 않는다고 보며, 각 행위의 죄질에 따른 상이한 제재의 필요성을 간과함으로써, 아동학대관련범죄전력자 중 재범의 위험성이 없는 자, 아동학대관련범죄전력이 있지만 10년의 기간 안에 재범의 위험성이 해소될 수 있는 자, 범행의 정도가 가볍고 재범의 위험성이 상대적으로 크지 않은 자에게까지 10년 동안 일률적인 취업제한을 부과하고 있는데, 이는

침해의 최소성 원칙과 법익의 균형성 원칙에 위배된다. 따라서 이 사건 법률조항은 청구인들의 직업선택의 자유를 침해한다(헌재 2018.6.28. 2017헌마130 위헌).

10 정답 ①

① (×) 검정고시 응시자격을 제한하는 것은, 국민의 교육받을 권리 중 그 의사와 능력에 따라 균등하게 교육받을 것을 국가로부터 방해받지 않을 권리, 즉 자유권적 기본권을 제한하는 것이므로, 그 제한에 대하여는 헌법 제37조 제2항의 비례원칙에 의한 심사, 즉 과잉금지원칙에 따른 심사를 받아야 할 것이다(헌재 2012.5.31. 2010헌마139).

② (○) 교육을 받을 권리가 국가에 대하여 특정한 교육제도나 시설의 제공을 요구할 수 있는 권리를 뜻하는 것은 아니므로, 청구인이 이 사건 도서관에서 도서를 대출할 수 없거나 열람실을 이용할 수 없더라도 청구인의 교육을 받을 권리가 침해된다고 볼 수 없다(헌재 2016.11.24. 2014헌마977).

③ (○) 헌법 제31조 제1항에 의해서 보장되는 교육을 받을 권리는 교육영역에서의 기회균등을 내용으로 하는 것이지, 자신의 교육환경을 최상 혹은 최적으로 만들기 위해 타인의 교육시설 참여 기회를 제한할 것을 청구할 수 있는 기본권은 아니므로, 기존의 재학생들에 대한 교육환경이 상대적으로 열악해질 수 있음을 이유로 새로운 편입학 자체를 하지 말도록 요구하는 것은 교육을 받을 권리의 내용으로는 포섭할 수 없다. 한편 청구인들은 이 사건 공고들이 고등교육법 시행령 제29조 제2항 제3호를 위반한 것이라고 주장하고 있으나, 위 조항에 의해 막바로 교육대학교 재학생들에게 가령 '학칙에서 정한 입학생 또는 편입생 정원 범위 내에서만 수업을 받을 권리' 등이 부여된다든가 기타 법률상 이익이 인정되는 것은 아니므로, 결국 청구인들은 위 조항의 위반 여부에 관하여 단지 사실적·반사적 이익을 가지는 데 그치는 것으로 볼 것이다(헌재 2003.9.25. 2001헌마814).

④ (○) 헌법 제31조 제1항에 의하여 국가에게 능력에 따라 균등한 교육의 기회를 보장할 의무가 부여되어 있다 하더라도 이로부터 군인이 자기계발을 위하여 해외유학하는 경우에 그 교육비를 청구할 수 있는 권리가 도출된다고 할 수는 없다. 또한, 동일한 사유로 휴직하는 다른 공무원에게 봉급의 일부를 지급할 수 있도록 하는 것이 교육비에 충당될 것을 예정하고 있는 것도 아니므로 자비 해외유학을 위한 휴직기간 동안 봉급 일부를 지급할지 여부와 청구인의 교육을 받을 권리의 침해 여부는 직접적인 관련성을 가지지 못한다고 할 것이다. 따라서 이 사건 법률조항으로 인하여 청구인의 교육을 받을 권리가 침해되었다고 할 수 없다(헌재 2009.4.30. 2007헌마290).

경찰헌법 5회 모의고사 정답 및 해설

제5회 모의고사 정답

01	①	02	③	03	④	04	①	05	③
06	③	07	②	08	②	09	③	10	③

01 정답 ①

① (×) 헌법 조항 및 이를 구체화하는 교육기본법과 초·중등교육법은 '대한민국이 유엔에서 승인한 한국의 유일한 합법정부'라는 내용을 교육과정에 포함시키도록 명시적으로 위임하고 있지 않다. 또한 사회의 구성원으로서 기본적인 품성과 보편적인 자질을 배양하고자 하는 초·중등교육의 목적에 비추어 보면, 위와 같은 내용을 교육과정에 명시할 구체적 작위의무가 대한민국의 발전과정을 이해하고 역사적 판단력과 문제해결능력, 비판적 사고력의 기초를 형성하는데 불가결한 것으로서 관련 법률의 해석상 발생한다고 보기도 어렵다(헌재 2021.5.27, 2018헌마1108).

② (○) 국가재건비상조치법 제3조에 의하면 "헌법에 규정된 국민의 기본적 권리는 혁명과업 수행에 저촉되지 아니하는 범위 내에서 보장된다."라고 규정하였고 같은 법 제24조에 의하면 "헌법의 규정 중 이 비상조치법에서 저촉되는 규정은 이 비상조치법에 의한다."라고 규정하였고 같은 법 제9조에 의하면 "헌법에 규정된 국회의 권한은 국가재건최고회의가 이를 행한다."라고 규정하였으므로 위의 국가재건비상조치법이 헌법과 같은 효력이 있는 기본법임을 알 수 있다(대판 1963.11.7, 63초8).

③ (○) 국가보위에 관한 특별조치법은 초헌법적인 국가긴급권을 대통령에게 부여하고 있다는 점에서 이는 헌법을 부정하고 파괴하는 반입헌주의, 반법치주의의 위헌법률이다(헌재 1994.6.30, 92헌가18).

④ (○) 국가보위입법회의에서 제정된 법률은 "그 내용"이 현행 헌법에 저촉된다고 하여 이를 다투는 것은 별론으로 하고 "그 제정절차"에 하자가 있다는 것을 이유로 하여 이를 다툴 수는 없다고 보아야 할 것이다(헌재 1997.1.16, 89헌마240).

02 정답 ③

③ (×) 청구인은 영토주권을 수호할 의무를 가진 대한민국 국민으로서 독도를 일본의 영토라고 주장하고 있는 주한 일본대사관을 대상으로 항의집회를 하려고 하였으나 이 사건 법률조항에 의하여 그 의무를 다하지 못하게 되었으므로 이는 청구인의 영토권을 침해하는 것이라고 주장하나, 청구인이 주한 일본대사관을 대상으로 항의집회를 하는 것이 영토권을 행사하는 것이라 할 수 없는바, 이 사건 법률조항에 의한 영토권의 침해는 발생하지 않는다(헌재 2010.10.28, 2010헌마111).

① (○) 우리 헌법이 "대한민국의 영토는 한반도와 그 부속도서로 한다"는 영토조항을 두고 있는 이상 대한민국의 헌법은 북한지역을 포함한 한반도 전체에 효력이 미치고 따라서 북한지역은 당연히 대한민국의 영토가 된다(헌재 2005.6.30, 2003헌바114).

② (○) 국민의 개별적 기본권이 아니라도 기본권보장의 실질화를 위하여 영토조항만을 근거로 하여 독자적으로는 헌법소원을 청구할 수 없다 할지라도 모든 국가권능의 정당성의 근원인 국민의 기본권 침해에 대한 권리구제를 위하여 그 전제조건으로서 영토에 관한 권리를 영토권이라 구성하여 헌법소원의 대상인 기본권의 하나로 간주하는 것은 가능하다(헌재 2001.3.21, 99헌마139).

④ (○) 현 단계에 있어서의 북한은 조국의 평화적 통일을 위한 대화와 협력의 동반자임과 동시에 대남적화노선을 고수하면서 우리 자유민주체제의 전복을 획책하고 있는 반국가단체라는 성격도 함께 갖고 있음이 엄연한 현실인 점에 비추어, 헌법 제4조가 천명하는 자유민주적 기본질서에 입각한 평화적 통일정책을 수립하고 이를 추진하는 한편 국가의 안전을 위태롭게 하는 반국가활동을 규제하기 위한 법적 장치로서, 전자를 위하여는 남북교류협력에 관한 법률 등의 시행으로써 이에 대처하고 후자를 위하여는 국가보안법의 시행으로써 이에 대처하고 있는 것이다. 이와 같이 국가보안법과 남북교류협력에 관한 법률은 상호 그 입법목적과 규제대상을 달리하고 있는 관계로 구 국가보안법 제6조 제1항 소정의 잠입·탈출죄에서의 "잠입·탈출"과 남북교류법 제27조 제2항 제1호 소정의 죄에서의 "왕래"는 그 각 행위의 목적이 다르다고 해석되고, 따라서 두 죄는 각기 그 구성요건을 달리하고 있다고 보아야 할 것이므로, 위 두 법률조항에 관하여 형법 제1조 제2항의 신법우선의 원칙이 적용될 수 없다(헌재 1993.7.29, 92헌바48).

03 정답 ④

④ (×) 정당의 설립 및 가입을 금지하는 법률조항은 이를 정당화하는 사유의 중대성에 있어서 적어도 '민주적 기본질서에 대한 위반'에 버금가는 것이어야 한다고 판단된다. 다시 말하면, 오늘날의 의회민주주의가 정당의 존재 없이는 기능할 수 없다는 점에서 심지어 '위헌적인 정당을 금지해야 할 공익'도 정당설립의 자유에 대한 입법적 제한을 정당화하지 못하도록 규정한 것이 헌법의 객관적인 의사라면, 입법자가 그 외의 공익적 고려에 의하여 정당설립금지조항을 도입하는 것은 원칙적으로 헌법에 위반된다. 따라서 정당설립금지의 규정이 정당의 위헌성이나 정치적 성격 때문이 아니라 비록 다른 공익을 실현하기 위하여 도입된다 하더라도, 금지규정이 달성하려는 공익은 매우 중대한 것이어야 한다는 것을 뜻한다(헌재 1999.12.23, 99헌마135).

① (○) 정당설립의 자유는 '국민 개인과 정당의 기본권'이라 할 수 있고, 당연히 이를 근거로 하여 헌법소원심판을 청구할 수 있다. 정당법상 정당등록요건을 다투는 사건에서도 헌법 제21조 제1항 결사의 자유의 특별규정으로서, 헌법 제8조 제1항 전단의 정당설립의 자유의 침해 여부가 문제된다(헌재 2006.3.30, 2004헌마246).

② (○) 정당설립의 자유는 헌법 제8조 제1항 전단에 규정되어 있지만, 국민 개인과 정당 그리고 '권리능력 없는 사단'의 실체를 가지고 있는 등록취소된 정당에게 인정되는 '기본권'이다(헌재 2014.1.28, 2012헌마431).

③ (○) 헌법 제8조 제1항이 명시하는 정당설립의 자유는 설립할 정당의 조직형태를 어떠한 내용으로 할 것인가에 관한 정당조직 선택의 자유 및 그와 같이 선택된 조직을 결성할 자유를 포함한다. 또한 헌법 제8조 제1항은 정당활동의 자유도 보장한다. 정당의 설립만이 보장될 뿐 설립된 정당이 언제든지 다시 금지될 수 있거나 정당활동이 임의로 제한될 수 있다면, 정당설립의 자유는 사실상 아무런 의미가 없기 때문이다. 이와 같이 헌법 제8조 제1항은 정당설립의 자유, 정당조직의 자유, 정당활동의 자유 등을 포괄하는 정당의 자유를 보장하고 있다(헌재 2016.3.31, 2013헌가22).

04 정답 ①

① (×) '품위' 등 용어의 사전적 의미가 명백하고, 대법원은 공무원이 유지하여야 할 품위에 관하여 '주권자인 국민의 수임자로서 직책을 맡아 수행해 나가기에 손색이 없는 인품'을 말한다고 판시하고 있는바, 위와 같은 입법취지, 용어의 사전적 의미 및 법원의 해석 등을 종합할 때 이 사건 법률조항이 공무원 징계사유로 규정한 품위손상행위는 '주권자인 국민으로부터 수임받은 공무를 수행함에 손색이 없는 인품에 어울리지 않는 행위를 함으로써 공무원 및 공직 전반에 대한 국민의 신뢰를 떨어뜨릴 우려가 있는 경우'를 일컫는 것으로 해석할 수 있고, 그 수범자인 평균적인 공무원은 이를 충분히 예측할 수 있다. 따라서 이 사건 법률조항은 명확성 원칙에 위배되지 아니한다(헌재 2016.2.25, 2013헌바435).

② (○) 직권면직처분을 받은 지방공무원이 그에 대해 불복할 경우 행정소송의 제기에 앞서 반드시 소청심사를 거치도록 규정한 것은 행정기관 내부의 인사행정에 관한 전문성 반영, 행정기관의 자율적 통제, 신속성 추구라는 행정심판의 목적에 부합한다. 소청심사제도에도 심사위원의 자격요건이 엄격히 정해져 있고, 임기와 신분이 보장되어 있는 등 독립성과 공정성이 확보되어 있으며, 증거조사절차나 결정절차 등 심리절차에 있어서도 사법절차가 상당 부분 준용되고 있다. 나아가 소청심사위원회의 결정기간은 엄격히 제한되어 있고, 행정심판전치주의에 대해 다양한 예외가 인정되고 있으며, 행정심판의 전치요건은 행정소송 제기 이전에 반드시 갖추어야 하는 것은 아니어서 전치요건을 구비하면서도 행정소송의 신속한 진행을 동시에 꾀할 수 있으므로, 이 사건 필요적 전치조항은 입법형성의 한계를 벗어나 재판청구권을 침해하거나 평등원칙에 위반된다고 볼 수 없다(헌재 2015.3.26, 2013헌바186).

③ (○) 지방공무원법은 임용권자가 직권으로 면직처분을 할 수 있는 사유를 구체적으로 규정하고 있고, 면직처분을 하는 경우 당해 공무원에게 그 처분사유를 적은 설명서를 교부하도록 하고 있으므로, 당해 처분의 당사자로서는 그 설명서를 받는 즉시 면직처분을 받은 이유를 상세히 알 수 있고, 30일이면 그 면직처분을 소청심사 등을 통해 다툴지 여부를 충분히 숙고할 수 있다고 할 것이다. 따라서 이 사건 청구기간 조항은 청구인의 재판청구권을 침해하거나 평등원칙에 위반된다고 볼 수 없다(헌재 2015.3.26, 2013헌바186).

④ (○) 일반군무원은 이미 그 정년이 60세인 데에 반하여, 이 사건 정년특례조항이 별정군무원에서 전환된 자들의 정년은 2020년이 되어야 60세가 되도록 한 것은, 국가재정상태, 인력수급 상황 등 여러 현실적인 사정을 감안하여 국가로 하여금 일반군무원으로의 전환에 필요한 준비를 할 수 있도록 하기 위하여 그 정년을 단계적으로 연장하도록 한 것이므로, 그 결과 청구인들에게 어떠한 차별이 발생한다 하더라도 이를 합리적 이유 없는 차별이라고 단정하기는 어렵다. 따라서 이 사건 정년특례조항은 청구인들의 평등권을 침해하지 않는다(헌재 2016.3.31, 2014헌마581).

05 정답 ③

③ (×) 학교는 국민의 '교육을 받을 권리'를 보장하는 핵심적인 역할과 기능을 담당하는 등 그 수행하는 업무가 뚜렷한 공공성을 갖고 있는바, 학교가 보유・관리하는 정보는 국가기관이나 지방자치단체 등이 보유・관리하는 정보와 마찬가지로 국민의 알 권리의 대상이 되는 공적 정보에 해당한다. 따라서 국립대학법인 서울대학교가 정보공개의무를 부담하는 경우에 있어서는 국민의 알 권리를 보호해야 할 의무를 부담하는 기본권 수범자의 지위에 있다고 할 것이다. 그렇다면, 서울대학교가 기본권의 수범자로 기능하면서 행정심판의 피청구인이 된 경우에 적용되는 심판대상조항의 위헌성을 다투는 이 사건에서 서울대학교는 기본권의 주체가 된다고 할 수 없으므로 재판청구권 침해 주장은 이유 없다(헌재 2023.3.23, 2018헌바385 합헌).

① (○) 공법인이나 이에 준하는 지위를 가진 자라 하더라도 공무를 수행하거나 고권적 행위를 하는 경우가 아닌 사경제 주체로서 활동하는 경우나 조직법상 국가로부터 독립한 고유 업무를 수행하는 경우, 그리고 다른 공권력 주체와의 관계에서 지배복종관계가 성립되어 일반 사인처럼 그 지배하에 있는 경우 등에는 기본권 주체가 될 수 있다(헌재 2022.7.21, 2019헌바543).

② (○) 교육의 자주성이나 대학의 자율성은 헌법 제22조 제1항이 보장하고 있는 학문의 자유의 확실한 보장수단으로 꼭 필요한 것으로서 이는 대학에게 부여된 헌법상의 기본권이다. 따라서 국립대학인 서울대학교는 다른 국가기관 내지 행정기

관과는 달리 공권력의 행사자의 지위와 함께 기본권의 주체라는 점도 중요하게 다루어져야 한다(헌재 1992.10.1, 92헌마68).

④ (○) 재개발조합의 공공성과 '도시 및 주거환경정비법'에서 위 조합에 행정처분을 할 수 있는 권한을 부여한 취지 등을 종합하여 볼 때, 재개발조합이 공법인의 지위에서 행정처분의 주체가 되는 경우에 있어서는 위 조합은 재개발사업에 관한 국가의 기능을 대신하여 수행하는 공권력 행사자 내지 기본권 수범자의 지위에 있다. 따라서 재개발조합이 기본권의 수범자로 기능하면서 행정심판의 피청구인이 된 경우에 적용되는 심판대상조항의 위헌성을 다투는 이 사건에 있어, 재개발조합인 청구인은 기본권의 주체가 된다고 볼 수 없다(헌재 2022.7.21, 2019헌바543).

06 정답 ③

③ (×) 국가에게 태아의 생명을 보호할 의무가 있다고 하더라도 생명의 연속적 발전과정에 대하여 생명이라는 공통요소만을 이유로 하여 언제나 동일한 법적 효과를 부여하여야 하는 것은 아니다. 동일한 생명이라 할지라도 법질서가 생명의 발전과정을 일정한 단계들로 구분하고 그 각 단계에 상이한 법적 효과를 부여하는 것이 불가능하지 않다. 예컨대 형법은 태아를 통상 낙태죄의 객체로 취급하지만, 진통 시로부터 태아는 사람으로 취급되어 살인죄의 객체로 됨으로써 생명의 단계에 따라 생명침해행위에 대한 처벌의 정도가 달라진다. 나아가 태아는 수정란이 자궁에 착상한 때로부터 낙태죄의 객체로 되는데 착상은 통상 수정 후 7일경에 이루어지므로, 그 이전의 생명에 대해서는 형법상 어떠한 보호도 행하고 있지 않다. 이와 같이 생명의 전체적 과정에 대해 법질서가 언제나 동일한 법적 보호 내지 효과를 부여하고 있는 것은 아니다(헌재 2019.4.11, 2017헌바127 헌법불합치).

① (○) 생명에 대한 권리는 비록 헌법에 명문의 규정이 없다 하더라도 인간의 생존본능과 존재목적에 바탕을 둔 선험적이고 자연법적인 권리로서 헌법에 규정된 모든 기본권의 전제로서 기능하는 기본권 중의 기본권이라 할 것이다(헌재 1996.11.28, 95헌바1).

② (○) 사인의 범죄행위로 인해 일반국민의 생명권이 박탈되는 것을 방지할 수 있는 입법 등을 함으로써 일반국민의 생명권을 최대한 보호할 의무가 있다(헌재 2010.2.25, 2008헌가23).

④ (○) 인간이라는 생명체의 형성이 출생 이전의 그 어느 시점에서 시작됨을 인정하더라도, 법적으로 사람의 시기를 출생의 시점에서 시작되는 것으로 보는 것이 헌법적으로 금지된다고 할 수 없다(헌재 2008.7.31, 2004헌바81).

07 정답 ②

② (×) 형벌을 규정함에 있어 구성요건 조항과 처벌 조항을 별개의 법률조항으로 나누어 규정하는 것은 통상적인 입법기술의 하나로서, 동일한 내용의 사항을 서로 다른 조항에서 반복해서 규정하는 경우에는 그 내용을 이미 규정하고 있는 조항을 원용하여 규정하는 것이 보편적인 방식이며, 처벌을 규정하고 있는 법률조항이 구성요건이 되는 행위를 같은 법률조항에서 직접 규정하지 않고 다른 법률조항에서 이미 규정한 내용을 원용하였다고 해서 그 법률조항의 내용이 불명확해진다고 볼 수는 없다. 또한 법률조항이 규율하고자 하는 내용 중 일부를 괄호 안에 규정하는 것 역시 단순한 입법기술상의 문제에 불과할 뿐, 괄호 안에 규정되어 있다는 사실만으로 그 내용이 중요한 의미를 가지는 것이 아니라고 볼 아무런 근거가 없으며 일반 국민이 법률조항을 해석함에 있어서도 괄호 안에 기재된 내용은 중요한 의미를 갖지 않는 것으로 받아들일 것이라는 주장은 객관적인 사실과 자료들에 의해 전혀 뒷받침되지 못하여 받아들이기 어렵다(헌재 2010.3.25, 2009헌바121).

① (○) 죄형법정주의에서 파생되는 명확성의 원칙은 누구나 법률이 처벌하고자 하는 행위가 무엇이며 그에 대한 형벌이 어떠한 것인지를 예견할 수 있고, 그에 따라 자신의 행위를 결정할 수 있도록 구성요건이 명확할 것을 의미한다(헌재 2000.6.29, 98헌가10).

③ (○) 형벌규정에 대한 예측가능성의 유무는 당해 특정조항 하나만을 가지고 판단할 것이 아니고, 관련 법조항 전체를 유기적·체계적으로 종합 판단하여야 하며, 각 대상법률의 성질에 따라 구체적·개별적으로 검토하여야 한다(헌재 2019.11.28, 2017헌바182).

④ (○) 법규범이 불확정개념을 사용하는 경우라도 법률해석을 통하여 행정청과 법원의 자의적인 적용을 배제하는 합리적이고 객관적인 기준을 얻는 것이 가능한 경우, 즉 자의를 허용하지 않는 통상의 합리적 해석방법에 의하더라도 그 의미내용을 알 수 있는 경우는 명확성원칙에 반하지 아니한다(헌재 2005.6.30, 2002헌바83).

08 정답 ②

② (○) 현행 보호입원 제도가 입원치료·요양을 받을 정도의 정신질환이 어떤 것인지에 대해서는 구체적인 기준을 제시하지 않고 있는 점, 보호의무자 2인의 동의를 보호입원의 요건으로 하면서 보호의무자와 정신질환자 사이의 이해충돌을 적절히 예방하지 못하고 있는 점, 입원의 필요성이 인정되는지 여부에 대한 판단권한을 정신과전문의 1인에게 전적으로 부여함으로써 그의 자의적 판단 또는 권한의 남용 가능성을 배제하지 못하고 있는 점, 보호의무자 2인이 정신과전문의와 공모하거나, 그로부터 방조·용인을 받는 경우 보호입원 제도가 남용될 위험성은 더욱 커지는 점 등을 종합하면, 심판대상조항은 침해의 최소성 원칙에 위배된다. 심판대상조항이 정신질환자를 신속·적정하게 치료하고, 정신질환자 본인과 사회의 안전을 도모한다는 공익을 위한 것임은 인정되나, 정신질환자의 신체의 자유 침해를 최소화할 수 있는 적절한 방안을 마

련하지 아니함으로써 지나치게 기본권을 제한하고 있다. 따라서 심판대상조항은 법익의 균형성 요건도 충족하지 못한다. 그렇다면 심판대상조항은 과잉금지원칙을 위반하여 신체의 자유를 침해한다(헌재 2016.9.29. 2014헌가9 헌법불합치).

① (×) 심판대상조항은 병의 복무규율 준수를 강화하고, 복무기강을 엄정히 하기 위하여 제정된 것으로 군의 지휘명령체계의 확립과 전투력 제고를 목적으로 하는바, 그 입법목적은 정당하고, 심판대상조항은 병에 대하여 강력한 위하력을 발휘하므로 수단의 적합성도 인정된다. 심판대상조항에 의한 영창처분은 징계처분임에도 불구하고 신분상 불이익 외에 신체의 자유를 박탈하는 것까지 그 내용으로 삼고 있어 징계의 한계를 초과한 점, 심판대상조항에 의한 영창처분은 그 실질이 구류형의 집행과 유사하게 운영되므로 극히 제한된 범위에서 형사상 절차에 준하는 방식으로 이루어져야 하는데, 영창처분이 가능한 징계사유는 지나치게 포괄적이고 기준이 불명확하여 영창처분의 보충성이 담보되고 있지 아니한 점, 심판대상조항은 징계위원회의 심의·의결과 인권담당 군법무관의 적법성 심사를 거치지만, 모두 징계권자의 부대 또는 기관에 설치되거나 소속된 것으로 형사절차에 견줄만한 중립적이고 객관적인 절차라고 보기 어려운 점, 심판대상조항으로 달성하고자 하는 목적은 인신구금과 같이 징계를 중하게 하는 것으로 달성되는 데 한계가 있고, 병의 비위행위를 개선하고 행동을 교정할 수 있도록 적절한 교육과 훈련을 제공하는 것 등으로 가능한 점, 이와 같은 점은 일본, 독일, 미국 등 외국의 입법례를 살펴보더라도 그러한 점 등에 비추어 심판대상조항은 침해의 최소성 원칙에 어긋난다. 군대 내 지휘명령체계를 확립하고 전투력을 제고한다는 공익은 매우 중요한 공익이나, 심판대상조항으로 과도하게 제한되는 병의 신체의 자유가 위 공익에 비하여 결코 가볍다고 볼 수 없어, 심판대상조항은 법익의 균형성 요건도 충족하지 못한다. 이와 같은 점을 종합할 때, 심판대상조항은 과잉금지원칙에 위배된다(헌재 2020.9.24. 2017헌바157 영창 사건).

③ (×) 출입국관리법상 보호는 국가행정인 출입국관리행정의 일환이며, 주권국가로서의 기능을 수행하는 데 필요한 것이므로 일정부분 입법정책적으로 결정될 수 있다. 심판대상조항은 외국인의 출입국과 체류를 적절하게 통제하고 조정하여 국가의 안전보장·질서유지 및 공공복리를 도모하기 위한 것으로 입법목적이 정당하다. 강제퇴거대상자를 출국 요건이 구비될 때까지 보호시설에 보호하는 것은 강제퇴거명령의 신속하고 효율적인 집행과 외국인의 출입국·체류관리를 위한 효과적인 방법이므로 수단의 적정성도 인정된다. 강제퇴거대상자의 송환이 언제 가능해질 것인지 미리 알 수가 없으므로, 심판대상조항이 보호기간의 상한을 두지 않은 것은 입법목적 달성을 위해 불가피한 측면이 있다. 강제퇴거대상자는 강제퇴거명령을 집행할 수 있을 때까지 일시적·잠정적으로 신체의 자유를 제한받는 것이며, 보호의 일시해제, 이의신청, 행정소송 및 집행정지 등 강제퇴거대상자가 보호에서 해제될 수 있는 다양한 제도가 마련되어 있다. 따라서 심판대상조항은 침해의 최소성 및 법익의 균형성 요건도 충족한다. 그러므로 심판대상조항은 과잉금지원칙에 위배되어 신체의 자유를 침해하지 아니한다(헌재 2018.2.22. 2017헌가29).

④ (×) 입법자는 외국에서 형의 집행을 받은 자에게 어떠한 요건 아래, 어느 정도의 혜택을 줄 것인지에 대하여 일정 부분 재량권을 가지고 있으나, 신체의 자유는 정신적 자유와 더불어 헌법이념의 핵심인 인간의 존엄과 가치를 구현하기 위한 가장 기본적인 자유로서 모든 기본권 보장의 전제조건이므로 최대한 보장되어야 하는바, 외국에서 실제로 형의 집행을 받았음에도 불구하고 우리 형법에 의한 처벌 시 이를 전혀 고려하지 않는다면 신체의 자유에 대한 과도한 제한이 될 수 있으므로 그와 같은 사정은 어느 범위에서든 반드시 반영되어야 하고, 이러한 점에서 입법형성권의 범위는 다소 축소될 수 있다. 입법자는 국가형벌권의 실현과 국민의 기본권 보장의 요구를 조화시키기 위하여 형을 필요적으로 감면하거나 외국에서 집행된 형의 전부 또는 일부를 필요적으로 산입하는 등의 방법을 선택하여 청구인의 신체의 자유를 덜 침해할 수 있음에도, 이 사건 법률조항과 같이 우리 형법에 의한 처벌 시 외국에서 받은 형의 집행을 전혀 반영하지 아니할 수도 있도록 한 것은 과잉금지원칙에 위배되어 신체의 자유를 침해한다(헌재 2015.5.28. 2013헌바129 헌법불합치).

09 정답 ③

③ (×) 단순한 사실관계의 확인과 같이 가치적·윤리적 판단이 개입될 여지가 없는 경우는 그 보호대상이 아니다. 이 사건에서 채무자가 부담하는 행위의무는 강제집행의 대상이 되는 재산관계를 명시한 재산목록을 제출하고 그 재산목록의 진실함을 법관 앞에서 선서하는 것으로서, 개인의 인격형성에 관계되는 내심의 가치적·윤리적 판단이 개입될 여지가 없는 단순한 사실관계의 확인에 불과한 것이므로, 헌법 제19조에 의하여 보장되는 양심의 영역에 포함되지 않는다(헌재 2014.9.25. 2013헌마11).

① (○) 헌법상 보호되는 양심은 어떤 일의 옳고 그름을 판단함에 있어서 그렇게 행동하지 아니하고는 자신의 인격적인 존재가치가 허물어지고 말 것이라는 강력하고 진지한 마음의 소리로서 절박하고 구체적인 양심을 말한다(헌재 2018.6.28. 2011헌바379).

② (○) 양심은 그 대상이나 내용 또는 동기에 의하여 판단될 수 없고, 양심상의 결정이 이성적·합리적인지, 타당한지 또는 법질서나 사회규범, 도덕률과 일치하는지 여부는 양심의 존재를 판단하는 기준이 될 수 없다. 일반적으로 민주적 다수는 법과 사회의 질서를 그들의 정치적 의사와 도덕적 기준에 따라 형성하기 때문에, 국가의 법질서나 사회의 도덕률과 갈등을 일으키는 양심은 현실적으로 이러한 법질서나 도덕률에서 벗어나려는 소수의 양심이다. 그러므로 양심상 결정이 어떠한 종교관·세계관 또는 그 밖의 가치체계에 기초하고 있는지와 관계없이, 모든 내용의 양심상 결정이 양심의 자유에 의하여 보장되어야 한다(헌재 2011.8.30. 2007헌가12).

④ (○) 자신의 태도나 입장을 외부에 설명하거나 해명하는 행위는, 진지한 윤리적 결정에 관계된 행위라기보다는 단순한 생각이나 의견, 사상이나 확신 등의 표현행위라고 볼 수 있어, 그 행위가 선거에 영향을 미치게 하기 위한 것이라는 이유로 이를 하지 못하게 된다 하더라도 내면적으로 구축된 인간의 양심이 왜곡 굴절된다고는 할 수 없다는 점에서 양심의 자유의 보호영역에 포괄되지 아니한다 할 것이므로, 공선법 제93조 제1항이 헌법 제19조에서 보장하는 양심의 자유를 침해한다고 볼 수는 없다(헌재 2001.8.30, 99헌바92).

10 정답 ③

③ (×) 헌법재판소는 2016.9.29, 2014헌바254 결정으로, 근로자가 사업주의 지배관리 아래 출퇴근하던 중 발생한 사고로 부상 등이 발생한 경우만 업무상 재해로 인정하던 구법 조항에 대하여 '통상의 출퇴근 재해를 업무상 재해로 인정하지 아니한 것은 헌법에 합치되지 않는다'는 취지의 헌법불합치결정을 하였다. 이 사건 헌법불합치결정에서 기존 제도에서 배제된 집단이 받는 중대한 불이익이 이미 확인된 이상, 신법 조항을 소급적용함으로써 산재보험에 미치는 재정상 부담과, 그로써 회복할 수 있는 합헌적 상태의 이익을 충분히 고려하여 차별취급이 합리적인지 여부를 판단하여야 한다. 그런데 최근 산재보험 재정수지와 적립금 보유액, 통상의 출퇴근 재해를 업무상 재해로 인정함에 따라 인상된 보험료율 등을 살펴보면, 이 사건 헌법불합치결정 이후 통상의 출퇴근 사고를 당한 근로자에게 이미 위헌성이 확인된 구법 조항을 계속 적용하면서까지 산재보험 기금의 재정건전성을 담보할 필요가 있는지 의문이 있다. 또한 개정법은 통상의 출퇴근 재해 인정에 따른 산재보험 기금의 재정상 부담을 완화할 수 있는 다양한 방법을 마련하고 있다. 심판대상조항이 신법 조항의 소급적용을 위한 경과규정을 두지 않음으로써 개정법 시행일 전에 통상의 출퇴근 사고를 당한 비혜택근로자를 보호하기 위한 최소한의 조치도 취하지 않은 것은, 산재보험의 재정상황 등 실무적 여건이나 경제상황 등을 고려한 것이라고 하더라도, 그 차별을 정당화할 만한 합리적인 이유가 있는 것으로 보기 어렵고, 이 사건 헌법불합치결정의 취지에도 어긋난다. 따라서 심판대상조항은 헌법상 평등원칙에 위반된다(헌재 2019.9.26, 2018헌바218 헌법불합치).

① (○) 공무원연금법상 퇴직연금 수급자는 이미 퇴직연금에 의하여 상당한 생활보장을 받고 있는 사람이므로 갑작스런 소득 상실에 대비하여 유족의 생활안정을 도모하고자 하는 유족급여가 긴절하게 필요한 사람이라고 보기 어렵다. 따라서 심판대상조항이 공무원연금법상 퇴직연금 수급자에게 유족연금액을 감액하여 지급한다고 하여 불합리하다고 보기 어렵다. 또한, 퇴직연금과 유족연금을 비롯한 공무원연금의 재원은 공무원 개인이 부담하는 기여금과 국가가 부담하는 부담금 및 지급보전금으로 구성되므로, 공무원연금법상 퇴직연금을 수급하고 있는 사람은 이미 자신이 재원 형성에 기여한 부분을 넘어 국가로부터 생활보장을 받고 있다고 볼 수 있다. 따라서 공무원으로서 이미 퇴직연금을 수령하고 있는 사람에게 유족연금액을 1/2 감액하였다고 하여 그 감액 비율이 지나치게 크다고 보기도 어렵다. 결국 심판대상조항은 퇴직연금 수급자의 유족연금 수급권을 구체화함에 있어 급여의 적절성을 확보할 필요성, 한정된 공무원연금 재정의 안정적 운영, 우리 국민 전체의 소득 및 생활수준, 공무원 퇴직연금의 급여 수준, 유족연금의 특성, 사회보장의 기본원리 등을 종합적으로 고려하여 유족연금액의 2분의 1을 감액하여 지급하도록 한 것이므로, 입법형성의 한계를 벗어나 청구인의 인간다운 생활을 할 권리 및 재산권을 침해하였다고 볼 수 없다(헌재 2020.6.25, 2018헌마865 기각).

② (○) 심판대상조항은 악화된 연금재정을 개선하여 공무원연금제도의 건실한 유지·존속을 도모하고 연금과 보수의 이중수혜를 방지하기 위한 것이다. 퇴직공무원의 적정한 생계 보장이라는 공무원연금제도의 취지에 비추어, 연금 지급을 정지하기 위해서는 '연금을 대체할 만한 소득'이 전제되어야 한다. 지방의회의원이 받는 의정비 중 의정활동비는 의정활동 경비 보전을 위한 것이므로, 연금을 대체할 만한 소득이 있는지 여부는 월정수당을 기준으로 판단하여야 하는데, 월정수당은 지방자치단체에 따라 편차가 크고 안정성이 낮음에도 불구하고 심판대상조항은 연금을 대체할 만한 적정한 소득이 있다고 할 수 없는 경우에도 일률적으로 연금전액의 지급을 정지하여 지급정지제도의 본질 및 취지와 어긋나는 결과를 초래한다. 심판대상조항과 같이 재취업소득액에 대한 고려 없이 퇴직연금 전액의 지급을 정지할 경우 재취업 유인을 제공하지 못하여 정책목적 달성에 실패할 가능성이 크다. 연금과 보수 중 일부를 감액하는 방식으로 선출직에 취임하여 보수를 받는 것이 생활보장에 더 유리하도록 하는 등 기본권을 덜 제한하면서 입법목적을 달성할 수 있는 다양한 방법이 있다. 따라서 심판대상조항은 과잉금지원칙에 위배되어 재산권을 침해한다(헌재 2022.1.27, 2019헌바161 헌법불합치).

④ (○) 65세 미만의 비교적 젊은 나이인 경우, 일반적 생애주기에 비추어 자립 욕구나 자립지원의 필요성이 높고, 질병의 치료효과나 재활의 가능성이 높은 편이므로 노인성 질병이 발병하였다고 하여 곧 사회생활이 객관적으로 불가능하다거나, 가내에서의 장기요양의 욕구·필요성이 급격히 증가한다고 평가할 것은 아니다. 또한 활동지원급여와 장기요양급여는 급여량 편차가 크고, 사회활동 지원 여부 등에 있어 큰 차이가 있다. 그럼에도 불구하고 65세 미만의 장애인 가운데 일정한 노인성 질병이 있는 사람의 경우 일률적으로 활동지원급여 신청자격을 제한한 데에 합리적 이유가 있다고 보기 어려우므로 심판대상조항은 평등원칙에 위반된다(헌재 2020.12.23, 2017헌가22 헌법불합치).

경찰헌법 6회 모의고사 정답 및 해설

제6회 모의고사 정답

01	③	02	④	03	②	04	②	05	①
06	②	07	①	08	③	09	①	10	②

01 정답 ③

③ (×) 귀화허가를 받은 사람은 법무부장관 앞에서 국민선서를 하고 귀화증서를 수여받은 때에 대한민국 국적을 취득한다. 다만, 법무부장관은 연령, 신체적・정신적 장애 등으로 국민선서의 의미를 이해할 수 없거나 이해한 것을 표현할 수 없다고 인정되는 사람에게는 국민선서를 면제할 수 있다(국적법 제4조 제3항).

① (○), ② (○) 국적은 국민의 자격을 결정짓는 것이고, 이를 취득한 사람은 국가의 주권자가 되는 동시에 국가의 속인적 통치권의 대상이 되므로, 귀화허가는 외국인에게 대한민국 국적을 부여함으로써 국민으로서의 법적 지위를 포괄적으로 설정하는 행위에 해당한다. 한편, 국적법 등 관계 법령 어디에도 외국인에게 대한민국의 국적을 취득할 권리를 부여하였다고 볼 만한 규정이 없다. 이와 같은 귀화허가의 근거 규정의 형식과 문언, 귀화허가의 내용과 특성 등을 고려해 보면, 법무부장관은 귀화신청인이 귀화 요건을 갖추었다 하더라도 귀화를 허가할 것인지 여부에 관하여 재량권을 가진다고 보는 것이 타당하다(헌재 2015.9.24. 2010두6496).

④ (○) 심판대상조항은 외국인에게 대한민국 국적을 부여하는 '귀화'의 요건을 정한 것인데, '품행', '단정' 등 용어의 사전적 의미가 명백하고, 심판대상조항의 입법취지와 용어의 사전적 의미 및 법원의 일반적인 해석 등을 종합해 보면, '품행이 단정할 것'은 '귀화신청자를 대한민국의 새로운 구성원으로서 받아들이는 데 지장이 없을 만한 품성과 행실을 갖춘 것'을 의미하고, 구체적으로 이는 귀화신청자의 성별, 연령, 직업, 가족, 경력, 전과관계 등 여러 사정을 종합적으로 고려하여 판단될 것임을 예측할 수 있다. 따라서 심판대상조항은 명확성 원칙에 위배되지 아니한다(헌재 2016.7.28. 2014헌바421).

02 정답 ④

④ (×) 개인의 신뢰이익에 대한 보호가치는 법령에 따른 개인의 행위가 '국가에 의하여 일정방향으로 유인된 신뢰의 행사인지', 아니면 단지 '법률이 부여한 기회를 활용한 것으로서 원칙적으로 사적 위험부담의 범위에 속하는 것인지' 여부에 따라 달라진다. 만일 법률에 따른 개인의 행위가 단지 법률이 반사적으로 부여하는 기회의 활용을 넘어서 국가에 의하여 일정 방향으로 유인된 것이라면 특별히 보호가치가 있는 신뢰이익이 인정될 수 있고, 원칙적으로 개인의 신뢰보호가 국가의 법률개정이익에 우선된다고 볼 여지가 있다(헌재 2002.11.28. 2002헌바45).

① (○), ② (○) 입법자는 새로운 인식을 수용하고 변화한 현실에 적절하게 대처해야 하기 때문에, 국민은 현재의 법적 상태가 항상 지속되리라는 것을 원칙적으로 신뢰할 수 없다. 법률의 존속에 대한 개인의 신뢰는 법적 상태의 변화를 예측할 수 있는 정도에 따라서 달라지므로, 신뢰보호가치의 정도는 개인이 어느 정도로 법률개정을 예측할 수 있었는가에 따라서 결정된다(헌재 2003.10.30. 2001헌마700).

③ (○) 법적 상태의 존속에 대한 개인의 신뢰는 그가 어느 정도로 법적 상태의 변화를 예측할 수 있는지, 혹은 예측하였어야 하는지 여부에 따라 상이한 강도를 가진다. 그런데, 일반적으로 법률은 현실상황의 변화나 입법정책의 변경 등으로 언제라도 개정될 수 있는 것이기 때문에, 원칙적으로 법률의 개정은 예측할 수 있다고 보아야 한다(헌재 2002.11.28. 2002헌바45).

03 정답 ②

② (×) 이 사건 법률조항의 제재는 이미 선거의 공정을 저해한 자들에 대한 것이고, 선거범죄 유무를 불문하고 일률적으로 득표율에 따라 선거비용 보전을 해 준다면 선거범죄를 저질러서라도 득표율을 높이려고 할 수도 있다는 점 및 재선거를 치르는 경우에는 국가가 이중으로 선거비용을 지출하게 되므로 국가의 재정부담을 줄이는 조치를 해야 할 필요성도 있는 점을 고려한 것이므로, 선거공영제에 대한 입법형성권을 넘어선 것이라고 볼 수 없다(청구인은 선거공영제 위반의 주장과는 별개로 선거비용국고부담의 원칙을 위반하였다는 주장도 하고 있으나, 선거비용국고부담의 원칙은 선거공영제의 내용에 포함되는 것으로서 선거공영제와 별개의 헌법상 원칙이라고 할 수 없으므로 따로 판단하지 아니한다)(헌재 2011.4.28. 2010헌바232).

① (○) 선거공영제는 선거 자체가 국가의 공적 업무를 수행할 국민의 대표자를 선출하는 행위이므로 이에 소요되는 비용은 원칙적으로 국가가 부담하는 것이 바람직하다는 점과 선거경비를 개인에게 모두 부담시키는 것은 경제적으로 넉넉하지 못한 자의 입후보를 어렵거나 불가능하게 하여 국민의 공무담임권을 부당하게 제한하는 결과를 초래할 수 있다는 점을 고려하여, 선거의 관리・운영에 필요한 비용을 후보자 개인에게 부담시키지 않고 국민 모두의 공평부담으로 하고자 하는 원칙이다. 한편 선거공영제의 내용은 우리의 선거문화와 풍토, 정치문화 및 국가의 재정상황과 국민의 법감정 등 여러 가지 요소를 종합적으로 고려하여 입법자가 정책적으로 결정할 사항으로서 넓은 입법형성권이 인정되는 영역이라고 할 것이다(헌재 2010.5.27. 2008헌마491).

③ (○) 지방선거사무는 지방자치단체의 자치사무에 해당하지만, 지방선거는 주민의 대의기관을 구성하는 민주적 방법인 동시

에 대표기관으로 하여금 민주적 정당성을 확보케 함으로써 대의민주주의를 실현하기 위한 불가결한 수단이라 할 것인바, 선거와 투표에 대한 관리가 공정하게 이루어지도록 하기 위해서는 선거와 투표관리 등의 집행업무 담당기관을 일반행정기관과는 별도의 독립기관으로 구성하여 지방선거를 관리하도록 할 필요가 있고, 이에 이 사건 지방선거사무도 국가기관인 구·시·군 선거관리위원회가 담당하고 있다. 한편, 구 지방자치법이나 지방재정법에 비추어 보면, 지방자치단체의 사무를 다른 기관이 맡아 하고 있는 경우에도 그 비용은 원칙적으로 당해 지방자치단체가 부담하여야 할 것이므로 이 사건의 경우와 같이 지방선거의 선거사무를 구·시·군 선거관리위원회가 담당하는 경우에도 그 비용은 지방자치단체가 부담하여야 하고, 이에 피청구인 대한민국국회가 지방선거의 선거비용을 지방자치단체가 부담하도록 공직선거법을 개정한 것은 지방자치단체의 자치권한을 침해한 것이라고 볼 수 없다(헌재 2008.6.26, 2005헌라7).

④ (○) 공직선거법에 따르면, 언론사가 불공정한 선거기사를 보도하는 경우 선거기사심의위원회는 사과문 게재 명령 외에도 정정보도문의 게재 명령을 할 수 있다. 또한 해당 언론사가 '공정보도의무를 위반하였다는 결정을 선거기사심의위원회로부터 받았다는 사실을 공표'하도록 하는 방안, 사과의 의사표시가 필요한 경우에도 사과의 '권고'를 하는 방법을 상정할 수 있다. 나아가, 이 사건 법률조항들이 추구하는 목적, 즉 선거기사를 보도하는 언론사의 공적인 책임의식을 높임으로써 민주적이고 공정한 여론 형성 등에 이바지한다는 공익이 중요하다는 점에는 이론의 여지가 없으나, 언론에 대한 신뢰가 무엇보다 중요한 언론사에 대하여 그 사회적 신용이나 명예를 저하시키고 인격의 자유로운 발현을 저해함에 따라 발생하는 인격권 침해의 정도는 이 사건 법률조항들이 달성하려는 공익에 비해 결코 작다고 할 수 없다. 결국 이 사건 법률조항들은 언론사의 인격권을 침해하여 헌법에 위반된다(헌재 2015.7.30, 2013헌가8).

04 정답 ②

② (×) 중앙행정기관의 장으로부터 실시요구를 받은 지방자치단체 내지 지방자치단체장으로서는 주민투표 발의에 관한 결정권한, 의회의 의견표명을 비롯하여 투표시행에 관련되는 권한을 가지게 된다고 하더라도, 지방자치단체가 중앙행정기관장으로부터 제8조의 주민투표 실시요구를 받지 않은 상태에서 일정한 경우 중앙행정기관에게 실시요구를 해 줄 것을 요구할 수 있는 권한까지 가지고 있다고 보기는 어렵다(헌재 2005.12.22, 2005헌라5).

① (○) 지방자치법은 주민에게 주민투표권, 조례의 제정 및 개폐청구권, 감사청구권 등을 부여하고 있으나 이러한 제도는 어디까지나 입법에 의하여 채택된 것일 뿐 헌법에 의하여 이러한 제도의 도입이 보장되고 있는 것은 아니다. 그렇다면 주민투표권은 '법률이 보장하는 권리'일 뿐이지 헌법이 보장하는 기본권 또는 헌법상 제도적으로 보장되는 주관적 공권으로 볼 수 없다(헌재 2005.12.22, 2004헌마530).

③ (○) 주민투표에 부쳐진 사항은 주민투표권자 총수의 4분의 1 이상의 투표와 유효투표수 과반수의 득표로 확정된다(주민투표법 제24조 제1항).

④ (○) 지방자치단체의 장 및 지방의회는 주민투표결과 확정된 사항에 대하여 2년 이내에는 이를 변경하거나 새로운 결정을 할 수 없다(주민투표법 제24조 제6항).

05 정답 ①

① (×) 입법자가 택한 수단보다 국민의 기본권을 덜 침해하는 수단이 존재하더라도 그 다른 수단이 효과 측면에서 입법자가 선택한 수단과 동등하거나 유사하다고 단정할 만한 명백한 근거가 없는 이상, <u>그것이 과잉금지원칙에 반한다고 할 수는 없다</u>(헌재 2012.8.23, 2010헌가65).

② (○) 국민의 자유와 권리를 제한함에 있어서는 규제하려는 쪽에서 국민의 기본권을 보다 덜 제한하는 다른 방법이 있는지를 모색하여야 할 것이지, 제한당하는 국민의 쪽에서 볼 때 그 기본권을 실현할 다른 수단이 있다고 하여 그와 같은 사유만으로 기본권의 제한이 정당화되는 것은 아니다(대판 1994.3.8, 92누1728).

③ (○) 전문직 자격제도에 관하여는 입법자에게 폭넓은 형성의 자유가 인정되므로, 심판대상조항이 직업선택의 자유를 최소한 침해하고 있는지 여부를 판단함에 있어서도 가장 덜 제약적인 방법인지가 아니라 입법목적을 달성하기 위해 필요한 범위 내의 것인지를 심사하는 방법에 따라야 한다(헌재 2016.9.29, 2012헌마1002).

④ (○) 개인이 기본권의 행사를 통하여 일반적으로 타인과 사회적 연관관계에 놓여지는 경제적 활동을 규제하는 사회·경제정책적 법률을 제정함에 있어서는 입법자에게 보다 광범위한 형성권이 인정되므로, 이 경우 입법자의 예측판단이나 평가가 명백히 반박될 수 있는가 아니면 현저하게 잘못되었는가 하는 것만을 심사하는 것이 타당하다고 본다(헌재 2002.10.31, 99헌바76).

06 정답 ②

② (×) 입법자가 설정한 차별이 국민들 간에 단순한 이해관계의 차별을 넘어서서 '기본권에 관련된 차별'을 가져온다면 헌법재판소는 그러한 차별에 대해서는 자의금지 내지 합리성 심사를 넘어서 목적과 수단 간의 엄격한 비례성이 준수되었는지를 심사하여야 한다. 나아가 <u>사람이나 사항에 대한 불평등대우가 기본권으로 보호된 '자유의 행사에 불리한 영향을 미칠 수 있는 정도가 크면 클수록', 입법자의 형성의 여지에 대해서는 그만큼 더 좁은 한계가 설정되므로, 헌법재판소는 보다 엄격한 심사척도를 적용함이 타당하다</u>(헌재 2003.9.25, 2003헌마30).

① (○) 평등원칙 위반 여부를 심사함에 있어 엄격한 심사척도에 의할 것인지, 완화된 심사척도에 의할 것인지는 입법자에게 허용되는 '입법형성권의 정도'에 따라서 달라지는데, 특별한 사정이 없는 한 법률의 평등원칙 위반 여부는 입법자의 '자의성이 있는지 여부'만을 심사하게 된다(헌재 2003.12.18, 2002헌마593).

③ (○) 자의심사의 경우에는 차별을 정당화하는 합리적인 이유가 있는지만을 심사하기 때문에 그에 해당하는 비교대상 간의 사실상의 차이나 입법목적(차별목적)을 발견・확인하는 데 그치는 반면, 비례심사의 경우에는 단순히 합리적인 이유의 존부 문제가 아니라 차별을 정당화하는 이유와 차별 간의 상관관계에 대한 심사, 즉 비교대상 간의 사실상의 차이의 성질과 비중 또는 입법목적(차별목적)의 비중과 차별의 정도에 적정한 균형관계가 이루어져 있는가를 심사하게 된다(헌재 2011.2.24, 2008헌바56).

④ (○) 비례의 원칙에 따른 심사를 하여야 할 경우로서 첫째, '헌법에서 특별히 평등을 요구하고 있는 경우', 즉 헌법이 차별의 근거로 삼아서는 아니 되는 기준 또는 차별을 금지하고 있는 영역을 제시하고 있음에도 그러한 기준을 근거로 한 차별이나 그러한 영역에서의 차별의 경우, 둘째 '차별적 취급으로 인하여 관련 기본권에 대한 중대한 제한을 초래하게 되는 경우'이다(헌재 1999.12.23, 98헌마363).

07 정답 ①

① (×) 헌법 제13조 제1항에서 말하는 처벌은 원칙으로 범죄에 대한 '국가의 형벌권 실행으로서의 과벌'을 의미하는 것이고, 국가가 행하는 일체의 제재나 불이익처분을 모두 그 처벌에 포함시킬 수는 없다. 다만, 행정질서벌로서의 과태료는 행정상 의무의 위반에 대하여 국가가 일반통치권에 기하여 과하는 제재로서 형벌(특히 행정형벌)과 목적・기능이 중복되는 면이 없지 않으므로, 동일한 행위를 대상으로 하여 형벌을 부과하면서 아울러 행정질서벌로서의 과태료까지 부과한다면 그것은 이중처벌금지의 기본정신에 배치되어 국가 입법권의 남용으로 인정될 여지가 있다(헌재 1994.6.30, 92헌바38).

② (○) 이중처벌금지의 원칙은 처벌 또는 제재가 "동일한 행위"를 대상으로 행해질 때에 적용될 수 있는 것이고, 그 대상이 동일한 행위인지의 여부는 기본적 사실관계가 동일한지 여부에 의하여 가려야 한다(헌재 2011.10.25, 2009헌바140).

③ (○) 하나의 형사재판절차에서 다루어진 사건을 대상으로 동시에 징역형과 자격정지형을 병과하는 것은 이중처벌금지원칙에 위반되지 아니한다(헌재 2010.7.29, 2008헌바88).

④ (○) 형사판결은 국가주권의 일부분인 형벌권 행사에 기초한 것으로서, 외국의 형사판결은 원칙적으로 우리 법원을 기속하지 않으므로 동일한 범죄행위에 관하여 다수의 국가에서 재판 또는 처벌을 받는 것이 배제되지 않는다. 따라서 이중처벌금지원칙은 동일한 범죄에 대하여 대한민국 내에서 거듭 형벌권이 행사되어서는 안 된다는 뜻으로 새겨야 할 것이므로 이 사건 법률조항은 헌법 제13조 제1항의 이중처벌금지원칙에 위배되지 아니한다(헌재 2015.5.28, 2013헌바129).

08 정답 ③

③ (×) 청구인들은 수사기관의 위치정보 추적자료 제공요청은 통신의 자유를 제한함과 동시에 사생활의 비밀과 자유도 제한한다는 취지로 주장한다. 사생활의 비밀과 자유에 포섭될 수 있는 사적 영역에 속하는 통신의 자유를 헌법이 제18조에서 별도의 기본권으로 보장하고 있는 취지에 비추어 볼 때, 이 사건 요청조항이 청구인들의 통신의 자유를 침해하는지를 판단하는 이상 사생활의 비밀과 자유 침해 여부에 관하여는 별도로 판단하지 아니한다(헌재 2018.6.28, 2012헌마191).

① (○) 이 사건 요청조항은 수사기관이 수사를 위하여 필요한 경우 법원의 허가를 얻어 전기통신사업자에게 정보주체의 위치정보 추적자료의 제공을 요청할 수 있도록 하고 있다. 이 사건에서 문제되고 있는 위치정보 추적자료는 청구인들의 인적정보와 결합하여 특정인의 위치를 파악할 수 있는 개인정보이고, 수사기관은 정보주체의 동의 없이 제공받은 위치정보 추적자료를 통해 그의 활동반경・이동경로・현재위치 등을 확인할 수 있으므로, 이 사건 요청조항은 개인정보자기결정권을 제한하고 있다. 따라서 이 사건 요청조항이 정보주체인 전기통신가입자의 개인정보자기결정권을 침해하는지 여부에 대하여 판단한다(헌재 2018.6.28, 2012헌마191).

② (○) 자유로운 의사소통은 통신내용의 비밀을 보장하는 것만으로는 충분하지 아니하고 구체적인 통신으로 발생하는 외형적인 사실관계, 특히 통신관여자의 인적 동일성・통신시간・통신장소・통신횟수 등 통신의 외형을 구성하는 통신이용의 전반적 상황의 비밀까지도 보장해야 한다. 따라서 이 사건 요청조항은 수사기관이 전기통신사업자에게 위치정보 추적자료의 제공을 요청하여 이를 제공받도록 함으로써 정보주체인 전기통신가입자의 통신의 자유를 제한하므로 이에 대하여 판단한다(헌재 2018.6.28, 2012헌마191).

④ (○) 통신사실 확인자료 제공요청은 수사 또는 내사의 대상이 된 가입자 등의 동의나 승낙을 얻지 아니하고도 공공기관이 아닌 전기통신사업자를 상대로 이루어지는 것으로 통신비밀보호법이 정한 수사기관의 강제처분이다(헌재 2018.6.28, 2012헌마191).

09 정답 ①

① (×) 이 사건 법률조항은 양도인이 화물자동차 운송사업을 영위하는 과정에서 위법행위를 저질러 제재적 처분사유가 발생한 경우, 사업의 양도를 통한 제재처분의 면탈을 방지하기 위한 것이다. 당해사건과 같이 양도인이 불법증차행위를 한 경우에 그 선의의 양수인을 보호하기 위해 제재적 처분사유의 승계를 제한하게 되면 선의의 양수인에게 감차처분 등과 같은 제재처분을 부과할 수 없어 불법증차된 차량을 존치시킬

수밖에 없다. 이는 화물자동차 운송사업에 사용되는 차량의 수급불균형으로 이어지고, 이로 인한 화물자동차의 공급과잉은 화물자동차 운송사업 및 나아가 국가경제에 악영향을 끼칠 우려가 있다. 선의의 양수인이 입게 되는 불측의 손해는 양도인을 상대로 손해배상책임을 묻는 방법으로 어느 정도 해결할 수 있는 점 등을 종합하여 볼 때, 이 사건 법률조항은 과잉금지원칙에 반한다고 할 수 없다(헌재 2019.9.26. 2017헌바397 합헌).

② (○) 연차 유급휴가는 근로자의 정신적・육체적 휴양의 필요성에 기초한 것으로 기본적으로는 상당기간 계속되는 근로의무의 이행과 불가분의 관계에 있고, 직전 연도의 근속과 출근에 대한 근로 보상적인 성격을 가지고 있음을 부인하기 어렵다. 그렇다면 이로 인한 사용자의 금전적 부담은 전년도에 제공받은 근로에 대한 대가를 당해 연도에 지급하는 것으로 볼 수 있다. 그럼에도 연차 유급휴가의 성립에 당해 연도 출근율을 요건으로 추가한다면 이는 과거의 근로에 대한 보상이라는 연차 유급휴가 제도의 취지에 반하게 될 것이다. 근로기준법은 근로자가 업무상의 부상 또는 질병으로 휴업한 기간을 출근한 것으로 본다는 점, 연차 유급휴가는 1년간 사용하지 않으면 소멸되며, 연차 유급휴가 미사용 수당은 3년의 시효로 소멸하므로 이로 인한 사용자의 부담 또한 그 시효완성과 함께 소멸한다는 점까지 고려하면 이 조항이 과잉금지원칙에 위배되어 청구인의 직업수행의 자유를 침해한다고 보기 어렵다(헌재 2020.9.24. 2017헌바433 합헌).

③ (○) 심판대상조항이 비사업용 자동차의 타인광고를 제한하는 것은, 자동차 이용 광고물의 난립을 방지하여 도시미관과 도로안전 등을 확보함으로써 국민이 안전하고 쾌적한 환경에서 생활할 수 있도록 하기 위한 것이다. 그로 인하여, 청구인이 비사업용 자동차의 타인광고를 전제로 한 사업까지 자유로이 영위할 수 없는 결과에 이른다 하더라도 이를 과도한 제한이라 보기는 어렵다. 또한, 자동차 이용 광고물의 범람을 억제함으로써 도로안전과 도시미관을 확보하여 국민의 안전하고 쾌적한 삶을 보장하고자 하는 공익은 매우 중대하다 할 것이므로, 제한되는 사익이 심판대상조항을 통해 달성하고자 하는 공익에 비하여 우월하다고 단정할 수도 없다. 따라서 심판대상조항은 과잉금지원칙을 위반하여 청구인의 직업의 자유를 침해하지 않는다(헌재 2022.1.27. 2019헌마327 기각).

④ (○) 심판대상조항은 자연인인 변호사의 영리행위 겸직을 원칙적으로 금지하고 지방변호사회의 허가를 받아 예외적으로 겸직할 수 있도록 한 변호사법 제38조 제2항을 법무법인에 대하여 준용하지 않고 있는데, 이것은 법무법인이 변호사 직무에 속하는 업무를 집중적으로 수행할 수 있도록 하는 한편, 법무법인이 변호사 직무와 구분되는 영리행위는 할 수 없도록 함으로써 법무법인이 단순한 영리추구 기업으로 변질되는 것을 방지하고, 또한 법무법인이 변호사 직무와 영리행위를 함께 수행할 때 발생할 수 있는 양자의 혼입(混入)을 방지하기 위한 것이다. 법무법인이 영리행위를 겸업할 경우에는 변호사와 달리 '법무법인'의 명칭 사용이 불가피하여 영리행위와 변호사 직무의 구분이 현실적으로 어렵게 되고, 법무법인의 구성원 변호사들은 자신에 대한 겸직허가를 받아 영리행위를 하거나 영리법인을 설립할 수 있으므로, 법무법인의 구성원 변호사의 기본권실현에 특별한 지장이 있다고 보기도 어렵다. 이러한 점들을 종합하면, 심판대상조항이 피해의 최소성 및 법익의 균형성 원칙에 위반된다고 볼 수 없다. 그렇다면 심판대상조항은 과잉금지원칙에 위반되어 법무법인의 영업의 자유를 침해하지 않는다(헌재 2020.7.16. 2018헌바195).

10 정답 ②

② (×) 근로의 권리는 근로자를 개인의 차원에서 보호하기 위한 권리로서 개인인 근로자가 근로의 권리의 주체가 되는 것이고, 노동조합은 그 주체가 될 수 없는 것으로 이해되고 있다(헌재 2009.2.26. 2007헌바27).

① (○) 일할 환경에 관한 권리는 인간의 존엄성에 대한 침해를 막기 위한 권리로서 건강한 작업환경, 정당한 보수, 합리적 근로조건의 보장 등을 요구할 수 있는 권리까지를 포함하는 것이다(헌재 2019.4.11. 2017헌마820).

③ (○) 자본주의 경제질서하에서 근로자가 기본적 생활수단을 확보하고 인간의 존엄성을 보장받기 위하여 최소한의 근로조건을 요구할 수 있는 권리는 '자유권적 기본권'의 성격도 아울러 가지므로 이러한 경우 외국인 근로자에게도 그 기본권 주체성을 인정함이 타당하다(헌재 2007.8.30. 2004헌마670).

④ (○) 산업연수생이 연수라는 명목하에 사업주의 지시・감독을 받으면서 사실상 노무를 제공하고 수당 명목의 금품을 수령하는 등 실질적인 근로관계에 있는 경우에도, 근로기준법이 보장한 근로기준 중 주요사항을 외국인 산업연수생에 대하여만 적용되지 않도록 하는 것은 합리적인 근거를 찾기 어렵다(헌재 2007.8.30. 2004헌마670).

경찰헌법 7회 모의고사 정답 및 해설

제7회 모의고사 정답

01	④	02	④	03	③	04	①	05	①
06	④	07	④	08	①	09	④	10	④

01 정답 ④

④ (×) 헌법 제2조 제1항은 "대한민국의 국민이 되는 요건은 법률로 정한다"고 하여 기본권의 주체인 국민에 관한 내용을 입법자가 형성하도록 하고 있다. 이는 대한민국 국적의 '취득'뿐만 아니라 국적의 유지, 상실을 둘러싼 전반적인 법률관계를 법률에 규정하도록 위임하고 있는 것으로 풀이할 수 있다(헌재 2014.1.28, 2011헌마501).

① (○) 국적은 성문의 법령을 통해서가 아니라 국가의 생성과 더불어 존재하는 것이므로, 헌법의 위임에 따라 국적법이 제정되나 그 내용은 국가의 구성요소인 국민의 범위를 구체화, 현실화하는 '헌법사항'을 규율하고 있는 것이다(헌재 2000.8.31, 97헌가12).

② (○) 국민은 국가의 항구적 소속원이므로 어느 곳에 있든지 그가 속하는 국가의 통치권에 복종할 의무를 부담하고, 국외에 있을 때에는 예외적으로 거주국의 통치권에 복종하여야 한다(헌재 2000.8.31, 97헌가12).

③ (○) 국적은 국가와 구성원 간의 법적유대이고 보호와 복종관계를 뜻하므로 국가와 분리하여 생각할 수 없다. 즉 국적은 국가의 생성과 더불어 발생하고 국가의 소멸은 국적의 상실사유가 된다(헌재 2000.8.31, 97헌가12).

02 정답 ④

④ (×) 국가공무원법조항은 가입 등이 금지되는 대상을 '정당이나 그 밖의 정치단체'로 규정하고 있으므로, 그 문언상 '정당'에 준하는 정치단체만을 의미하는 것이라 해석하기도 어렵다. 단체의 목적이나 활동에 관한 어떠한 제한도 없는 상태에서는 '정치단체'와 '비정치단체'를 어떻게 구별할 것인지에 관한 구체적이고 유용한 기준을 도출해낼 수 없다. 공무원의 정치적 중립성 및 교육의 정치적 중립성의 보장이라는 국가공무원법조항의 입법목적을 고려하더라도, '정치적 중립성' 자체가 다원적인 해석이 가능한 매우 추상적인 개념이기 때문에, 어떠한 단체가 정치적 중립성에 반하는지에 관하여 우리 사회의 구성원들이 일치된 이해를 가지고 있다고 보기도 어렵다. 이는 판단주체가 법전문가라 하여도 마찬가지이며, 법관의 보충적 해석에 의하여 그 의미가 밝혀질 수 있는 성질의 것이 아니다. 그렇다면 국가공무원법조항 중 '그 밖의 정치단체'에 관한 부분은 법적용기관인 법관의 보충적 법해석을 통하여도 그 규범내용이 확정될 수 없는 모호하고 막연한 개념을 사용하고 있으므로 명확성원칙에 위배되어 나머지 청구인들의 정치적 표현의 자유 및 결사의 자유를 침해한다(헌재 2020.4.23, 2018헌마551 위헌).

① (○) 이 사건 품위손상조항에서 규정하고 있는 품위손상행위란, 청원경찰직에 대한 국민의 신뢰를 제고하고 성실하고 공정한 직무수행을 담보하고자 하는 입법취지, 용어의 사전적 의미 등을 종합하면, '청원경찰이 경찰관에 준하여 경비 및 공안업무를 하는 주체로서 직책을 맡아 수행해 나가기에 손색이 없는 인품에 어울리지 않는 행위를 함으로써 국민이 가지는 청원경찰에 대한 정직성, 공정성, 도덕성에 대한 믿음을 떨어뜨릴 우려가 있는 행위'라고 해석할 수 있으므로 명확성원칙에 위배되지 않는다(헌재 2022.5.26, 2019헌바530).

② (○) 심판대상조항에서 사용하고 있는 '영주'는 '한 곳에 오래 삶'을, '목적'은 '실현하려고 하는 일이나 나아가는 방향'을 뜻한다. 심판대상조항에서 '외국에서 영주할 목적'이 없다고 함은 다른 나라에서 오랫동안 살고자 하는 목적이 없다는 것이므로, 일반인도 일시적인 유학이나 파견, 출장 등의 목적으로 외국에 머무르는 경우에는 영주할 목적이 인정되지 않는다는 것을 쉽게 이해할 수 있다. 그렇다면 심판대상조항은 수범자의 예측가능성을 해하거나 법집행기관의 자의적 법집행을 초래할 정도로 불명확하지 않으므로 명확성원칙에 위배된다고 볼 수 없다(헌재 2023.2.23, 2019헌바462).

③ (○) 국적법 제14조 제1항 본문의 '외국에 주소가 있는 경우'라는 표현은 입법취지 및 그에 사용된 단어의 사전적 의미 등을 고려할 때 다른 나라에 생활근거가 있는 경우를 뜻함이 명확하므로 명확성원칙에 위배되지 아니한다(헌재 2023.2.23, 2020헌바603).

03 정답 ③

③ (×) 정당은 그 대의기관의 결의로써 해산할 수 있으며, 대의기관의 결의로써 정당이 해산된 경우 그 대표자는 지체 없이 그 뜻을 관할 선거관리위원회에 신고하여야 한다(정당법 제45조 제1항, 제2항).

① (○) 정당의 법적 성격은 일반적으로 사적・정치적 결사 내지는 법인격 없는 사단으로 파악되고 있고, 이러한 정당의 법률관계에 대하여는 정당법의 관계 조문 이외에 일반 사법 규정이 적용되므로, 정당은 공권력 행사의 주체가 될 수 없다. 정당의 대통령선거 후보선출은 자발적 조직 내부의 의사결정에 지나지 아니하므로, 청구인들 주장과 같이 한나라당이 대통령선거 후보경선과정에서 여론조사 결과를 반영한 것을 일컬어 헌법소원심판의 대상이 되는 공권력의 행사에 해당한다 할 수 없다(헌재 2007.10.30, 2007헌마1128).

② (○) 자유위임은 의회 내에서의 정치의사형성에 정당의 협력을 배척하는 것이 아니며, 의원이 정당과 교섭단체의 지시에 기속되는 것을 배제하는 근거가 되는 것도 아니다. 또한 국회의원의 국민대표성을 중시하는 입장에서도 특정 정당에 소속

된 국회의원이 정당기속 내지는 교섭단체의 결정(소위 '당론')에 위반하는 정치활동을 한 이유로 제재를 받는 경우, 국회의원 신분을 상실하게 할 수는 없으나 "정당내부의 사실상의 강제" 또는 소속 "정당으로부터의 제명"은 가능하다고 보고 있다. 그렇다면, 당론과 다른 견해를 가진 소속 국회의원을 당해 교섭단체의 필요에 따라 다른 상임위원회로 전임(사·보임)하는 조치는 특별한 사정이 없는 한 헌법상 용인될 수 있는 "정당내부의 사실상 강제"의 범위 내에 해당한다고 할 것이다(헌재 2003.10.30, 2002헌라1).

④ (○) 정당의 당원은 같은 정당의 타인의 당비를 부담할 수 없으며, 타인의 당비를 부담한 자와 타인으로 하여금 자신의 당비를 부담하게 한 자는 당비를 낸 것이 확인된 날부터 1년간 당해 정당의 당원자격이 정지된다(정당법 제31조 제2항).

04 정답 ①

① (×) 헌법 제7조에 규정된 공무원의 신분보장 및 헌법 제15조에서 보장하는 직업선택의 자유의 의미와 효력에 비추어 볼 때 위 법률조항은 해당 지방공무원의 동의가 있을 것을 당연한 전제로 하여 그 공무원이 소속된 지방자치단체의 장의 동의를 얻어서만 그 공무원을 전입할 수 있음을 규정하고 있는 것으로 해석하는 것이 타당하고, 이렇게 본다면 인사교류를 통한 행정의 능률성이라는 입법목적도 적절히 달성할 수 있을 뿐만 아니라 지방공무원의 신분보장이라는 헌법적 요청도 충족할 수 있게 된다. 따라서 위 법률조항은 헌법에 위반되지 아니한다(헌재 2002.11.28, 98헌바101).

② (○) 심판대상조항은 공무원 직무수행에 대한 국민의 신뢰 및 직무의 정상적 운영의 확보, 공무원범죄의 예방, 공직사회의 질서 유지를 위한 것으로서 목적이 정당하고, 형법 제129조 제1항의 수뢰죄를 범하여 금고 이상 형의 선고유예를 받은 국가공무원을 공직에서 배제하는 것은 적절한 수단에 해당한다. 수뢰죄는 수수액의 다과에 관계없이 공무원 직무의 불가매수성과 염결성을 치명적으로 손상시키고, 직무의 공정성을 해치며 국민의 불신을 초래하므로 일반 형법상 범죄와 달리 엄격하게 취급할 필요가 있다. 수뢰죄를 범하더라도 자격정지형의 선고유예를 받은 경우 당연퇴직하지 않을 수 있으며, 당연퇴직의 사유가 직무 관련 범죄로 한정되므로 심판대상조항은 침해의 최소성원칙에 위반되지 않고, 이로써 달성되는 공익이 공무원 개인이 입는 불이익보다 훨씬 크므로 법익균형성원칙에도 반하지 아니한다(헌재 2013.7.25, 2012헌바409).

③ (○) 행정조직의 개폐에 관한 문제에 있어 입법자가 광범위한 입법형성권을 가진다 하더라도 행정조직의 개폐로 인해 행해지는 직권면직은 보다 직접적으로 해당 공무원들의 신분에 중대한 위협을 주게 되므로 직제 폐지 후 실시되는 면직절차에 있어서는 보다 엄격한 요건이 필요한데, 이와 관련하여 지방공무원법 제62조는 직제의 폐지로 인해 직권면직이 이루어지는 경우 임용권자는 인사위원회의 의견을 듣도록 하고 있고, 면직기준으로 임용형태·업무실적·직무수행능력·징계처분사실 등을 고려하도록 하고 있으며, 면직기준을 정하거나 면직대상을 결정함에 있어서 반드시 인사위원회의 의결을 거치도록 하고 있는바, 이는 합리적인 면직기준을 구체적으로 정함과 동시에 그 공정성을 담보할 수 있는 절차를 마련하고 있는 것이라 볼 수 있다. 그렇다면 이 사건 규정이 직제가 폐지된 경우 직권면직을 할 수 있도록 규정하고 있다고 하더라도 이것이 직업공무원제도를 위반하고 있다고는 볼 수 없다(헌재 2004.11.25, 2002헌바8).

④ (○) 원칙적으로 공직자선발에 있어 해당 공직이 요구하는 직무수행능력과 무관한 요소인 성별·종교·사회적 신분·출신지역 등을 이유로 하는 어떠한 차별도 허용되지 않는다고 할 것이나, 헌법의 기본원리나 특정조항에 비추어 능력주의 원칙에 대한 예외를 인정할 수 있는 경우가 있다. 그러한 헌법규범 내지 헌법원리로는 우리 헌법의 기본원리인 사회국가원리를 들 수 있고, 헌법조항으로는 여자와 연소자의 근로의 특별보호를 규정한 헌법 제32조 제4항, 제5항, 국가유공자·상이군경 및 전몰군경의 유가족에 대한 우선적 근로기회의 보장을 규정한 헌법 제32조 제6항, 여자, 노인과 청소년, 신체장애자 등에 대한 사회보장의무를 규정한 헌법 제34조 제2항 내지 제5항 등을 들 수 있다. 이와 같은 헌법적 요청이 있는 경우에는 합리적 범위 안에서 능력주의가 제한될 수 있다(헌재 1999.12.23, 98헌마363).

05 정답 ①

① (×) 태어난 즉시 '출생등록될 권리'는 '출생 후 곧바로' 등록될 권리를 뜻하는 것이 아니라 '출생 후 아동이 보호를 받을 수 있을 최대한 빠른 시점'에 아동의 출생과 관련된 기본적인 정보를 국가가 관리할 수 있도록 등록할 권리로서, 아동이 사람으로서 인격을 자유로이 발현하고, 부모와 가족 등의 보호하에 건강한 성장과 발달을 할 수 있도록 최소한의 보호장치를 마련하도록 요구할 수 있는 권리이다(헌재 2023.3.23, 2021헌마975 헌법불합치).

② (○) 아동의 부모에 관한 정보는 단순히 아동과의 혈연관계가 있음을 알리는 의미를 넘어서서 아동을 양육할 권리와 의무가 당해 부모에게 있음을 대외적으로 공표하는 의미를 갖는다(헌재 2023.3.23, 2021헌마975 헌법불합치).

③ (○) 태어난 즉시 '출생등록될 권리'는 헌법 제10조의 인간의 존엄과 가치 및 행복추구권으로부터 도출되는 일반적 인격권을 실현하기 위한 기본적인 전제로서 헌법 제10조뿐만 아니라, 헌법 제34조 제1항의 인간다운 생활을 할 권리, 헌법 제36조 제1항의 가족생활의 보장, 헌법 제34조 제4항의 국가의 청소년 복지향상을 위한 정책실시의무 등에도 근거가 있다. 이와 같은 태어난 즉시 '출생등록될 권리'는 앞서 언급한 기본권 등의 어느 하나에 완전히 포섭되지 않으며, 이들을 이념적 기초로 하는 헌법에 명시되지 아니한 독자적 기본권으로서, 자유로운 인격실현을 보장하는 자유권적 성격과 아동의 건강한 성장과 발달을 보장하는 사회적 기본권의 성격을 함께 지닌다(헌재 2023.3.23, 2021헌마975 헌법불합치).

④ (○) 혼인 중 여자와 남편 아닌 남자 사이에서 출생한 자녀에 대한 생부의 출생신고를 허용하도록 규정하지 아니한 '가족관계의 등록 등에 관한 법률' 조항은 혼인 외 출생자인 청구인들의 태어난 즉시 '출생등록될 권리'를 침해한다(헌재 2023.3.23. 2021헌마975 헌법불합치).

06 정답 ④

④ (×) 민사재판에서 법관이 당사자의 복장에 따라 불리한 심증을 갖거나 불공정한 재판 진행을 하게 되는 것은 아니므로, 심판대상조항이 민사재판의 당사자로 출석하는 수형자에 대하여 사복착용을 불허하는 것으로 공정한 재판을 받을 권리가 침해되는 것은 아니다. 수형자가 민사법정에 출석하기까지 교도관이 반드시 동행하여야 하므로 수용자의 신분이 드러나게 되어 있어 재소자용 의류를 입었다는 이유로 인격권과 행복추구권이 제한되는 정도는 제한적이고, 형사법정 이외의 법정 출입방식은 미결수용자와 교도관 전용통로 및 시설이 존재하는 형사재판과 다르며, 계호의 방식과 정도도 확연히 다르다. 따라서 심판대상조항이 민사재판에 출석하는 수형자에 대하여 사복착용을 허용하지 아니한 것은 청구인의 인격권과 행복추구권을 침해하지 아니한다(헌재 2015.12.23. 2013헌마712).

① (○) 민사법정 내 보호장비 사용행위는 출정 기회를 이용한 도주 등 교정사고를 예방하고 법정질서 유지에 협력하기 위한 적합한 수단이다. 민사법정에서는 구금기능이 취약해질 수 있는데 청구인이 무기징역형을 선고받고 관심대상수용자로 관리되어 엄중한 계호가 요구되는 사람임을 감안하면 포승, 양손수갑 중 어느 하나의 보호장비만으로는 계호에 불충분하다. 이에 피청구인은 양손수갑 2개와 포승을 사용할 것을 신청하였고 재판장은 선고형, 전과, 징벌처분 등을 고려하여 그 사용을 허가하였다. 또한 교도관만으로 충분한 계호가 이루어진다고 볼 수 없으므로 여러 명의 교도관이 계호하는 방법으로 보호장비 사용을 대체할 수도 없다. 출정 시 수용자 의류를 입고 교도관과 동행하였으며 재판 시작 전까지 보호장비를 사용하였던 청구인이 민사법정 내에서 보호장비를 사용하게 되어 영향을 받는 인격권, 신체의 자유 정도는 제한적인 반면, 민사법정 내 교정사고를 예방하고 법정질서 유지에 협력하고자 하는 공익은 매우 중요하다. 따라서 민사법정 내 보호장비 사용행위는 과잉금지원칙에 위반되어 청구인의 인격권과 신체의 자유를 침해하지 아니한다(헌재 2018.6.28. 2017헌마181 기각).

② (○) 범죄수사를 위한 경찰의 촬영행위는 현재 범행이 이루어지고 있거나 행하여진 직후이고, 증거보전의 필요성 및 긴급성이 있으며, 일반적으로 허용되는 상당한 방법에 의한 경우로 제한되어야 한다. 그러한 경우라면 그 촬영행위가 영장 없이 이루어졌다 하더라도 위법하다고 할 수 없다(헌재 2018.8.30. 2014헌마843).

③ (○) 성폭력범죄자로부터 잠재적인 피해자와 지역사회를 보호하기 위해서는 신상정보 공개·고지명령 제도가 시행되기 전 형이 확정된 자들 중에서도 재범의 위험성이 높은 자들에 대하여는 신상정보를 소급하여 공개할 필요성이 인정된다. 심판대상조항은 모든 성인 대상 성범죄자를 신상정보 공개·고지명령 대상자로 정한 것이 아니라, 성폭력처벌법 제2조 제1항 제3호, 성폭력처벌법 제3조 제1항, 제8조 제1항에 해당하는 죄를 범한 비교적 중한 성폭력범죄자들 중에서 2008.4.16. 부터 2011.4.15. 사이에 유죄판결이 확정된 사람만으로 그 대상자를 한정하고 있고, 법원은 그중에서도 재범의 위험성이 큰 사람으로 그 적용 대상자를 제한하고 있다. 따라서 심판대상조항은 청구인들의 인격권 및 개인정보자기결정권을 침해하지 아니한다(헌재 2016.12.29. 2015헌바196).

07 정답 ④

④ (×) 입법자가 종전 사회보호법을 폐지하면서 적지 않은 수의 보호감호 대상자가 일시에 석방될 경우 초래될 사회적 혼란의 방지, 법원의 양형실무 및 확정판결에 대한 존중 등을 고려하여 법률 폐지 이전에 이미 보호감호 판결이 확정된 자에 대하여는 보호감호를 집행하도록 한 것이므로, 이중처벌에 해당하거나 비례원칙을 위반하여 신체의 자유를 과도하게 침해한다고 볼 수 없으며, 판결 미확정자와의 사이에 발생한 차별은 입법재량 범위 내로서 이를 정당화할 합리적 근거가 있으므로 헌법상 평등원칙에 반하지 아니하고, 치료감호심의위원회와 관련하여 그 심사대상은 이미 판결에 의하여 확정된 보호감호처분을 집행하는 것에 불과하므로 이를 법관에게 맡길 것인지, 아니면 제3의 기관에 맡길 것인지는 입법재량의 범위 내에 있으며, 위원회의 결정에 대하여 불복이 있는 경우 행정소송 등 사법심사의 길이 열려 있으므로 법관에 의한 재판을 받을 권리를 침해한다고 볼 수 없고, 치료감호심의위원회의 구성, 심사절차 및 심사대상에 비추어 볼 때 보호감호의 관리 및 집행에 관한 사항을 심사·결정하도록 한 것이 헌법상 적법절차원칙에 위배된다고 볼 수 없다(헌재 2015.9.24. 2014헌바222).

① (○), ② (○) 보안처분은 형벌과는 달리 행위자의 장래 재범의 위험성에 근거하는 것으로서, 행위 시가 아닌 재판 시의 재범위험성 여부에 대한 판단에 따라 보안처분 선고를 결정하므로 원칙적으로 재판 당시 현행법을 소급적용할 수 있다고 보는 것이 타당하고 합리적이다. 그러나 보안처분의 범주가 넓고 그 모습이 다양한 이상, 보안처분에 속한다는 이유만으로 일률적으로 소급입법금지원칙이 적용된다거나 그렇지 않다고 단정해서는 안 되고, 보안처분이라는 우회적인 방법으로 형벌불소급의 원칙을 유명무실하게 하는 것을 허용해서도 안된다. 따라서 보안처분이라 하더라도 형벌적 성격이 강하여 신체의 자유를 박탈하거나 박탈에 준하는 정도로 신체의 자유를 제한하는 경우에는 소급입법금지원칙을 적용하는 것이 법치주의 및 죄형법정주의에 부합한다(헌재 2012.12.27. 2010헌가82).

③ (O) 성충동 약물치료는 전문의의 감정을 거쳐 성도착증 환자로 인정되는 사람을 대상으로 청구되고, 한정된 기간 동안 의사의 진단과 처방에 의하여 이루어지며, 부작용 검사 및 치료가 함께 이루어지고, 치료가 불필요한 경우의 가해제제도가 있으며, 치료 중단 시 남성호르몬의 생성과 작용의 회복이 가능하다는 점을 고려할 때, 심판대상조항들은 원칙적으로 침해의 최소성 및 법익균형성이 충족된다. 다만 장기형이 선고되는 경우 치료명령의 선고시점과 집행시점 사이에 상당한 시간적 간극이 있어 집행시점에서 발생할 수 있는 불필요한 치료와 관련한 부분에 대해서는 침해의 최소성과 법익균형성을 인정하기 어렵다. 따라서 이 사건 청구조항은 과잉금지원칙에 위배되지 아니하나, 이 사건 명령조항은 집행 시점에서 불필요한 치료를 막을 수 있는 절차가 마련되어 있지 않은 점으로 인하여 과잉금지원칙에 위배되어 치료명령 피청구인의 신체의 자유 등 기본권을 침해한다(헌재 2015.12.23, 2013헌가9 헌법불합치).

08 정답 ①

① (×) 반사회성이 있는 소년의 환경 조정과 품행 교정을 통해 소년이 우리 사회의 건전한 구성원으로 성장할 수 있도록, 죄를 범한 소년에 대하여 형사재판이 아닌 보호사건으로 심리하여 보호처분을 할 수 있는 절차를 마련한 소년법의 취지에 비추어, 법원에서 소년부송치된 사건을 심리하여 보호처분을 할 수 없거나 할 필요가 없다고 인정하여 불처분결정을 하는 경우 소년부송치 및 불처분결정된 사실이 소년의 장래 신상에 불이익한 영향을 미치지 않는 것이 마땅하다. 또한 어떤 범죄가 행해진 후 시간이 흐를수록 수사의 단서로서나 상습성 판단자료, 양형자료로서의 가치는 감소하므로, 모든 소년부송치 사건의 수사경력자료를 해당 사건의 경중이나 결정 이후 경과한 시간 등에 대한 고려 없이 일률적으로 당사자가 사망할 때까지 보존할 필요가 있다고 보기는 어렵고, 불처분결정된 소년부송치 사건의 수사경력자료가 조회 및 회보되는 경우에도 이를 통해 추구하는 실체적 진실발견과 형사사법의 정의 구현이라는 공익에 비해, 당사자가 입을 수 있는 실질적 또는 심리적 불이익과 그로 인한 재사회화 및 사회복귀의 어려움이 더 크다. 따라서 심판대상조항은 과잉금지원칙을 위반하여 소년부송치 후 불처분결정을 받은 자의 개인정보자기결정권을 침해한다(헌재 2021.6.24, 2018헌가2 헌법불합치).

② (O) 기소유예처분에 관한 수사경력자료를 보존하도록 하는 것은 재기소나 재수사 상황에 대비한 기초자료를 제공하고, 수사 및 재판과정에서 적정한 양형 등을 통해 사법정의를 실현하기 위한 것으로서 그 목적이 정당하고 수단의 적합성이 인정된다. 보존되는 정보가 최소한에 그치고 이용범위도 제한적이며, 수사경력자료의 누설이나 목적 외 취득과 사용이 엄격히 금지될 뿐만 아니라 법정 보존기간이 합리적 범위 안에 있어 침해의 최소성에 반한다고 볼 수 없고, 수사경력자료의 보존으로 청구인이 현실적으로 입게 되는 불이익이 그다지 크지 않으므로 법익의 균형성도 갖추고 있다. 따라서 심판대상조항은 과잉금지원칙을 위반하여 청구인의 개인정보자기결정권을 침해하지 아니한다(헌재 2016.6.30, 2015헌마828).

③ (O) 범죄경력자료를 범인 추적과 실체적 진실 발견, 각종 결격사유 판단 등을 위한 자료로 사용하기 위해 보존하는 것은 그 목적에 있어 정당하고 수단의 적합성을 갖추고 있다. 벌금형에 해당하는 전과나 실효된 전과라고 하여 그 범죄경력자료를 보존할 필요가 없게 되는 것이 아니고 범죄경력을 보존할 필요가 있는지 여부를 결정하는 다양한 요소들을 모두 고려해 각개의 전과마다 개별화된 보존기간을 설정하는 것 또한 현실적으로 가능하지 않으므로, 입법자가 범죄경력자료의 보존기간을 세분화하지 않았다는 사정만으로 기본권을 덜 침해하는 가능한 수단을 택하지 않았다고 볼 수 없다. 또한 형실효법은 범죄경력자료의 불법조회나 누설에 대한 금지 및 벌칙 규정을 두고 있고 범죄경력자료를 조회·회보할 수 있는 사유를 제한하고 있으므로 개인의 범죄경력에 관한 정보가 수사나 재판 등에 필요한 정도를 넘어 외부의 일반인들에게까지 공개될 가능성은 극히 적고, 범죄경력자료의 보존 그 자체만으로 전과자들의 사회복귀가 저해되는 것도 아니다. 따라서 이 사건 수사경력자료 정리조항에서 범죄경력자료의 삭제를 규정하지 않은 것이 청구인의 개인정보 자기결정권을 침해한다고 볼 수 없다(헌재 2012.7.26, 2010헌마446).

④ (O) 주민등록번호는 표준식별번호로 기능함으로써 개인정보를 통합하는 연결자로 사용되고 있어, 불법 유출 또는 오·남용될 경우 개인의 사생활뿐만 아니라 생명·신체·재산까지 침해될 소지가 크므로 이를 관리하는 국가는 이러한 사례가 발생하지 않도록 철저히 관리하여야 하고, 이러한 문제가 발생한 경우 그로 인한 피해가 최소화되도록 제도를 정비하고 보완하여야 할 의무가 있다. 그럼에도 불구하고 주민등록번호 유출 또는 오·남용으로 인하여 발생할 수 있는 피해 등에 대한 아무런 고려 없이 주민등록번호 변경을 일체 허용하지 않는 것은 그 자체로 개인정보 자기결정권에 대한 과도한 침해가 될 수 있다. 따라서 주민등록번호 변경에 관한 규정을 두고 있지 않은 심판대상조항은 과잉금지원칙에 위배되어 개인정보 자기결정권을 침해한다(헌재 2015.12.23, 2013헌바68 헌법불합치).

09 정답 ④

④ (×) 재산권에 대한 제약이 비례원칙에 합치하는 것이라면 그 제약은 재산권자가 수인하여야 하는 사회적 제약의 범위 내에 있는 것이고, 반대로 재산권에 대한 제약이 비례원칙에 반하여 과잉된 것이라면 그 제약은 재산권자가 수인하여야 하는 사회적 제약의 한계를 넘는 것이며, 따라서 입법자가 재산권을 비례의 원칙에 부합하게 합헌적으로 제한하기 위해서는 수인의 한계를 넘어 가혹한 부담이 발생하는 예외적인 경우에는 이를 완화하는 보상규정을 두어야 한다(헌재 2005.9.29, 2002헌바84).

① (○), ② (○) 재산권이 헌법 제23조에 의하여 보장된다고 하더라도, 입법자에 의하여 일단 형성된 구체적 권리가 그 형태로 영원히 지속될 것이 보장된다고까지 하는 의미는 아니다. 재산권의 내용과 한계를 정할 입법자의 권한은 장래에 발생할 사실관계에 적용될 새로운 권리를 형성하고 그 내용을 규정할 권한뿐만 아니라, 더 나아가 과거의 법에 의하여 취득한 구체적인 법적 지위에 대하여까지도 그 내용을 새로이 형성할 수 있는 권한을 포함하고 있는 것이다. 그러나 이러한 입법자의 권한이 무제한적인 것은 아니다. 이 경우 입법자는 재산권을 새로이 형성하는 것이 구법에 의하여 부여된 구체적인 법적 지위에 대한 침해를 의미한다는 것을 고려하여야 한다. 따라서 재산권의 내용을 새로이 형성하는 규정은 비례의 원칙을 기준으로 판단하였을 때 공익에 의하여 정당화되는 경우에만 합헌적이다. 즉, 재산권의 내용을 새로이 형성하는 법률이 합헌적이기 위하여서는 장래에 적용될 법률이 헌법에 합치하여야 할 뿐만 아니라, 또한 과거의 법적 상태에 의하여 부여된 구체적 권리에 대한 침해를 정당화하는 이유가 존재하여야 하는 것이다(헌재 1999.4.29. 94헌바37).

③ (○) 재산권의 내용과 한계를 정하는 법률의 경우에도 사유재산제도나 사유재산을 부인하는 것은 재산권보장규정의 침해를 의미하고 결코 재산권 형성적 법률유보라는 이유로 정당화될 수 없다. 한편 헌법 제23조 제2항에서는 '재산권의 행사는 공공복리에 적합하도록 하여야 한다'고 규정하고 있으므로, 입법자는 헌법 제23조 제1항 제2문에 의거 재산권의 내용과 한계를 구체적으로 형성함에 있어서는 헌법 제23조 제1항 제1문에 의한 사적 재산권의 보장과 함께 헌법 제23조 제2항의 재산권의 사회적 제약을 동시에 고려하여 양 법익이 균형을 이루도록 입법하여야 한다(헌재 2019.9.26. 2016헌바314).

10 정답 ④

④ (×) 형의 선고의 효력을 상실하게 하는 특별사면 및 복권을 받았다 하더라도 그 대상인 형의 선고의 효력이나 그로 인한 자격상실 또는 정지의 효력이 장래를 향하여 소멸되는 것에 불과하고, 형사처벌에 이른 범죄사실 자체가 부인되는 것은 아니므로, 공무원 범죄에 대한 제재수단으로서의 실효성을 확보하기 위하여 특별사면 및 복권을 받았다 하더라도 퇴직급여 등을 계속 감액하는 것을 두고 현저히 불합리하다고 평가할 수 없다. 나아가 심판대상조항에 의하여 퇴직급여 등의 감액대상이 되는 경우에도 본인의 기여금 부분은 보장하고 있다. 따라서 심판대상조항은 그 합리적인 이유가 인정되는 바, 재산권 및 인간다운 생활을 할 권리를 침해한다고 볼 수 없어 헌법에 위반되지 아니한다(헌재 2020.4.23. 2018헌바402 합헌).

① (○) 가입자들에 대한 안정적인 보험급여 제공을 보장하기 위해서는 보험료 체납에 따른 보험재정의 악화를 방지할 필요가 있다. 보험료 체납에 대하여 보험급여 제한과 같은 제재를 가하지 않는다면, 가입자가 충분한 자력이 있음에도 보험료를 고의로 납부하지 않은 채 보험급여만을 받고자 하는 도덕적 해이가 만연하여 건강보험제도 자체의 존립이 위태로워질 수 있다. 또한 분할납부 승인을 받고 그 승인된 보험료를 1회 이상 납부한 경우에는 국민건강보험공단이 보험급여를 지급할 수 있다. 심판대상조항에 따라 보험급여를 하지 아니하는 기간에 받은 보험급여의 경우에도, 일정한 기한 이내에 체납된 보험료를 완납한 경우 보험급여로 인정하는 등, 국민건강보험법은 심판대상조항으로 인하여 가입자가 과도한 불이익을 입지 않도록 배려하고 있다. 따라서 심판대상조항은 청구인의 인간다운 생활을 할 권리나 재산권을 침해하지 아니한다(2020.4.23. 2017헌바244 합헌).

② (○) 지급특례 조항은, 분할연금액은 배우자였던 사람의 퇴직연금액 또는 조기퇴직연금액 중 혼인기간에 해당하는 연금액을 균등하게 나눈 금액으로 한다는 공무원연금법 제46조의3 제2항에도 불구하고, 민법상 재산분할청구에 따라 연금분할이 별도로 결정된 경우에는 그에 따르도록 규정하고 있다. 이는 연금형성에 대한 실질적 기여도나 당사자 쌍방이 혼인생활 중 협력하여 취득한 모든 적극재산과 소극재산을 고려하여 연금분할에 관하여 달리 정할 수 있는 여지를 둠으로써, 당사자의 의사를 존중하고 개별 사안의 특수성을 고려하여 구체적 타당성을 도모하기 위한 것이다. 당사자의 합의 또는 법원의 결정을 존중하는 것이 당사자들 사이의 이해관계와 실질적 공평에 부합하므로, 분할연금액을 균등하게 분할하는 것을 원칙으로 하면서 당사자들의 협의 또는 법원 판결에 의한 분할비율의 조정을 허용하여 분할연금의 사회보장적 성격과 재산권적 성격을 함께 반영한 입법자의 선택을 두고 입법재량을 현저히 남용하거나 입법재량의 한계를 일탈한 것이라고 보기는 어렵다. 따라서 지급특례 조항은 청구인의 사회보장수급권이나 재산권을 침해하지 않는다(헌재 2018.4.26. 2016헌마54 기각).

③ (○) 이 사건 감액조항은 공무원범죄를 예방하고 공무원이 재직 중 성실히 근무하도록 유도하기 위한 것으로서 그 입법목적은 정당하고, 수단도 적절하다. 이 사건 감액조항은 퇴직급여 등의 감액사유에서 '직무와 관련 없는 과실로 인하여 범죄를 저지른 경우' 및 '소속 상관의 정당한 직무상의 명령에 따르다가 과실로 인하여 범죄를 저지른 경우'를 제외하고, 이러한 범죄행위로 인하여 그 결과 '금고 이상의 형을 받은 경우'로 한정한 점, 감액의 범위도 국가 또는 지방자치단체의 부담부분을 넘지 않도록 한 점 등을 고려하면 침해의 최소성도 인정된다. 청구인들은 퇴직급여의 일부가 감액되는 사익의 침해를 받지만, 이는 공무원 자신이 저지른 범죄에서 비롯된 것인 점, 공무원 개개인이나 공직에 대한 국민의 신뢰를 유지하고자 하는 공익이 결코 적지 않은 점, 특히 이 사건 감액조항은 구법조항보다 감액사유를 더욱 한정하여 침해되는 사익을 최소화하고자 하였다는 점에서 법익의 균형성도 인정된다. 따라서 이 사건 감액조항은 청구인들의 재산권과 인간다운 생활을 할 권리를 침해하지 아니한다(헌재 2019.2.28. 2017헌마403 기각).

경찰헌법 8회 모의고사 정답 및 해설

제8회 모의고사 정답

01	③	02	②	03	④	04	④	05	④
06	④	07	③	08	②	09	②	10	②

01 정답 ③

ㄱ. (×) 국회는 헌법개정안이 공고된 날로부터 60일 이내에 의결하여야 하며, 국회의 의결은 재적의원 3분의 2 이상의 찬성을 얻어야 한다(헌법 제130조 제1항).

ㄴ. (○) 제5차 개정헌법(1962년 헌법)은 "헌법개정의 제안은 국회의 재적의원 3분의 1이상 또는 국회의원 선거권자 50만인 이상의 찬성으로써 한다."고 규정하여(제119조 제1항) 대통령의 헌법 개정안 제안권을 삭제하였다. 대통령의 헌법 개정안 제안권은 제7차 개정헌법에서 다시 인정되었다.

ㄷ. (×) 헌법개정안은 국회가 의결한 후 30일 이내에 국민투표에 붙여 국회의원선거권자 과반수의 투표와 투표자 과반수의 찬성을 얻어야 한다(헌법 제130조 제2항).

ㄹ. (○) 제2차 개정헌법은 "제1조(대한민국은 민주공화국이다), 제2조(대한민국의 주권은 국민에게 있고 모든 권력은 국민으로부터 나온다)와 제7조의2(대한민국의 주권의 제약 또는 영토의 변경을 가져올 국가안위에 관한 중대사항은 국회의 가결을 거친 후에 국민투표에 부하여 민의원의원선거권자 3분지 2 이상의 투표와 유효투표 3분지 2 이상의 찬성을 얻어야 한다)의 규정은 개폐할 수 없다."고 하여(제98조 제6항), 헌법개정의 실정법적 한계를 명문으로 규정한 바 있다.

02 정답 ②

② (×) 직장가입자에 비하여, 지역가입자에는 노인, 실업자, 퇴직자 등 소득이 없거나 저소득의 주민이 다수 포함되어 있고, 이러한 저소득층 지역가입자에 대하여 국가가 국고지원을 통하여 보험료를 보조하는 것은, 경제적·사회적 약자에게도 의료보험의 혜택을 제공해야 할 사회국가적 의무를 이행하기 위한 것이다. 사회보험의 목적이 모든 국민에게 최소한의 인간다운 생활을 보장하고자 하는 데 있으므로, 사회보험은 국가의 사회국가적 의무를 이행하기 위한 주요수단이다. 사회국가원리는 소득의 재분배의 관점에서 경제적 약자에 대한 보험료의 지원을 허용할 뿐만 아니라, 한걸음 더 나아가 정의로운 사회질서의 실현을 위하여 이를 요청하는 것이다. 따라서 국가가 저소득층 지역가입자를 대상으로 소득수준에 따라 보험료를 차등지원하는 것은 사회국가원리에 의하여 정당화되는 것이다. 결국, 국고지원에 있어서의 지역가입자와 직장가입자의 차별취급은 사회국가원리의 관점에서 합리적인 차별에 해당하는 것으로서 평등원칙에 위반되지 아니한다(헌재 2000.6.29. 99헌마289).

① (○) 사회국가란 한마디로, 사회정의의 이념을 헌법에 수용한 국가, 사회현상에 대하여 방관적인 국가가 아니라 경제·사회·문화의 모든 영역에서 정의로운 사회질서의 형성을 위하여 사회현상에 관여하고 간섭하고 분배하고 조정하는 국가이며, 궁극적으로는 국민 각자가 실제로 자유를 행사할 수 있는 그 실질적 조건을 마련해 줄 의무가 있는 국가이다(헌재 2002.12.18. 2002헌마52).

③ (○) 사회국가의 원리는 자유민주적 기본질서의 범위 내에서 이루어져야 하고, 국민 개인의 자유와 창의를 보완하는 범위 내에서 이루어지는 내재적 한계를 지니고 있다 할 것이다(헌재 2001.9.27. 2000헌마238).

④ (○) 우리나라 헌법상의 경제질서는 사유재산제를 바탕으로 하고 자유경쟁을 존중하는 자유시장경제질서를 기본으로 하면서도 이에 수반되는 갖가지 모순을 제거하고 사회복지·사회정의를 실현하기 위하여 국가적 규제와 조정을 용인하는 '사회적 시장경제질서'로서의 성격을 띠고 있다(헌재 1996.4.25. 92헌바47).

03 정답 ④

④ (×) 비례대표지방의회의원선거에 있어서는 당해 선거구선거관리위원회가 유효투표총수의 100분의 5 이상을 득표한 각 정당(의석할당정당)에 대하여 당해 선거에서 얻은 득표비율에 비례대표지방의회의원정수를 곱하여 산출된 수의 정수의 의석을 그 정당에 먼저 배분하고 잔여의석은 단수가 큰 순으로 각 의석할당정당에 1석씩 배분하되, 같은 단수가 있는 때에는 그 득표수가 많은 정당에 배분하고 그 득표수가 같은 때에는 당해 정당 사이의 추첨에 의한다. 이 경우 득표비율은 각 의석할당 정당의 득표수를 모든 의석할당정당의 득표수의 합계로 나누고 소수점 이하 제5위를 반올림하여 산출한다(공직선거법 제190조의2 제1항).

① (○) 18세 이상의 국민은 대통령 및 국회의원의 선거권이 있다(공직선거법 제15조 제1항).

② (○) 주민자치제를 본질로 하는 민주적 지방자치제도가 안정적으로 뿌리내린 현 시점에서 지방자치단체의 장 선거권을 지방의회의원 선거권, 나아가 국회의원 선거권 및 대통령 선거권과 구별하여 하나는 법률상의 권리로, 나머지는 헌법상의 권리로 이원화하는 것은 허용될 수 없다. 그러므로 지방자치단체의 장 선거권 역시 다른 선거권과 마찬가지로 헌법 제24조에 의해 보호되는 기본권으로 인정하여야 한다(헌재 2016.10.27. 2014헌마797).

③ (○) 범죄자에 대해 형벌의 내용으로 선거권을 제한하는 경우에도 선거권 제한 여부 및 적용범위의 타당성에 관하여 보통선거의 원칙에 입각한 선거권 보장과 그 제한의 관점에서 헌법 제37조 제2항에 따라 엄격한 비례심사를 하여야 한다(헌재 2018.1.25. 2015헌마821).

04 정답 ④

④ (×) 외국인에게 직장 선택의 자유에 대한 기본권 주체성을 인정한다는 것이 곧바로 이들에게 우리 국민과 동일한 수준의 직장선택의 자유가 보장된다는 것을 의미하는 것은 아니라고 할 것이다(헌재 2011.9.29, 2007헌마1083).

① (○), ② (○) 직업의 자유는 원칙적으로 대한민국 국민에게 인정되는 기본권이지, 외국인에게 인정되는 기본권은 아니다. 국가정책에 따라 정부의 허가를 받은 외국인은 정부가 허가한 범위 내에서 소득활동을 할 수 있는 것이므로, 외국인이 국내에서 누리는 직업의 자유는 법률 이전에 헌법에 의해서 부여된 기본권이라고 할 수는 없고, 법률에 따른 정부의 허가에 의해 비로소 발생하는 권리이다(헌재 2014.8.28, 2013헌마359).

③ (○) 외국인의 기본권 주체성 여부는 기본권의 성질에 좌우되는데, 인간의 존엄과 가치, 행복추구권, 평등권과 같은 '인간의 권리'로서의 성격을 갖는 기본권들이 외국인에게 인정된다. 근로의 권리 중 인간의 존엄성 보장에 필요한 최소한의 근로조건을 요구할 수 있는 '일할 환경에 관한 권리' 역시 외국인에게 보장되고, 고용허가를 받아 우리 사회에서 정당한 노동인력으로서 지위를 부여받은 외국인들의 직장선택의 자유도 인간의 권리로서 보장된다(헌재 2016.3.31, 2014헌마367).

05 정답 ④

④ (×) 개인적 단결권이든 집단적 단결권이든 기본권의 서열이나 법익의 형량을 통하여 어느 쪽을 우선시키고 다른 쪽을 후퇴시킬 수는 없다고 할 것이다. 따라서 이러한 경우 헌법의 통일성을 유지하기 위하여 상충하는 기본권 모두가 최대한으로 그 기능과 효력을 발휘할 수 있도록 '조화로운 방법'을 모색하되, 법익형량의 원리, 입법에 의한 선택적 재량 등을 종합적으로 참작하여 심사하여야 한다(헌재 2005.11.24, 2002헌바95).

① (○) 기본권의 충돌이란 상이한 복수의 기본권 주체가 서로의 권익을 실현하기 위해 하나의 동일한 사건에서 국가에 대하여 서로 대립되는 기본권의 적용을 주장하는 경우를 말하는데, 한 기본권 주체의 기본권 행사가 다른 기본권 주체의 기본권 행사를 제한 또는 희생시킨다는 데 그 특징이 있다(헌재 2005.11.24, 2002헌바95).

② (○) 두 기본권이 충돌하는 경우 그 해법으로는 기본권의 서열이론, 법익형량의 원리, 실제적 조화의 원리(=규범조화적 해석) 등을 들 수 있다. 헌법재판소는 기본권 충돌의 문제에 관하여 충돌하는 기본권의 성격과 태양에 따라 그때그때마다 적절한 해결방법을 선택, 종합하여 이를 해결하여 왔다(헌재 2004.8.26, 2003헌마45).

③ (○) 상하의 위계질서가 있는 기본권끼리 충돌하는 경우에는 '상위기본권 우선의 원칙'에 따라 하위기본권이 제한될 수 있으므로, 결국 흡연권은 혐연권을 침해하지 않는 한에서 인정되어야 한다(헌재 2004.8.26, 2003헌마457).

06 정답 ④

④ (×) 병역의무를 이행하고 있는 남성 단기복무군인과 달리 장교를 포함한 여성 단기복무군인은 지원에 의하여 직업으로서 군인을 선택한 것이므로, 이 사건 법률조항이 육아휴직과 관련하여 단기복무군인 중 남성과 여성을 차별하는 것은 성별에 근거한 차별이 아니라 의무복무군인과 직업군인이라는 복무형태에 따른 차별로 봄이 타당하다(헌재 2008.10.30, 2005헌마1156).

① (○) 헌법이 규정한 평등의 원칙은 국가가 언제 어디에서 어떤 계층을 대상으로 하여 기본권에 관한 상황이나 제도의 개선을 시작할 것인지를 선택하는 것을 방해하지는 않는다. 말하자면 국가는 합리적인 기준에 따라 능력이 허용하는 범위 내에서 법적 가치의 상향적 구현을 위한 제도의 단계적 개선을 추진할 수 있는 길을 선택할 수 있어야 한다. 이러한 점은 그 제도의 개선에 과다한 재원이 소요되거나 전제되는 여러 제도적 여건을 동시에 갖추는 데에는 기술적인 어려움이 따르는 경우에 더욱 두드러진다. 그것이 허용되지 않는다면, 모든 사항과 계층을 대상으로 하여 동시에 제도의 개선을 추진하는 예외적 경우를 제외하고는 어떠한 개선도 평등의 원칙 때문에 그 시행이 불가능하다는 결과에 이르게 되어 불합리할 뿐 아니라 평등의 원칙이 실현하고자 하는 가치와도 어긋나기 때문이다(헌재 1990.6.25, 89헌마107).

② (○) 적극적 평등실현조치의 혜택을 받는 집단에 속하지 않는 사람들은 그 조치로 인하여 상대적으로 불이익을 받게 되므로, 실질적 평등을 실현하기 위한 위 조치가 오히려 평등원칙에 위배되는 차별(이른바 '역차별')이 아닌지 문제된다(헌재 2014.8.28, 2013헌마553).

③ (○) 헌법 제11조 제1항 후문의 규정은 불합리한 차별의 금지에 초점이 있고, 예시한 사유가 있는 경우에 절대적으로 차별을 금지할 것을 요구함으로써 입법자에게 인정되는 입법형성권을 제한하는 것은 아니다. '성별'의 경우를 살펴보면, 성별은 개인이 자유로이 선택할 수 없고 변경하기 어려운 생래적인 특징으로서 개인의 인간으로서의 존엄과 가치에 영향을 미치는 요소는 아니다. 그럼에도 불구하고 역사적으로 매우 오랜 기간 동안 대표적인 차별가능사유로서 정당화되어 왔기 때문에, 불합리한 차별을 극복해야 할 절실한 필요에 의하여 우리 헌법이 이를 차별금지의 사유로 예시하기에 이른 것이다. 그러나 이와 같은 헌법규정이 남성과 여성의 차이, 예컨대 임신이나 출산과 관련된 신체적 차이 등을 이유로 한 차별취급까지 금지하는 것은 아니며, 성별에 의한 차별취급이 곧바로 위헌의 강한 의심을 일으키는 사례군으로서 언제나 엄격한 심사를 요구하는 것이라고 단정짓기는 어렵다(헌재 2010.11.25, 2006헌마328).

07 정답 ③

③ (×) 소년보호사건은 소년의 개선과 교화를 목적으로 하는 것으로서 통상의 형사사건과는 구별되어야 하고, 법원이 소년

의 비행사실이 인정되고 보호의 필요성이 있다고 판단하여 소년원 송치처분을 함과 동시에 이를 집행하는 것은 무죄추정원칙과는 무관하다. 소년보호사건에서 소년은 피고인이 아닌 피보호자이며, 원 결정에 따라 소년원 송치처분을 집행하는 것은 비행을 저지른 소년에 대한 보호의 필요성이 시급하다고 판단하였기 때문에 즉시 보호를 하기 위한 것이지, 소년이 비행을 저질렀다는 전제하에 그에게 불이익을 주거나 처벌을 하기 위한 것이 아니다. 또한 항고심에서는 1심 결정과 그에 따른 집행을 감안하여 항고심 판단 시를 기준으로 소년에 대한 보호의 필요성과 그 정도를 판단하여 새로운 처분을 하는 것이다. 따라서 1심 결정에 의한 소년원 수용기간을 항고심 결정에 의한 보호기간에 산입하지 않더라도 이는 무죄추정원칙과는 관련이 없으므로 이 사건 법률조항은 무죄추정원칙에 위배되지 않는다(헌재 2015.12.23, 2014헌마768).

① (○) 이 사건 법률조항은 공소 제기된 자로서 구금되었다는 사실 자체에 사회적 비난의 의미를 부여한다거나 그 유죄의 개연성에 근거하여 직무를 정지시키는 것이 아니라, 구금의 효과, 즉 구속되어 있는 자치단체장의 물리적 부재상태로 말미암아 자치단체행정의 원활하고 계속적인 운영에 위험이 발생할 것이 명백하여 이를 미연에 방지하기 위하여 직무를 정지시키는 것이므로, '범죄사실의 인정 또는 유죄의 인정에서 비롯되는 불이익'이라거나 '유죄를 근거로 하는 사회윤리적 비난'이라고 볼 수 없다. 따라서 무죄추정의 원칙에 위반되지 않는다(헌재 2011.4.28, 2010헌마474).

② (○) 무죄추정이란 유죄의 판결이 확정되기 전에 죄 있는 자에 준하여 취급함으로써 법률적, 사실적 측면에서 유형, 무형의 불이익을 주는 것을 말하고, 여기서 불이익이란 유죄를 근거로 그에 대하여 사회적 비난 내지 기타 응보적 의미의 차별취급을 가하는 유죄 인정의 효과로서의 불이익을 뜻한다. 무죄추정의 원칙은 형사절차뿐만 아니라 기타 일반 법생활 영역에서의 기본권 제한과 같은 경우에도 적용된다(헌재 2005.5.26, 2002헌마699).

④ (○) 무죄추정의 원칙은 인간의 존엄성을 기본권질서의 중심으로 보장하고 있는 헌법질서 내에서 형벌작용의 필연적인 기속원리가 될 수밖에 없고, 이러한 원칙이 제도적으로 표현된 것으로는, 공판절차의 입증단계에서 거증책임을 검사에게 부담시키는 제도, 보석 및 구속적부심 등 인신구속의 제한을 위한 제도, 그리고 피의자 및 피고인에 대한 부당한 대우 금지 등이 있다(헌재 2001.11.29, 2001헌바41).

08 정답 ②

② (×) 이 사건 본인확인 조항이 정하고 있는 공인인증서나 아이핀, 휴대전화를 통한 본인인증 방법은 과거 무분별한 주민등록번호 수집에 대한 반성적 고려에서 마련된 것으로, 신뢰할 수 있는 기관을 통해서 본인인증을 하도록 하여 정확한 본인확인이 이루어질 수 있도록 하면서도 개인정보의 제공이나 보유를 최소화하기 위해 고안된 방안이다. 나아가 이용자가 자율적으로 개인정보 제공에 대하여 동의하지 않는 한 이 사건 본인확인 조항 자체에 의해 정보제공자가 이용자의 개인정보를 수집・보관할 수 없으며, 이용자가 정보제공이나 수집에 동의한 경우에도 수집된 개인정보들은 '정보통신망 이용촉진 및 정보보호 등에 관한 법률'에 의해 보호되므로, 침해의 최소성에 위배되지 아니한다. 강한 전파력을 가지고 무차별적으로 유포될 수 있는 가능성을 지닌 인터넷 매체의 특성을 고려할 때 이러한 제한을 통하여 달성하고자 하는 청소년 보호라는 공익은 매우 중대한 것임에 반해, 이 사건 본인확인 조항으로 인하여 청구인들이 입게 되는 불이익은 인터넷상 청소년유해매체물을 이용하려는 경우 본인인증 절차를 거쳐야 하는 것이므로, 법익의 균형성도 갖추었다. 따라서 이 사건 본인확인 조항은 과잉금지원칙에 반하여 청구인들의 알 권리 및 개인정보자기결정권을 침해하지 않는다(헌재 2015.3.26, 2013헌마354).

① (○) 알 권리의 실현은 법률의 제정이 뒤따라 이를 구체화시키는 것이 충실하고도 바람직하지만, 그러한 법률이 제정되어 있지 않다고 하더라도 불가능한 것은 아니고 헌법 제21조에 의해 직접 보장될 수 있다고 하는 것이 헌법재판소의 확립된 판례이다(헌재 1991.5.13, 90헌마133).

③ (○) 변호사시험 성적을 상당한 기간 공개함으로써 직접적으로 늘어나는 국가의 업무 부담은 성적 정보 보관에 관한 것이고, 설령 답안 자료 보관에 대한 업무 부담이 늘어난다고 하더라도 정보기술을 이용하여 상당 부분 해결할 수 있다. 변호사의 취업난이 가중되고 있다는 점, 이직을 위해서도 변호사시험 성적이 필요할 수 있다는 점 등을 고려하면, 변호사시험 합격자에게 취업 및 이직에 필요한 상당한 기간 동안 자신의 성적을 활용할 기회를 부여할 필요가 있다. 특례조항에서 정하고 있는 '이 법 시행일부터 6개월 내'라는 기간은 변호사시험 합격자가 취업시장에서 성적 정보에 접근하고 이를 활용하기에 지나치게 짧다. 변호사시험 합격자는 성적 공개 청구기간 내에 열람한 성적 정보를 인쇄하는 등의 방법을 통해 개별적으로 자신의 성적 정보를 보관할 수 있으나, 성적 공개 청구기간이 지나치게 짧아 정보에 대한 접근을 과도하게 제한하는 이상, 이러한 점을 들어 기본권 제한이 충분히 완화되어 있다고 보기도 어렵다. 이상을 종합하면, 특례조항은 과잉금지원칙에 위배되어 청구인의 정보공개청구권을 침해한다(헌재 2019.7.25, 2017헌마1329 위헌).

④ (○) 정치자금의 수입과 지출명세서 등에 대한 사본교부 신청이 허용된다고 하더라도, 검증자료에 해당하는 영수증, 예금통장을 직접 열람함으로써 정치자금 수입・지출의 문제점을 발견할 수 있다는 점에서 이에 대한 접근이 보장되어야 한다. 영수증, 예금통장은 현행법령 하에서 사본교부가 되지 않아 열람을 통해 확인할 수밖에 없음에도 열람 중 필사가 허용되지 않고 열람기간마저 3월간으로 짧아 그 내용을 파악하고 분석하기 쉽지 않다. 또한 열람기간이 공직선거법상의 단기 공소시효조차 완성되지 아니한, 공고일부터 3개월 후에 만료된다는 점에서도 지나치게 짧게 설정되어 있다. 이를 종합하

면 정치자금을 둘러싼 분쟁 등의 장기화 방지 및 행정부담의 경감을 위해 열람기간의 제한 자체는 둘 수 있다고 하더라도, 현행 기간이 지나치게 짧다는 점은 명확하다. 그렇다면 이 사건 열람기간제한 조항은 과잉금지원칙에 위배되어 청구인의 알 권리를 침해한다(헌재 2021.5.27. 2018헌마1168 위헌).

09 정답 ②

② (×) 헌법 제15조는 직업선택의 자유를 보장하는 것에서 나아가 영업내용을 어떻게 할 것인지에 관한 직업수행의 자유 내지 영업의 자유를 포함하는 직업의 자유를 보장하고 있다. 청구인은 판매를 목적으로 모의총포를 소지하는 자인바 소지하는 행위 자체를 일률적으로 영업활동이라 볼 수는 없지만, 그 소지 목적이나 정황적 근거에 따라 소지행위가 영업을 위한 준비행위로서 영업활동의 일환으로 평가될 수 있고, 이 사건 법률조항에 의하여 금지되는 소지행위도 영업으로서 직업의 자유의 보호범위에 포함될 수 있다(헌재 2011.11.24. 2011헌바18).

① (○) 직업선택의 자유에는 자신이 원하는 직업 내지 직종에 종사하는 데 필요한 전문지식을 습득하기 위한 직업교육장을 임의로 선택할 수 있는 '직업교육장 선택의 자유'도 포함된다(헌재 2009.2.26. 2007헌마1262).

③ (○), ④ (○) 헌법 제15조가 보장하는 직업의 자유는 독립적 형태의 직업활동뿐만 아니라 고용된 형태의 종속적인 직업활동도 보장한다. 따라서 직업선택의 자유는 직장선택의 자유를 포함한다. 직장선택의 자유는 개인이 그 선택한 직업분야에서 구체적인 취업의 기회를 가지거나, 이미 형성된 근로관계를 계속 유지하거나 포기하는 데에 있어 국가의 방해를 받지 않는 자유로운 선택·결정을 보호하는 것을 내용으로 한다. 그러나 이 기본권은 원하는 직장을 제공하여 줄 것을 청구하거나 한번 선택한 직장의 존속보호를 청구할 권리를 보장하지 않으며, 또한 사용자의 처분에 따른 직장 상실로부터 직접 보호하여 줄 것을 청구할 수도 없다. 다만 국가는 이 기본권에서 나오는 객관적 보호의무, 즉 사용자에 의한 해고로부터 근로자를 보호할 의무를 질뿐이다(헌재 2002.11.28. 2001헌바50).

10 정답 ②

② (×) 예비후보자 기탁금조항은 예비후보자의 무분별한 난립을 막고 책임성과 성실성을 담보하기 위한 것으로서, 입법목적의 정당성과 수단의 적합성이 인정된다. 또한 예비후보자 기탁금제도보다 덜 침해적인 다른 방법이 명백히 존재한다고 할 수 없고, 일정한 범위의 선거운동이 허용된 예비후보자의 기탁금 액수를 해당 선거의 후보자등록 시 납부해야 하는 기탁금의 100분의 20인 300만 원으로 설정한 것은 입법재량의 범위를 벗어난 것으로 볼 수 없으므로 침해의 최소성 원칙에 위배되지 아니한다. 그리고 위 조항으로 인하여 예비후보자로 등록하려는 사람의 공무담임권 제한은 이로써 달성하려는 공익보다 크다고 할 수 없어 법익의 균형성 원칙에도 반하지 않는다. 따라서 예비후보자 기탁금조항은 청구인의 공무담임권을 침해하지 않는다(헌재 2017.10.26. 2016헌마623).

① (○) 헌법 제25조가 규정하는 공무담임권은 공직 취임의 기회 보장을 보호영역으로 하는데, 더 나아가 지방자치단체장의 재임 기간 동안 충실한 공직 수행을 담보하기 위하여 이들을 위한 퇴직급여제도를 마련할 것까지 그 보호영역으로 한다고 볼 수는 없다(헌재 2014.6.26. 2012헌마459).

③ (○) 공무담임권은 국가 등에게 능력주의를 존중하는 공정한 공직자선발을 요구할 수 있는 권리라는 점에서 직업선택의 자유보다는 그 기본권의 효과가 현실적·구체적이므로, 공직을 직업으로 선택하는 경우에 있어서 직업선택의 자유는 공무담임권을 통해서 그 기본권보호를 받게 된다고 할 수 있으므로 공무담임권을 침해하는지 여부를 심사하는 이상 이와 별도로 직업선택의 자유 침해 여부를 심사할 필요는 없다(헌재 2006.3.30. 2005헌마598).

④ (○) 헌법 제25조의 공무담임권의 보호영역에는 일반적으로 공직취임의 기회보장, 신분박탈, 직무의 정지에 관련된 사항이 포함되지만, 특별한 사정도 없이 공무원이 특정의 장소에서 근무하는 것이나 특정의 보직을 받아 근무하는 것을 포함하는 일종의 '공무수행의 자유'까지 포함된다고 보기 어렵다(헌재 2014.1.28. 2011헌마239).

MEMO

PART

02

형사법

정답 및 해설편

형사법 1회 모의고사 정답 및 해설

제1회 모의고사 정답

01	①	02	③	03	④	04	③	05	②
06	④	07	③	08	②	09	②	10	④

01 정답 ①

형법서론 ▮ 난이도 하

① (O) 대판 1997.3.20, 96도1167

② (×) 대법원 양형위원회가 설정한 '양형기준'이 발효하기 전에 공소가 제기된 범죄에 대하여 위 '양형기준'을 참고하여 형을 양정한 사안에서, 피고인에게 불리한 법률을 소급하여 적용한 위법이 있다고 할 수 없다(대판 2009.12.10, 2009도11448).

③ (×) 가정폭력범죄의 처벌 등에 관한 특례법이 정한 보호처분 중의 하나인 사회봉사명령은 가정폭력범죄를 범한 자에 대하여 환경의 조정과 성행의 교정을 목적으로 하는 것으로서 형벌 그 자체가 아니라 보안처분의 성격을 가지는 것이 사실이다. 그러나 한편으로 이는 가정폭력범죄행위에 대하여 형사처벌 대신 부과되는 것으로서, 가정폭력범죄를 범한 자에게 의무적 노동을 부과하고 여가시간을 박탈하여 실질적으로는 신체적 자유를 제한하게 되므로, 이에 대하여는 원칙적으로 형벌불소급의 원칙에 따라 행위시법을 적용함이 상당하다(대판 2008.7.24, 2008어4).

④ (×) 원심판결 선고 후 헌법재판소가 위 법률조항에 대해 헌법불합치결정을 선고하면서 개정시한을 정하여 입법개선을 촉구하였는데도 위 시한까지 법률 개정이 이루어지지 않은 사안에서, 위 법률조항은 소급하여 효력을 상실하므로 이를 적용하여 공소가 제기된 위 피고사건에 대하여 무죄를 선고하여야 한다(대판(전) 2011.6.23, 2008도7562).

02 정답 ③

구성요건론 ▮ 난이도 중

③ (×) 〈추상적 사실의 착오 중 방법의 착오〉사례이다. 이와 같은 사례에서 추상적 부합설은 경한 죄의 고의로 중한 죄의 결과가 발생했을 때 경한 죄의 기수와 중한 죄의 과실의 상상적 경합을 인정하므로 甲은 丙에 대한 재물손괴기수와 乙에 대한 과실치사죄의 상상적 경합범이 된다.

① (O) 대판 1987.10.26, 87도1745 〈구체적 사실의 착오 중 방법의 착오〉사례이다. 판례의 입장인 법정적 부합설에 의하면 발생사실에 대한 고의기수가 인정되므로 甲은 丁에 대한 상해기수의 죄책을 진다.

② (O) 〈추상적 사실의 착오 중 방법의 착오〉사례이다. 구체적 부합설과 법정적 부합설 모두 인식사실에 대한 미수와 발생사실에 대한 과실의 상상적 경합을 인정한다.

④ (O) 대판 1960.10.31, 4293형상494

03 정답 ④

책임론 ▮ 난이도 중

④ (O) 이른바 구성요건모델(일치설)을 말한다. 이는 책임능력이 있는 상태하에서의 원인설정행위에 가벌성의 근거가 있다는 견해로서 원인행위 개시시기를 실행의 착수시기로 본다. 이는 행위와 책임의 동시존재의 원칙을 유지한다는 장점이 있으나, 구성요건의 정형성을 무시한다는 비판이 제기된다.

① (×) 증인으로 선서한 이상 진실대로 진술한다고 하면 자신의 범죄를 시인하는 진술을 하는 것이 되고 증언을 거부하는 것은 자기의 범죄를 암시하는 것이 되어 증인에게 사실대로의 진술을 기대할 수 없다고 하더라도 형사소송법상 이러한 처지의 증인에게는 증언을 거부할 수 있는 권리를 인정하여 위증죄로부터의 탈출구를 마련하고 있는 만큼 적법행위의 기대가능성이 없다고 할 수 없으므로 선서한 증인이 증언거부권을 포기하고 허위의 진술을 하였다면 위증죄의 처벌을 면할 수 없다(대판(전) 1987.7.7, 86도1724).

② (×) 병역법 제88조 제1항은 국방의 의무를 실현하기 위하여 현역입영 또는 소집통지서를 받고도 정당한 사유 없이 이에 응하지 않은 사람을 처벌함으로써 입영기피를 억제하고 병력구성을 확보하기 위한 규정이다. 위 조항에 따르면 정당한 사유가 있는 경우에는 피고인을 벌할 수 없는데, 여기에서 정당한 사유는 구성요건해당성을 조각하는 사유이다(대판(전) 2004.7.15, 선고 2004도2965 등 참조). 이는 형법상 위법성 조각사유인 정당행위나 책임조각사유인 기대불가능성과는 구별된다. (대판(전) 2018.11.1, 2016도10912)

③ (×) 지문은 위법성조각사유의 '한계'의 착오 사례로서 금지의 착오에 해당하여 엄격책임설과 제한적 책임설은 그 결론을 달리하지 아니한다. 양 학설 모두 착오에 정당한 이유가 있으면 책임이 조각되고, 정당한 이유가 없으면 고의범으로 처벌된다. 엄격책임설과 제한적 책임설이 결론을 달리하는 것은 위법성조각사유의 '전제사실'의 착오 사례의 경우이다.

04 정답 ③

공범론 ▮ 난이도 중

③ (×) 부정수표단속법 제4조가 '수표금액의 지급 또는 거래정지처분을 면할 목적'을 요건으로 하고, 수표금액의 지급책임을 부담하는 자 또는 거래정지처분을 당하는 자는 발행인에 국한되는 점에 비추어 볼 때 수표의 발행인이 아닌 자는 부정수표단속법 제4조(거짓 신고자의 형사책임) 위반죄의 주체가 될 수 없고 거짓 신고의 고의 없는 발행인을 이용하여 간접정

범의 형태로 그 죄를 범할 수도 없다. 타인으로부터 명의를 차용하여 수표를 발행하는 경우에도 수표가 지급제시됨으로써 당좌예금계좌에서 수표금액이 지출되거나 거래정지처분을 당하게 되는 자는 결국 수표의 지급인인 은행과 당좌예금계약을 체결한 자인 수표의 발행명의인이 되고, 수표가 지급제시되더라도 수표금액이 지출되거나 거래정지처분을 당하게 되는 자에 해당된다고 볼 수 없는 명의차용인은 「부정수표 단속법」 제4조 위반죄의 주체가 될 수 없다(대판 2014.1.23, 13도13804).

① (○) 2인 이상의 서로 대향된 행위의 존재를 필요로 하는 대향범에 대하여는 공범에 관한 형법총칙 규정이 적용될 수 없는데, 구 의료법 제17조 제1항 본문은 의료업에 종사하고 직접 진찰한 의사가 아니면 처방전을 작성하여 환자 등에게 교부하지 못한다고 규정하면서 제89조에서는 위 조항 본문을 위반한 자를 처벌하고 있을 뿐, 위와 같이 작성된 처방전을 교부받은 상대방을 처벌하는 규정이 따로 없는 점에 비추어, 위와 같이 작성된 처방전을 교부받은 자에 대하여는 공범에 관한 형법총칙 규정이 적용될 수 없다고 보아야 한다(대판 2011.10.13, 11도6287).

② (○) 형법 제31조 제2항

④ (○) 형법 제34조 제1항

05 정답 ②

죄수론 ▮ 난이도 중

② (×) 업무방해죄와 폭행죄는 구성요건과 보호법익을 달리하고 있고, 업무방해죄의 성립에 일반적·전형적으로 사람에 대한 폭행행위를 수반하는 것은 아니며, 폭행행위가 업무방해죄에 비하여 별도로 고려되지 않을 만큼 경미한 것이라고 할 수도 없으므로, 설령 피해자에 대한 폭행행위가 동일한 피해자에 대한 업무방해죄의 수단이 되었다고 하더라도 그러한 폭행행위가 이른바 '불가벌적 수반행위'에 해당하여 업무방해죄에 대하여 흡수관계에 있다고 볼 수는 없다(대판 2012.10.11, 2012도1895). 지문의 경우 폭행죄와 업무방해죄는 상상적 경합범의 관계에 있다.

① (○) 대판 2013.9.26, 2011도1435

③ (○) 대판 1999.8.20, 99도1744

④ (○) 대판 2013.9.26, 2013도7876

06 정답 ④

개인적 법익 ▮ 난이도 하

④ (○) [1] 실제 인물이나 사건을 모델로 한 영화가 허위의 사실을 적시하여 개인의 명예를 훼손하는 행위를 한 경우에도 그것이 공공의 이해에 관한 사항으로서 그 목적이 공공의 이익을 위한 것일 때에는 행위자가 적시된 사실을 진실이라고 믿었고 또 그렇게 믿을 만한 상당한 이유가 있으면 그 행위자에게 불법행위책임을 물을 수 없다.
[2] 실제 인물이나 역사적 사건을 모델로 한 영화라 하더라도 상업영화의 경우에는 대중적 관심을 이끌어 내고 이를 확산하기 위하여 **통상적으로 광고·홍보행위가 수반되는바**, 영화가 허위의 사실을 표현하여 개인의 명예를 훼손한 경우에도 행위자가 그것을 진실이라고 믿었고 또 그렇게 믿을 만한 상당한 이유가 있어 그 행위자에게 명예훼손으로 인한 불법행위책임을 물을 수 없다면 그 광고·홍보의 내용이 영화에서 묘사된 허위의 사실을 넘어서는 등의 특별한 사정이 없는 한 그 광고·홍보행위가 별도로 명예훼손의 불법행위를 구성한다고 볼 수 없다. 나아가 이러한 상업영화에 있어서 그 내용의 특정 부분을 적시하지 않은 채 진실이라고 광고·홍보하였다고 하더라도 특별한 사정이 없는 한 그 영화의 모든 내용이 진실이라는 의미라고 보아서는 아니 되고 전체적으로 역사적 사실에 바탕을 두었으며 극적 허구와의 조화 속에서 확인된 사실관계를 최대한 반영하였다는 취지로 이해하여야 할 것이다(대판 2010.7.15, 2007다3483).

① (×) 모욕죄는 특정한 사람 또는 인격을 보유하는 단체에 대하여 사회적 평가를 저하시킬 만한 경멸적 감정을 표현함으로써 성립하므로 그 **피해자는 특정되어야** 한다. 그리고 이른바 집단표시에 의한 모욕은, 모욕의 내용이 집단에 속한 특정인에 대한 것이라고는 해석되기 힘들고, 집단표시에 의한 비난이 **개별구성원에 이르러서는 비난의 정도가 희석되어** 구성원 개개인의 사회적 평가에 영향을 미칠 정도에 이르지 아니한 경우에는 구성원 개개인에 대한 모욕이 성립되지 않는다고 봄이 원칙이고, 비난의 정도가 희석되지 않아 구성원 개개인의 사회적 평가를 저하시킬 만한 것으로 평가될 경우에는 예외적으로 구성원 개개인에 대한 모욕이 성립할 수 있다. 한편 구성원 개개인에 대한 것으로 여겨질 정도로 **구성원 수가 적거나** 당시의 주위 정황 등으로 보아 집단 내 개별구성원을 지칭하는 것으로 여겨질 수 있는 때에는 집단 내 개별구성원이 피해자로서 특정된다고 보아야 할 것인데, 구체적인 기준으로는 집단의 크기, 집단의 성격과 집단 내에서의 피해자의 지위 등을 들 수 있다(대판 2014.3.27, 2011도15631).
[사실관계] ① 피고인을 수사기관에 고소한 여성 아나운서는 154명이고 피고인의 발언 대상인 '여성 아나운서'라는 집단은 **직업과 성별로만 분류된 집단의 명칭**으로서 그중에는 이 사건 고소인들이 속한 공중파 방송 아나운서들로 구성된 ○○연합회에 등록된 사람뿐만 아니라 유선방송에 소속되어 있거나 그 밖의 다양한 형태로 활동하는 여성 아나운서들이 존재하므로 **'여성 아나운서'라는 집단 자체의 경계가 불분명**하고 그 조직화 및 결속력의 정도 또한 견고하다고 볼 수 없는 점, (중략) ② 피해자들을 비롯한 여성 아나운서들은 방송을 통해 대중에게 널리 알려진 사람들이어서 그 생활 범위 내에 있는 사람들이 문제된 발언과 피해자들을 연결시킬 가능성이 있다는 이유만으로 곧바로 그 집단 구성원 개개인에 대한 모욕이 된다고 평가하게 되면 모욕죄의 성립 범위를 지나치게 확대시킬 우려가 있는 점 등을 종합해 보면, 피고인의 이 사

건 발언은 여성 아나운서 일반을 대상으로 한 것으로서 **그 개별구성원인 피해자들에 이르러서는 비난의 정도가 희석되어** 피해자 개개인의 사회적 평가에 영향을 미칠 정도에까지는 이르지 아니하므로 형법상 모욕죄에 해당한다고 보기는 어렵다(대판 2014.3.27. 2011도15631).

② (×) 교회담임목사를 출교처분한다는 취지의 교단산하 재판위원회의 판결문은 성질상 교회나 교단 소속신자들 사이에서는 당연히 전파, 고지될 수 있는 것이므로 위 판결문을 복사하여 예배를 보러온 신도들에게 배포한 행위에 의하여 그 목사의 개인적인 명예가 훼손된다 하여도 그것은 진실한 사실로서 오로지 교단 또는 그 산하교회 소속신자들의 이익에 관한 때에 해당하거나 적어도 사회상규에 위배되지 아니하는 행위에 해당하여 위법성이 없다. 이 경우 피고인들의 소행에 피해자를 비방할 목적이 함께 숨어 있었다고 하더라도 그 주요한 동기가 공공의 이익을 위한 것이라면 형법 제310조의 적용을 배제할 수 없다(대판 1989.2.14. 88도899).

【관련판례】 형법 제309조 제1항 소정의 출판물에 의한 명예훼손죄는 타인을 비방할 목적으로 신문, 잡지 또는 라디오 기타 출판물에 의하여 사실을 적시하여 타인의 명예를 훼손할 경우에 성립되는 범죄로서, 여기서 '비방할 목적'이란 가해의 의사 내지 목적을 요하는 것으로서 공공의 이익을 위한 것과는 행위자의 주관적 의도의 방향에 있어 서로 상반되는 관계에 있다고 할 것이므로, 적시한 사실이 공공의 이익에 관한 것인 경우에는 특별한 사정이 없는 한 비방할 목적은 부인된다고 봄이 상당하다(대판 2005.4.29. 03도2137).

③ (×) 아파트 입주자대표회의 감사인 피고인이 관리소장 甲의 외부특별감사에 관한 업무처리에 항의하기 위해 관리소장실을 방문한 자리에서 甲과 언쟁을 하다가 "야, 이따위로 일할래.", "나이 처먹은 게 무슨 자랑이냐."라고 말한 사안에서, 피고인과 甲의 관계, 피고인이 발언을 하게 된 경위와 발언의 횟수, 발언의 의미와 전체적인 맥락, 발언을 한 장소와 발언 전후의 정황 등에 비추어 볼 때, 피고인의 발언은 상대방을 불쾌하게 할 수 있는 무례하고 저속한 표현이기는 하지만 객관적으로 甲의 인격적 가치에 대한 사회적 평가를 저하시킬 만한 모욕적 언사에 해당하지 않는다(대판 2015.9.10. 2015도2229).

07 정답 ③

사회적 법익 ▮ 난이도 중

③ (○) 대판 2012.4.26. 2009도5786

① (×) 부동산에 관하여 경료된 소유권이전등기나 보존등기가 절차상 하자가 있거나 등기원인이 실재와 다르다 하더라도 그 등기가 실체적 권리관계에 부합하는 유효한 등기인 경우에는 공정증서원본부실기재죄가 성립하지 아니한다(대판 1998.4.14. 98도16).

② (×) 피고인이 부동산에 관하여 가장매매를 원인으로 소유권이전등기를 경료하였더라도, 그 당사자 사이에는 소유권이전등기를 경료시킬 의사는 있었다고 할 것이므로 공정증서원본부실기재죄 및 동행사죄는 성립하지 않는다(대판 2011.7.14. 2010도1025).

※ 부동산을 관리·보전하는 방법으로 이를 타에 신탁하는 의사로서 그 소유권이전등기를 한 경우에는 그 원인을 매매로 가장하였다 하더라도 공정증서원본부실기재죄는 성립하지 않는다.

④ (×) 근저당권은 근저당물의 소유자가 아니면 설정할 수 없으므로 타인의 부동산을 자기 또는 제3자의 소유라고 허위의 사실을 신고하여 소유권이전등기를 경료한 후 나아가 그 부동산이 자기 또는 당해 제3자의 소유인 것처럼 가장하여 그 부동산에 관하여 자기 또는 당해 제3자 명의로 채권자와의 사이에 근저당권설정등기를 경료한 경우에는 공정증서원본부실기재 및 동행사죄가 성립한다(대판 1997.7.25. 97도605).

08 정답 ②

수사 ▮ 난이도 중

② (×) 전자정보에 대한 압수·수색영장의 집행에 있어서는 원칙적으로 영장 발부의 사유로 된 혐의사실과 관련된 부분만을 문서 출력물로 수집하거나 수사기관이 휴대한 저장매체에 해당 파일을 복사하는 방식으로 이루어져야 하고, 집행현장의 사정상 위와 같은 방식에 의한 집행이 불가능하거나 현저히 곤란한 부득이한 사정이 있더라도 그 같은 경우에 그 저장매체 자체를 직접 또는 하드카피나 이미징 등 형태로 수사기관 사무실 등 외부로 반출하여 해당 파일을 압수·수색할 수 있도록 영장에 기재되어 있고 실제 그와 같은 사정이 발생한 때에 한하여 예외적으로 허용될 수 있을 뿐이다(대판 2012.3.29. 2011도10508).

① (○) 대판 2007.12.13. 2007도7257

③, ④ (○) 대결(전) 2015.7.16. 2011모1839

09 정답 ②

증거 ▮ 난이도 중

② (×) 위법한 강제연행 상태에서 호흡측정 방법에 의한 음주측정을 한 다음 강제연행 상태로부터 시간적·장소적으로 단절되었다고 볼 수도 없고 피의자의 심적 상태 또한 강제연행 상태로부터 완전히 벗어났다고 볼 수 없는 상황에서 피의자가 호흡측정 결과에 대한 탄핵을 하기 위하여 스스로 혈액채취 방법에 의한 측정을 할 것을 요구하여 혈액채취가 이루어졌다고 하더라도 그 사이에 위법한 체포 상태에 의한 영향이 완전하게 배제되고 피의자의 의사결정의 자유가 확실하게 보장되었다고 볼 만한 다른 사정이 개입되지 않은 이상 불법체포와 증거수집 사이의 인과관계가 단절된 것으로 볼 수는 없다. 따라서 그러한 혈액채취에 의한 측정 결과 역시 유죄 인정의 증거로 쓸 수 없다고 보아야 한다. 그리고 이는 수사기관이

위법한 체포 상태를 이용하여 증거를 수집하는 등의 행위를 효과적으로 억지하기 위한 것이므로, 피고인이나 변호인이 이를 증거로 함에 동의하였다고 하여도 달리 볼 것은 아니다(대판 2013.3.14, 2010도2094).

① (O) 대판 2014.10.15, 2011도3509

③ (O) 대판 2009.3.12, 2008도763

④ (O) 대판 2010.10.14, 2010도9016

10 정답 ④

증거 ▮ 난이도 중

④ (×) 검사 또는 사법경찰관이 검증의 결과를 기재한 조서는 적법한 절차와 방식에 따라 작성된 것으로서 공판준비 또는 공판기일에서의 작성자의 진술에 의해 그 성립의 진정함이 증명된 때에는 증거로 할 수 있다(제312조 제6항).

① (O) 대판 2009.7.9, 2009도2865

② (O) 외국에 거주하는 참고인과의 전화 대화내용을 문답형식으로 기재한 검찰주사보 작성의 수사보고서는 제313조의 진술을 기재한 서류의 요건을 충족하여야 증거능력이 인정되는데, 제313조가 적용되기 위하여는 그 진술을 기재한 서류에 그 진술자의 서명 또는 날인이 있어야 한다(대판 1999.2.26, 98도2742). 다만, 서명 또는 날인이 없어 제313조 제1항의 요건을 갖추지 못한 서류라도, 증거동의시 증거능력이 인정될 수 있다(제318조 제1항).

③ (O) 대판 2007.1.11, 2006도7228

형사법 2회 모의고사 정답 및 해설

제2회 모의고사 정답

01	②	02	③	03	③	04	①	05	③
06	①	07	②	08	①	09	③	10	②

01 정답 ②

형법서론 ▮ 난이도 하

② (×) 종전에는 피해자의 의사에 상관없이 처벌할 수 있었던 근로기준법 제112조 제1항, 제36조 위반죄가 **반의사불벌죄로 개정**되었고, 부칙에는 그 적용과 관련한 경과규정이 없지만 개정법률이 **피고인에게 더 유리할** 것이므로 형법 제1조 제2항에 의하여 피고인에 대하여는 개정법률이 적용되어야 한다(대판 2005.10.28, 2005도4462).

① (○) 형법 제257조 제1항의 가중적 구성요건을 규정하고 있던 구 폭력행위처벌법 제3조 제1항을 삭제하는 대신에 위와 같은 구성요건을 형법 제258조의2 제1항에 신설하면서 그 법정형을 구 폭력행위처벌법 제3조 제1항보다 낮게 규정한 것은, 위 가중적 구성요건의 표지가 가지는 일반적인 위험성을 고려하더라도 개별 범죄의 범행경위, 구체적인 행위태양과 법익침해의 정도 등이 매우 다양함에도 불구하고 일률적으로 3년 이상의 유기징역으로 가중 처벌하도록 한 종전의 형벌규정이 과중하다는 데에서 나온 **반성적 조치**라고 보아야 할 것이므로, 이는 형법 제1조 제2항의 '범죄 후 법률의 변경에 의하여 형이 구법보다 경한 때'에 해당한다(대판 2016.3.24, 2016도1131).

③ (○) 대판 2009.4.9, 2009도321.

④ (○) 대판 1992.11.13, 92도2194.

02 정답 ③

구성요건론 ▮ 난이도 하

③ (×) 자상행위가 사망의 직접적 원인은 아니지만 이로부터 발생한 다른 간접적 원인(자창으로 인한 과다출혈과 상처감염 등에 연유한 패혈증)이 결합되어 사망결과가 발생한 경우, 피고인의 자상행위가 피해자를 사망하게 한 직접적 원인은 아니었다 하더라도 이로부터 발생된 다른 간접적 원인이 결합되어 사망의 결과를 발생하게 한 경우라도 그 행위와 사망 간에는 인과관계가 있다고 할 것인바, 이 사건 진단서에는 직접사인 심장마비, 호흡부전, 중간선행사인 패혈증, 급성심부전증, 선행사인 자상, 장골정맥파열로 되어 있으며, 피해자가 부상한 후 1개월이 지난 후에 위 패혈증 등으로 사망하였다 하더라도 그 패혈증이 위 자창으로 인한 과다한 출혈과 상처의 감염 등에 연유한 것인 이상 자상행위와 사망과의 사이에 인과관계의 존재를 부정할 수 없다(대판 1982.12.28, 82도2525).

① (○) 위 피해자의 사망과 피고인들의 강간 및 그 수반행위와의 인과관계 그리고 피해자의 사망에 대한 피고인들의 예견가능성이 인정되므로, 피고인들은 피해자의 사망에 대한 책임을 면한다고 볼 수 없어 강간치사죄가 인정된다(대판 2008.2.29, 07도10120).

② (○) 피고인의 위 상해행위와 피해자의 사망 사이에 상당인과관계가 인정되어 상해치사죄가 성립한다(대판 1996.5.10, 96도529).

④ (○) 상당인과관계가 있다 할 것이고, 그 경우 피고인에게 사망의 결과에 대한 예견가능성이 없었다고 할 수도 없으므로 감금치사죄가 성립한다(대판 2002.10.11, 20도4315).

03 정답 ③

책임론 ▮ 난이도 중

※ 乙이 甲을 성폭행범으로 오인하고 상해를 가한 것은 정당방위상황(객관적 정당화요소)가 결여되어 있음에도 이를 오인하고 방위하기 위한 행위이므로, 이른바 오상방위로서 위법성조각사유의 전제사실에 대한 착오 사례에 해당한다. 다수설인 법효과제한적 책임설에 의하면 과실범(과실치상죄)이 문제된다.

③ (○) 엄격책임설에서는 위법성의 인식이 결여된 경우(위법성조각사유의 전제사실에 대한 착오사례를 포함), 정당한 이유가 있으면 책임이 조각되어 무죄이고, 정당한 이유가 없으면 고의범이 성립한다고 본다.

① (×) 강제추행이란, 성적 수치심이나 혐오감을 일으키는 것으로 선량한 성적 도덕관념에 반하는 행위로서 피해자의 성적 자유를 침해하는 행위를 말한다. 따라서 甲이 자신의 애인이라고 생각하고 어깨를 껴안은 행위는 강제추행의 고의가 없다. 따라서 甲에게는 과실범이 문제되는데, 강제추행죄는 과실범의 처벌규정이 없으므로 불가벌이다.

② (×) 법효과제한적 책임설에서는 고의책임이 조각된다고 보므로, 고의범은 성립할 수 없고 과실치상죄가 문제될 뿐이다.

④ (×) 피고인이 밤에 술을 마시고 배회하던 중 버스에서 내려 혼자 걸어가는 피해자 갑(여, 17세)을 발견하고 마스크를 착용한 채 뒤따라가다가 인적이 없고 외진 곳에서 가까이 접근하여 껴안으려 하였으나, 갑이 뒤돌아보면서 소리치자 그 상태로 몇 초 동안 쳐다보다가 다시 오던 길로 되돌아간 경우, 피고인과 갑의 관계, 갑의 연령과 의사, 행위에 이르게 된 경위와 당시 상황, 행위 후 갑의 반응 및 행위가 갑에게 미친 영향 등을 고려하여 보면, 피고인은 갑을 추행하기 위해 뒤따라간 것으로 **추행의 고의를** 인정할 수 있고, 피고인이 가까이 접근하여 갑자기 뒤에서 껴안는 행위는 일반인에게 성적 수치심이나 혐오감을 일으키게 하고 선량한 성적 도덕관념에 반하는 행위로서 갑의 성적 자유를 침해하는 행위여서 그 자체로 **이른바 '기습추행' 행위로** 볼 수 있으므로, 피고인의 팔이 갑의 몸에 닿지 않았더라도 양팔을 높이 들어 갑자기 뒤에

서 껴안으려는 행위는 갑의 의사에 반하는 유형력의 행사로서 폭행행위에 해당하며, 그때 '기습추행'에 관한 **실행의 착수가** 있는데, 마침 갑이 뒤돌아보면서 소리치는 바람에 몸을 껴안는 추행의 결과에 이르지 못하고 미수에 그쳤으므로, 피고인의 행위는 아동·청소년에 대한 **강제추행미수죄에** 해당한다(대판 2015.9.10, 2015도6980).

04 정답 ①

공범론 ▮ 난이도 상

㉠ (인정) 방조범은 종범으로서 정범의 존재를 전제로 하는 것이므로 편면적 종범에서도 정범의 범죄행위 없이 방조범만이 성립될 수 없다(대판 1974.5.28, 74도509).

㉡ (부정) 종범이 성립하려면 정범(피방조자)이 실행행위에 나아가야 한다. 정범인 피방조자의 실행행위가 있을 경우에만 이에 종속하여 종범이 성립할 수 있기 때문이다(공범종속성설). 따라서 정범의 실행행위에 대한범죄의 증명이 없거나 정범의 행위가 예비단계에 그친 경우에는 종범이 성립하지 않는다(대판 1970.3.10, 69도2492).

㉢ (인정) 3인 이상의 범인이 합동절도의 범행을 공모한 후 적어도 2인 이상의 범인이 범행 현장에서 시간적, 장소적으로 협동관계를 이루어 절도의 실행행위를 분담하여 절도 범행을 한 경우에, 그 공모에는 참여하였으나 현장에서 절도의 실행행위를 직접 분담하지 아니한 다른 범인에 대하여도 그가 현장에서 절도 범행을 실행한 위 2인 이상의 범인의 행위를 자기 의사의 수단으로 하여 합동절도의 범행을 하였다고 평가할 수 있는 정범성의 표지를 갖추고 있는 한 공동정범의 일반이론에 비추어 그 다른 범인에 대하여 합동절도의 공동정범으로 인정할 수 있다(대판(전) 1998.5.21, 98도321).

㉣ (인정) 허위공문서작성의 주체는 직무상 그 문서를 작성할 권한이 있는 공무원에 한하고 작성권자를 보조하는 직무에 종사하는 공무원은 허위공문서작성죄의 주체가 되지 못한다. 다만 공문서의 작성권한이 있는 공무원의 직무를 보좌하는 사람이 그 직위를 이용하여 행사할 목적으로 허위의 내용이 기재된 문서 초안을 그 정을 모르는 상사에게 제출하여 결재하도록 하는 등의 방법으로 작성권한이 있는 공무원으로 하여금 허위의 공문서를 작성하게 한 경우에는 허위공문서작성죄의 간접정범이 성립한다(대판 2011.5.13, 11도1415).

㉤ (부정) 친구 사이인 甲과 乙이 丙녀와 방에서 함께 이야기 하던 중 甲은 乙이 밖으로 나간 사이에 丙녀를 강간하였고, 잠시 후 돌아온 乙은 甲이 화장실을 간 사이에 丙녀를 강간하여 丙녀가 회음부찰과상을 입었으나 누구의 강간행위로 인한 것인지 판명할 수 없는 경우, 형법 제263조의 동시범은 상해와 폭행죄에 관한 특별규정으로서 동 규정은 그 보호법익을 달리하는 강간치상죄에는 적용할 수 없다(대판 1984.4.24, 84도372). ⇨ 따라서 甲과 乙은 각각 강간죄만 성립

05 정답 ③

개인적 법익 ▮ 난이도 하

③ (×) 폭행죄는 피해자의 명시한 의사에 반하여 공소를 제기할 수 없는 반의사불벌죄로서 처벌불원의 의사표시는 의사능력이 있는 피해자가 단독으로 할 수 있는 것이고, 피해자가 사망한 후 그 상속인이 피해자를 대신하여 처벌불원의 의사표시를 할 수는 없다고 보아야 한다(대판 2010.5.27, 2010도2680).

① (○) 대판 2007.6.29, 2005도3832

② (○) 대판 2003.1.10, 20000도5716

④ (○) 형법 제258조 제1항

06 정답 ①

개인적 법익 ▮ 난이도 중

㉠ (×) 사기죄의 피고인과 피해자가 사돈지간이라고 하더라도 이를 민법상 친족으로 볼 수 없다. 따라서 피고인이 백화점 내 점포에 입점시켜 주겠다고 속여 피해자로부터 입점비 명목으로 돈을 편취하였다며 사기로 기소된 경우, 2촌의 인척인 친족이라는 이유로 위 범죄를 친족상도례가 적용되는 친고죄라고 판단한 후 피해자의 고소가 고소기간을 경과하여 부적법하다고 보아 공소를 기각한 것은 위법하다(대판 2011.4.28, 11도2170).

㉡ (○) 법원을 기망하여 제3자로부터 재물을 편취한 경우에 피기망자인 법원은 피해자가 될 수 없고 재물을 편취당한 제3자가 피해자라고 할 것이므로, 피해자인 제3자와 사기죄를 범한 자가 직계혈족의 관계에 있을 때에는 그 범인에 대하여는 형법 제354조에 의하여 준용되는 형법 제328조 제1항에 의하여 그 형을 면제하여야 할 것이다(대판 2014.9.26, 14도8076).

㉢ (○) 횡령범인이 위탁자가 소유자를 위해 보관하고 있는 물건을 위탁자로부터 보관받아 이를 횡령한 경우에 제328조 제2항의 친족 간의 범행에 관한 조문은 범인과 피해물건의 소유자 및 위탁자 쌍방 사이에 같은 조문에 정한 친족관계가 있는 경우에만 적용되고, 단지 횡령범인과 피해물건의 소유자 간에만 친족관계가 있거나 횡령범인과 피해물건의 위탁자 간에만 친족관계가 있는 경우에는 적용되지 않는다(대판2008.7.24, 08도3438).

㉣ (×) 손자가 할아버지 소유 농업협동조합 예금통장을 절취하여 이를 현금자동지급기에 넣고 조작하는 방법으로 예금 잔고를 자신의 거래 은행 계좌로 이체한 경우, 위 농업협동조합이 컴퓨터 등 사용사기 범행 부분의 피해자이므로 친족상도례를 적용할 수 없는 것이다(대판 2007.3.15, 06도2704).

07 정답 ②

국가적 법익 ▮ 난이도 상

② (○) 알선수뢰죄는 공무원이 그 지위를 이용하여 다른 공무원의 직무에 속한 사항의 알선에 관하여 뇌물을 수수, 요구 또는 약속하는 것을 그 성립요건으로 하고 있고, 여기서 '공무원이 그 지위를 이용하여'라 함은 친구, 친족관계 등 사적인 관계를 이용하는 경우에는 이에 해당한다고 할 수 없으나, 다른 공무원이 취급하는 사무의 처리에 법률상이거나 사실상으로 영향을 줄 수 있는 관계에 있는 공무원이 그 지위를 이용하는 경우에는 이에 해당하고, 그 사이에 상하관계, 협동관계, 감독권한 등의 특수한 관계가 있음을 요하지 않는다(대판 2006.4.27, 2006도735). 乙은 교장의 직무처리에 법률상, 사실상으로 영향을 줄 수 있는 관계에 있는 공무원으로 보기는 어려우므로 알선수뢰죄가 성립할 수는 없다. 단 乙은 뇌물이란 정을 알면서 교부받았으므로 형법 제133조 제2항의 증뢰물전달죄가 성립한다.

① (×) 형법 제133조 제2항은 증뢰자가 뇌물에 공할 목적으로 금품을 제3자에게 교부하거나 또는 그 정을 알면서 교부받는 증뢰물 전달행위를 독립한 구성요건으로 하여 이를 같은 조 제1항의 뇌물공여죄와 같은 형으로 처벌하는 규정으로서, 여기에서의 제3자란 행위자와 공동정범 이외의 자를 말한다고 할 것이다(대판 2006.6.15, 04도756). 甲이 乙로 하여금 丙에게 뇌물에 공할 목적으로 교부한 것이므로 형법 제133조 제2항의 증뢰물전달죄가 성립한다.

③ (×) 먼저 정범(乙) 죄책을 볼 때 (허위공문서작성죄의 주체는 그 문서를 작성할 권한이 있는 명의인인 공무원에 한하고, 그 공무원의 문서작성을 보조하는 직무에 종사하는 공무원은 위 죄의 주체가 되지 못하므로 보조 공무원이 허위공문서를 기안하여 그 정을 모르는 작성권자의 결재를 받아 공문서를 완성한 때에는 허위공문서작성죄의 간접정범이 되고, 이러한 결제를 거치지 않고 임의로 허위내용의 공문서를 완성한 때에는 공문서위조죄가 성립한다(대판 1981.7.28, 81도898).) 따라서 을은 보조공무원일지라도 교장의 결재를 거치지 않고 허위내용의 문서를 작성한바 공문서위조죄 및 동행사죄가 성립한다. 甲은 乙에게 허위공문서 작성을 교사하였으므로 교사의 착오에 해당한다. 따라서 甲은 공문서위조 및 동행사죄의 죄책을 지지 않는다.

④ (×) 乙이 甲로부터 제3자에 대한 뇌물공여 또는 배임증재의 목적으로 전달하여 달라고 교부받은 금전은 불법원인급여물에 해당하여 그 소유권은 乙에게 귀속되는 것으로서 乙이 위 금전을 제3자에게 전달하지 않고 임의로 소비하였다고 하더라도 횡령죄가 성립하지 않는다(대판 1999.6.11, 99도275).

08 정답 ①

수사 ▮ 난이도 하

① (×) 법원이 직권으로 발부하는 영장과 수사기관의 청구에 의하여 발부하는 구속영장의 법적 성격은 같지 않다. 즉, 전자는 명령장으로서의 성질을 갖지만 후자는 허가장으로서의 성질을 갖는 것으로 이해되고 있다(헌재결 1997.3.27, 96헌바28).

② (○) 헌재결 2006.7.27, 2005헌마277

③ (○) 헌재결 1992.12.24, 92헌가8

④ (○) 대판 2013.3.28, 2012도13607

09 정답 ③

수사 ▮ 난이도 하

③ (×) 판사는 형사소송법 제221조의2에 의한 검사의 증인신문청구에 따라 증인신문기일을 정한 때에는 피고인 피의자 또는 변호인에게 이를 통지하여 증인신문에 참여할 수 있도록 하여야 하며(제221조의2 제4항), 판사는 증인신문을 한 때에는 지체 없이 이에 관한 서류를 검사에게 송부하여야 한다(제221조의2 제5항).

① (○) 제184조 제1항, 제2항

② (○) 제221조의2 제1항

④ (○) 제184조 제3항, 제221조의2 제3항

10 정답 ②

증거 ▮ 난이도 중

② (×) 형사소송법 제316조 제2항에 의하면 피고인 아닌 자의 공판준비 또는 공판기일에서의 진술이 피고인 아닌 타인의 진술을 그 내용으로 하는 것인 때에는 원진술자가 사망, 질병 기타 사유로 인하여 진술할 수 없고 그 진술이 특히 신빙할 수 있는 상태 하에서 행하여진 때에 한하여 이를 증거로 할 수 있다고 규정하고 있는데, 여기서 말하는 피고인 아닌 자라고 함은 제3자는 말할 것도 없고 공동피고인이나 공범자를 모두 포함한다고 해석된다(대판 2007.2.23, 2004도8654).

① (○) 제316조 제1항

③ (○) 대판 2008.9.25, 2008도6985

④ (○) 대판 2006.4.14, 2005도9561

형사법 3회 모의고사 정답 및 해설

제3회 모의고사 정답

01	③	02	③	03	④	04	④	05	③
06	③	07	④	08	④	09	③	10	③

01 정답 ③

구성요건론 ▮ 난이도 상

③ (×) 보증인 지위와 보증인의무를 모두 구성요건요소로 이해하는 견해에 따르면 보증인 지위나 보증인의무 중 하나라도 결여된 경우 구성요건해당성이 없게 되므로 구성요건해당성이 축소된다.

① (○) 실질설은 거동범을 진정부작위범이라 하고, 결과범을 부진정부작위범이라고 한다. 형식설은 법률에 명문으로 부작위에 의해서만 실현될 수 있도록 규정된 범죄가 진정부작위범이고, 법률상 규정형식은 작위범이지만 부작위에 의해서도 실현할 수 있는 범죄를 부진정부작위범이라고 한다. 따라서 거동범의 경우 실질설에 의하면 부진정부작위범이 성립할 여지가 없으나 형식설에 의하면 성립할 수 있다.

② (○) 부작위에 '의한' 방조범은 결과발생을 방지해야 할 보증인적 지위에 있는 자가 정범의 범행을 방치한 경우에 성립한다. 반면 부작위범에 '대한' 교사범은 작위에 의한 교사이므로 교사범에게 보증인적 지위가 있을 필요가 없다.

④ (○) 대판 2008.2.14, 2005도4202

02 정답 ③

위법성론 ▮ 난이도 하

③ (×) 가해자의 행위가 피해자의 부당한 공격을 방위하기 위한 것이라기보다는 서로 공격할 의사로 싸우다가 먼저 공격을 받고 이에 대항하여 가해하게 된 것이라고 봄이 상당한 경우, 그 가해행위는 방어행위인 동시에 공격행위의 성격을 가지므로 정당방위 또는 과잉방위행위라고 볼 수 없다(대판 2000.3.28, 2000도228).

① (○) 대판 1993.6.8, 93도766

② (○) 대판 1968.5.7, 68도370

④ (○) 대판 1989.3.14, 87도3674

03 정답 ④

미수론 ▮ 난이도 하

④ (○) 강도예비·음모죄가 성립하기 위해서는 예비·음모 행위자에게 미필적으로라도 '강도'를 할 목적이 있음이 인정되어야 하고 그에 이르지 않고 단순히 '준강도' 할 목적이 있음에 그치는 경우에는 강도예비·음모죄로 처벌할 수 없다(대판 2006.9.14, 2004도6432).

① (×) 미수는 실행의 착수로 나아갈 것을 성립요건으로 하는 바, 실행의 착수가 있기 전인 예비행위에는 중지범의 관념을 인정할 수 없다(대판1991.6.25, 91도436).

② (×) 甲이 행사할 목적으로 미리 준비한 물건들과 옵세트 인쇄기를 사용하여 한국은행권 100원권을 사진 찍어 그 필름 원판 7매와 이를 확대하여 현상한 인화지 7매를 만든 경우, 아직 통화위조의 착수에는 이르지 아니하였고 그 준비단계에 불과하다(대판1966.12.6, 66도1317). 통화위조의 예비에 불과하다.

③ (×) 형법 제255조, 제250조의 살인예비죄가 성립하기 위하여는 형법 제255조에서 명문으로 요구하는 살인죄를 범할 목적 외에도 살인의 준비에 관한 고의가 있어야 하며, 나아가 실행의 착수까지에는 이르지 아니하는 살인죄의 실현을 위한 준비행위가 있어야 한다. 여기서의 준비행위는 물적인 것에 한정되지 아니하며 특별한 정형이 있는 것도 아니지만, 단순히 범행의 의사 또는 계획만으로는 그것이 있다고 할 수 없고 객관적으로 보아서 살인죄의 실현에 실질적으로 기여할 수 있는 외적 행위를 필요로 한다(대판2009.10.29, 2009도7150).

04 정답 ④

공범론 ▮ 난이도 중

④ (×) 상습도박의 죄나 상습도박방조의 죄에 있어서의 상습성은 행위의 속성이 아니라 행위자의 속성으로서 도박을 반복해서 거듭하는 습벽을 말하는 것인 바, 도박의 습벽이 있는 자가 타인의 도박을 방조하면 상습도박방조의 죄에 해당하는 것이며, 도박의 습벽이 있는 자가 도박을 하고 또 도박방조를 하였을 경우 상습도박방조의 죄는 무거운 상습도박의 죄에 포괄시켜 1죄로서 처단하여야 한다(대판 1984.4.24, 84도195).

① (○) 대판(전) 2019.8.29, 2018도13792

② (○) 대판 2018.8.30, 2018도10047

③ (○) 대판 2012.5.10, 2010도5964

05 정답 ③

개인적 법익 ▮ 난이도 하

③ (×) 협박죄는 사람의 의사결정의 자유를 보호법익으로 하는 위험범이라 봄이 상당하고, 협박죄의 미수범 처벌조항은 해악의 고지가 현실적으로 상대방에게 도달하지 아니한 경우나, 도달은 하였으나 상대방이 이를 지각하지 못하였거나 고지된 해악의 의미를 인식하지 못한 경우 등에 적용될 뿐이다.

【사실관계】 정보보안과 소속 경찰관이 자신의 지위를 내세우면서 타인의 민사분쟁에 개입하여 빨리 채무를 변제하지 않

으면 상부에 보고하여 문제를 삼겠다고 말한 경우, 객관적으로 상대방이 공포심을 일으키기에 충분한 정도의 해악의 고지에 해당하므로 현실적으로 피해자가 공포심을 일으키지 않았다 하더라도 협박죄의 기수에 이르렀다고 보아야 한다(대판(전) 2007.9.28, 07도606).

① (O) 대판 2002.2.8, 2000도3245

② (O) 대판 2010.7.15, 10도1017

④ (O) 협박죄에 있어서의 협박이라 함은 사람으로 하여금 공포심을 일으킬 수 있을 정도의 해악을 고지하는 것을 말하고 협박죄가 성립하기 위하여는 적어도 발생 가능한 것으로 생각될 수 있는 정도의 구체적인 해악의 고지가 있어야 하며, 해악의 고지가 있다 하더라도 그것이 사회의 관습이나 윤리관념 등에 비추어 사회통념상 용인될 정도의 것이라면 협박죄는 성립하지 않으나, 이러한 의미의 협박행위 내지 협박의 고의가 있었는지 여부는 행위의 외형뿐 아니라 그러한 행위에 이르게 된 경위, 피해자와의 관계 등 전후 상황을 종합하여 판단해야 할 것이다. 그리고 채권자가 **채권추심을 위하여 독촉 등 권리행사에 필요한** 행위를 할 수 있기는 하지만, 법률상 허용되는 정당한 절차에 의한 것이어야 하며, 또한 채무자의 자발적 이행을 촉구하기 위해 필요한 범위 안에서 상당한 방법으로 그 권리가 행사되어야 한다.

【사실관계】 사채업자인 피고인이 채무자 갑에게, 채무를 변제하지 않으면 갑이 숨기고 싶어하는 과거 행적과 사채를 쓴 사실 등을 **남편과 시댁에 알리겠다는** 등의 문자메시지를 발송한 사안에서, 피고인에게 협박죄를 인정하는 한편 위와 같은 행위가 정당행위에 해당한다는 주장을 배척한 원심판단을 수긍한 사례(대판 2011.5.26, 2011도2412)

06 정답 ③

개인적 법익 ▮ 난이도 상

③ (×) [다수의견] 부동산 매매계약에서 계약금만 지급된 단계에서는 어느 당사자나 계약금을 포기하거나 그 배액을 상환함으로써 자유롭게 계약의 구속력에서 벗어날 수 있다. 그러나 중도금이 지급되는 등 계약이 본격적으로 이행되는 단계에 이른 때에는 계약이 취소되거나 해제되지 않는 한 매도인은 매수인에게 부동산의 소유권을 이전해 줄 의무에서 벗어날 수 없다. 따라서 이러한 단계에 이른 때에 매도인은 매수인에 대하여 매수인의 재산보전에 협력하여 재산적 이익을 보호·관리할 신임관계에 있게 된다. 그때부터 매도인은 배임죄에서 말하는 '타인의 사무를 처리하는 자'에 해당한다고 보아야 한다. 그러한 지위에 있는 매도인이 매수인에게 계약 내용에 따라 부동산의 소유권을 이전해 주기 전에 그 부동산을 제3자에게 처분하고 제3자 앞으로 그 처분에 따른 등기를 마쳐 준 행위는 매수인의 부동산 취득 또는 보전에 지장을 초래하는 행위이다. 이는 매수인과의 신임관계를 저버리는 행위로서 배임죄가 성립한다(대판(전) 2018.5.17, 2017도4027).

① (O) 대판 2011.1.20, 2008도10479

② (O) 채무자가 금전채무를 담보하기 위한 저당권 설정계약에 따라 채권자에게 그 소유의 부동산에 관하여 저당권을 설정할 의무를 부담하게 되었다고 하더라도, 이를 들어 채무자가 통상의 계약에서 이루어지는 이익대립관계를 넘어서 채권자와의 신임관계에 기초하여 채권자의 사무를 맡아 처리하는 것으로 볼 수 없다. 채무자가 저당권 설정계약에 따라 채권자에 대하여 부담하는 저당권을 설정할 의무는 계약에 따라 부담하게 된 채무자 자신의 의무이다. 채무자가 위와 같은 의무를 이행하는 것은 채무자 자신의 사무에 해당할 뿐이므로, 채무자를 채권자에 대한 관계에서 '타인의 사무를 처리하는 자'라고 할 수 없다. 따라서 채무자가 제3자에게 먼저 담보물에 관한 저당권을 설정하거나 담보물을 양도하는 등으로 담보가치를 감소 또는 상실시켜 채권자의 채권실현에 위험을 초래하더라도 배임죄가 성립한다고 할 수 없다. 위와 같은 법리는, 채무자가 금전채무에 대한 담보로 부동산에 관하여 양도담보설정계약을 체결하고 이에 따라 채권자에게 소유권이전등기를 해줄 의무가 있음에도 제3자에게 그 부동산을 처분한 경우에도 적용된다(대판(전) 2020.6.18, 2019도14340).

④ (O) [다수의견] 배임죄는 타인의 사무를 처리하는 자가 그 임무에 위배하는 행위로써 재산상의 이익을 취득하거나 제3자로 하여금 이를 취득하게 하여 사무의 주체인 타인에게 손해를 가할 때 성립하는 것이므로 범죄의 주체는 타인의 사무를 처리하는 지위에 있어야 한다. 여기에서 '타인의 사무를 처리하는 자'라고 하려면, 타인의 재산관리에 관한 사무의 전부 또는 일부를 타인을 위하여 대행하는 경우와 같이 당사자 관계의 전형적·본질적 내용이 통상의 계약에서의 이익대립관계를 넘어서 그들 사이의 신임관계에 기초하여 타인의 재산을 보호 또는 관리하는 데에 있어야 한다. 이익대립관계에 있는 통상의 계약관계에서 채무자의 성실한 급부이행에 의해 상대방이 계약상 권리의 만족 내지 채권의 실현이라는 이익을 얻게 되는 관계에 있다거나, 계약을 이행함에 있어 상대방을 보호하거나 배려할 부수적인 의무가 있다는 것만으로는 채무자를 타인의 사무를 처리하는 자라고 할 수 없고, 위임 등과 같이 계약의 전형적·본질적인 급부의 내용이 상대방의 재산상 사무를 일정한 권한을 가지고 맡아 처리하는 경우에 해당하여야 한다.

채무자가 금전채무를 담보하기 위하여 그 소유의 동산을 채권자에게 양도담보로 제공함으로써 채권자인 양도담보권자에 대하여 담보물의 담보가치를 유지·보전할 의무 내지 담보물을 타에 처분하거나 멸실, 훼손하는 등으로 담보권 실행에 지장을 초래하는 행위를 하지 않을 의무를 부담하게 되었더라도, 이를 들어 채무자가 통상의 계약에서의 이익대립관계를 넘어서 채권자와의 신임관계에 기초하여 채권자의 사무를 맡아 처리하는 것으로 볼 수 없다. 따라서 채무자를 배임죄의 주체인 '타인의 사무를 처리하는 자'에 해당한다고 할 수 없고, 그가 담보물을 제3자에게 처분하는 등으로 담보가치를 감소 또는 상실시켜 채권자의 담보권 실행이나 이를 통한 채권실현에 위험을 초래하더라도 배임죄가 성립한다고 할 수 없다.

위와 같은 법리는, 채무자가 동산에 관하여 양도담보설정계약을 체결하여 이를 채권자에게 양도할 의무가 있음에도 제3자에게 처분한 경우에도 적용되고, 주식에 관하여 양도담보설정계약을 체결한 채무자가 제3자에게 해당 주식을 처분한 사안에도 마찬가지로 적용된다(대판(전) 2020.2.20, 2019도9756).

07 정답 ④

국가적 법익 ▮ 난이도 하

④ (×) 공무집행방해죄에 있어서의 범의는 상대방이 직무를 집행하는 공무원이라는 사실, 그리고 이에 대하여 폭행 또는 협박을 한다는 사실을 인식하는 것을 그 내용으로 하고, 그 인식은 불확정적인 것이라도 소위 미필적 고의가 있다고 보아야 하며, 그 직무집행을 방해할 의사를 필요로 하지 아니하다(대판 2012.5.24, 2010도11381).

① (○) 대판 2008.11.13, 2007도9794
② (○) 대판 2015.2.26, 2013도13217
③ (○) 대판 2014.12.11, 2014도7976

08 정답 ④

증거 ▮ 난이도 하

㉠ (×) 내란선동죄에서 '국헌을 문란할 목적'이란 "헌법 또는 법률에 정한 절차에 의하지 아니하고 헌법 또는 법률의 기능을 소멸시키는 것(형법 제91조 제1호)" 또는 "헌법에 의하여 설치된 국가기관을 강압에 의하여 전복 또는 그 권능행사를 불가능하게 하는 것(같은 조 제2호)"을 말한다. 국헌문란의 목적은 범죄 성립을 위하여 고의 외에 요구되는 초과주관적 위법요소로서 엄격한 증명사항에 속하나, 확정적 인식임을 요하지 아니하며, 다만 미필적 인식이 있으면 족하다(대판(전) 2015.1.22, 2014도10978).

㉡ (×) 재심의 청구를 받은 법원은 재심청구 이유의 유무를 판단함에 필요한 경우 사실을 조사할 수 있으나(형사소송법 제37조 제3항), 공판절차에 적용되는 엄격한 증거조사 방식에 따라야만 하는 것은 아니다(대결(전) 2019.3.21, 2015모2229).

㉢ (○) 대판(전) 2018.4.19, 2017도14322
㉣ (○) 대판(전) 2010.7.23, 2010도1889

09 정답 ③

증거 ▮ 난이도 중

③ (○) 대판 2013.3.28, 2010도3359

① (×) 강도 현행범으로 체포된 피고인이 진술거부권을 고지받지 아니한 채 자백을 하고, 이후 40여 일이 지난 후에 변호인의 충분한 조력을 받으면서 공개된 법정에서 임의로 자백한 경우에 법정에서의 피고인의 자백은 증거로 사용할 수 있다(대판 2009.3.12, 2008도11437).

② (×) 검사가 조사과정에서 피의자의 진술을 진술조서의 형식으로 작성한 경우 진술조서의 내용이 피의자신문조서와 실질적으로 같고, 진술의 임의성이 인정되는 경우라도 미리 피의자에게 진술거부권을 고지하지 않았다면 위법수집증거에 해당한다(대판 2009.8.20, 2008도8213).

④ (×) 수사기관이 갑으로부터 피고인의 마약류관리에 관한 법률 위반(향정) 범행에 대한 진술을 듣고 추가적인 증거를 확보할 목적으로, 구속수감되어 있던 갑에게 그의 압수된 휴대전화를 제공하여 피고인과 통화하고 위 범행에 관한 통화 내용을 녹음하게 한 행위는 불법감청에 해당하므로, 그 녹음 자체는 물론 이를 근거로 작성된 녹취록 첨부 수사보고는 피고인의 증거동의에 상관없이 그 증거능력이 없다(대판 2010.10.14, 2010도9016).

10 정답 ③

증거 ▮ 난이도 중

③ (×) 약식명령에 불복하여 정식재판을 청구한 피고인이 정식재판절차의 제1심에서 2회 불출정하여 형사소송법 제318조 제2항에 따른 증거동의가 간주된 후 증거조사를 완료한 이상, 간주의 대상인 증거동의는 증거조사가 완료되기 전까지 철회 또는 취소할 수 있으나 일단 증거조사를 완료한 뒤에는 취소 또는 철회가 인정되지 아니하는 점, 증거동의 간주가 피고인의 진의와는 관계없이 이루어지는 점 등에 비추어, 비록 피고인이 항소심에 출석하여 공소사실을 부인하면서 간주된 증거동의를 철회 또는 취소한다는 의사표시를 하더라도 그로 인하여 적법하게 부여된 증거능력이 상실되는 것이 아니다(대판 2010.7.15, 2007도5776).

① (○) 대판 1991.6.28, 91도865
② (○) 대판 1983.3.8, 82도2873
④ (○) 대판 1983.9.27, 83도516

형사법 4회 모의고사 정답 및 해설

제4회 모의고사 정답

01	②	02	②	03	④	04	②	05	①
06	④	07	④	08	③	09	④	10	②

01 정답 ②

구성요건론 ▮ 난이도 하

② (O) 대판 2010.2.11, 2009도9807

① (×) 범적 구성요건요소에 대하여 전혀 인식이 없는 경우에는 구성요건적 고의가 부정되지만, 규범적 구성요건요소에 대한 의미를 잘못 평가하여 자기의 행위가 허용된다고 오신한 경우에는 금지의 착오 중 포섭의 착오로서 형법 제16조가 적용될 수 있다.

③ (×) 공무집행방해죄에 있어서의 범의는 상대방이 직무를 집행하는 공무원이라는 사실, 그리고 이에 대하여 폭행 또는 협박을 한다는 사실을 인식하는 것을 그 내용으로 하고, 그 인식은 불확정적인 것이라도 소위 미필적 고의가 있다고 보아야 하며, 그 직무집행을 방해할 의사를 필요로 하지 아니한다(대판 1995.1.24, 94도1949).

④ (×) 목적범에서 목적 역시 확정적 인식을 요하지 아니하며, 미필적 인식으로 족하다.

02 정답 ②

위법성론 ▮ 난이도 하

② (O) 대판 2009.12.24, 2007도6243.

① (×) 자초위난이므로 긴급피난으로서 위법성이 조각되지 않는다.
『피고인이 스스로 야기한 강간범행의 와중에서 피해자가 피고인의 손가락을 깨물며 반항하자 물린 손가락을 비틀며 잡아 뽑다가 피해자에게 치아결손의 상해를 입힌 소위를 가리켜 법에 의하여 용인되는 피난행위라 할 수 없다.』(대판 1995.1.12, 94도2781)

③ (×) 피고인이 피해자와 공모하여 교통사고를 가장하여 보험금을 편취할 목적으로 피해자에게 상해를 가하였다면 피해자의 승낙이 있었다고 하더라도 <u>이는 **위법한 목적에 이용**하기 위한 것이므로 피고인의 행위가 피해자의 승낙에 의하여 위법성이 조각된다고 할 수 없다</u>(대판 2008.12.11, 2008도9606).

④ (×) 피고인이 피해자가 사용중인 공중화장실의 용변칸에 노크하여 남편으로 오인한 피해자가 용변칸 문을 열자 강간할 의도로 용변칸에 들어간 것이라면 <u>피해자가 명시적 또는 묵시적으로 이를 **승낙하였다고 볼 수 없어** 주거침입죄에 해당한다</u>(대판 2003.5.30, 2003도1256).

03 정답 ④

미수론 ▮ 난이도 하

④ (×) 휴대용 가방에 넣어 비행기에 탑승하려고 한 나머지 400만 ¥에 대하여는 그 휴대용 가방을 보안검색대에 올려 놓거나 이를 휴대하고 통과하는 때에 비로소 실행의 착수가 있다고 볼 것이고, 피고인이 휴대용 가방을 가지고 보안검색대에 나아가지 않은 채 공항 내에서 탑승을 기다리고 있던 중에 체포되었다면 일화 400만 ¥에 대하여는 실행의 착수가 있다고 볼 수 없다(대판 2001.7.27, 2000도4298).

① (O) 대판 2003.10.24, 2003도4417

② (O) 대판 1999.3.12, 98도3443

③ (O) 대판 2006.11.10, 2006도5811

04 정답 ②

죄수론 ▮ 난이도 중

② (×) 포괄일죄로 되는 개개의 범죄행위가 다른 종류의 죄의 확정판결의 전후에 걸쳐서 행하여진 경우에는 그 죄는 2죄로 분리되지 않고 확정판결 후인 최종의 범죄행위 시에 완성되는 것이다(대판 2003.8.22, 2002도5341).

① (O) 대판 1998.2.24, 97도183

③ (O) 대판 2015.9.10, 2015도7081

④ (O) 대판 1992.9.14, 92도1532

05 정답 ①

개인적 법익 ▮ 난이도 중

㉠ (O) 대판 2019.6.13, 2019도3341

㉡ (×) 강제추행죄는 사람의 성적 자유 내지 성적 자기결정의 자유를 보호하기 위한 죄로서 정범 자신이 직접 범죄를 실행하여야 성립하는 자수범이라고 볼 수 없으므로, 처벌되지 아니하는 타인을 도구로 삼아 피해자를 강제로 추행하는 간접정범의 형태로도 범할 수 있다. 여기서 강제추행에 관한 간접정범의 의사를 실현하는 도구로서의 타인에는 피해자도 포함될 수 있으므로, 피해자를 도구로 삼아 피해자의 신체를 이용하여 추행행위를 한 경우에도 강제추행죄의 간접정범에 해당할 수 있다(대판 2018.2.8, 2016도17733).

㉢ (O) 대판(전) 2020.8.27, 2015도9436

㉣ (O) 대판 2019.6.13, 2019도3341

06 정답 ④

사회적 법익 ▮ 난이도 중

④ (×) 허위공문서작성죄의 주체는 그 문서를 작성할 권한이 있는 명의인인 공무원에 한하고, 그 공무원의 문서작성을 보조하는 직무에 종사하는 공무원은 위 죄의 주체가 되지 못하므

로 보조 공무원이 허위공문서를 기안하여 그 정을 모르는 작성권자의 결제를 받아 공문서를 완성한 때에는 허위공문서작성죄의 간접정범이 되고, 이러한 결제를 거치지 않고 임의로 허위내용의 공문서를 완성한 때에는 공문서위조죄가 성립한다(대판 1981.7.28, 81도898).

① (O) 문서위조죄는 문서의 진정에 대한 공공의 신용을 그 보호법익으로 하는 것이므로 행사할 목적으로 작성된 문서가 일반인으로 하여금 당해 명의인의 권한 내에서 작성된 문서라고 믿게 할 수 있는 정도의 형식과 외관을 갖추고 있으면 문서위조죄가 성립하는 것이고, 위와 같은 요건을 구비한 이상 **그 명의인이 실재하지 않는 허무인이거나 또는 문서의 작성일자 전에 이미 사망하였다고 하더라도 그러한 문서 역시 공공의 신용을 해할 위험성이 있으므로 문서위조죄가 성립한다고 봄이 상당하며, 이는 공문서뿐만 아니라 사문서의 경우에도 마찬가지라고 보아야 할 것이다**(대판(전) 2005.2.24, 2002도18).

② (O) 문서위조 및 동행사죄의 보호법익은 문서에 대한 공공의 신용이므로 **'문서가 원본인지 여부'가 중요한 거래에서 문서의 사본을 진정한 원본인 것처럼 행사할 목적으로 다른 조작을 가함이 없이 문서의 원본을 그대로 컬러복사기로 복사한 후 복사한 문서의 사본을 원본인 것처럼 행사한 행위는** 사문서위조죄 및 동행사죄에 해당한다. 또한 사문서위조죄는 명의자가 진정으로 작성한 문서로 볼 수 있을 정도의 형식과 외관을 갖추어 일반인이 명의자의 진정한 사문서로 오신하기에 충분한 정도이면 성립한다(대판 2016.7.14, 2016도2081).

③ (O) 위조문서행사죄에 있어서 행사는 위조된 문서를 진정한 것으로 사용함으로써 문서에 대한 공공의 신용을 해칠 우려가 있는 행위를 말하므로 그 행사의 상대방에는 아무런 제한이 없고, 다만 문서가 위조된 것임을 이미 알고 있는 공범자 등에게 행사하는 경우에는 위조문서행사죄가 성립할 수 없으나, **간접정범을 통한 위조문서행사범행에 있어 도구로 이용된 자라고 하더라도 문서가 위조된 것임을 알지 못하는 자에게 행사한 경우에는 위조문서행사죄가 성립한다**(대판 2012.2.23, 2011도14441).

07 정답 ④

수사 ▮ 난이도 하

㉠ (O) 대판 1999.1.26, 98도3029
㉡ (O) 대판 2011.5.26, 2011도3682
㉢ (O) 제72조, 제72조의2
㉣ (O) 수소법원의 구속에 관하여는 검사 또는 사법경찰관이 피의자를 구속함을 규율하는 형사소송법 제208조의 규정은 적용되지 아니하므로 구속기간의 만료로 피고인에 대한 구속의 효력이 상실된 후 항소법원이 피고인에 대한 판결을 선고하면서 피고인을 구속하였다 하여 위 법 제208조의 규정에 위배되는 재구속 또는 이중구속이라 할 수 없다(대결 1985.7.23, 85모12).

08 정답 ③

증거 ▮ 난이도 중

③ (×) 과학적 증거방법이 사실인정에 있어서 상당한 정도로 구속력을 갖기 위해서는 감정인이 전문적인 지식・기술・경험을 가지고 공인된 표준 검사기법으로 분석한 후 법원에 제출하였다는 것만으로는 부족하고, 시료의 채취・보관・분석 등 모든 과정에서 시료의 동일성이 인정되고 인위적인 조작・훼손・첨가가 없었음이 담보되어야 하며 각 단계에서 시료에 대한 정확한 인수・인계 절차를 확인할 수 있는 기록이 유지되어야 한다(대판 2018.2.8, 2017도14222).
① (O) 대판 2010.2.11, 2009도2338
② (O) 대판 2009.3.12, 2008도8486
④ (O) 대판 1999.9.3, 99도2317

09 정답 ④

증거 ▮ 난이도 하

④ (×) 자백의 임의성이 인정된다고 하더라도 이것은 그 자백이 엄격한 증명의 자료로서 사용될 자격, 즉 증거능력이 있다는 것에 지나지 않고 그 자백의 진실성과 신빙성 즉 증명력까지도 당연히 인정되어야 하는 것은 아니다(대판 1983.9.13, 83도712).
① (O) 대판 1983.9.13, 83도712
② (O) 대판 2012.11.29, 2010도3029
③ (O) 대판 2006.11.23, 2004도7900

10 정답 ②

증거 ▮ 난이도 중

② (O) 어떤 증거가 전문증거인지 여부는 요증사실과의 관계에서 정하여지는바, 원진술의 내용인 사실이 요증사실인 경우에는 전문증거이나, 원진술의 존재자체가 요증사실인 경우는 본래증거이지 전문증거가 아니다(대판 2008.9.25, 2008도5347).
① (×) 피고인의 지위에 있는 공동피고인은 다른 공동피고인에 대한 공소사실에 관하여 증인이 될 수 없으나, 소송절차가 분리되어 피고인의 지위에서 벗어나게 되면 다른 공동피고인에 대한 공소사실에 관하여 증인이 될 수 있고, 이는 대향범인 공동피고인의 경우에도 다르지 않다(대판 2012.3.29, 2009도11249).
③ (×) 형사소송법 제253조 제2항(공범에 대한 공소시효의 정지)에서 말하는 '공범'에는 뇌물공여죄와 뇌물수수죄 사이와 같은 대향범 관계에 있는 자는 포함되지 않는다(대판 2015.2.12, 2012도4842).
④ (×) 형사소송법 제310조 소정의 "피고인의 자백"에 공범인 공동피고인의 진술은 포함되지 아니하므로 공범인 공동피고인의 진술은 다른 공동피고인에 대한 범죄사실을 인정하는 증거로 할 수 있는 것일 뿐만 아니라 공범인 공동피고인들의 각 진술은 상호 간에 서로 보강증거가 될 수 있다(대판 1990.10.30, 90도1939).

형사법 5회 모의고사 정답 및 해설

제5회 모의고사 정답

01	③	02	②	03	①	04	④	05	①
06	②	07	②	08	③	09	③	10	③

01 정답 ③

③ (×) 심신장애의 유무 및 정도에 대한 판단 기준 ➡ 형법 제10조 제1항, 제2항에 규정된 심신장애의 유무 및 정도의 판단은 법률적 판단으로서 반드시 전문감정인의 의견에 기속되어야 하는 것은 아니고, 정신분열증의 종류와 정도, 범행의 동기, 경위, 수단과 태양, 범행 전후의 피고인의 행동, 반성의 정도 등 여러 사정을 종합하여 법원이 독자적으로 판단할 수 있다(대판 1999.1.26, 98도3812). ∴ 「형법」 제10조에 규정된 심신장애의 유무 및 정도의 판단은 법률적 판단으로서 법원이 반드시 전문감정인의 의견에 기속되어야 하는 것은 아니다.

① (○) 충동조절장애와 같은 성격적 결함으로 인한 범행을 심신장애로 인한 범행으로 볼 수 있는지 여부(한정 적극) ➡ 자신의 충동을 억제하지 못하여 범죄를 저지르게 되는 현상은 정상인에게서도 얼마든지 찾아볼 수 있는 일로서, 특단의 사정이 없는 한 위와 같은 성격적 결함을 가진 자에 대하여 자신의 충동을 억제하고 법을 준수하도록 요구하는 것이 기대할 수 없는 행위를 요구하는 것이라고는 할 수 없으므로, 원칙적으로 충동조절장애와 같은 성격적 결함은 형의 감면사유인 심신장애에 해당하지 아니한다고 봄이 상당하지만, 그 이상으로 사물을 변별할 수 있는 능력에 장애를 가져오는 원래의 의미의 정신병이 도벽의 원인이라거나 혹은 도벽의 원인이 충동조절장애와 같은 성격적 결함이라 할지라도 그것이 매우 심각하여 원래의 의미의 정신병을 가진 사람과 동등하다고 평가할 수 있는 경우에는 그로 인한 절도 범행은 심신장애로 인한 범행으로 보아야 한다(대판 1995.2.24, 94도3163 대판 2002.5.24, 2002도1541 대판 2009.2.26, 2008도9867 대판 2011.2.20, 2010도14512).

② (○) 형법 제10조에 규정된 심신장애는 생물학적 요소로서 정신병 또는 비정상적 정신상태와 같은 정신적 장애가 있는 외에 심리학적 요소로서 이와 같은 정신적 장애로 말미암아 사물에 대한 변별능력과 그에 따른 행위통제능력이 결여되거나 감소되었음을 요하므로, 정신적 장애가 있는 자라고 하여도 범행 당시 정상적인 사물변별능력이나 행위통제능력이 있었다면 심신장애로 볼 수 없다(대판 2018.9.13, 2018도7658).

④ (○) 형사미성년자의 행위는 벌하지 아니하고(제9조), 농아자의 행위는 형을 필요적으로 감경한다(제11조).

> 제11조(농아자) 농아자의 행위는 형을 감경한다.

02 정답 ②

② (×) 제10조 제2항 ∴ 심신장애로 인하여 사물을 변별할 능력이나 의사를 결정할 능력이 미약한 자의 행위는 형을 감경할 수 있다(임의적 감경).

> 제10조(심신장애인) ① 심신장애로 인하여 사물을 변별할 능력이 없거나 의사를 결정할 능력이 없는 자의 행위는 벌하지 아니한다.
> ② 심신장애로 인하여 전항의 능력이 미약한 자의 행위는 형을 감경할 수 있다.

① (○) 형법 제10조에 규정된 심신장애는 생물학적 요소로서 정신병 또는 비정상적 정신상태와 같은 정신적 장애가 있는 외에 심리학적 요소로서 이와 같은 정신적 장애로 말미암아 사물에 대한 변별능력과 그에 따른 행위통제능력이 결여되거나 감소되었음을 요하므로, 정신적 장애가 있는 자라고 하여도 범행 당시 정상적인 사물변별능력이나 행위통제능력이 있었다면 심신장애로 볼 수 없다(대판 2018.9.13, 2018도7658).

③ (○) 충동조절장애와 같은 성격적 결함으로 인한 범행을 심신장애로 인한 범행으로 볼 수 있는지 여부(한정 적극) ➡ 자신의 충동을 억제하지 못하여 범죄를 저지르게 되는 현상은 정상인에게서도 얼마든지 찾아볼 수 있는 일로서, 특단의 사정이 없는 한 위와 같은 성격적 결함을 가진 자에 대하여 자신의 충동을 억제하고 법을 준수하도록 요구하는 것이 기대할 수 없는 행위를 요구하는 것이라고는 할 수 없으므로, 원칙적으로 충동조절장애와 같은 성격적 결함은 형의 감면사유인 심신장애에 해당하지 아니한다고 봄이 상당하지만, 그 이상으로 사물을 변별할 수 있는 능력에 장애를 가져오는 원래의 의미의 정신병이 도벽의 원인이라거나 혹은 도벽의 원인이 충동조절장애와 같은 성격적 결함이라 할지라도 그것이 매우 심각하여 원래의 의미의 정신병을 가진 사람과 동등하다고 평가할 수 있는 경우에는 그로 인한 절도 범행은 심신장애로 인한 범행으로 보아야 한다(94도3163 2002도1541 2008도9867 2010도14512).

④ (○) 음주운전을 할 의사를 가지고 음주만취한 후 운전을 결행하여 교통사고를 일으킨 경우 심신장애로 인한 감경 등을 할 수 있는지 여부(소극) ➡ 형법 제10조 제3항은 "위험의 발생을 예견하고 자의로 심신장애를 야기한 자의 행위에는 전2항의 규정을 적용하지 아니한다"고 규정하고 있는 바, 이 규정은 고의에 의한 원인에 있어서의 자유로운 행위만이 아니라 과실에 의한 원인에 있어서의 자유로운 행위까지도 포함하는 것으로서 위험의 발생을 예견할 수 있었는데도 자의로 심신장애를 야기한 경우도 그 적용 대상이 된다고 할 것이어서, 피고인이 음주운전을 할 의사를 가지고 음주만취한 후 운전을 결행하여 교통사고를 일으켰다면 피고인은 음주시에 교통사고를 일으킬 위험성을 예견하였는데도 자의로 심신장애를 야기한 경우에 해당하므로 위 법조항에 의하여 심신장애로 인한 감경 등을 할 수 없다(대판 1992.7.28, 92도999).

03 정답 ①

① (○) : 음주운전을 할 의사를 가지고 음주만취한 후 운전을 결행하여 교통사고를 일으킨 경우 심신장애로 인한 감경 등을 할 수 있는지 여부(소극) ➡ 형법 제10조 제3항은 "위험의 발생을 예견하고 자의로 심신장애를 야기한 자의 행위에는 전2항의 규정을 적용하지 아니한다"고 규정하고 있는 바, 이 규정은 고의에 의한 원인에 있어서의 자유로운 행위만이 아니라 과실에 의한 원인에 있어서의 자유로운 행위까지도 포함하는 것으로서 위험의 발생을 예견할 수 있었는데도 자의로 심신장애를 야기한 경우도 그 적용 대상이 된다고 할 것이어서, 피고인이 음주운전을 할 의사를 가지고 음주만취한 후 운전을 결행하여 교통사고를 일으켰다면 피고인은 음주시에 교통사고를 일으킬 위험성을 예견하였는데도 자의로 심신장애를 야기한 경우에 해당하므로 위 법조항에 의하여 심신장애로 인한 감경 등을 할 수 없다(대판 1992.7.28, 92도999).

② (×) : 제10조 제2항 ∴ 심신장애로 인하여 사물을 변별할 능력이나 의사를 결정할 능력이 미약한 자의 행위는 형을 감경할 수 있다(임의적 감경).

> 제10조(심신장애인) ① 심신장애로 인하여 사물을 변별할 능력이 없거나 의사를 결정할 능력이 없는 자의 행위는 벌하지 아니한다.
> ② 심신장애로 인하여 전항의 능력이 미약한 자의 행위는 형을 감경할 수 있다.

③ (×) : 형법 제10조에 규정된 심신장애의 유무 및 정도의 판단은 법률적 판단으로서 반드시 전문감정인의 의견에 기속되어야 하는 것은 아니고, 정신질환의 종류와 정도, 범행의 동기, 경위, 수단과 태양, 범행 전후의 피고인의 행동, 반성의 정도 등 여러 사정을 종합하여 법원이 독자적으로 판단할 수 있다(대판 1999.8.24, 99도1194). ∴ ~ '그 능력의 유무와 정도' 및 '그 능력에 관해 확정된 사실이 심신상실 또는 심신미약에 해당하는지 여부'는 법률적 판단으로서 반드시 전문감정인의 의견에 기속되어야 하는 것은 아니다.

④ (×) : 소년법 제60조 제2항의 적용대상인 '소년'인지의 여부는 심판 시, 즉 사실심판결 선고 시를 기준으로 판단되어야 한다(대판 2000.8.18, 2000도2704).

04 정답 ④

④ (×) 예외모델(불가분적 연관설 ; 다수설) ㉮ 행위자는 책임능력이 있었던 원인행위 시에 유책하게 자신을 심신장애상태에 빠뜨렸다. ㉯ ∴ 원인행위와 심신장애상태하의 행위는 불가분의 관련을 가지고 있으므로 전체적으로 보아 행위자에 대한 책임비난이 가능하다. ㉰ 비판 ➡ 행위와 책임능력의 동시존재의 원칙의 예외를 인정하는 이론이다. ∴ 원인설정행위와 실행행위의 불가분적 관련에서 찾는 견해 ➡ 책임능력 결함상태에서 구성요건 해당행위를 시작한 때에 실행의 착수가 있는 것으로 본다.

① (○) 제10조 제3항

> 제10조(심신장애인) ③ 위험의 발생을 예견하고 자의로 심신장애를 야기한 자의 행위에는 전2항(심신상실의 책임조각과 심신미약의 책임감경)규정을 적용하지 아니한다.

② (○) 음주운전을 할 의사를 가지고 음주만취한 후 운전을 결행하여 교통사고를 일으킨 경우 심신장애로 인한 감경 등을 할 수 있는지 여부(소극) ➡ 형법 제10조 제3항은 "위험의 발생을 예견하고 자의로 심신장애를 야기한 자의 행위에는 전2항의 규정을 적용하지 아니한다"고 규정하고 있는 바, 이 규정은 고의에 의한 원인에 있어서의 자유로운 행위만이 아니라 과실에 의한 원인에 있어서의 자유로운 행위까지도 포함하는 것으로서 위험의 발생을 예견할 수 있었는데도 자의로 심신장애를 야기한 경우도 그 적용 대상이 된다고 할 것이어서, 피고인이 음주운전을 할 의사를 가지고 음주만취한 후 운전을 결행하여 교통사고를 일으켰다면 피고인은 음주시에 교통사고를 일으킬 위험성을 예견하였는데도 자의로 심신장애를 야기한 경우에 해당하므로 위 법조항에 의하여 심신장애로 인한 감경 등을 할 수 없다(대판 1992.7.28, 92도999).

③ (○) 구성요건모델(일치설, 원인설정행위시설) ㉮ 원인에 있어서 자유로운 행위는 자신을 도구로 이용하는 간접정범과 유사하므로 원인행위가 실행행위가 된다. ㉯ ∴ 원인행위 시에 책임능력이 있었으므로 결과를 야기한 데 대한 책임비난이 가능하다. ㉰ 행위와 책임의 동시존재 원칙을 유지한다. ㉱ 비판 ➡ 구성요건의 정형성을 무시하여 죄형법정주의의 보장적 기능을 관철하는데 부합하지 않는 이론이다.

05 정답 ①

① (○) 제10조 제3항

> 제10조(심신장애인) ① 심신장애로 인하여 사물을 변별할 능력이 없거나 의사를 결정할 능력이 없는 자의 행위는 벌하지 아니한다.
> ② 심신장애로 인하여 전항의 능력이 미약한 자의 행위는 형을 감경할 수 있다.
> ③ 위험의 발생을 예견하고 자의로 심신장애를 야기한 자의 행위에는 전2항(심신상실의 책임조각과 심신미약의 책임감경)규정을 적용하지 아니한다.

② (×) 구성요건모델(일치설, 원인설정행위시설) ㉮ 원인에 있어서 자유로운 행위는 자신을 도구로 이용하는 간접정범과 유사하므로 원인행위가 실행행위가 된다. ㉯ ∴ 원인행위 시에 책임능력이 있었으므로 결과를 야기한 데 대한 책임비난이 가능하다. ㉰ 행위와 책임의 동시존재 원칙을 유지한다. ㉱ 비판 ➡ 구성요건의 정형성을 무시하여 죄형법정주의의 보장적 기능을 관철하는데 부합하지 않는 이론이다. ∴ 원인에 있어서 자유로운 행위의 가벌성의 근거를 자신을 도구로 이용하는 간접정범으로 이해하여 원인설정행위를 실행행위로 파악하여 원인설정행위시의 책임능력을 기초로 책임을 인정하는 견해는 구성요건의 정형성을 무시(중시 ×)하여 죄형법정주의의 보장적 기능을 관철하는데 부합하지 않는(부합하는 ×) 이론이다.

③ (×) 예외모델(불가분적 연관설 ; 다수설) ㉮ 행위자는 책임능력이 있었던 원인행위시에 유책하게 자신을 심신장애상태에 빠뜨렸다. ㉯ ∴ 원인행위와 심신장애상태하의 행위는 불가분의 관련을 가지고 있으므로 전체적으로 보아 행위자에 대한 책임비난이 가능하다. ㉰ 비판 ➡ 행위와 책임능력의 동시존재의 원칙의 예외를 인정하는 이론이다. ∴ 원인에 있어서 자유로운 행위의 가벌성의 근거를 원인설정행위와 실행행위의 불가분적 관련에서 찾는 견해는 행위와 책임능력의 동시존재의 원칙의 예외를 인정하는(책임원칙을 따르는 ×) 이론이다.

④ (×) 제10조 제3항 ∴ 원인에 있어서 자유로운 행위에 관한 형법 제10조 제3항은 위험의 발생을 예견할 수 있었는데도 자의로 심신장애를 야기한 경우에도 적용된다.

06 정답 ②

② (×) 무면허 의료행위가 사회상규에 위배되지 아니하는 정당행위로 인정되기 위한 요건 ➡자격기본법에 의한 민간자격관리자로부터 대체의학자격증을 수여받은 자가 사업자등록을 한 후 침술원을 개설하였다고 하더라도 국가의 공인을 받지 못한 민간자격을 취득하였다는 사실만으로는 자신의 행위가 무면허 의료행위에 해당되지 아니하여 죄가 되지 않는다고 믿는 데에 정당한 사유가 있었다고 할 수 없다(대판 2003.5.13, 2003도939). ∴ 「자격기본법」에 의한 민간자격관리자로부터 대체의학자격증을 수여받은 자가 사업자등록을 한 후 침술원을 개설하였다는 사실만으로는 자신의 행위가 무면허 의료행위에 해당되지 아니하여 죄가 되지 않는다고 믿는 데에 정당한 사유가 있었다고 할 수 없다.

① (○) 제16조

> 제16조(법률의 착오) 자기의 행위가 법령에 의하여 죄가 되지 아니하는 것으로 오인한 행위는 그 오인에 정당한 이유가 있는 때에 한하여 벌하지 아니한다.

③ (○) 구 풍속영업의 규제에 관한 법률 제3조 제2호 위반행위를 한 피고인이 그 이전에 그와 유사한 행위로 '혐의없음' 처분을 받은 전력이 있다거나 일정한 시청차단장치를 설치하였다는 등의 사정만으로는, 형법 제16조의 정당한 이유가 있다고 볼 수 없다(대판 2010.7.15, 2008도11679). ➡ 숙박업소에서 위성방송수신장치를 이용하여 수신한 외국의 음란한 위성방송프로그램을 투숙객 등에게 제공함으로써 구 풍속영업의 규제에 관한 법률 제3조 제2호 위반행위를 한 피고인이 그 이전에 그와 유사한 행위로 "혐의없음" 처분을 받은 전력이 있다거나 일정한 시청차단장치를 설치하였다는 등의 사정만으로는 형법 제16조의 정당한 이유가 있다고 볼 수 없다.

④ (○) 광역시의회 의원이 선거구민들에게 의정보고서를 배부하기에 앞서 미리 관할 선거관리위원회 소속 공무원들에게 자문을 구하고 그들의 지적에 따라 수정한 의정보고서를 배부한 경우가 형법 제16조에 해당하여 벌할 수 없다고 한 사례(대판 2005.6.10, 2005도835) ➡ 형법 제16조에 자기의 행위가 법령에 의하여 죄가 되지 아니하는 것으로 오인한 행위는 그 오인에 정당한 이유가 있는 때에 한하여 벌하지 아니한다고 규정하고 있는 것은 단순한 법률의 부지의 경우를 말하는 것이 아니고, 일반적으로 범죄가 되는 경우이지만 자기의 특수한 경우에는 법령에 의하여 허용된 행위로서 죄가 되지 아니한다고 그릇 인식하고 그와 같은 그릇 인식함에 정당한 이유가 있는 경우에는 벌하지 아니한다는 취지이다(대판 2000.8.18, 2000도2943 참조).

07 정답 ②

② (×) 활법원으로 찾아오는 환자들에게 신체불균형상태를 교정한다 하여 압박 등의 시술을 반복한 것은 의료행위에 해당한다. 활법이 정부 공인의 체육종목이고 피고인이 활법 종목의 사회체육지도자 자격증을 취득한 후 당국의 인가를 받아 위 활법원을 설립, 운영하고 있다 하더라도, 활법의 체육종목으로서 공인하거나 그 지도자 자격을 부여하는 것 등은 신체활동을 통하여 건전한 신체와 정신을 기르고 여가를 선용하고자 하는 체육활동으로서의 일반적인 활법의 지도를 위한 것이지 그 외에 법률에서 금지하는 무면허 의료행위까지도 할 수 있도록 허용하는 취지는 아님이 분명하므로, 설사 피고인이 자신의 행위가 무면허 의료행위에 해당되지 아니하여 죄가 되지 않는다고 믿었다 하더라도 그와 같이 믿은 데에 정당한 사유가 있었다고는 할 수 없다(대판 1995.4.7, 94도1325). ∴ 척추교정시술행위를 한 자신의 행위가 무면허 의료행위에 해당되지 아니하여 죄가 되지 않는다고 믿었다 하더라도 그 믿은 데에 정당한 이유가 있는 법률의 착오에 해당하지 않는다.

① (○) 제약회사에서 쓰는 마약은 구해 주어도 죄가 안된다고 믿고서 한 생아편의 수수행위와 법률의 착오 ➡ 피고인이 제약회사에 근무한다는 자로부터 마약이 없어 약을 제조하지 못하니 구해달라는 거짓 부탁을 받고 제약회사에서 쓰는 마약은 구해 주어도 죄가 되지 아니하는 것으로 믿고 생아편을 구해 주었다 하더라도 피고인들이 마약취급의 면허가 없는 이상 위와 같이 믿었다 하여 이러한 행위가 법령에 의하여 죄가 되지 아니하는 것으로 오인하였거나, 그 오인에 정당한 이유가 있는 경우라고 볼 수 없다(대판 1983.9.13, 83도1927).

③ (○) 허가를 담당하는 공무원이 허가를 요하지 않는다고 잘못 알려 준 것을 믿고 채광작업을 위하여 허가없이 산림을 훼손한 경우 허가를 받지 않더라도 죄가 되지 않는 것으로 착오를 일으킨 데 대하여 정당한 이유가 있는 경우에 해당하여 처벌할 수 없다(광물채취 등 자연자원훼손행위는 관광진흥법과 그 시행령에 의하여 관계행정청의 허가를 받은 후 작업을 재개하라는 취지의 것이었을 뿐 산림법에 따른 산림훼손허가를 받으라는 내용은 담겨져 있지 않은 사실을 인정할 수 있는바 이러한 사정을 종합하여 보면 피고인은 위 산림훼손지역에 대하여 비록 산림법 제90조 소정의 허가를 받은 바 없다 하더라도 이 사건 범행 당시 자기의 행위가 법령에 의하여 죄가 되지 않는 것으로 믿을 수 밖에 없었고 또 그렇게 오인함에 있어서 정당한 이유가 있는 경우에 해당한다고 보아야 할 것이므로 피고인을 산림법위반으로 처벌할 수는 없다고 하겠다). (대판 1993.9.14, 92도1560)

④ (○) 피고인은 1971.4.10. 순경으로 임용된 이래 이 사건 범행 당시까지 약 23년간 경찰공무원으로 근무하여 왔고, 이 사건 범행 당시에는 관악경찰서 형사과 형사계 강력 1반장으로 근무하고 있는 사람으로서 일반인들보다도 형벌법규를 잘 알고 있으리라 추단이 되고, 이러한 피고인이 검사의 수사지휘만 받으면 허위로 공문서를 작성하여도 죄가 되지 아니하는 것으로 그릇 인식하였다는 것은 납득이 가지 아니하고, 가사 피고인이 그러한 그릇된 인식이 있었다 하여도 피고인의 직업 등에 비추어 그러한 그릇된 인식을 함에 있어 정당한 이유가 있다고 볼 수도 없다(대판 1995.11.10. 95도2088).

08 정답 ③

③ (○) 법률 위반 행위 중간에 일시적으로 판례에 따라 그 행위가 처벌대상이 되지 않는 것으로 해석되었던 적이 있었다고 하더라도 그것만으로 자신의 행위가 처벌되지 않는 것으로 믿은 데에 정당한 이유가 있다고 할 수 없다(대판 2021.11.25. 2021도10903).

① (×) 형법 제16조는 '법률의 착오'라는 제목으로 자기가 한 행위가 법령에 따라 죄가 되지 않는 것으로 오인한 행위는 그 오인에 정당한 이유가 있는 때에 한하여 벌하지 않는다고 정하고 있다. 이는 일반적으로 범죄가 성립하지만 자신의 특수한 사정에 비추어 법령에 따라 허용된 행위로서 죄가 되지 않는다고 그릇 인식하고 그러한 인식에 정당한 이유가 있는 경우에는 벌하지 않는다는 것이다. 이때 정당한 이유는 행위자에게 자기 행위의 위법 가능성에 대해 심사숙고하거나 조회할 수 있는 계기가 있어 자신의 지적 능력을 다하여 이를 회피하기 위한 진지한 노력을 다하였더라면 스스로의 행위에 대하여 위법성을 인식할 수 있는 가능성이 있었는데도 이를 다하지 못한 결과 자기 행위의 위법성을 인식하지 못한 것인지 여부에 따라 판단해야 한다. 이러한 위법성의 인식에 필요한 노력의 정도는 구체적인 행위정황과 행위자 개인의 인식능력 그리고 행위자가 속한 사회집단에 따라 달리 평가하여야 한다(대판 2009.5.14. 2008도8852).

② (×) 구 풍속영업의 규제에 관한 법률 제3조 제2호 위반행위를 한 피고인이 그 이전에 그와 유사한 행위로 '혐의없음' 처분을 받은 전력이 있다거나 일정한 시청차단장치를 설치하였다는 등의 사정만으로는, 형법 제16조의 정당한 이유가 있다고 볼 수 없다(대판 2010.7.15. 2009도4545).

④ (×) 법률의 착오에 관한 형법 제16조의 규정 취지 ➡ 형법 제16조에서 "자기가 행한 행위가 법령에 의하여 죄가 되지 아니한 것으로 오인한 행위는 그 오인에 정당한 이유가 있는 때에 한하여 벌하지 아니한다."라고 규정하고 있는 것은 단순한 법률의 부지를 말하는 것이 아니고, 일반적으로 범죄가 되는 경우이지만 자기의 특수한 경우에는 법령에 의하여 허용된 행위로서 죄가 되지 아니한다고 그릇 인식하고 그와 같이 그릇 인식함에 정당한 이유가 있는 경우에는 벌하지 않는다는 취지이다(대판 2006.11.23. 2005도5511). ∴ 행위자가 자기의 행위와 관련된 금지규범을 알지 못한 경우, 즉 단순한 법률의 부지는 그 부지에 정당한 이유가 있는 경우에도 처벌한다.

09 정답 ③

③ (○) 고의설은 고의를 책임형식으로 이해하고 고의의 내용에 위법성의 인식이 포함된다고 본다. 고의설은 위법성의 인식이 없으면 고의가 조각되고 정당한 사유의 존부에 따라 과실범의 성부만이 문제된다고 보며, 법효과제한적 책임설에 의하면 고의・과실의 이중적 지위를 인정하는 전제에서 고의불법은 인정되나 책임고의가 부정되므로 고의범의 성립을 인정하되 법적 효과에서는 구성요건착오가 있는 경우와 동일하게 취급해야 한다고 본다. 따라서 제한적 책임설에 따르면 착오한 부분에 과실이 있으면 고의범이 성립하나 과실범의 책임을 진다고 본다. 따라서 고의설과 법효과제한적 책임설의 결론은 동일하게 된다.

① (×) 엄격책임설에 의하면 위법성조각사유의 전제사실에 대한 착오 역시 위법성인식의 착오와 마찬가지로 법률의 착오에 해당하여 오인에 정당한 이유가 있으면 책임이 조각된다고 보지만, 착오에 과실이 있으면 고의범으로 처벌하되 책임을 감경할 수 있을 뿐이라고 본다.

② (×) 위법성조각사유의 요건을 총체적 불법구성요건의 소극적 표지로 이해하는 소극적 구성요건표지이론에 의하면 위법성조각사유의 전제사실에 대한 착오도 총체적 불법구성요건해당성에 관한 착오이므로 형법 제13조가 직접 적용되어 고의가 조각되나, 착오에 과실이 있으면 과실범이 성립한다고 본다.

④ (×) 유추적용설은 위법성조각사유의 객관적 전제사실도 평가의 기초되는 사실관계라는 점에서 구성요건적 착오와 유사하지만 행위자에게 구성요건적 불법을 실현하고자 하는 결단이 없으므로 고의범으로서 행위불법을 부정해야 하기 때문에 구성요건착오규정을 유추적용하여 고의를 조각하여야 한다고 본다.

10 정답 ③

③ (×) 이미 유죄의 확정판결을 받은 피고인은 공범의 형사사건에서 그 범행에 대한 증언을 거부할 수 없을 뿐만 아니라 나아가 사실대로 증언하여야 하고, 설사 피고인이 자신의 형사사건에서 시종일관 그 범행을 부인하였다 하더라도 이러한 사정은 위증죄에 관한 양형참작사유로 볼 수 있음은 별론으로 하고 이를 이유로 피고인에게 사실대로 진술할 것을 기대할 가능성이 없다고 볼 수는 없다(대판 2008.10.23. 2005도10101).

① (○) 대판(전) 2004.7.15. 2004도2965

② (○) 형법 제12조(강요된 행위)에서 말하는 '폭력', '협박', '강요'의 의미➡ 형법 제12조에서 말하는 강요된 행위는 저항할 수 없는 폭력이나 생명, 신체에 위해를 가하겠다는 협박 등 다른 사람의 강요에 의하여 이루어진 행위를 의미하는데, 여기서 저항할 수 없는 폭력은 심리적 의미에 있어서 육체적으로 어떤 행위를 절대적으로 하지 아니할 수 없게 하는 경우와 윤리적 의미에 있어서 강압된 경우를 말하고, 협박이란 자기 또는 친족의 생명, 신체에 대한 위해를 달리 막을 방법이 없는 협박을 말하며, 강요라 함은 피강요자의 자유스런 의사결정을 하지 못하게 하면서 특정한 행위를 하게 하는 것을 말하는 것이다(대판 2007.6.29. 2007도3306).

④ (○) 대판 1986.5.27. 86도614

형사법 6회 모의고사 정답 및 해설

제6회 모의고사 정답

01	④	02	②	03	②	04	②	05	①
06	③	07	③	08	③	09	④	10	③

01 정답 ④

④ (×) 형사소송법이 고소와 고소취소에 관한 규정을 하면서 제232조 제1항, 제2항에서 고소취소의 시한과 재고소의 금지를 규정하고 제3항에서는 반의사불벌죄에 제1항, 제2항의 규정을 준용하는 규정을 두면서도, 제233조에서 고소와 고소취소의 불가분에 관한 규정을 함에 있어서는 반의사불벌죄에 이를 준용하는 규정을 두지 아니한 것은 처벌을 희망하지 아니하는 의사표시나 처벌을 희망하는 의사표시의 철회에 관하여 친고죄와는 달리 공범자간에 불가분의 원칙을 적용하지 아니하고자 함에 있다고 볼 것이지, 입법의 불비로 볼 것은 아니다(대판 1994.4.26, 93도1689).
① (○) 대판 2009.1.30, 2008도7462
② (○) 대판(전) 1999.4.15, 96도1922
③ (○) 대판 1985.11.12, 85도1940

02 정답 ②

② (×) [다수의견] 항소심에서 공소장의 변경에 의하여 또는 공소장변경절차를 거치지 아니하고 법원 직권에 의하여 친고죄가 아닌 범죄를 친고죄로 인정하였더라도 항소심을 제1심이라 할 수는 없는 것이므로, 항소심에 이르러 비로소 고소인이 고소를 취소하였다면 이는 친고죄에 대한 고소취소로서의 효력은 없다(대판(전) 1999.04.15, 96도1922).
① (○) 대판 2002.07.12, 2001도6777
③ (○) 제232조 제2항
④ (○) 대판 1967.05.23, 67도471

03 정답 ②

② (×) 형사소송법 제232조 제1항, 제3항의 취지는 국가형벌권의 행사가 피해자의 의사에 의하여 좌우되는 현상을 장기간 방치할 것이 아니라 제1심판결선고 이전까지로 제한하자는 데 그 목적이 있다 할 것이므로 비록 항소심에 이르러 비로소 반의사불벌죄가 아닌 죄에서 반의사불벌죄로 공소장변경이 있었다 하여 항소심인 제2심을 제1심으로 볼 수는 없다(대판 1988.3.8, 85도2518).
① (○) 대판 2001.4.24, 2000도3172
③ (○) 대판 1985.11.12, 85도1940
④ (○) 대판 1983.9.27, 83도516

04 정답 ②

② (×) 위법한 함정수사의 경우 공소기각판결로써 사건을 종결한다(대판 2005.10.28, 2005도1247).
① (○) 대판 2020.05.14, 2020도398
③ (○) 대판 2001.10.26, 2000도2968
④ (○) 대결 2020.03.17, 2015모2357

05 정답 ①

㉠ (○) 통신비밀보호법 제6조 제2항
㉢ (○) 통신비밀보호법 제9조의2 제1항
㉡ (×) 통신제한조치의 기간은 2개월을 초과하지 못하나 허가요건이 존속하는 경우에는 2개월의 범위에서 통신제한조치기간의 연장을 청구할 수 있다. 다만 통신제한조치의 연장을 청구하는 경우에 통신제한조치의 총 연장기간은 1년(일정한 범죄의 경우는 3년)을 초과할 수 없다(통신비밀보호법 제6조 제7항, 제8항).
㉣ (×) 사법경찰관은 인터넷 회선을 통하여 송신 · 수신하는 전기통신을 대상으로 통신제한조치를 집행한 경우 그 전기통신의 보관 등을 하고자 하는 때에는 집행종료일부터 14일 이내에 보관 등이 필요한 전기통신을 선별하여 검사에게 보관 등의 승인을 신청하고, 검사는 신청일부터 7일 이내에 통신제한조치를 허가한 법원에 그 승인을 청구할 수 있다(통신비밀보호법 제12조의2 제2항).

06 정답 ③

③ (○) 대판 2013.3.28, 2010도3359
① (×) 제243조의2는 신청권자인 피의자의 범위를 구속된 피의자에 제한하지 않고 있으므로 구속된 피의자뿐만 아니라 불구속상태에 있는 피의자에 대하여도 변호인의 피의자신문참여권이 인정된다.
② (×) 신문에 참여한 변호인은 신문 후 의견을 진술할 수 있다. 다만, 신문 중이라도 부당한 신문방법에 대하여 이의를 제기할 수 있고, 검사 또는 사법경찰관의 승인을 얻어 의견을 진술할 수 있다(제243조의2 제3항).
④ (×) 변호인이 피의자신문에 자유롭게 참여할 수 있는 권리는 피의자가 가지는 변호인의 조력을 받을 권리를 실현하는 수단이므로 헌법상 기본권인 변호인의 변호권으로서 보호되어야 한다(헌재결 2017.11.30, 2016헌마503).

07 정답 ③

③ (×) 봉인 시 피의자 또는 변호인의 요구가 있는 때에는 영상녹화물을 재생하여 시청하게 하여야 하고 그 내용에 대하여 이의를 진술하는 때에는 그 취지를 기재한 서면을 첨부하여야 한다(제244조의2 제3항).

① (O) 대판 1997.6.13. 97도877
② (O) 제222조 제2항
④ (O) 대판 2002.10.25. 2002도4220

08 정답 ③

③ (O) 대결 2006.12.18. 2006모646
① (×) 체포영장의 청구를 받은 지방법원판사는 상당하다고 인정하는 때에는 체포영장을 발부한다(제200조의2 제2항). 구속과는 달리 체포에 있어서는 지방법원판사가 피의자를 심문하는 것은 인정되지 않는다.
② (×) 긴급체포되었으나 구속영장을 청구하지 아니하였거나 발부받지 못하여 석방된 자는 영장 없이는 동일한 범죄사실에 관하여 다시 체포하지 못한다(제200조의4 제3항).
④ (×) 긴급체포의 요건을 갖추었는지 여부는 사후에 밝혀진 사정을 기초로 판단하는 것이 아니라 체포 당시의 상황을 기초로 판단하여야 하고, 이에 관한 검사나 사법경찰관 등 수사주체의 판단에는 상당한 재량의 여지가 있다고 할 것이다(대판 2002.6.11. 2000도5701).

09 정답 ④

④ (×) 사법경찰관이 검사에게 긴급체포된 피의자에 대한 긴급체포 승인 건의와 함께 구속영장을 신청한 경우, 검사는 긴급체포의 승인 및 구속영장의 청구가 피의자의 인권에 대한 부당한 침해를 초래하지 않도록 긴급체포의 적법성 여부를 심사하면서 수사서류 뿐만 아니라 피의자를 검찰청으로 출석시켜 직접 대면조사할 수 있는 권한을 가진다고 보아야 한다. 따라서 이와 같은 목적과 절차의 일환으로 검사가 구속영장 청구 전에 피의자를 대면조사하기 위하여 사법경찰관리에게 피의자를 검찰청으로 인치할 것을 명하는 것은 적법하고 타당한 수사지휘 활동에 해당하고, 수사지휘를 전달받은 사법경찰관리는 이를 준수할 의무를 부담한다. 다만 체포된 피의자의 구금 장소가 임의적으로 변경되는 점, 법원에 의한 영장실질심사 제도를 도입하고 있는 현행 형사소송법하에서 체포된 피의자의 신속한 법관 대면권 보장이 지연될 우려가 있는 점 등을 고려하면, 위와 같은 검사의 구속영장 청구 전 피의자 대면조사는 긴급체포의 적법성을 의심할 만한 사유가 기록 기타 객관적 자료에 나타나고 피의자의 대면조사를 통해 그 여부의 판단이 가능할 것으로 보이는 예외적인 경우에 한하여 허용될 뿐, 긴급체포의 합당성이나 구속영장 청구에 필요한 사유를 보강하기 위한 목적으로 실시되어서는 아니 된다. 나아가 검사의 구속영장 청구 전 피의자 대면조사는 강제수사가 아니므로 피의자는 검사의 출석 요구에 응할 의무가 없고, 피의자가 검사의 출석 요구에 동의한 때에 한하여 사법경찰관리는 피의자를 검찰청으로 호송하여야 한다(대판 2010.10.28. 2008도11999).

① (O) 대판 2016.10.13. 2016도5814
② (O) 제200조의4 제5항
③ (O) 제200조의4 제3항

10 정답 ③

옳은 것은 ㉡, ㉢, ㉣이다.
㉡ (O) 대판 2007.4.13. 2007도1249
㉢ (O) 대판 2008.10.9. 2008도3640
㉣ (O) 제214조
㉠ (×) 현행범인 체포의 요건을 갖추었는지는 체포 당시 상황을 기초로 판단하여야 하고, 이에 관한 검사나 사법경찰관 등 수사주체의 판단에는 상당한 재량 여지가 있으나, 체포 당시 상황으로 보아도 요건 충족 여부에 관한 검사나 사법경찰관 등의 판단이 경험칙에 비추어 현저히 합리성을 잃은 경우에는 그 체포는 위법하다고 보아야 한다(대판 2011.5.26. 2011도3682).
㉤ (×) 사법경찰관리가 현행범인의 인도를 받은 때에는 체포자의 성명, 주거, 체포의 사유를 물어야 하고 필요한 때에는 체포자에 대하여 경찰관서에 동행함을 요구할 수 있다(제213조).

형사법 7회 모의고사 정답 및 해설

제7회 모의고사 정답

01	④	02	①	03	③	04	③	05	③
06	④	07	④	08	④	09	②	10	④

01 정답 ④

④ (○) [1] 강도예비·음모죄가 성립하기 위해서는 예비·음모 행위자에게 미필적으로라도 '강도'를 할 목적이 있음이 인정되어야 하고 그에 이르지 않고 단순히 '준강도'할 목적이 있음에 그치는 경우에는 강도예비·음모죄로 처벌할 수 없다. [2] 甲은 철쭉나무를 절취하기 위하여 건물에 들어갔고, 건물주에게 들킬 경우를 대비하여 여차하면 협박하기 위해서 플라스틱 삽을 준비한 것이므로, 결국 甲은 단순히 '준강도'할 목적으로 위 삽을 준비하였으므로 강도예비·음모로 처벌할 수 없다(대판 2006.9.14, 2004도6432).

① (×) 예비음모 행위를 처벌하는 경우, 중지범의 인정 여부(소극) ➡ 중지범은 범죄의 실행에 착수한 후 자의로 그 행위를 중지한 때를 말하는 것이고 실행의 착수가 있기 전인 예비음모의 행위를 처벌하는 경우에 있어서 중지범의 관념은 이를 인정할 수 없다. ▸ 예비단계에서 범행을 자의로 중지한 경우에 형의 균형상 중지미수의 규정(필요적 감면 규정)을 준용할 것인가에 대하여 판례는 예비의 중지에 대하여 중지미수의 규정을 준용할 수 없다고 보았다(대판 1999.4.9, 99도424). ∴ 예비음모의 행위를 처벌하는 경우에 있어서 중지범의 관념을 인정할 수 없다.

② (×) 피고인이 행사할 목적으로 미리 준비한 물건들과 옵세트인쇄기를 사용하여 한국은행권 100원권을 사진 찍어 그 필름 원판 7매와 이를 확대하여 현상한 인화지 7매를 만들었음에 그쳤다면 ➡ 아직 통화위조의 착수에는 이르지 아니하였고 그 준비단계에 불과하다(대판 1966.12.6, 66도1317). ∴ 통화위조의 착수에는 이르지 아니하였고 그 준비단계에 불과하다.

③ (×) [1] 형법 제255조, 제250조의 살인예비죄가 성립하기 위하여는 형법 제255조에서 명문으로 요구하는 살인죄를 범할 목적 외에도 살인의 준비에 관한 고의가 있어야 하며, 나아가 실행의 착수까지에는 이르지 아니하는 살인죄의 실현을 위한 준비행위가 있어야 한다. 여기서의 준비행위는 물적인 것에 한정되지 아니하며 특별한 정형이 있는 것도 아니지만, 단순히 범행의 의사 또는 계획만으로는 그것이 있다고 할 수 없고 객관적으로 보아서 살인죄의 실현에 실질적으로 기여할 수 있는 외적 행위를 필요로 한다. [2] 甲이 丁을 살해하기 위하여 乙, 丙 등을 고용하면서 그들에게 대가의 지급을 약속한 경우, ➡ 甲에게는 살인죄를 범할 목적 및 살인의 준비에 관한 고의뿐만 아니라 살인죄의 실현을 위한 준비행위를 하였음을 인정할 수 있다는 이유로 살인예비죄의 성립을 인정한 사례(대판 2009.10.29, 2009도7150) ∴ 여기서의 준비행위는 단순히 범행의 의사 또는 계획만으로는 그것이 있다고 할 수 없고 객관적으로 보아서 살인죄의 실현에 실질적으로 기여할 수 있는 외적 행위를 필요로 한다.

02 정답 ①

① (×) : 예비음모 행위를 처벌하는 경우, 중지범의 인정 여부(소극) ➡ 중지범은 범죄의 실행에 착수한 후 자의로 그 행위를 중지한 때를 말하는 것이고 실행의 착수가 있기 전인 예비음모의 행위를 처벌하는 경우에 있어서 중지범의 관념은 이를 인정할 수 없다. ▸ 예비단계에서 범행을 자의로 중지한 경우에 형의 균형상 중지미수의 규정(필요적 감면 규정)을 준용할 것인가에 대하여 판례는 예비의 중지에 대하여 중지미수의 규정을 준용할 수 없다고 보았다(대판 1999.4.9, 99도424). ∴ 예비음모의 행위를 처벌하는 경우에 있어서 중지범의 관념을 인정할 수 없다.

② (○), ③ (○) : 예비단계에 있어서의 종범의 성립여부 ➡ 형법 제32조 제1항의 타인의 범죄를 방조한 자는 종범으로 처벌한다는 규정의 타인의 범죄란 정범이 범죄를 실현하기 위하여 착수한 경우를 말하는 것이라고 할 것이므로, 종범이 처벌되기 위하여는 정범의 실행의 착수가 있는 경우에만 가능하고 정범이 실행의 착수에 이르지 아니한 예비의 단계에 그친 경우에는 이에 가공하는 행위가 예비의 공동정범이 되는 경우를 제외하고는 이를 종범으로 처벌할 수 없다고 할 것이다. 왜냐하면 범죄의 구성요건 개념상 예비죄의 실행행위는 무정형 무한정한 행위이고 종범의 행위도 무정형 무한정한 것이고, 형법 제28조에 의하면 범죄의 음모 또는 예비행위가 실행의 착수에 이르지 아니한 때에는 법률에 특별한 규정이 없는 한 벌하지 아니한다고 규정하여 예비죄의 처벌이 가져올 범죄의 구성요건을 부당하게 유추 내지 확장해석하는 것을 금지하고 있기 때문에 형법각칙의 예비죄를 처단하는 규정을 바로 독립된 구성요건 개념에 포함시킬 수는 없다고 하는 것이 죄형법정주의의 원칙에도 합당하는 해석이라 할 것이기 때문이다(대판 1976.5.25, 75도1549).

④ (○) : 내란음모죄의 성립 요건 ➡ 내란음모가 단순히 내란에 관한 생각이나 이론을 논의 내지 표현한 것인지 실행행위로 나아간다는 확정적인 의미를 가진 합의인지를 구분하기가 쉽지 않다는 점을 고려하면, 내란음모죄에 해당하는 합의가 있다고 하기 위해서는 단순히 내란에 관한 범죄결심을 외부에 표시·전달하는 것만으로는 부족하고 객관적으로 내란범죄의 실행을 위한 합의라는 것이 명백히 인정되고, 그러한 합의에 실질적인 위험성이 인정되어야 한다(대판(전) 2015.1.22, 2014도10978).

03 정답 ③

③ (×) 절도죄에 있어서 실행의 착수시기 ➡ 평소 잘 아는 피해자에게 전화채권을 사주겠다고 하면서 골목길로 유인하여 돈을 절취하려고 기회를 엿본 행위만으로는 절도의 예비행위는

될지언정 행위의 방법, 태양 및 주변상황 등에 비추어 볼 때 타인의 재물에 대한 사실상 지배를 침해하는데 밀접한 행위가 개시되었다고 단정할 수 없다(대판 1983.3.8, 82도2944). ∴ 골목길로 유인하여 돈을 절취하려고 기회를 엿본 경우 절취행위에 밀접한 행위 개시가 없으므로 실행의 착수가 인정되지 않는다.

① (O) 소매치기에 있어서의 실행의 착수시기 ➡ 소매치기의 경우 피해자의 양복상의 주머니로부터 금품을 절취하려고 그 호주머니에 손을 뻗쳐 그 겉을 더듬은 때에는 절도의 범행은 예비단계를 지나 실행에 착수하였다(대판 1984.12.11, 84도2524).

② (O) 절도죄의 실행의 착수가 있다고 본 사례 ➡ 범인들이 함께 담을 넘어 마당에 들어가 그중 1명이 그곳에 있는 구리를 찾기 위하여 담에 붙어 걸어가다가 잡혔다면 절취대상품에 대한 물색행위가 없었다고 할 수 없다(대판 1989.9.12, 89도1153).

④ (O) 절도죄의 실행에 착수하였다고 본 사례 ➡ 절도죄의 실행의 착수시기는 재물에 대한 타인의 사실상의 지배를 침해하는데 밀접한 행위가 개시된 때라 할 것인바 피해자 소유 자동차 안에 들어 있는 밍크코트를 발견하고 이를 절취할 생각으로 공범이 위 차 옆에서 망을 보는 사이 위 차 오른쪽 앞문을 열려고 앞문손잡이를 잡아당기다가 피해자에게 발각되었다면 절도의 실행에 착수하였다고 봄이 상당하다(대판 1986.12.23, 86도2256).

04 정답 ③

③ (×) 금융기관 직원이 전산단말기를 이용하여 다른 공범들이 지정한 특정계좌에 돈이 입금된 것처럼 허위의 정보를 입력하는 방법으로 위 계좌로 입금되도록 한 경우, 이러한 입금절차를 완료함으로써 장차 그 계좌에서 이를 인출하여 갈 수 있는 재산상 이익을 취득하였으므로 형법 제347조의2에서 정하는 컴퓨터등사용사기죄는 기수에 이르렀고, 그 후 그러한 입금이 취소되어 현실적으로 인출되지 못하였다고 하더라도 이미 성립한 컴퓨터등사용사기죄에 어떤 영향이 있다고 할 수는 없다(대판 2006.9.14, 2006도4127). ∴ ~ 그 후 그러한 입금이 취소되어 현실적으로 인출되지 못하였다고 하더라도 컴퓨터등사용사기죄의 기수에 해당한다.

① (O) 사기죄는 편취의 의사로 기망행위를 개시한 때에 실행에 착수한 것으로 보아야 하므로, 사기도박에서도 사기적인 방법으로 도금을 편취하려고 하는 자가 상대방에게 도박에 참가할 것을 권유하는 등 기망행위를 개시한 때에 실행의 착수가 있는 것으로 보아야 한다(대판 2011.1.13, 2010도9330).

② (O) 소송사기는 소송에서 주장하는 권리가 존재하지 않는 사실을 알고 있으면서도 법원을 기망한다는 인식을 가지고 소를 제기하면 이로써 실행의 착수가 있고 소장의 유효한 송달을 요하지 아니한다고 할 것인바, 이러한 법리는 제소자가 상대방의 주소를 허위로 기재함으로써 그 허위주소로 소송서류가 송달되어 그로 인하여 상대방 아닌 다른 사람이 그 서류를 받아 소송이 진행된 경우에도 마찬가지로 적용된다(대판 2006.11.10, 2006도5811).

④ (O) 구 성폭력범죄의 처벌 및 피해자보호 등에 관한 법률 제14조의2 제1항에서 정한 '카메라 등 이용 촬영죄'는 카메라 기타 이와 유사한 기능을 갖춘 기계장치 속에 들어 있는 필름이나 저장장치에 피사체에 대한 영상정보가 입력됨으로써 기수에 이른다고 보아야 한다. (중략) 촬영된 영상정보가 전자파일 등의 형태로 영구저장되지 않은 채 사용자에 의해 강제종료되었다고 하여 미수에 그쳤다고 볼 수는 없다. 피고인이 지하철 환승에스컬레이터 내에서 짧은 치마를 입고 있는 피해자의 뒤에 서서 카메라폰으로 성적 수치심을 느낄 수 있는 치마 속 신체 부위를 피해자 의사에 반하여 동영상 촬영하였다고 하여 구 성폭력범죄의 처벌 및 피해자보호 등에 관한 법률 위반으로 기소된 사안에서, 피고인이 휴대폰을 이용하여 동영상 촬영을 시작하여 일정한 시간이 경과하였다면 설령 촬영 중 경찰관에게 발각되어 저장버튼을 누르지 않고 촬영을 종료하였더라도 카메라 등 이용 촬영 범행은 이미 '기수'에 이르렀다고 보아야 한다(대판 2011.6.9, 2010도10677).

05 정답 ③

③ (×) 유치권에 의한 경매를 신청한 유치권자는 일반채권자와 마찬가지로 피담보채권액에 기초하여 배당을 받게 되는 결과 피담보채권인 공사대금 채권을 실제와 달리 허위로 크게 부풀려 유치권에 의한 경매를 신청할 경우 정당한 채권액에 의하여 경매를 신청한 경우보다 더 많은 배당금을 받을 수도 있으므로, 이는 법원을 기망하여 배당이라는 법원의 처분행위에 의하여 재산상 이익을 취득하려는 행위로서 불능범에 해당한다고 볼 수 없고, 소송사기죄의 실행의 착수에 해당한다(대판 2012.11.15, 2012도9603). ∴ 피담보채권인 공사대금 채권을 실제와 달리 허위로 부풀려 유치권에 의한 경매를 신청한 경우 소송사기죄의 실행의 착수가 인정된다.

① (O) 주거침입죄의 실행의 착수는 주거자, 관리자, 점유자 등의 의사에 반하여 주거나 관리하는 건조물 등에 들어가는 행위, 즉 구성요건의 일부를 실현하는 행위까지 요구하는 것은 아니고 범죄구성요건의 실현에 이르는 현실적 위험성을 포함하는 행위를 개시하는 것으로 족하다고 할 것이나, 침입 대상인 아파트에 사람이 있는지를 확인하기 위해 그 집의 초인종을 누른 행위만으로는 침입의 현실적 위험성을 포함하는 행위를 시작하였다거나 주거의 사실상의 평온을 침해할 객관적인 위험성을 포함하는 행위를 한 것으로 볼 수 없다(대판 2008.4.10, 2008도1464).

② (O) 병역을 기피할 목적으로 사위의 방법으로 발급받은 병사용진단서를 관할 병무청에 제출하거나 징병검사장에 출석하여 사위의 방법으로 신체검사를 받는 등의 행위에까지 이르지 않았다면 병역법 제86조에서 규정하고 있는 사해행위의 실행에 이르렀다고 할 수 없다(대판 2005.10.13, 2005도2200).

④ (O) 위조사문서의 행사는 상대방으로 하여금 위조된 문서를 인식할 수 있는 상태에 둠으로써 기수가 되고 상대방이 실제로 그 내용을 인식하여야 하는 것은 아니므로, 위조된 문서를

우송한 경우에는 그 문서가 상대방에게 도달한 때에 기수가 되고 상대방이 실제로 그 문서를 보아야 하는 것은 아니다(대판 2005.1.28, 2004도4663).

06 정답 ④

④ (×) 제조기술의 부족으로 완성하지 못한 미완성품에서 히로뽕성분이 검출되지 않아도 향정신성의약품제조미수죄가 성립되는지 여부(적극) ➡ 히로뽕제조를 공모하고 그 제조원료인 염산에페트린과 파라디움, 에테르등 수종의 화공약품을 사용하여 히로뽕제조를 시도하였으나 그 제조기술의 부족으로 히로뽕완제품을 제조하지 못하였다면 비록 미완성품에서 히로뽕성분이 검출되지 아니하였다고 하여도 향정신성의약품제조미수죄의 성립에 소장이 있다고 할 수 없다(대판 1984.10.10, 84도1793). ∴ 미완성품에서도 히로뽕 성분이 검출되지 아니하였다고 하여도 향정신성의약품제조미수죄가 성립한다.

① (○) 중지미수의 의의 ➡ 이 사건 범행은 원료불량으로 인한 제조상의 애로, 제품의 판로문제, 범행탄로 시의 처벌공포, 원심공동피고인의 포악성 등으로 인하여 히로뽕 제조를 단념한 것이므로 중지미수로서 형법 제26조를 적용하여야 한다는 취지이나 원심이 인용한 제 1심판결이 적법하게 확정한 바에 따르면 피고인등은 염산에페트린으로 메스암페타민합성 중간제품을 만드는 과정에서 그 범행이 발각되어 검거됨으로써 메스암페타민 제조의 목적을 이루지 못하고 미수에 그쳤다는 것이므로 피고인 등의 범행과정에 설사 소론과 같은 사정이 있었다고 하더라도 그와 같은 사정이 있었다는 사정만으로서는 이를 중지미수라 할 수 없는 것이다(대판 1985.11.12, 85도2002).

② (○) 허위채권에 의한 가압류와 사기죄의 실행의 착수 ➡ 가압류는 강제집행의 보전방법에 불과한 것이어서 허위의 채권을 피보전권리로 삼아 가압류를 하였다고 하더라도 그 채권에 관하여 현실적으로 청구의 의사표시를 한 것이라고는 볼 수 없으므로, 본안소송을 제기하지 아니한 채 가압류를 한 것만으로는 사기죄의 실행에 착수하였다고 할 수 없다(대판 1988.9.13, 88도55).

③ (○) 위험성의 판단기준과 관련된 구체적 위험설에 대한 설명으로 맞음.

> 1. 구체적 위험설(=신객관설) ㉠ 행위 당시에 행위자가 인식한 사정 및 일반인이 인식할 수 있었던 사정을 기초로 일반적 경험법칙에 따라 사후판단을 한다. ㉡ 이에 대하여 행위자가 인식한 사정과 일반인이 인식할 수 있었던 사정이 일치하지 않는 경우에 어느 사정을 기초로 판단할 것인지가 명확하지 않다는 비판을 받는다.
> 2. 구체적 위험설(=신객관설) ① 불능미수 ➡ 구체적 위험성이 있다고 사후에 판단되는 경우 ∴실탄이 없는 총에 실탄이 있다고 생각하고 발사한 경우, 치사량 미달의 독약을 먹인 경우 ➡ 위험성 인정 ② 불능범 ➡ 구체적 위험성이 없다고 사후에 판단되는 경우 ∴ 일반인이 사정거리 밖에 있음을 또는 시체임을 알 수 있는 자에 대하여 발포한 경우 ➡ 위험성 부정

07 정답 ④

④ (×) 한편 불능범과 구별되는 불능미수의 성립요건인 '위험성'은 피고인이 행위 당시에 인식한 사정을 놓고 일반인이 객관적으로 판단하여 결과 발생의 가능성이 있는지 여부를 따져야 한다. 이 판례는 학설 '위험성' 판단에 관한 학설 중 추상적 위험설을 취한 것임(대판(전) 2019.3.28, 2018도16002).

①, ② (○) 형법 제27조에서 규정하고 있는 불능미수는 행위자에게 범죄의사가 있고 실행의 착수라고 볼 수 있는 행위가 있지만 실행의 수단이나 대상의 착오로 처음부터 구성요건이 충족될 가능성이 없는 경우이다. 다만 결과적으로 구성요건의 충족은 불가능하지만, 그 행위의 위험성이 있으면 불능미수로 처벌한다. 불능미수는 행위자가 실제로 존재하지 않는 사실을 존재한다고 오인하였다는 측면에서 존재하는 사실을 인식하지 못한 사실의 착오와 다르다(대판(전) 2019.3.28, 2018도16002).

③ (○) 형법 제27조에서 정한 '실행의 수단 또는 대상의 착오'는 행위자가 시도한 행위방법 또는 행위객체로는 결과의 발생이 처음부터 불가능하다는 것을 의미한다. 그리고 '결과 발생의 불가능'은 실행의 수단 또는 대상의 원시적 불가능성으로 인하여 범죄가 기수에 이를 수 없는 것을 의미한다고 보아야 한다(대판(전) 2019.3.28, 2018도16002).

08 정답 ④

㉠ (×) 소송비용을 편취할 의사로 소송비용의 지급을 구하는 손해배상청구의 소를 제기한 경우, 사기죄의 불능범에 해당한다고 한 사례(대판 2005.12.8, 2005도8105). ∴ 갑의 행위는 사기죄의 불능범에 해당한다.

㉡ (×) 피고인이 피해자가 심신상실 또는 항거불능의 상태에 있다고 인식하고 그러한 상태를 이용하여 간음할 의사로 피해자를 간음하였으나 피해자가 실제로는 심신상실 또는 항거불능의 상태에 있지 않은 경우에는, 실행의 수단 또는 대상의 착오로 인하여 준강간죄에서 규정하고 있는 구성요건적 결과의 발생이 처음부터 불가능하였고 실제로 그러한 결과가 발생하였다고 할 수 없다. 피고인이 준강간의 실행에 착수하였으나 범죄가 기수에 이르지 못하였으므로 준강간죄의 미수범이 성립한다. 피고인이 행위 당시에 인식한 사정을 놓고 일반인이 객관적으로 판단하여 보았을 때 준강간의 결과가 발생할 위험성이 있었으므로 준강간죄의 불능미수가 성립한다(대판(전) 2019.3.28, 2018도16002). ∴ 갑의 행위는 「형법」 제299조 준강간죄의 불능미수에 해당한다.

㉢ (×) 범죄의 실행행위에 착수하고 그 범죄가 완수되기 전에 자기의 자유로운 의사에 따라 범죄의 실행행위를 중지한 경우에 그 중지가 일반 사회통념상 범죄를 완수함에 장애가 되는 사정에 의한 것이 아니라면 이는 중지미수에 해당한다고 할 것이지만, 피고인이 피해자를 살해하려고 그의 목 부위와 왼쪽 가슴 부위를 칼로 수 회 찔렀으나 피해자의 가슴 부위에서 많은 피가 흘러나오는 것을 발견하고 겁을 먹고 그만 두는

바람에 미수에 그친 것이라면, 위와 같은 경우 많은 피가 흘러나오는 것에 놀라거나 두려움을 느끼는 것은 일반 사회통념상 범죄를 완수함에 장애가 되는 사정에 해당한다고 보아야 할 것이므로, 이를 자의에 의한 중지미수라고 볼 수 없다(대판 1999.4.13, 99도640). ∴ 갑의 행위 – 「형법」 제250조 살인죄의 중지미수라고 볼 수 없다.

ⓔ (O) 피고인 갑, 을, 병이 강도행위를 하던 중 피고인 갑, 을은 피해자를 강간하려고 작은 방으로 끌고가 팬티를 강제로 벗기고 음부를 만지던 중 피해자가 수술한 지 얼마 안되어 배가 아프다면서 애원하는 바람에 그 뜻을 이루지 못하였다면, 강도행위의 계속 중 이미 공포상태에 빠진 피해자를 강간하려고 한 이상 강간의 실행에 착수한 것이고, 피고인들이 간음행위를 중단한 것은 피해자를 불쌍히 여겨서가 아니라 피해자의 신체조건상 강간을 하기에 지장이 있다고 본 데에 기인한 것이므로, 이는 일반의 경험상 강간행위를 수행함에 장애가 되는 외부적 사정에 의하여 범행을 중지한 것에 지나지 않는 것으로서 중지범의 요건인 자의성을 결여하였다(대판 1992. 7.28, 92도917).

09 정답 ②

② (O) 형법 제27조(불능범)는 "실행의 수단 또는 대상의 착오로 인하여 결과의 발생이 불가능하더라도 위험성이 있는 때에는 처벌한다. 단, 형을 감경 또는 면제할 수 있다."라고 규정하고 있다. 불능미수란 행위자에게 범죄의사가 있고 실행의 착수라고 볼 수 있는 행위가 있더라도 실행의 수단이나 대상의 착오로 처음부터 결과발생 또는 법익침해의 가능성이 없지만 다만 그 행위의 위험성 때문에 미수범으로 처벌하는 경우를 말한다. 여기에서 '결과의 발생이 불가능'하다는 것은 범죄행위의 성질상 어떠한 경우에도 구성요건의 실현이 불가능하다는 것을 의미한다(대판 2019.5.16, 2019도97).

① (×) 불능범과 구별되는 불능미수의 성립요건인 '위험성'은 피고인이 행위 당시에 인식한 사정을 놓고 일반인이 객관적으로 판단하여 결과 발생의 가능성이 있는지 여부를 따져야 한다(대판(전) 2019.3.28, 2018도16002).

③ (×) 중지범은 범죄의 실행에 착수한 후 자의로 그 행위를 중지한 때를 말하는 것이고, 실행의 착수가 있기 전인 예비음모의 행위를 처벌하는 경우에 있어서는 중지범의 관념은 이를 인정할 수 없다(대판 1991.6.25, 91도436).

④ (×) 타인의 재물을 공유하는 자가 공유자의 승낙을 받지 않고 공유대지를 담보에 제공하고 가등기를 경료한 경우 횡령행위는 기수에 이르고 그 후 가등기를 말소했다고 하여 중지미수에 해당하는 것이 아니며 가등기말소 후에 다시 새로운 영득의사의 실현행위가 있을 때에는 그 두개의 횡령행위는 경합범 관계에 있다(대판 1978.11.28, 78도2175).

10 정답 ④

④ (O) 유치권에 의한 경매를 신청한 유치권자는 일반채권자와 마찬가지로 피담보채권액에 기초하여 배당을 받게 되는 결과 피담보채권인 공사대금 채권을 실제와 달리 허위로 크게 부풀려 유치권에 의한 경매를 신청할 경우 정당한 채권액에 의하여 경매를 신청한 경우보다 더 많은 배당금을 받을 수도 있으므로, 이는 법원을 기망하여 배당이라는 법원의 처분행위에 의하여 재산상 이익을 취득하려는 행위로서 불능범에 해당한다고 볼 수 없고, 소송사기죄의 실행의 착수에 해당한다(대판 2012.11.15, 2012도9603). ∴ 피담보채권인 공사대금 채권을 실제와 달리 허위로 부풀려 유치권에 의한 경매를 신청한 경우 소송사기죄의 실행의 착수가 인정된다.

① (×) 피고인의 제소가 사망한 자를 상대로 한 것이라면 그 판결은 그 내용에 따른 효력이 생기지 아니하여 상속인에게 그 효력이 미치지 아니하므로 사기죄를 구성할 수 없다. (위 법원 담당재판부를 기망하고 이에 속은 담당재판부로부터 1995.5.4. 피고인(원고)의 승소 판결을 받아 같은 해 8.17. 피고인 명의로 이 사건 임야에 관한 소유권이전등기를 경료함으로써 위 김윤이 등의 상속인인 피해자 김성규 등 소유의 이 사건 임야 시가 2억 원 상당을 편취하였다는 공소사실에 대하여 그 판시 증거에 의하면 이 사건 임야의 공유자들이 피고인의 위 소 제기시인 1994.12.29. 이전에 이미 모두 사망한 사실을 알 수 있으므로, 피고인이 비록 위 민사소송에서 승소판결을 받았다 하더라도 그 판결의 효력은 이 사건 임야의 공유자들의 재산상속인들에게 미치지 아니한다 할 것이어서 사기죄를 구성한다고는 할 수 없다는 이유로, 위 공소사실을 유죄로 인정한 제1심판결을 파기하고 무죄를 선고한 원심의 사실인정과 판단은 정당하고, 나아가 이 사건에서의 피고인의 행위가 소송사기죄의 불능미수에 해당한다고 볼 수도 없으므로, 원심판결에는 주장과 같은 소송사기죄의 불능미수 및 법관의 자유재량에 관한 법리를 오해한 위법이 있다고 할 수 없다.) (대판 2002.1.11, 2000도1881) ∴ 소송에서 승소판결을 받는다고 하더라도 판결의 효력이 해당 임야의 재산상속인에게 미치므로 수 없으므로 이는 사기죄를 구성할 수 없다(불능미수 ×).

② (×) 미수의 고의 행위자의 의사는 기수의 의사여야 하므로, 처음부터 미수에 그치겠다는 미수의 고의는 형법상 고의로 인정되지 않는다. ∴ 행위자가 처음부터 미수에 그치겠다는 고의를 가진 경우라면 미수범이 성립할 수 없다.

③ (×) 금융기관 직원이 전산단말기를 이용하여 다른 공범들이 지정한 특정계좌에 돈이 입금된 것처럼 허위의 정보를 입력하는 방법으로 위 계좌로 입금되도록 한 경우, 이러한 입금절차를 완료함으로써 장차 그 계좌에서 이를 인출하여 갈 수 있는 재산상 이익을 취득하였으므로 형법 제347조의2에서 정하는 컴퓨터등사용사기죄는 기수에 이르렀고, 그 후 그러한 입금이 취소되어 현실적으로 인출되지 못하였다고 하더라도 이미 성립한 컴퓨터등사용사기죄에 어떤 영향이 있다고 할 수는 없다(대판 2006.9.14, 2006도4127). ∴ ~ 그 후 그러한 입금이 취소되어 현실적으로 인출되지 못하였다고 하더라도 컴퓨터등사용사기죄의 기수에 해당한다.

형사법 8회 모의고사 정답 및 해설

제8회 모의고사 정답

01	②	02	④	03	③	04	①	05	①
06	③	07	④	08	④	09	②	10	①

01 정답 ②

② (×) 간접정범이 성립하기 위하여 타인의 의사를 부당하게 억압할 것을 요하는지 여부(소극) ➡ 처벌되지 아니하는 타인의 행위를 적극적으로 유발하고 이를 이용하여 자신의 범죄를 실현한 자는 형법 제34조 제1항이 정하는 간접정범의 죄책을 지게 되고, 그 과정에서 타인의 의사를 부당하게 억압하여야만 간접정범에 해당하는 것은 아니다. 정유회사 경영자의 청탁으로 국회의원이 위 경영자와 지역구 지방자치단체장 사이에 **정유공장의 지역구 유치와 관련한 간담회를 주선하고 위 경영자는 정유회사 소속 직원들로 하여금 위 국회의원이 사실상 지배·장악하고 있던 후원회에 후원금을 기부하게 한 사안**에서, 국회의원에게는 정치자금법 제32조 제3호 위반죄가, **경영자에게는 정치자금법 위반죄의 간접정범**이 성립한다(대판 2008.9.11, 2007도7204). ∴ 그 과정에서 乙의 의사를 부당하게 억압한 것은 아니었던 경우 甲이 乙의 행위를 이용하여 자신의 범죄를 실현하였다면 형법 제34조 제1항이 정하는 간접정범의 죄책을 진다.

① (○) [1] 공모공동정범의 성립 요건 ➡ **형법 제30조의 공동정범은 공동가공의 의사와 그 공동의사에 기한 기능적 행위지배를 통한 범죄 실행이라는 주관적·객관적 요건**을 충족함으로써 성립하는바, **단순한 공모자에 그치는 것이 아니라 범죄에 대한 본질적 기여를 통한 기능적 행위지배가 존재하는 것으로 인정되는 경우여야** 한다. [2] 전국노점상총연합회가 주관한 도로 행진 시위에 참가한 피고인이 다른 시위 참가자들과 함께 경찰관 등에 대한 특수공무집행방해 행위를 하던 중 체포된 사안에서, 단순 가담자인 피고인에게 체포된 이후에 이루어진 다른 시위 참가자들의 범행에 대하여는 본질적 기여를 통한 기능적 행위지배가 존재한다고 보기 어려워 공모공동정범의 죄책을 인정할 수 없다(대판 2009.6.23, 2009도2994).

③ (○) 공모에 주도적으로 참여한 공모자가 공모관계에서 이탈하여 공동정범으로서 책임을 지지 않기 위한 요건 ➡ **공모관계에서의 이탈은 공모자가 공모에 의하여 담당한 기능적 행위지배를 해소하는 것이 필요**하므로 공모자가 공모에 주도적으로 참여하여 다른 공모자의 실행에 영향을 미친 때에는 범행을 저지하기 위하여 적극적으로 노력하는 등 실행에 미친 영향력을 제거하지 아니하는 한 공모관계에서 이탈하였다고 할 수 없다(대판 2008.4.10, 2008도1274).

④ (○) 공범자의 범인 도피행위 도중에 기왕의 범인 도피 상태를 이용하여 스스로 범인 도피 행위를 계속한 자에 대하여 범인도피죄의 공동정범이 성립하는지 여부 ➡ 범인도피죄는 범인을 도피하게 함으로써 기수에 이르지만 범인 도피 행위가 계속되는 동안에는 범죄행위도 계속되고 행위가 끝날 때 비로소 범죄행위가 종료되고, 공범자의 범인 도피 행위의 도중에 그 범행을 인식하면서 그와 공동의 범의를 가지고 기왕의 범인 도피 상태를 이용하여 스스로 범인 도피 행위를 계속한 자에 대하여는 범인도피죄의 공동정범이 성립한다(대판 1955.9.5, 95도577).

02 정답 ④

④ (○) 세무사였던 자 또는 그 사무직원과 사무직원이었던 자가 그 직무상 지득한 비밀을 누설하는 행위를 처벌하고 있을 뿐 비밀을 누설 받는 상대방을 처벌하는 규정이 없고, 세무사의 사무직원이 직무상 지득한 비밀을 누설한 행위와 그로부터 그 비밀을 누설 받은 행위는 대향범 관계에 있으므로 이에 공범에 관한 형법총칙 규정을 적용할 수 없다(대판 2007.10.25, 2007도6712). ∴ 세무사의 사무직원으로부터 그가 직무상 보관하고 있던 임대사업자 등의 인적사항, 사업자소재지가 기재된 서면을 교부 받은 행위가 세무사법상 직무상 비밀누설죄의 공동정범에 해당하지 않는다.

① (×) 뇌물공여죄가 성립되기 위하여서는 **뇌물을 공여하는 행위와 상대방측에서 금전적으로 가치가 있는 그 물품 등을 받아들이는 행위(부작위 포함)가 필요할 뿐**이지 반드시 상대방측에서 뇌물수수죄가 성립되어야만 한다는 것을 뜻하는 것은 아니다(대판 1987.12.22, 87도1699).

② (×) 2인 이상 서로 대향된 행위의 존재를 필요로 하는 대향범에 대하여는 공범에 관한 형법총칙 규정이 적용될 수 없는데, 형법 제127조는 공무원 또는 공무원이었던 자가 법령에 의한 직무상 비밀을 누설하는 행위만을 처벌하고 있을 뿐 직무상 비밀을 누설 받은 상대방을 처벌하는 규정이 없는 점에 비추어, 직무상 비밀을 누설 받은 자에 대하여는 공범에 관한 형법총칙 규정이 적용될 수 없다(대판 2011.4.28, 2009도3642).

③ (×) **변호사가 변호사 아닌 자에게 고용되어 법률사무소의 개설·운영에 관여하는 행위는 위 범죄가 성립하는 데 당연히 예상될 뿐만 아니라 범죄의 성립에 없어서는 아니 되는 것인데도 이를 처벌하는 규정이 없는 이상**, 볼 때 변호사 아닌 자에게 고용되어 법률사무소의 개설·운영에 관여한 변호사의 행위가 일반적인 형법 총칙상의 공모, 교사 또는 방조에 해당된다고 하더라도 변호사를 변호사 아닌 자의 공범으로서 처벌할 수는 없다(대판 2004.10.28, 2004도3994). ∴ ~ 변호사 아닌 자에게 고용되어 법률사무소의 개설·운영에 관여한 변호사의 행위가 일반적인 형법 총칙상의 공모, 교사 또는 방조에 해당된다고 하더라도 변호사를 변호사 아닌 자의 공범으로서 처벌할 수는 없다.

03 정답 ③

③ (×) 자기에게 유리한 판결을 얻기 위하여 소송상의 주장이 사실과 다름이 객관적으로 명백하거나 증거가 조작되어 있다는 정을 인식하지 못하는 제3자를 이용하여 그로 하여금 소송의 당사자가 되게 하고 법원을 기망하여 소송 상대방의 재물 또는 재산상 이익을 취득하려 하였다면 간접정범의 형태에 의한 소송 사기죄가 성립하게 된다(대판 2007.9.6, 2006도3591). ∴ 甲이 乙 명의 차용증을 가지고 있기는 하나 그 채권의 존재에 관하여 乙과 다툼이 있는 상황에서 당초에 없던 월 2푼의 약정이자에 관한 내용 등을 부가한 乙 명의 차용증을 새로 위조하여 이를 바탕으로 자신의 처에 대한 채권자인 丙에게 차용원금 및 위조된 차용증에 기한 약정이자 2,500만 원을 양도하고 이러한 사정을 모르는 丙으로 하여금 乙을 상대로 양수금 청구 소송을 제기하도록 한 사안에서, 적어도 위 약정이자 2,500만 원 중 법정 지연손해금 상당의 돈을 제외한 나머지 돈에 관한 甲의 행위는 丙을 도구로 이용한 간접정범 형태의 소송 사기죄를 구성한다. ∴ 甲은 소송 당사자가 아니지만, 병을 도구로 이용한 간접정범 형태의 사기죄에 해당한다.

① (○) 간접정범이 성립하기 위하여 타인의 의사를 부당하게 억압할 것을 요하는지 여부(소극) ➡ 처벌되지 아니하는 타인의 행위를 적극적으로 유발하고 이를 이용하여 자신의 범죄를 실현한 자는 형법 제34조 제1항이 정하는 간접정범의 죄책을 지게 되고, 그 과정에서 타인의 의사를 부당하게 억압하여야만 간접정범에 해당하는 것은 아니다. 정유회사 경영자의 청탁으로 국회의원이 위 경영자와 지역구 지방자치단체장 사이에 **정유공장의 지역구 유치와 관련한 간담회를 주선하고 위 경영자는 정유회사 소속 직원들로 하여금 위 국회의원이 사실상 지배·장악하고 있던 후원회에 후원금을 기부하게 한 사안**에서, 국회의원에게는 정치자금법 제32조 제3호 위반죄가, **경영자에게는 정치자금법 위반죄의 간접정범**이 성립한다(대판 2008.9.11, 2007도7204). ∴ 그 과정에서 乙의 의사를 부당하게 억압한 것은 아니었던 경우 甲이 乙의 행위를 이용하여 자신의 범죄를 실현하였다면 형법 제34조 제1항이 정하는 간접정범의 죄책을 진다.

② (○) 공무원 아닌 자가 관공서에 허위내용의 증명원을 제출하여 그 정을 모르는 공무원으로부터 그 증명원 내용과 같은 증명서를 발급받은 경우, 공문서위조죄의 간접정범이 성립하는지 여부(소극) ➡ **어느 문서의 작성 권한을 갖는 공무원이 그 문서의 기재사항을 인식하고 그 문서를 작성할 의사로서 이에 서명날인하였다면, 설령 그 서명날인이 타인의 기망으로 착오에 빠진 결과 그 문서의 기재사항이 진실에 반함을 알지 못한 데 기인한다고 하여도, 그 문서의 성립은 진정하며 여기에 하등 작성 명의를 모용한 사실이 있다고 할 수는 없으**므로, 공무원 아닌 자가 관공서에 허위내용의 증명원을 제출하여 그 내용이 허위인 정을 모르는 담당 공무원으로부터 그 증명원 내용과 같은 증명서를 발급받은 경우 공문서위조죄의 간접정범으로 의율할 수는 없다(대판 2001.3.9, 2000도938).

④ (○) 경찰서 보안과장인 피고인이 乙의 음주운전을 눈감아주기 위하여 그에 대한 음주 운전자 적발 보고서를 찢어버리고, 부하로 하여금 일련번호가 동일한 가짜 음주운전 적발 보고서에 丙에 대한 음주운전 사실을 기재케 하여 그 정을 모르는 담당 경찰관으로 하여금 주취 운전자 음주 측정처리부에 丙에 대한 음주운전 사실을 기재하도록 한 이상, 丙이 음주운전으로 인하여 처벌을 받았는지 여부와는 관계없이 허위공문서작성 및 동 행사죄의 간접정범으로서의 죄책을 면할 수 없다(대판 1996.10.11, 95도1706). ▸ 음주 운전자 적발 보고서를 찢어버린 부분은 공용서류무효죄가 인정됨

04 정답 ①

① (×) [1] 공모에 주도적으로 참여한 공모자가 공모관계에서 이탈하여 공동정범으로서 책임을 지지 않기 위한 요건 ➡ 공모관계에서의 이탈은 공모자가 공모에 의하여 담당한 기능적 행위지배를 해소하는 것이 필요하므로 공모자가 공모에 주도적으로 참여하여 다른 공모자의 실행에 영향을 미친 때에는 범행을 저지하기 위하여 적극적으로 노력하는 등 실행에 미친 영향력을 제거하지 아니하는 한 공모자가 구속되었다는 등의 사유만으로 공모관계에서 이탈하였다고 할 수 없다. [2] 갑이 을과 **공모하여 가출 청소년 병(여, 16세)에게 낙태수술비를 벌도록 해 주겠다고 유인하였고, 을로 하여금 병의 성매매 홍보용 나체사진을 찍도록 하였**으며, 병이 중도에 약속을 어길 경우 민형사상 책임을 진다는 각서를 작성하도록 한 후, **자신이 별건으로 체포되어 구치소에 수감 중인 동안 병이 을의 관리 아래 12회에 걸쳐 불특정 다수 남성의 성 매수 행위의 상대방이 된 대가로 받은 돈을 병, 을 및 갑의 처 등이 나누어 사용한 사안**에서, 병의 성매매 기간 동안 **갑이 수감되어 있었다 하더라도 위 갑은 을과 함께 미성년자유인죄, 구 청소년의 성보호에 관한 법률 위반죄의 책임을 진다.** = 甲은 공모관계에서 이탈하였다고 할 수 없다(대판 2010.9.9, 2010도6924) ∴ 甲은 乙과 함께 미성년자유인죄, 아청법 위반죄의 책임을 진다. (甲은 공모관계에서 이탈한 것으로 인정되는 것 ×)

② (○) [1] 공동정범의 성립요건 ➡ 공동정범이 성립하기 위해서는 주관적 요건으로서 공동가공의 의사와 객관적 요건으로서 공동의사에 기한 기능적 행위지배를 통한 범죄의 실행 사실이 필요하고, 공동가공의 의사는 타인의 범행을 인식하면서도 이를 제지하지 아니하고 용인하는 것만으로는 부족하고 공동의 의사로 특정한 범죄행위를 하기 위하여 일체가 되어 서로 다른 사람의 행위를 이용하여 자기의 의사를 실행에 옮기는 것을 내용으로 하는 것이어야 한다. [2] 피고인에게 다른 일행의 강간 범행에 공동으로 가공할 의사가 있었다고 볼 수 없다. 피해자 일행을 한 사람씩 나누어 강간하자는 피고인 일행의 제의에 아무런 대답도 하지 않고 따라다니다가 자신의 강간 상대방으로 남겨진 공소외인에게 일체의 신체적 접촉도 시도하지 않은 채 다른 일행이 인근 숲속에서 강간을 마

칠 때까지 공소외인과 함께 이야기만 나눈 경우(대판 2003.3.28, 2002도7477), ➡ 피고인에게 다른 일행의 강간 범행에 공동으로 가공할 의사가 있었다고 볼 수 없다.

③ (○) 2인 이상이 범죄에 공동 가공하는 공범 관계에서 공모는 법률상 어떤 정형을 요구하지 아니하고, 2인 이상이 공모하여 어느 범죄에 공동 가공하여 그 범죄를 실현하려는 의사의 결합만 있으면 되며, 비록 전체의 모의 과정이 없더라도 수인 사이에 순차적 또는 암묵적으로 상통하여 그 의사의 결합이 이루어지면 공모관계가 성립한다. 그리고 이러한 공모가 이루어진 이상 실행행위에 직접 관여하지 아니한 사람이라도 다른 공모자의 행위에 대하여 공동정범으로서의 형사책임을 지며, 이와 같은 공모에 대하여는 직접증거가 없더라도 정황사실과 경험법칙에 의하여 이를 인정할 수 있다(대판 2016.8.29, 2016도6297 / 대판 2005.11.10, 2004도1164 / 대판 2006.5.11, 2003도4320).

④ (○) [1] 구성요건 행위를 직접 분담하여 실행하지 아니한 공모자를 공모공동정범으로 인정하기 위한 요건 ➡ 형법 제30조의 공동정범은 공동가공의 의사와 그 공동의사에 의한 기능적 행위지배를 통한 범죄 실행이라는 주관적·객관적 요건을 충족함으로써 성립하므로, 공모자 중 구성요건 행위를 직접 분담하여 실행하지 아니한 사람도 위 요건의 충족 여부에 따라 이른바 공모공동정범으로서의 죄책을 질 수도 있다. [2] 건설 관련 회사의 유일한 지배자가 회사 대표의 지위에서 장기간에 걸쳐 건설공사 현장소장들의 뇌물공여 행위를 보고받고 이를 확인·결재하는 등의 방법으로 위 행위에 관여한 사안에서, 비록 사전에 구체적인 대상 및 액수를 정하여 뇌물공여를 지시하지 아니하였다고 하더라도 그 **핵심적 경과를 계획적으로 조종하거나 촉진**하는 등으로 기능적 행위지배를 하였다고 보아 **공모공동정범의 죄책을 인정**하여야 할 것이다(대판 2010.7.15, 2010도3544).

05 정답 ①

① (○) 공동정범은 행위자 상호 간에 범죄행위를 공동으로 한다는 공동가공의 의사를 가지고 범죄를 공동실행하는 경우에 성립하는 것으로서, 여기에서의 공동가공의 의사는 공동행위자 상호 간에 있어야 하며 행위자 일방의 가공 의사만으로는 공동정범 관계가 성립할 수 없다. → 편면적 공동정범은 공동정범이 아니다(대판 1985.5.14, 84도2118).

② (×) [1] 형법 제30조의 공동정범은 2인 이상이 공동하여 죄를 범하는 것으로서, 공동정범이 성립하기 위하여는 주관적 요건으로서 공동가공의 의사와 객관적 요건으로서 공동의사에 기한 기능적 행위지배를 통한 범죄의 실행 사실이 필요하고, 공동가공의 의사는 타인의 범행을 인식하면서도 이를 제지하지 아니하고 용인하는 것만으로는 부족하고 공동의 의사로 특정한 범죄행위를 하기 위하여 일체가 되어 서로 다른 사람의 행위를 이용하여 자기의 의사를 실행에 옮기는 것을 내용으로 하는 것이어야 한다. [2] 피해자 일행을 한 사람씩 나누어 강간하자는 피고인 일행의 제의에 아무런 대답도 하지 않고 따라다니다가 자신의 강간 상대방으로 남겨진 공소외인에게 일체의 신체적 접촉도 시도하지 않은 채 다른 일행이 인근 숲속에서 강간을 마칠 때까지 공소외인과 함께 이야기만 나눈 경우, 피고인에게 다른 일행의 강간 범행에 공동으로 가공할 의사가 있었다고 볼 수 없다(대판 2003.3.28, 2002도7477).

③ (×) 회사직원이 영업비밀을 경쟁업체에 유출하거나 스스로의 이익을 위하여 이용할 목적으로 무단으로 반출한 때 업무상 배임죄의 기수에 이르렀다고 할 것이고, 그 이후에 위 직원과 접촉하여 영업비밀을 취득하려고 한 자는 업무상 배임죄의 공동정범이 될 수 없다(대판 2003.10.30, 2003도4382).

④ (×) 포괄적 일죄의 일부에 공동정범으로 가담한 자는 비록 그가 그때에 이미 이루어진 종전의 범행을 알았다 하여도 그 가담 이후의 범행에 대해서만 공동정범으로서 책임을 진다(대판 1997.11.28, 97도1740).

06 정답 ③

③ (×) 상해 또는 중상해를 교사하였는데 피교사자가 살인을 실행한 경우 교사자의 죄책 ➡ 교사자가 피교사자에 대하여 상해 또는 중상해를 교사하였는데 피교사자가 이를 넘어 살인을 실행한 경우에, 일반적으로 교사자는 상해죄 또는 중상해죄의 죄책을 지게 되는 것이지만 이 경우에 교사자에게 피해자의 사망이라는 결과에 대하여 과실 내지 예견가능성이 있는 때에는 상해치사죄의 죄책을 지울 수 있다(대판 2002.10.25, 2002도4089). ∴ 甲이 乙에게 丙을 상해할 것을 교사하였으나 乙에 의해 상해를 입은 丙이 사망한 경우, 甲에게[乙에게 ×] 피해자의 사망에 대한 예견가능성이 인정되는 한 甲도 상해치사죄의 죄책을 진다.

① (○) 제31조 제2항 ➡ 효과 없는 교사

제31조(교사범) ① 타인을 교사하여 죄를 범하게 한 자는 죄를 실행한 자와 동일한 형으로 처벌한다.

② 교사를 받은 자가 범죄의 실행을 승낙하고 실행의 착수에 이르지 아니한 때에는 교사자와 피교사자를 음모 또는 예비에 준하여 처벌한다. (효과 없는 교사)

③ 교사를 받은 자가 범죄의 실행을 승낙하지 아니한 때에도 교사자에 대하여는 전항과 같다. (실패한 교사)

② (○) 질적 초과가 본질적인 경우로서 맞음.

▸질적 초과가 본질적인 경우(정범이 실행한 범죄가 교사된 범죄와 전혀 다른 범죄인 경우) ㉠ 실행한 범죄에 대해서는 교사범이 성립하지 않고, 효과 없는 교사(제31조 제2항)로서 교사한 범죄의 예비·음모의 처벌 규정이 있는 경우에 한하여 교사한 범죄의 예비·음모로 처벌된다. ㉡ 강도를 교사하였는데 강간을 한 경우 ➡ 강도의 예비·음모

④ (○) 교사 내용에 미달한 경우에 대한 예로서 맞음.

▸교사한 범죄의 실행의 착수가 없는 경우 ㉮ 교사한 범죄의 예비·음모의 처벌 규정이 있는 경우에는 교사자가 교사한 범죄의 예비·음모(제31조 제2항)와 피교사자가 실행한 범죄

의 교사범의 상상적 경합이 성립한다. ㉯ ∴ 예비·음모의 형이 중할 경우에는 예비·음모의 책임을 진다. ㉰ 강도를 교사하였는데 절도를 실행한 경우 ➡ 절도죄의 교사범과 강도의 예비·음모의 상상적 경합 (형이 중한 강도의 예비·음모에 의하여 처벌)

07 정답 ④

④ (×) [1] 교사범이란 정범인 피교사자로 하여금 범죄를 결의하게 하여 그 죄를 범하게 한때에 성립하므로, 교사자의 교사행위에도 불구하고 피교사자가 범행을 승낙하지 아니하거나 피교사자의 범행 결의가 교사자의 교사행위에 의하여 생긴 것으로 보기 어려운 경우에는 이른바 실패한 교사로서 형법 제31조 제3항에 의하여 교사자를 음모 또는 예비에 준하여 처벌할 수 있을 뿐이다. [2] 피교사자가 교사자의 교사행위 당시에는 일응 범행을 승낙하지 아니한 것으로 보여진다 하더라도 이후 그 교사행위에 의하여 범행을 결의한 것으로 인정되는 이상 교사범의 성립에는 영향이 없다. [3] 피고인이 결혼을 전제로 교제하던 여성 갑의 임신 사실을 알고 수회에 걸쳐 낙태를 권유하였다가 거부당하자, 갑에게 출산 여부는 알아서 하되 더 이상 결혼을 진행하지 않겠다고 통보하고, 이후에도 아이에 대한 친권을 행사할 의사가 없다고 하면서 낙태할 병원을 물색해 주기도 하였는데, 그 후 갑이 피고인에게 알리지 아니한 채 자신이 알아본 병원에서 낙태 시술을 받은 사안에서, 피고인은 갑에게 직접 낙태를 권유할 당시뿐만 아니라 출산 여부는 알아서 하라고 통보한 이후에도 계속 낙태를 교사하였고, 갑은 이로 인하여 낙태를 결의·실행하게 되었다고 보는 것이 타당하며, 갑이 당초 아이를 낳을 것처럼 말한 사실이 있다는 사정만으로 피고인의 낙태 교사행위와 갑의 낙태 결의 사이에 인과관계가 단절되는 것은 아니라는 이유로, 피고인에게 낙태 교사죄를 인정한 원심판단을 정당하다(대판 2013.9.12, 2012도2744).

① (○) 정범이 교사자의 교사행위에 의하여 범죄 실행을 결의하게 된 경우, 교사행위 외에 다른 원인이 있어 범죄를 실행한 경우에도 교사범이 성립하는지 여부(적극) ➡ 교사범이 그 공범 관계로부터 이탈하기 위해서는 피교사자가 범죄의 실행행위에 나아가기 전에 교사범에 의하여 형성된 피교사자의 범죄 실행의 결의를 해소하는 것이 필요하고, 이때 교사범이 피교사자에게 교사행위를 철회한다는 의사를 표시하고 이에 피교사자도 그 의사에 따르기로 하거나 또는 교사범이 명시적으로 교사행위를 철회함과 아울러 피교사자의 범죄 실행을 방지하기 위한 진지한 노력을 다하여 당초 피교사자가 범죄를 결의하게 된 사정을 제거하는 등 제반 사정에 비추어 객관적·실질적으로 보아 교사범에게 교사의 고의가 계속 존재한다고 보기 어렵고 당초의 교사행위에 의하여 형성된 피교사자의 범죄 실행의 결의가 더 이상 유지되지 않는 것으로 평가할 수 있다면, 설사 그 후 피교사자가 범죄를 저지르더라도 이는 당초의 교사행위에 의한 것이 아니라 새로운 범죄 실행의 결의에 따른 것이므로 교사자는 형법 제31조 제2항에 의한 죄책을 부담함은 별론으로 하고 형법 제31조 제1항에 의한 교사범으로서의 죄책을 부담하지는 않는다고 할 수 있다. 한편 교사범이 성립하기 위해 교사범의 교사가 정범의 범행에 대한 유일한 조건일 필요는 없으므로, **교사행위에 의하여 피교사자가 범죄 실행을 결의하게 된 이상** 피교사자에게 **다른 원인**이 있어 범죄를 실행한 경우에도 **교사범의 성립**에는 영향이 없다(대판 2012.11.15, 2012도7407 / 대판 1991.5.14, 91도542 참조).

② (○) 교사범이 성립하기 위하여는 정범의 범죄행위가 인정되는 것이 전제 요건인지 여부(적극) ➡ 교사범이 성립하기 위해서는 교사자의 교사행위와 정범의 실행행위가 있어야 하는 것이므로, 정범의 성립은 교사범의 구성요건 일부를 형성하고 교사범이 성립함에는 정범의 범죄행위가 인정되는 것이 그 전제 요건이 된다(대판 2000.2.25, 99도1252).

③ (○) 교사범의 교사가 정범이 죄를 범한 유일한 조건일 필요는 없으므로, 교사행위에 의하여 정범이 실행을 결의하게 된 이상 비록 정범에게 범죄의 습벽이 있어 그 습벽과 함께 교사행위가 원인이 되어 정범이 범죄를 실행한 경우에도 교사범의 성립에 영향이 없다(대판 1991.5.14, 91도542).

08 정답 ④

④ (×) 과실범에 공범은 성립할 수 없고, 다만 제34조 제1항의 간접정범이 성립할 수 있다. ∴ 과실범에 대한 교사범은 성립할 수 없으며 과실범에 대한 방조범도 성립할 수 없다.

① (○) 정범의 실행의 착수 이전에 장래의 실행행위를 예상하고 이를 용이하게 하기 위하여 방조한 경우, 종범이 성립하는지 여부(한정 적극) ➡ 종범은 정범이 실행행위에 착수하여 범행을 하는 과정에서 이를 방조한 경우뿐 아니라, 정범의 실행의 착수 이전에 장래의 실행행위를 미필적으로나마 예상하고 이를 용이하게 하기 위하여 방조한 경우에도 그 후 정범이 실행행위에 나아갔다면 성립할 수 있다(대판 2013.11.14, 2013도7494).

② (○) 의사인 피고인이 입원 치료를 받을 필요가 없는 환자들이 보험금 수령을 위하여 입원 치료를 받으려고 하는 사실을 알면서도 입원을 허가하여 형식상으로 입원 치료를 받도록 한 후 입원확인서를 발급하여 준 사안에서, 사기 방조죄가 성립한다고 한 원심의 판단을 수긍한 사례(대판 2006.1.12, 2004도6557)

③ (○) 피고인들이, 자신들이 개설한 인터넷 사이트를 통해 회원들로 하여금 음란한 동영상을 게시하도록 하고, 다른 회원들로 하여금 이를 다운받을 수 있도록 하는 방법으로 정보통신망을 통한 음란한 영상의 배포, 전시를 방조한 행위가 단일하고 계속된 범의 아래 일정 기간 계속하여 이루어졌고 피해법익도 동일한 경우, 포괄일죄의 관계에 있다(대판 2010.11.25, 2010도1588).

09 정답 ②

② (×) 제34조 제2항 ∴ 자기의 지휘, 감독을 받는 자를 방조하여 범죄의 결과를 발생하게 한 자는 정범의 형으로 처벌한다(정범에 정한 형의 장기 또는 다액에 그 2분의 1까지 가중한 형으로 처벌 ×).

① (O) 공무원 등의 직무상 비밀 누설행위와 대향범 관계에 있는 '비밀을 누설 받은 행위'에 대하여 공범에 관한 형법총칙 규정을 적용할 수 있는지 여부(소극) ➡ 2인 이상 서로 대향된 행위의 존재를 필요로 하는 대향범에 대하여는 공범에 관한 형법총칙 규정이 적용될 수 없는데, 형법 제127조는 공무원 또는 공무원이었던 자가 법령에 의한 직무상 비밀을 누설하는 행위만을 처벌하고 있을 뿐 직무상 비밀을 누설 받은 상대방을 처벌하는 규정이 없는 점에 비추어, 직무상 비밀을 누설 받은 자에 대하여는 공범에 관한 형법총칙 규정이 적용될 수 없다고 보는 것이 타당하다(대판 2011.4.28, 2009도3642).

③ (O) [1] 범인이 자신을 위하여 타인으로 하여금 허위의 자백을 하게 하여 범인도피죄를 범하게 하는 행위는 ➡ 방어권의 남용으로 범인도피교사죄에 해당하는바, 이 경우 그 타인이 형법 제151조 제2항에 의하여 처벌을 받지 아니하는 친족 또는 동거 가족에 해당한다 하여 달리 볼 것은 아니다. [2] 무면허 운전으로 사고를 낸 사람이 동생을 경찰서에 대신 출두시켜 피의자로 조사받도록 한 행위는 범인도피교사죄를 구성한다(대판 2006.12.7, 2005도3707).

④ (O) 제31조 제2항

> 제31조(교사범) ① 타인을 교사하여 죄를 범하게 한 자는 죄를 실행한 자와 동일한 형으로 처벌한다. ② 교사를 받은 자가 범죄의 실행을 승낙하고 실행의 착수에 이르지 아니한 때에는 교사자와 피교사자를 음모 또는 예비에 준하여 처벌한다(효과 없는 교사). ③ 교사를 받은 자가 범죄의 실행을 승낙하지 아니한 때에도 교사자에 대하여는 전항과 같다(실패한 교사).

10 정답 ①

① (×) [1] 형법 제33조 소정의 이른바 신분 관계라 함은 남녀의 성별, 내·외국인의 구별, 친족관계, 공무원인 자격과 같은 관계뿐만 아니라 널리 일정한 범죄행위에 관련된 범인의 인적 관계인 특수한 지위 또는 상태를 지칭하는 것이다. [2] 형법 제152조 제1항과 제2항은 위증을 한 범인이 형사사건의 피고인 등을 '모해할 목적'을 가지고 있었는가 아니면 그러한 목적이 없었는가 하는 범인의 특수한 상태의 차이에 따라 범인에게 과할 형의 경중을 구별하고 있으므로, 이는 바로 형법 제33조 단서 소정의 "신분 관계로 인하여 형의 경중이 있는 경우"에 해당한다고 봄이 상당하다. [3] 피고인이 갑을 모해할 목적으로 을에게 위증을 교사한 이상, 가사 정범인 을에게 모해의 목적이 없었다고 하더라도, 형법 제33조 단서의 규정에 의하여 피고인을 모해 위증교사죄로 처단할 수 있다(대판 1994.12.23, 93도1002).

② (O) 형법 제31조 제1항은 협의의 공범의 일종인 교사범이 그 성립과 처벌에 있어서 정범에 종속한다는 일반적인 원칙을 선언한 것에 불과하고, 신분 관계로 인하여 형의 경중이 있는 경우에 신분이 있는 자가 신분이 없는 자를 교사하여 죄를 범하게 한 때에는 형법 제33조 단서가 형법 제31조 제1항에 우선하여 적용됨으로써 신분이 있는 교사범이 신분이 없는 정범보다 중하게 처벌된다(대판 1994. 12.23, 93도1002).

③ (O) 공무원이 아닌 자는 형법 제228조의 경우를 제외하고는 허위공문서작성죄의 간접정범으로 처벌할 수 없으나, 공무원이 아닌 자가 공무원과 공동하여 허위공문서작성죄를 범한 때에는 공무원이 아닌 자도 형법 제33조, 제30조에 의하여 허위공문서작성죄의 공동정범이 된다(대판 2006.5.11, 2006도1663).

④ (O) 비신분자가 신분자와 공모하여 업무상 배임죄를 범한 경우의 처단 방법 ➡ 업무상 배임죄는 타인의 사무를 처리하는 지위라는 점에서 보면 신분 관계로 인하여 성립될 범죄이고, 업무상 타인의 사무를 처리하는 지위라는 점에서 보면 단순 배임죄에 대한 가중규정으로서 신분 관계로 인하여 형의 경중이 있는 경우라고 할 것이므로, 그와 같은 신분 관계가 없는 자가 그러한 신분 관계가 있는 자와 공모하여 업무상 배임죄를 저질렀다면 그러한 신분 관계가 없는 자에 대하여는 형법 제33조 단서에 의하여 단순배임죄에 정한 형으로 처단하여야 할 것이다(대판 1999.4.27, 99도883).

형사법 9회 모의고사 정답 및 해설

제9회 모의고사 정답

01	④	02	①	03	②	04	③	05	①
06	④	07	③	08	②	09	④	10	③

01 정답 ④

형법 일반이론 ▮ 난이도 중

④ (×) 도로 아닌 곳에서의 무면허운전 처벌은 유추해석금지원칙에 반한다 – 「도로교통법」상 도로가 아닌 곳에서 운전면허 없이 운전한 경우에는 무면허운전에 해당하지 않는다. 도로에서 운전하지 않았는데도 무면허운전으로 처벌하는 것은 유추해석이나 확장해석에 해당하여 죄형법정주의에 비추어 허용되지 않는다(대판 2017.12.28. 2017도17762).

① (○) 시행령이 처벌의 대상을 확정하는 것은 죄형법정주의 위반이다 – 법률의 시행령은 모법인 법률의 위임 없이 법률이 규정한 개인의 권리·의무에 관한 내용을 변경·보충하거나 법률에서 규정하지 아니한 새로운 내용을 규정할 수 없고, 특히 법률의 시행령이 형사처벌에 관한 사항을 규정하면서 법률의 명시적인 위임 범위를 벗어나 처벌의 대상을 확장하는 것은 죄형법정주의의 원칙에도 어긋나는 것이므로, 그러한 시행령은 위임입법의 한계를 벗어난 것으로서 무효이다(대판(전) 2017.2.16. 2015도16014).

② (○) 타인에게 형사처분을 받게 할 목적으로 '허위의 사실'을 신고한 행위가 무고죄를 구성하기 위해서는 신고된 사실 자체가 형사처분의 대상이 될 수 있어야 하므로, 가령 허위의 사실을 신고하였더라도 신고 당시 그 사실 자체가 형사범죄를 구성하지 않으면 무고죄는 성립하지 않는다. 그러나 허위로 신고한 사실이 무고행위 당시 형사처분의 대상이 될 수 있었던 경우에는 국가의 형사사법권의 적정한 행사를 그르치게 할 위험과 부당하게 처벌받지 않을 개인의 법적 안정성이 침해될 위험이 이미 발생하였으므로 무고죄는 기수에 이르고, 이후 그러한 사실이 형사범죄가 되지 않는 것으로 판례가 변경되었더라도 특별한 사정이 없는 한 이미 성립한 무고죄에는 영향을 미치지 않는다. 고소 후 판례변경 사건 이 판례는 죄형법정주의와 특별히 관계가 없다(대판 2017.5.30. 2015도15398).

③ (○) 가정폭력범죄의 처벌 등에 관한 특례법상 사회봉사명령을 부과하면서, 행위시법상 사회봉사명령 부과시간의 상한인 100시간을 초과하여 상한을 200시간으로 올린 신법을 적용한 것은 위법하다(대판 2008.7.24. 2008어4).

02 정답 ①

범죄론 ▮ 난이도 상

① (○) 판례의 입장인 법정적 부합설에 의하면 B에 대한 살인죄가 성립한다(대판 1968.8.23. 68도884).

② (×) 형법 제15조 제1항이 직접 적용되어 보통살인죄가 성립한다(대판 1960.10.31. 4293형상494).

③ (×) 구체적 사실의 착오 중 방법의 착오로서 법정적 부합설에 의하면 조카 B에 살인죄가 성립한다. 판례는 법정적 부합설의 입장에서 "소위 타격의 착오가 있는 경우라 할지라도 행위자의 살인의 범의 성립에 방해가 되지 아니한다."(대판 1984.1.24. 83도2813 ; 형수·조카 사건)고 하여 조카에 대한 살인죄를 인정하고 있다.

④ (×) 상해의 범의가 인정되며, 과실치상죄에 해당한다고 할 수 없다. 따라서 B에 대한 상해죄가 성립한다(대판 1987.10.26. 87도1745).

03 정답 ②

범죄론 ▮ 난이도 중

② (○) 피해자의 범죄혐의를 구체적이고 합리적으로 의심할 수 있는 상황에서 피고인이 긴급히 확인하고 대처할 필요가 있었고, 그 열람의 범위를 범죄혐의와 관련된 범위로 제한하였으며, 피해자가 입사 시 회사 소유의 컴퓨터를 무단사용하지 않고 업무 관련 결과물을 모두 회사에 귀속시키겠다고 약정하였고, 검색 결과 범죄행위를 확인할 수 있는 여러 자료가 발견된 사정 등에 비추어, 피고인의 그러한 행위는 사회 통념상 허용될 수 있는 상당성이 있는 행위로서 형법 제20조의 '정당행위'에 해당한다(대판 2009.12.24. 2007도6243).

① (×) 법에 의하여 용인되는 피난 행위라 할 수 없다(대판 1995.1.12. 94도2781 ; 강간범 손가락 사건).

③ (×) 피해자의 승낙이 있었다고 하더라도 이는 위법한 목적에 이용하기 위한 것이므로 피고인의 행위가 피해자의 승낙에 의하여 위법성이 조각된다고 할 수 없다(대판 2008.12.11. 2008도9606).

④ (×) 처분할 수 있는 자의 승낙에 의하여 그 법익을 훼손한 행위는 법률에 특별한 규정이 없는 한 벌하지 아니한다(형법 제24조).

04 정답 ③

범죄론 ▮ 난이도 중

③ (×) 완료함으로써 장차 그 계좌에서 이를 인출하여 갈 수 있는 재산상 이익을 취득하였으므로 형법 제347조의2에서 정하는 컴퓨터 등 사용사기죄는 기수에 이르렀다고 볼 것이다(대판 2006.9.14. 2006도4127).

① (○) 필로폰을 매수하려는 자에게서 필로폰을 구해 달라는 부탁과 함께 돈을 지급받았다고 하더라도, 당시 필로폰을 소지 또는 입수한 상태에 있었거나 그것이 가능하였다는 등 매매행위에 근접・밀착한 상태에서 대금을 지급받은 것이 아니라 단순히 필로폰을 구해 달라는 부탁과 함께 대금 명목으로 돈을 지급받은 것에 불과한 경우에는 필로폰 매매행위의 실행의 착수에 이른 것이라고 볼 수 없다(대판 2015.3.20, 2014도16920).

② (○) 비록 외부적 사정에 의하여 불이 방화 목적물인 주택 자체에 옮겨 붙지는 아니하였다 하더라도 현존건조물방화죄의 실행의 착수가 있었다고 봄이 상당하다(대판 2002.3.26, 2001도6641 ; 가정불화 방화사건).

④ (○) 피고인의 팔이 피해자의 몸에 닿지 않았더라도 양팔을 높이 들어 갑자기 뒤에서 껴안으려는 행위는 피해자의 의사에 반하는 유형력의 행사로서 폭행행위에 해당하며, 그때 '기습추행'에 관한 실행의 착수가 있다고 볼 것이다(대판 2015.9.10, 2015도6980 ; 기습추행 사건).

05 정답 ①

범죄론 ▮ 난이도 상

① (×) 업무상 타인의 사무를 처리하는 자가 그러한 신분관계가 없는 자와 공모하여 업무상 배임죄를 저질렀다면 그러한 신분관계가 없는 자에 대하여는 형법 제33조 단서에 의하여 단순배임죄에 정한 형으로 처벌된다(대판 1999.4.27, 99도883).

② (○) 공직선거법 제257조 제1항 제1호에서 규정하는 각 기부행위제한위반의 죄는 공직선거법 제113조(후보자 등의 기부행위 제한), 제114조(정당 및 후보자의 가족 등의 기부행위제한), 제115조(제3자의 기부행위 제한)에 각기 한정적으로 열거되어 규정하고 있는 신분관계가 있어야만 성립하는 범죄이므로, 각 기부행위의 주체로 인정되지 아니하는 자가 기부행위의 주체자 등과 공모하여 기부행위를 하였다 하더라도 그 신분에 따라 각 해당 법조로 처벌하여야지 기부행위 주체자에 해당하는 법조 위반의 공동정범으로 처벌할 수는 없다(대판 2008.3.13, 2007도9507).

③ (○) 대판 2001.11.30, 2001도2015

④ (○) 공무원이 아닌 자가 공무원과 공동하여 허위공문서작성죄를 범한 때에는 공무원이 아닌 자도 허위공문서작성죄의 공동정범이 된다(대판 2006.5.11, 2006도1663).

06 정답 ④

범죄론 ▮ 난이도 중

④ (○) 불을 놓은 집에서 빠져나오려는 피해자들을 막아 소사케 한 행위는 1개의 행위가 수개의 죄명에 해당하는 경우라고 볼 수 없고, 위 방화행위와 살인 행위는 법률상 별개의 범의에 의하여 별개의 법익을 해하는 별개의 행위라고 할 것이니, 현주건조물방화죄와 살인죄는 실체적 경합 관계에 있다(대판 1983.1.18, 82도2341).

① (×) 허위공문서작성죄와 동행사죄가 수뢰후 부정처사죄와 각각 상상적 경합관계에 있을 때에는 허위공문서작성죄와 동행사죄 상호 간은 실체적 경합범관계에 있다고 할지라도 상상적 경합범관계에 있는 수뢰후 부정처사죄와 대비하여 가장 중한 죄에 정한 형으로 처단하면 족한 것이고 따로이 경합가중을 할 필요가 없다(대판 1983.7.26, 83도1378).

② (×) 감금행위가 단순히 강도상해 범행의 수단이 되는 데 그치지 아니하고 강도상해의 범행이 끝난 뒤에도 계속된 경우에는 1개의 행위가 감금죄와 강도상해죄에 해당하는 경우라고 볼 수 없고, 이 경우 감금죄와 강도상해죄는 형법 제37조의 경합범관계에 있다(대판 2003.1.10, 2002도4380).

③ (×) 피고인의 행위는 강도살인죄와 현주건조물방화치사죄에 모두 해당하고 그 두 죄는 상상적 경합범 관계에 있다(대판 1998.12.8, 98도3416).

07 정답 ③

개인적 법익 ▮ 난이도 중

③ (×) 피고인이 혼자 술을 마시던 중 甲 정당이 국회에서 예산안을 강행처리하였다는 것에 화가 나서 공중전화를 이용하여 경찰서에 여러 차례 전화를 걸어 전화를 받은 각 경찰관에게 경찰서 관할구역 내에 있는 甲 정당의 당사를 폭파하겠다는 말을 한 사안에서, 피고인은 甲 정당에 관한 해악을 고지한 것이므로 각 경찰관 개인에 관한 해악을 고지하였다고 할 수 없고, 다른 특별한 사정이 없는 한 일반적으로 甲 정당에 대한 해악의 고지가 각 경찰관 개인에게 공포심을 일으킬 만큼 서로 밀접한 관계에 있다고 보기 어려운데도, 이와 달리 피고인의 행위가 각 경찰관에 대한 협박죄를 구성한다고 본 원심판결에 협박죄에 관한 법리오해의 위법이 있다(대판 2012.8.17, 2011도10451).

① (○) 협박죄는 사람의 의사결정의 자유를 보호법익으로 하는 범죄로서 형법규정의 체계상 개인적 법익, 특히 사람의 자유에 대한 죄 중 하나로 구성되어 있는바, 위와 같은 협박죄의 보호법익, 형법규정상 체계, 협박의 행위 개념 등에 비추어 볼 때, 협박죄는 자연인만을 그 대상으로 예정하고 있을 뿐 법인은 협박죄의 객체가 될 수 없다(대판 2010.7.15, 2010도1017).

② (○) 폭행죄는 미수범 처벌규정이 없으나, 협박죄의 미수범 처벌규정이 있다(제286조).

④ (○) 대판 2010.7.15, 2010도1017

08 정답 ②

개인적 법익 ▮ 난이도 중

② (×) 강도강간죄에 있어서 강도피해자와 강간피해자가 반드시 동일인임을 요하지 않는다(대판 1991.11.12, 91도2241 ; 남자강도 여자강간 사건).

① (○) 타인의 명의를 모용하여 발급받은 신용카드를 이용하여 현금자동지급기에서 현금대출을 받는 경우의 죄책은 절도죄에 해당하고, 타인의 명의를 모용하여 발급받은 신용카드를 이용하여 ARS 전화서비스나 인터넷 등을 통하여 신용대출을 받는 경우의 죄책은 컴퓨터 등 사용사기죄에 해당한다(대판 2006.7.27, 2006도3126).

③ (○) 피고인이 자신의 모(母) 乙 명의로 구입·등록하여 乙에게 명의신탁한 자동차를 丙에게 담보로 제공한 후 丙 몰래 가져가 절취하였다는 내용으로 기소된 사안에서, 丙에 대한 관계에서 자동차의 소유자는 乙이고 피고인은 소유자가 아니므로 丙이 점유하고 있는 자동차를 임의로 가져간 이상 절도죄가 성립한다(대판 2012.4.26, 2010도11771).

④ (○) 준강도죄의 입법 취지, 강도죄와의 균형 등을 종합적으로 고려해 보면, 준강도죄의 기수 여부는 절도 행위의 기수 여부를 기준으로 하여 판단하여야 한다. 따라서 절도미수범이 체포를 면탈할 목적으로 폭행한 행위는 준강도미수죄에 해당한다(대판(전) 2004.11.28, 2004도5074).

09 정답 ④

개인적 법익 ▮ 난이도 중

④ (×) 제351조(상습범) 상습으로 제347조 내지 전조의 죄를 범한 자는 그 죄에 정한 형의 2분의 1까지 가중한다. 제352조(미수범) 제347조 내지 제348조의2, 제350조, 제350조의2와 제351조의 미수범은 처벌한다.

① (○) 중고 자동차 매매에 있어서 매도인의 할부금융회사 또는 보증보험에 대한 할부금 채무가 매수인에게 당연히 승계되는 것이 아니라는 이유로 그 할부금 채무의 존재를 매수인에게 고지하지 아니한 것이 부작위에 의한 기망에 해당하지 아니한다(대판 1998.4.14, 98도231).

② (○) 예금주인 피고인이 제3자에게 편취당한 송금의뢰인으로부터 자신의 은행계좌에 계좌송금된 돈을 출금한 사안에서, 피고인은 예금주로서 은행에 대하여 예금반환을 청구할 수 있는 권한을 가진 자이므로, 위 은행을 피해자로 한 사기죄가 성립하지 않는다(대판 2010.5.27, 2010도3498).

③ (○) 재물편취를 내용으로 하는 사기죄에서는 기망으로 인한 재물교부가 있으면 그 자체로써 피해자의 재산침해가 되어 이로써 곧 사기죄가 성립하는 것이고, 상당한 대가가 지급되었다거나 피해자의 전체 재산상에 손해가 없다 하여도 사기죄의 성립에는 그 영향이 없으므로 사기죄에 있어서 그 대가가 일부 지급된 경우에도 그 편취액은 피해자로부터 교부된 재물의 가치로부터 그 대가를 공제한 차액이 아니라 교부받은 재물 전부이다. 재물을 편취한 후 현실적인 자금의 수수 없이 형식적으로 기왕에 편취한 금원을 새로이 장부상으로만 재투자하는 것으로 처리한 경우, 그 재투자금액은 이를 편취액의 합산에서 제외하여야 한다(대판 2007.1.25, 2006도7470).

10 정답 ③

개인적 법익 ▮ 난이도 중

③ (×) 1개의 행위에 관하여 사기죄와 업무상 배임죄의 각 구성요건이 모두 구비된 때에는 양 죄를 법조경합 관계로 볼 것이 아니라 상상적 경합관계로 봄이 상당하다 할 것이다(대판 2002.7.18, 2002도669).

① (○) 약속어음을 할인을 위하여 교부받은 수탁자는 위탁의 취지에 따라 보관하는 것에 불과하고 위 약속어음을 교부할 당시에 그 할인의 편의를 위하여 배서양도의 형식을 취하였다 하더라도 다를 바 없다 할 것이므로 배서양도의 형식으로 위탁된 약속어음을 수탁자가 자신의 채무변제에 충당하였다면 이와 같은 수탁자의 행위는 위탁의 취지에 반하는 것으로서 횡령죄를 구성한다(대판 1983.4.26, 82도3079).

② (○) 질권설정자가 제3채무자에게 질권설정의 사실을 통지하거나 제3채무자가 이를 승낙한 때에는 제3채무자가 질권자의 동의 없이 질권의 목적인 채무를 변제하더라도 이로써 질권자에게 대항할 수 없고, 질권자는 여전히 제3채무자에 대하여 직접 채무의 변제를 청구하거나 변제할 금액의 공탁을 청구할 수 있다(민법 제353조 제2항, 제3항). 그러므로 이러한 경우 질권설정자가 질권의 목적인 채권의 변제를 받았다고 하여 질권자에 대한 관계에서 타인의 사무를 처리하는 자로서 임무에 위배하는 행위를 하여 질권자에게 손해를 가하거나 손해 발생의 위험을 초래하였다고 할 수 없고, 배임죄가 성립하지도 않는다(대판 2016.4.2, 2015도5665).

④ (○) 약속어음 발행의 경우 어음법상 발행인은 종전의 소지인에 대한 인적 관계로 인한 항변으로써 소지인에게 대항하지 못하므로(어음법 제17조, 제77조), 어음발행이 무효라 하더라도 그 어음이 실제로 제3자에게 유통되었다면 회사로서는 어음채무를 부담할 위험이 구체적·현실적으로 발생하였다고 보아야 하고, 따라서 그 어음채무가 실제로 이행되기 전이라도 배임죄의 기수범이 된다(대판(전) 2017.7.20, 2014도1104).

형사법 10회 모의고사 정답 및 해설

제10회 모의고사 정답

01	④	02	①	03	②	04	④	05	③
06	④	07	②	08	③	09	②	10	④

01 정답 ④

사회적 법익 ▮ 난이도 중

④ (×) 타인이 위조한 액면과 지급기일이 백지로 된 약속어음을 구입하여 행사의 목적으로 백지인 액면란에 금액을 기입하여 그 위조어음을 완성하는 행위는 백지어음 형태의 위조행위와는 별개의 유가증권위조죄를 구성한다(대판 1982.6.22, 82도677).

① (○) 형법 제216조 전단의 허위유가증권작성죄는 작성권한 있는 자가 자기 명의로 기본적 증권행위를 함에 있어서 유가증권의 효력에 영향을 미칠 기재사항에 관하여 진실에 반하는 내용을 기재하는 경우에 성립하는바, 자기앞수표의 발행인이 수표의뢰인으로부터 수표자금을 입금받지 아니한 채 자기앞수표를 발행하더라도 그 수표의 효력에는 아무런 영향이 없으므로 허위유가증권작성죄가 성립하지 아니한다(대판 2005.10.27, 2005도4528).

② (○) 2001.8.24, 2001도2832

③ (○) 유가증권 변조죄에 있어서 변조라 함은 진정으로 성립된 유가증권의 내용에 권한 없는 자가 그 유가증권의 동일성을 해하지 않는 한도에서 변경을 가하는 것을 말하므로, 이미 타인에 의하여 위조된 약속어음의 기재사항을 권한 없이 변경하였다고 하더라도 유가증권변조죄는 성립하지 아니한다(대판 2006.1.16, 2005도4764).

02 정답 ①

국가적 법익 ▮ 난이도 중

① (○) 무고죄에 있어서 허위사실 적시의 정도는 수사관서 또는 감독관서에 대하여 수사권 또는 징계권의 발동을 촉구하는 정도의 것이면 충분하고 반드시 범죄구성요건 사실이나 징계요건 사실을 구체적으로 명시하여야 하는 것은 아니다(대판 1985.2.26, 84도2774).

② (×) 피고인이 사립대학교 교수인 피해자들로 하여금 징계처분을 받게 할 목적으로 국민권익위원회에서 운영하는 범정부 국민포털인 국민신문고에 민원을 제기한 사안에서, 피해자들은 사립학교 교원이므로 피고인의 행위가 무고죄에 해당하지 않음에도, 이와 달리 보아 유죄를 인정한 원심판결에 무고죄의 '징계처분'에 관한 법리를 오해한 잘못이 있다고 한 사례(대판 2014.7.24, 2014도6377)

③ (×) 성폭력범죄의 처벌 등에 관한 특례법 제13조에서 정한 '통신매체 이용 음란죄'는 '성적 자기결정권에 반하여 성적 수치심을 일으키는 그림 등을 개인의 의사에 반하여 접하지 않을 권리'를 보장하기 위한 것으로 성적 자기결정권과 일반적 인격권의 보호, 사회의 건전한 성풍속 확립을 보호법익으로 한다(대판 2018.9.13, 2018도9775).

④ (×) 무고죄는 국가의 형사사법권 또는 징계권의 적정한 행사를 주된 보호법익으로 하고 다만, 개인의 부당하게 처벌 또는 징계받지 아니할 이익을 부수적으로 보호하는 죄이다(대판 2005.9.30, 2005도2712).

03 정답 ②

국가적 법익 ▮ 난이도 중

② (×) 해운정책과 업무에는 대한민국 국적선사의 선박에 관한 것만 포함되어 있을 뿐 외국 국적선사의 선박에 대한 행정처분에 관한 것은 포함되어 있지 않아, 직무관련성이 없어 뇌물수수죄가 성립하지 않는다(대판 2011.5.26, 2009도2453 ; 해운정책과 공무원사건).

① (○) 대판 2014.1.29, 2013도13937 ; 성추문 검사사건

③ (○) 대판 2011.11.24, 2011도9585

④ (○) 공무원이 직무집행의 의사 없이 또는 직무처리와 대가적 관계없이 타인을 공갈하여 재물을 교부하게 한 경우에는 공갈죄만이 성립하고, 이러한 경우 재물의 교부자가 공무원의 해악의 고지로 인하여 외포의 결과 금품을 제공한 것이라면 그는 공갈죄의 피해자가 될 것이고 뇌물공여죄는 성립될 수 없다고 하여야 할 것이다(대판 1994.12.22, 94도2528).

04 정답 ④

국가적 법익 ▮ 난이도 중

④ (×) 위계에 의한 공무집행방해죄는 행위목적을 이루기 위하여 상대방에게 오인, 착각, 부지를 일으키게 하여 이를 이용함으로써 법령에 의하여 위임된 공무원의 적법한 직무에 관하여 그릇된 행위나 처분을 하게 하는 경우에 성립하고, 여기에서 공무원의 직무집행이란 법령의 위임에 따른 공무원의 적법한 직무집행인 이상 공권력의 행사를 내용으로 하는 권력적 작용뿐만 아니라 사경제주체로서의 활동을 비롯한 비권력적 작용도 포함되는 것으로 봄이 상당하다. 감척어선 입찰자격이 없는 자가 제3자와 공모하여 제3자의 대리인 자격으로 제3자 명의로 입찰에 참가하고, 낙찰받은 후 자신의 자금으로 낙찰대금을 지급하여 감척어선에 대한 실질적 소유권을 취득한 경우, 위계에 의한 공무집행방해죄가 성립한다(대판 2003.12.26, 2001도6349).

① (○) 음주운전을 하다가 교통사고를 야기한 후 그 형사처벌을 면하기 위하여 타인의 혈액을 자신의 혈액인 것처럼 교통사고 조사 경찰관에게 제출하여 감정하도록 한 행위는, 단순히

피의자가 수사기관에 대하여 허위사실을 진술하거나 자신에게 불리한 증거를 은닉하는 데 그친 것이 아니라 수사기관의 착오를 이용하여 적극적으로 피의사실에 관한 증거를 조작한 것으로서 위계에 의한 공무집행방해죄가 성립한다(대판 2003.7.25, 2003도1609).

② (○) 민주사회에서 공무원의 직무수행에 대한 시민들의 건전한 비판과 감시는 가능한 한 널리 허용되어야 한다는 점에서 볼 때, 공무원의 직무 수행에 대한 비판이나 시정 등을 요구하는 집회・시위 과정에서 일시적으로 상당한 소음이 발생하였다는 사정만으로는 이를 공무집행방해죄에서의 음향으로 인한 폭행이 있었다고 할 수는 없다. 그러나 의사전달수단으로서 합리적 범위를 넘어서 상대방에게 고통을 줄 의도로 음향을 이용하였다면 이를 폭행으로 인정할 수 있을 것인바, 구체적인 상황에서 공무집행방해죄에서의 음향으로 인한 폭행에 해당하는지 여부는 음량의 크기나 음의 높이, 음향의 지속시간, 종류, 음향발생 행위자의 의도, 음향발생원과 직무를 집행 중인 공무원과의 거리, 음향발생 당시의 주변 상황을 종합적으로 고려하여 판단하여야 한다(대판 2009.10.29, 2007도3584).

③ (○) 신고인이 허위사실을 신고서에 기재하거나 허위의 소명자료를 첨부하여 행정청에 제출하는 행위가 형법상 '위계에 의한 공무집행방해죄'를 구성하지 않는다. 화물자동차 운송주선사업자인 피고인이 관할 행정청에 주기적으로 허가기준에 관한 사항을 신고하는 과정에서 허위 서류를 제출하는 부정한 방법으로 허가를 받아 위계로써 공무원의 직무집행을 방해하였다는 내용으로 기소된 사안에서, 피고인에게 유죄를 인정한 원심판결에 법리오해의 위법이 있다(대판 2011.9.8, 2010도7034).

05 정답 ③

③ (○) 대판 2014.2.27, 2011도13999

① (×) 고발이란 범죄사실을 수사기관에 고하여 그 소추를 촉구하는 것으로서 범인을 지적할 필요가 없는 것이고 또한 고발에서 지정한 범인이 진범인이 아니더라도 고발의 효력에는 영향이 없는 것이다(대판 1994.5.13, 94도458).

② (×) 변사자 검시를 통하여 범죄의 혐의를 인정하고 긴급을 요할 때에는 영장 없이 검증할 수 있다(제222조 제2항).

④ (×) 경찰관직무집행법(이하 '법'이라 한다) 제3조 제4항은 경찰관이 불심검문을 하고자 할 때에는 자신의 신분을 표시하는 증표를 제시하여야 한다고 규정하고, 경찰관직무집행법 시행령 제5조는 위 법에서 규정한 신분을 표시하는 증표는 경찰관의 공무원증이라고 규정하고 있는데, 불심검문을 하게 된 경위, 불심검문 당시의 현장상황과 검문을 하는 경찰관들의 복장, 피고인이 공무원증 제시나 신분 확인을 요구하였는지 여부 등을 종합적으로 고려하여, 검문하는 사람이 경찰관이고 검문하는 이유가 범죄행위에 관한 것임을 피고인이 충분히 알고 있었다고 보이는 경우에는 신분증을 제시하지 않았다고 하여 그 불심검문이 위법한 공무집행이라고 할 수 없다(대판 2014.12.11, 2014도7976).

06 정답 ④

㉠ (○) 제201조의2 제1항

㉡ (○) 제213조 제2항

㉢ (×) 구속의 사유가 없거나 소멸된 때에는 법원은 직권 또는 검사, 피고인, 변호인과 제30조 제2항에 규정된 자(법정대리인, 배우자, 직계친족, 형제자매)의 청구에 의하여 결정으로 구속을 취소하여야 한다(제93조).

㉣ (○) 대결 1996.8.12, 96모46

07 정답 ②

② (×) 집행현장의 사정상 위와 같은 방식에 의한 집행이 불가능하거나 현저히 곤란한 부득이한 사정이 있더라도 그 같은 경우에 그 저장매체 자체를 직접 또는 하드카피나 이미징 등 형태로 수사기관 사무실 등 외부로 반출하여 해당 파일을 압수・수색할 수 있도록 영장에 기재되어 있고 실제 그와 같은 사정이 발생한 때에 한하여 예외적으로 허용될 수 있을 뿐이다(대판 2012.3.29, 2011도10508).

① (○) 대판 2012.3.29, 2011도10508

③ (○) 제417조

④ (○) 대판 2013.2.15, 2010도3504

08 정답 ③

③ (×) 법원이 녹음테이프에 대하여 실시한 검증의 내용이 녹음테이프에 녹음된 전화대화 내용이 녹취서에 기재된 것과 같다는 것에 불과한 경우 증거자료가 되는 것은 여전히 녹음테이프에 녹음된 대화 내용임에는 변함이 없으므로, 그와 같은 녹음테이프의 녹음 내용이나 검증조서의 기재는 실질적으로는 공판준비 또는 공판기일에서의 진술에 대신하여 진술을 기재한 서류와 다를 바 없어서 형사소송법 제311조 내지 제315조에 규정한 것이 아니면 이를 유죄의 증거로 할 수 없다(대판 1996.10.15, 96도1669).

① (○) 대판 2000.2.25, 99도1252

② (○) 대판 2008.11.13, 2006도2556

④ (○) 기록상 진술증거의 임의성에 관하여 의심할 만한 사정이 나타나 있는 경우에는 법원은 직권으로 그 임의성 여부에 관하여 조사를 하여야 하고, 임의성이 인정되지 아니하여 증거능력이 없는 진술증거는 피고인이 증거로 함에 동의하더라도 증거로 삼을 수 없다(대판 2006.11.23, 2004도7900).

09 정답 ②

② (×) 피의자의 진술을 녹취 내지 기재한 서류 또는 문서가 수사기관에서의 조사과정에서 작성된 것이라면, 그것이 '진술조서, 진술서, 자술서'라는 형식을 취하였다고 하더라도 피의자신문조서와 달리 볼 수 없다(대판 2011.11.10, 2010도8294).

① (○) 제312조 제3항

③, ④ (○) 대판(전) 2004.7.15, 2003도7185

10 정답 ④

④ (×) 형사소송법 제218조의 규정에 위반하여 소유자, 소지자 또는 보관자가 아닌 자로부터 제출받은 물건을 영장 없이 압수한 경우 그 압수물 및 압수물을 찍은 사진은 이를 유죄 인정의 증거로 사용할 수 없는 것이고, 피고인이나 변호인이 이를 증거로 함에 동의하였다고 하더라도 달리 볼 것은 아니다(대판 2010.1.28, 2009도10092).
① (○) 대판 1996.12.10, 1096도2507
② (○) 대판 2009.12.24, 2009도11401
③ (○) 제318조 제1항

PART

03

경찰학

정답 및 해설편

경찰학 1회 모의고사 정답 및 해설

제1회 모의고사 정답

01	③	02	①	03	②	04	③	05	④
06	②	07	④	08	③	09	②	10	②

01 정답 ③

③ (×) 7 ~ 13명의 위원으로 구성되며, 정기회의는 경찰청은 월 1회, 시·도경찰청은 분기 1회 개최한다.

02 정답 ①

① (×) 이의제기와 관련하여 행동강령책임관에게 상담을 요청할 수 있다. '이의제기'의 경우 항상 "~ 할 수 있다"로 연결된다.

03 정답 ②

② (×) 범죄행위의 학습 과정은 일반적인 학습 과정과 다르지 않다고 하였다. 다만, 비행을 저지르는 사람과 얼마나 자주 만나는지 또는 그 기간, 강도(얼마나 가깝게 지냈는지) 등 학습하는 정도에 차이가 있다고 하였다.

04 정답 ③

㉠ (×) 행정심판은 대통령의 처분·부작위에 대하여는 청구할 수 없다.
㉢ (×) 기명의 문서로 증거와 함께 제출하여야 한다. 다만, 변호사를 선임하여 국민권익위원회에 신고하는 경우에는 변호사 이름으로 비실명 대리 신고할 수 있다.
㉣ (×) 행정통제로서 사후통제에 해당한다.

05 정답 ④

④ (○) 위원장은 위원 중에서 국가기관 등의 장이 지명하거나 위촉하며, 경찰청 정보공개심의회 운영규칙에 의하여 경찰청이나 시·도경찰청은 차장이 위원장이 되고 경찰서는 경무과장이 위원장이 된다.
① (×) 행정안전부장관 소속으로 정보공개위원회를 둔다.
② (×) 위원장을 포함한 7명이 민간위원이다.
③ (×) 정보공개위원회에 대한 설명이다. 정보공개심의회는 정보공개에 대한 이의신청을 심의하기 위하여 각 기관에 설치·운영한다.

06 정답 ②

② (×) 행정의 자기 구속의 원칙은 행정청의 재량행위를 통제하기 위한 것으로서 이전에 어떠한 결정을 한 행정청은 동일한 사안에 대해 동일한 결정을 하도록 구속을 받는다는 것이므로 동일한 행정청과 동종의 사안을 전제로 한다. 따라서 같은 행정청이 아니거나 사안이 다르다면 자기 구속의 원칙은 적용되지 않는다.
① (○) 조리는 성문법, 관습법, 판례법이 모두 존재하지 않는 경우에 보충적 법원으로서 기능을 하므로 법원은 조리에 따라 재판할 수 있다.
③ (○) 도로교통법 시행규칙 제53조 제1항이 정한 [별표 16]의 **운전면허 행정처분기준은 부령의 형식으로 되어 있으나, 그 규정의 성질과 내용이 운전면허의 취소처분 등에 관한 사무처리기준과 처분절차 등 행정청 내부의 사무처리 준칙을 규정한 것**에 지나지 아니하므로 대외적으로 국민이나 법원을 기속하는 효력이 없으므로, 자동차운전면허 취소처분의 적법 여부는 그 운전면허 행정처분기준 만에 의하여 판단할 것이 아니라 도로교통법의 규정 내용과 취지에 따라 판단되어야 한다(대판 1997.5.30, 96누5773).
④ (○) 헌법 제6조에서 "헌법에 의하여 체결·공포된 조약과 일반적으로 승인된 국제법규는 국내법과 같은 효력을 가진다"고 하여 의회에 의한 입법 절차를 거치지 않고도 행정법의 법원(法源)이 된다.

07 정답 ④

④ (×) 그 밖에 행정안전부 장관 및 경찰청장이 중요하다고 인정하여 국가경찰위원회의 회의에 부친 사항

▶ 국가경찰위원회 심의·의결 사항 【주인 부업 자재 시비 관청】

① 국가경찰 사무에 관한 주요 정책(인사/예산/통신/장비 등) 심의
② 국가경찰 사무에 관한 인권 보호 개선
③ 국가경찰 사무 담당 공무원의 부패 방지, 청렴도 향상
④ 국가경찰 사무 외에 다른 국가기관으로부터의 업무협조(국가경찰 사무와 관련된 ×)
⑤ 제주특별자치도의 자치경찰 지원
⑥ 시·도자치경찰위원회 위원 추천, 자치경찰 사무에 대한 주요 법령·정책 등에 관한 사항, 시·도자치경찰위원회 의결에 대한 재의 요구에 관한 사항
⑦ 제2조(생·신·재 보호, 공·안·질 유지)에 따른 시책 수립에 관한 사항
⑧ 비상사태 등 전국적 치안유지를 위한 경찰청장의 지휘·명령에 관한 사항
⑨ 그 밖에 행정안전부 장관 및 경찰청장이 회의에 부친 사항(위원장 ×)

08 정답 ③

③ (×) 공무원 본인의 신체·정신상의 장애는 공무상 질병·부상이든 아니든 모두 직권휴직의 대상이다. 공무원이 신체·정신상의 장애로 장기 요양이 필요할 때에는 본인의 의사에도 불구하고 휴직을 명하여야 한다(국가공무원법 제71조). 본인 외의 가족 등의 장애로 돌봄 휴직이 필요한 경우는 의원휴직 사유이다.

④ (○) 공무원보수규정 제28조 제1항 【치료(7,5)】

09 정답 ②

① (×) 보상금을 지급할 수 있다.

③ (×) '자신이나 다른 사람의 생명·신체의 방어 및 보호' 요건이며, 재산은 해당하지 아니한다.

④ (×) 보호조치는 임의적 조치이다. '~ 적절한 조치를 할 수 있다'로 규정되어 있다.

10 정답 ②

㉡ (×) 처벌 서면경고를 하여야 한다. 응급조치는 모두 강행규정으로서 '~하여야 한다'로 규정되어 있으며, 긴급응급조치 및 잠정조치는 임의규정으로서 '~할 수 있다'로 규정되어 있다.

㉢ (×) 해당 긴급응급조치에 대한 사후승인을 지방법원 판사에게 청구하여 줄 것을 신청하여야 한다.

경찰학 2회 모의고사 정답 및 해설

제2회 모의고사 정답

01	②	02	①	03	③	04	①	05	①
06	①	07	③	08	②	09	①	10	③

01 정답 ②

② (×) 경찰의 수단은 권력적 수단(협의의 경찰권), 수사권, 비권력적 수단으로 나눌 수 있으며, 권력적 수단은 국민에게 명령·강제하여 임무를 수행하는 것으로서 권력적 수단은 일반적인 처분이 가능하고 경찰책임자 이외에 경찰 비책임자에게 대해서도 발동할 수 있지만, 수사권은 피의자나 참고인 등 「형사소송법」에 규정된 관계자에 대해서만 발동할 수 있다.

02 정답 ①

① (○) 범죄 '전이효과'는 범행의 기회가 차단되었을 때 범죄자들이 다른 지역으로 이동하는 것을 말하고, 범죄예방 '이익의 확산' 효과는 범죄예방수단이 대상 장소와 인접한 장소들에 긍정적인 영향을 미친다는 것을 의미한다. 이익의 확산은 "직접적으로 대상이 되고 통제의 대상이 되는 장소 또는 개입의 초점이 되는 범죄이거나 개입이 이루어지는 시기에 있는 장소 이외의 지역으로 개입의 효과가 퍼져나가는 것"을 의미한다.

03 정답 ③

㉠ (×) 치안판사의 감독을 받았던 사람은 컨스터벌이었다.
㉢ (×) 연방경찰과 주경찰은 상호 대등한 협력관계이다.
㉣ (×) 행정경찰과 사법경찰은 엄격히 구분되지만 소속은 모두 내무부(경찰청) 소속이다. 사법경찰이 담당하는 형사 사건에 대해서 행정경찰은 지휘할 수 없고, 법무부(법원) 소속의 검사와 수사판사(예심판사)만 지휘할 수 있다.

04 정답 ①

① (×) 7일 이내에 정정보도문을 방송하거나 게재하여야 한다.
【정정 (횡단)보도 칠(7)】

05 정답 ①

① (×) 누구든지 공개된 장소에 고정형 영상정보처리기기를 설치·운영하여서는 아니 되는 것이 원칙이다. 이동형의 경우도 공개된 장소에서 촬영하여서는 아니 되는 것이 원칙이다.

②, ③, ④ (○) 이동형 영상정보처리기기 (23.3.14. 신설)

> 제25조(고정형 영상정보처리기기의 설치·운영 제한) ① 누구든지 다음 각 호의 경우를 제외하고는 공개된 장소에 고정형 영상정보처리기기를 설치·운영하여서는 아니 된다. 〈개정 2023.3.14.〉
> 1. **법령에서 구체적으로 허용**하고 있는 경우
> 2. **범죄의 예방 및 수사**를 위하여 필요한 경우
> 3. **시설의 안전 및 관리, 화재 예방을 위하여 정당한 권한을 가진 자**가 설치·운영하는 경우
> 4. **교통단속을 위하여 정당한 권한을 가진 자**가 설치·운영하는 경우
> 5. **교통정보의 수집·분석 및 제공을 위하여 정당한 권한을 가진 자**가 설치·운영하는 경우
> 6. **촬영된 영상정보를 저장하지 아니하는 경우**로서 대통령령으로 정하는 경우
>
> 제25조의2(이동형 영상정보처리기기의 운영 제한) ① 업무를 목적으로 이동형 영상정보처리기기를 운영하려는 자는 다음 각 호의 경우를 제외하고는 공개된 장소에서 이동형 영상정보처리기기로 사람 또는 그 사람과 관련된 사물의 영상(개인정보에 해당하는 경우로 한정한다. 이하 같다)을 촬영하여서는 아니 된다.
> 1. 제15조 제1항 각 호의 어느 하나에 해당하는 경우
> 2. **촬영 사실을 명확히 표시하여 정보주체가 촬영 사실을 알 수 있도록 하였음에도 불구하고 촬영 거부 의사를 밝히지 아니한 경우. 이 경우 정보주체의 권리를 부당하게 침해할 우려가 없고 합리적인 범위를 초과하지 아니하는 경우로 한정한다.**
> 3. 그 밖에 제1호 및 제2호에 준하는 경우로서 대통령령으로 정하는 경우
>
> ② 누구든지 불특정 다수가 이용하는 **목욕실, 화장실, 발한실, 탈의실 등 개인의 사생활을 현저히 침해할 우려가 있는 장소**의 내부를 볼 수 있는 곳에서 이동형 영상정보처리기기로 사람 또는 그 사람과 관련된 사물의 영상을 촬영하여서는 아니 된다. **다만, 인명의 구조·구급 등을 위하여 필요한 경우로서 대통령령으로 정하는 경우에는 그러하지 아니하다.**
>
> ③ 제1항 각 호에 해당하여 이동형 영상정보처리기기로 사람 또는 그 사람과 관련된 사물의 영상을 촬영하는 경우에는 **불빛, 소리, 안내판 등 대통령령으로 정하는 바에 따라 촬영 사실을 표시하고 알려야 한다.**
>
> ④ 제1항부터 제3항까지에서 규정한 사항 외에 이동형 영상정보처리기기의 운영에 관하여는 제25조 제6항부터 제8항까지의 규정을 준용한다.

06 정답 ①

① (×) 행정지도는 행정목적 실현을 위해 행정기관이 그 소관사무 범위 내에서 특정인에게 일정 행위를 하거나 하지 말도록 지도, 권고, 조언하는 비권력적 사실행위이자, 행정지도에 따를 것인지가 상대방의 임의적 결정에 달려 있는 비권력적 사실행위이다. 다수설에 의하면 행정지도는 비권력적 사실행위이므로 개별법에 근거규정이 없는 경우에도 가능하며, 법률유보의 원칙이 적용되지 않는다.

② (O) 법률유보의 원칙에서 조직법적 근거는 모든 행정권 행사에 있어서 당연히 요구되는 것이므로 법률유보가 문제되지 않는다. 법률유보의 원칙에서 요구되는 법적 근거는 조직규범 외에 작용규범을 의미한다.

③ (O) **법률유보의 원칙은 '법률에 의한' 규율만을 뜻하는 것이 아니라 '법률에 근거한' 규율**을 요청하는 것이므로 기본권 제한의 형식이 **반드시 법률의 형식일 필요는 없고 법률에 근거를 두면서** 헌법 제75조가 요구하는 위임의 구체성과 명확성을 구비하기만 하면 **위임입법에 의하여도 기본권 제한을 할 수 있다**(헌재 2005.2.24. 2003헌마289).

④ (O) 오늘날 법률유보원칙은 **단순히 행정작용이 법률에 근거를 두기만 하면 충분한 것이 아니라,** 국가공동체와 그 구성원에게 기본적이고도 중요한 의미를 갖는 영역, 특히 국민의 기본권실현에 관련된 영역에 있어서는 행정에 맡길 것이 아니라 **국민의 대표자인 입법자 스스로 그 본질적 사항에 대하여 결정하여야 한다는 요구까지 내포하는 것**으로 이해하여야 한다(이른바 의회유보원칙)(헌재 2008.2.28. 2006헌바70).

07 정답 ③

㉠ (×) 위임은 권한의 일부에 대하여만 가능하다.

08 정답 ②

② (×) 소속 상관에게 신고하여야 한다.

◆ 상사(상관)와 기관장 구별

구분	상사(상관) - 주요 3개	기관장
허가	• 직장 **이탈** 금지(국공법) 【이탈 상관하는 상관】 • 지정장소 외 근무 금지(**직무와 관계없는 장소**에서 직무수행 금지)(경찰공무원 복무규정)	• **겸직**(국공법) • **연일·휴일(1일), 당직·철야(14시 기준)** 휴무 허가하여야 한다(경찰공무원 복무규정). • **관외여행허가**(치안상 특별한 기간) • **10일 내 포상휴가**(경찰공무원 복무규정)
신고	**신규채용·승진·전보·파견**·출장·연가·교육기관 입교 신고(경찰공무원 복무규정)	**관외여행신고**(2시간 내 복귀 어려운 지역)

09 정답 ①

① (×) 행정행위는 외부성을 가지는 것으로 단순한 직무명령과 같은 행정조직의 내부행위는 행정행위가 아니다. 경찰청장의 시·도경찰청장에 대한 횡단보도 설치 기본계획과 같은 것은 대외적으로 국민의 권리·의무와 관계가 없는 행위로서 행정행위로 볼 수 없다.

③, ④ (O) 공유재산의 관리청이 행정재산의 사용·수익에 대한 허가는 순전히 사경제주체로서 행하는 사법상의 행위가 아니라 관리청이 공권력을 가진 우월적 지위에서 행하는 행정처분으로서 특정인에게 행정재산을 사용할 수 있는 권리를 설정하여 주는 강학상 특허에 해당하고, 이러한 행정재산의 사용·수익허가처분의 성질에 비추어 국민에게는 행정재산의 사용·수익허가를 신청할 법규상 또는 조리상의 권리가 있다고 할 것이므로 공유재산의 관리청이 이러한 신청을 거부한 행위 역시 행정처분에 해당한다고 할 것이다(대판 1998.2.27. 97누1105). 사용료를 부과하는 것도 행정처분이다(대판 1996.2.13. 95누11023).

10 정답 ③

③ (O) 「경찰 재난관리 규칙」 별표1

치안상황관리관	• 재난대책본부 및 재난상황실 운영 • 재난관리를 위한 관계기관과의 협력 • 재난피해 우려지역 예방 순찰 및 재난취약요소 발견 시 초동조치 • 재난지역 주민대피 지원
경비국	• 재난관리를 위한 경찰부대 및 장비 동원 • 재난관리 필수시설의 안전관리

① (×) "재난관리"는 '**재난의 예방·대비·대응 및 복구를 위하여 하는 모든 활동**'을 의미하고, "안전관리"는 '재난이나 그 밖의 각종 사고로부터 사람의 생명·신체 및 재산의 안전을 확보하기 위하여 하는 모든 활동'을 의미한다.

② (×) 대응단계에서 행정안전부장관이 재난사태를 선포할 수 있고, 재난관리주관기관의 장은 위기경보를 발령할 수 있다.

④ (×) 치안상황관리관은 경찰의 재난관리 업무를 총괄·조정한다(제2조).

경찰학 3회 모의고사 정답 및 해설

제3회 모의고사 정답

01	③	02	③	03	①	04	②	05	④
06	③	07	①	08	①	09	④	10	③

01 정답 ③

① (×) 「경찰관 직무집행법」상 분사기는 경찰관이 아닌 현장 책임자의 판단으로 사용할 수 있으며, 범인의 체포 또는 도주방지 목적으로 사용할 수 있으나 방어나 항거 제지에 대한 요건은 없다. 또한, 분사기는 「위해성 경찰장비의 사용기준 등에 관한 규정」에 의한 분사기가 아니라 「총포・도검・화약류 등의 안전관리에 관한 법률」에 따른 분사기임에 유의한다.

② (×) 「경찰 물리력 행사의 기준과 방법에 관한 규칙」상 분사기는 1미터 이내에서 사용하여서는 아니 된다는 제한은 없다.

④ (×) 「위해성 경찰장비의 사용기준 등에 관한 규정」에 의한 가스 발사총은 1미터 이내의 거리에서 발사하지 못하는 제한만 있다.

▶ 분사기와 가스 발사총 비교

	가스 분사기	가스 발사총
요건	〈경찰관 직무집행법〉 • 현장 책임자가 판단하여 사용(경찰관 판단 ×) • 범인의 체포, 도주 방지, 불법집회 시위 현장(방어・항거 제지 ×)	〈위해성 경찰장비 규정〉 • 경찰관이 판단 • 범인의 체포, 도주 방지, 자타 방호, 항거 억제
제한	〈경찰 물리력 행사 규칙〉 • 14세 미만, 임산부, 호흡기 질환자를 인지한 경우(고위험물리력 사용 시는 제외)	〈위해성 경찰장비 규정〉 • 1미터 이내에서 얼굴을 향하여 발사 금지

02 정답 ③

① (×) 대상자가 경찰관의 지시, 통제에 따르지만, 경찰관의 요구에 즉각 응하지 않고 약간의 시간만 지체하는 경우는 '순응' 하는 상태로서, 경찰관의 물리력은 대상자의 협조를 유도하거나 협조에 따른 물리력으로서 '협조적 통제'이다. "신체 접촉"을 통한 경찰 목적 달성은 접촉 통제로서 대상자가 소극적 저항일 때 가능하다.

② (×) 공무집행을 방해하지만, 경찰관 또는 제3자에 대해 위해 수준이 낮은 행위만을 하는 상태는 적극적 저항의 상태로서, 통증을 줄 수 있는 저위험 물리력을 사용할 수 있다. 부상을 입힐 수 있는 물리력은 중위험 물리력이다.

④ (×) 적극적 저항의 상태이다.

▶ 대상자 행위에 따른 경찰 대응 수준【시비공주흉】【저통중부】

대상자 행위(2.1)		경찰 대응 수준(2.2)	
순응	경찰관의 지시・통제에 따르는 상태, 경찰관의 요구에 시간만 지체하는 경우	협조적 통제	대상자의 협조를 유도하거나 협조에 따른 물리력
소극적 저항	경찰관의 지시・통제를 따르지 않고 비협조적이지만 경찰관 또는 제3자에 대해 직접적인 위해를 가하지 않는 상태, 이동 명령에 전혀 움직이지 않거나, 물체를 잡고 버팀	접촉 통제	대상자 **신체 접촉**을 통해 경찰 목적 달성을 강제하지만, 신체적 부상을 야기할 가능성은 극히 낮은 물리력
적극적 저항	경찰관의 체포・연행 등 정당한 공무집행을 방해하지만 위해 수준이 낮은 행위만을 하는 상태, 경찰관 손을 뿌리치거나 밀거나 끌고 침을 뱉는 행위	저위험 물리력	대상자가 통증을 느낄 수 있으나 신체적 부상을 당할 가능성은 낮은 물리력
폭력적 공격	경찰관이나 제3자에 대해 신체적 위해를 가하는 상태, 주먹・발로 위해를 초래하거나 임박한 상태, 강한 힘으로 경찰관으로부터 벗어나려고 하는 상태	중위험 물리력	대상자에게 신체적 부상을 입힐 수 있으나 생명・신체에 대한 중대한 위해 발생 가능성은 낮은 물리력
치명적 공격	경찰관이나 제3자에 대해 사망 또는 심각한 부상을 초래할 수 있는 상태, 총기류, 흉기, 둔기 등을 이용하여 위력 행사	고위험 물리력	대상자의 사망 또는 심각한 부상을 초래할 수 있는 물리력

03 정답 ①

① (×) 영업을 계속할 수 없는 기간 중 영업상 이익에 상당하는 금액을 보상하여야 한다.

▶ 손실보상의 기준

물건 수리 가능	수리비
물건 수리 불가	손실(보상 ×) **당시** 물건 교환가
물건 수리 교환으로 영업 손실	그 기간 영업 이익
물건 외의 재산상 손실	직무집행과 **상당인과관계** 범위 내

04 정답 ②

① (×) '타인의 생명・신체'에 대한 위해의 경우만 해당하고 재산은 포함되지 않는다.

③ (×) 감면 대상 범죄【살상 폭 강강가아】

> 1. 「형법」 제2편 제24장 살인의 죄, 제25장 상해와 폭행의 죄, 제32장 강간과 추행의 죄 중 강간에 관한 범죄(추행 ×), 제38장 절도와 강도의 죄 중 강도에 관한 범죄(절도 ×) 및 이에 대하여 다른 법률에 따라 가중처벌하는 범죄
> 2. 「가정폭력범죄의 처벌 등에 관한 특례법」에 따른 가정폭력범죄, 「아동학대범죄의 처벌 등에 관한 특례법」에 따른 아동학대 범죄

④ (×) 형을 감경하거나 면제할 수 있다.

05 정답 ④

④ (×) 법령에서 규정한 청문 절차를 결여한 처분은 위법한 처분으로서 취소사유에 해당한다(대판 2007.11.16, 2005두15700).

▶ 청문 등 개최요건

청문	공청회	의견제출
• 법령 규정 • 행정청이 필요하다 인정 • 인허가 등의 취소, 신분·자격 박탈, 법인·조합 등의 설립 허가 취소처분 시	• 법령 규정 • 행정청이 필요하다 인정 • **당사자 요구**: 대통령령으로 정하는 처분(생명, 안전, 건강, 환경에 영향)에 대통령령으로 정하는 수(30명) 이상 요구 시	행정청이 **당사자에게 의무를 부과하거나 권익을 제한하는 처분을 할 때** 청문 또는 공청회 외에는 당사자 등에게 의견제출의 기회를 주어야 한다.

06 정답 ③

① (×) 안 날부터 90일 이내, 있었던 날부터 180일 이내이다.【안구 180도】

② (×) 심판청구기간의 제한은 성질상 취소심판과 거부처분에 대한 의무이행심판에만 적용되고, 무효등확인심판과 부작위에 대한 의무이행심판에는 적용되지 않는다(동법 제27조 제7항).

④ (×) 사정재결은 무효등확인심판에는 적용하지 아니한다(제44조 제3항).

07 정답 ①

① (×) 위원장 1명을 포함하여 70명 이내의 위원으로 구성하되, 위원 중 상임위원은 4명 이내로 한다.

08 정답 ①

① (×) 당사자를 기속하지 않으며 피청구인과 그 밖의 관계 행정청을 기속(羈束)한다(제49조).

③ (○) 당사자들이나 법원이 이에 기속되어 모순되는 주장이나 판단을 할 수 없게 되는 것은 아니다(대판 2015.11.27, 2013다6759).

④ (○) 재결의 기속력은 재결의 주문 및 그 전제가 된 요건사실의 인정과 판단, 즉 처분 등의 구체적 위법 사유에 관한 판단에만 미친다고 할 것이고, 종전 처분이 재결에 의하여 취소되었다 하더라도 종전 처분 시와는 다른 사유를 들어서 처분을 하는 것은 기속력에 저촉되지 않는다(대판 2005.12.9, 2003두7705).

09 정답 ④

④ (×) 행정심판위원회는 심판청구가 이유가 있다고 인정하는 경우에도 이를 인용하는 것이 공공복리에 크게 위배된다고 인정하면 그 심판청구를 기각하는 재결을 할 수 있다.

10 정답 ③

③ (×) 경찰관들의 시위진압에 대항하여 시위자들이 던진 화염병에 의하여 발생한 화재로 인하여 손해를 입은 주민의 국가배상 청구 사안에서, 국가배상책임은 공무원의 직무집행이 법령에 위반한 것임을 요건으로 하는 것으로서, 공무원의 직무집행이 법령이 정한 요건과 절차에 따라 이루어진 것이라면 특별한 사정이 없는 한 이는 법령에 적합한 것이고 그 과정에서 개인의 권리가 침해되는 일이 생긴다고 하여 그 법령 적합성이 곧바로 부정되는 것은 아니라고 할 것이다(대판 1997.7.25, 94다2480). 〈국가배상 청구를 인정한 원심판결을 파기〉

※ 경찰의 추격에 도주하던 차량에 의하여 피해를 입은 제3자에 대하여 경찰의 추격행위가 위법하지 않는 한 배상책임을 인정할 수 없다고 하였다(대판 2000.11.10, 2000다26807·26814).

① (○) 국민의 이익과는 관계없이 순전히 행정기관 내부의 질서를 유지하기 위한 것이거나, 또는 국민의 이익과 관련된 것이라도 직접 국민 개개인의 이익을 위한 것이 아니라 전체적으로 공공 일반의 이익을 도모하기 위한 것이라면 그 의무에 위반하여 국민에게 손해를 가하여도 국가 또는 지방자치단체는 배상책임을 부담하지 아니한다(대판 2001.10.23, 99다36280).

② (○) 국가배상법 제2조 제1항에서 말하는 "직무를 행함에 당하여"라는 취지는 공무원의 행위의 외관을 객관적으로 관찰하여 공무원의 직무행위로 보여질 때는 비록 그것이 실질적으로 직무행위이거나 아니거나 또는 행위자의 주관적 의사에 관계없이 그 행위는 공무원의 직무집행 행위로 볼 것이요 이러한 행위가 실질적으로 공무집행 행위가 아니라는 사정을 피해자가 알았다 하더라도 그것을 "직무를 행함에 당하여"라고 단정하는 데 아무런 영향을 미치는 것이 아니다(대판 1996.6.28, 66다781).

④ (○) 국가배상법이 정한 손해배상청구의 요건인 '공무원의 직무'에는 국가나 지방자치단체의 권력적 작용뿐만 아니라 비권력적 작용도 포함되지만, 단순한 사경제의 주체로서 하는 작용은 포함되지 아니한다(대판 1999.11.26, 98다47245).

경찰학 4회 모의고사 정답 및 해설

제4회 모의고사 정답

01	④	02	③	03	③	04	②	05	②
06	②	07	②	08	①	09	②	10	③

01 정답 ④

㉠ (×) 경비국장 소관이다.
㉢ (×) 아동학대 '수사'는 국가수사본부(형사국) 소관이며, 아동학대 '예방 및 피해자 보호'는 생활안전교통국장 소관이다.
㉥ (×) 풍속 성매매 사범 단속은 범죄예방대응국장 소관이지만 아동・청소년 성매매 단속은 형사국장 소관이다.
㉦ (×) 수사국장 소관이다.

▶ 사무분장 구분 팁

'예방'	'예방'은 범죄예방대응국 및 생활안전교통국 소관 • 경비국 : <u>대테러 예방</u> 및 진압대책 수립・지도 • 치안정보국 : <u>공공안녕에 대한 위험의 예방</u>과 대응을 위한 정보업무 기획・지도 및 조정 • 수사국 : <u>사이버범죄 예방</u>
'수사 피해자 보호'	'수사'는 국가수사본부 소관, '피해자 보호'는 생활안전교통국 소관 • 생활안전교통국 : 경찰 **수사** 과정상의 **범죄피해자 보호** 및 지원

02 정답 ③

③ (×) 시・도경찰청・경찰서 지령자 및 현장 출동 경찰관은 접수자가 제2항부터 제4항과 같이 코드를 분류한 경우라도 추가 사실을 확인하여 코드를 변경할 수 있다(제9조 제4항).
① (○) 용어의 정의

출동요소	**112순찰차**, 형사기동대차, 교통순찰차, 고속도로순찰차, 지구대・파출소의 근무자 및 인접 경찰관서의 근무자 등
112요원	**112치안종합상황실**에 **근무**하는 112신고 및 치안상황 처리 업무에 종사하는 자

03 정답 ③

① (×) 지역경찰관서는 지구대와 파출소를 말하며 출장소는 해당하지 아니한다.
② (×) 지역경찰관서장 : 시설・장비・**예산의 관리**
행정업무(관리팀) : 시설・장비의 관리, **예산의 집행**
④ (×) 교육시간, 방법, 내용 등 지역경찰 교육과 관련된 세부적인 기준은 경찰청장이 따로 정한다.

04 정답 ②

㉠ (×) 시・도경찰청장이 설치한다.
㉡ (×) 지역경찰관서장 소속하에 치안센터를 설치할 수 있다.

05 정답 ②

② (○) 누구든지 집단민원현장에 경비인력을 20명 이상 배치하려고 할 때에는 그 경비인력을 직접 고용하여서는 아니 되고, 경비업자에게 경비업무를 도급하여야 한다. 다만, 시설주 등이 집단민원현장 발생 3개월 전까지 직접 고용하여 경비업무를 수행하는 피고용인의 경우에는 그러하지 아니하다(제7조의2 제2항).
① (×) 신변보호업무에 재산은 포함되지 않는다.
③ (×) 혼잡경비 업무는 경비업법에 규정되어 있지 않다.
④ (×) 허가의 유효기간은 허가받은 날부터 5년으로 한다.

06 정답 ② (㉤, ㉥)

㉠, ㉡, ㉣ (○) 이 법은 총포・도검・화약류외에 분사기・석궁・전자충격기에도 적용됨에 유의한다. **【분석전】**

> 제1조(목적) 이 법은 총포・도검・화약류・분사기・전자충격기・석궁의 제조・판매・임대・운반・소지・사용과 그 밖에 안전관리에 관한 사항을 정하여 총포・도검・화약류・분사기・전자충격기・석궁으로 인한 위험과 재해를 미리 방지함으로써 공공의 안전을 유지하는 데 이바지함을 목적으로 한다.

㉢ (○) 총포에는 총포의 부품도 포함되며, 권총, 소총, 기관총, 엽총, 사격총, 어획총, 마취총, 도살총, 산업용총, 구난 구명총, 가스발사총 등이 해당된다.

07 정답 ②

② (×) 성매매피해자의 성매매는 처벌하지 아니한다.

08 정답 ①

② (×) 거짓신고는 60만원 이하의 벌금, 구류, 과료에 해당하는 범죄이다. 50만원 이하의 벌금, 구류, 과료에 해당하는 범죄는 형사소송법 제214조에 의하여 주거가 분명하지 아니한 때에 한하여 현행범 체포할 수 있으므로, 거짓신고는 주거가 분명한 경우에도 현행범 체포할 수 있다.
③ (×) 18세 미만인 사람은 범칙자에 해당하지 아니한다.
④ (×) 납부기간의 마지막 날의 다음 날부터 20일 이내에 통고받은 범칙금에 그 금액의 100분의 20을 더한 금액을 납부하여야 한다.

09 정답 ②

① (×) 장난전화는 10만원 이하의 벌금, 구류, 과료에 해당하는 범죄이다. 50만원 이하의 벌금, 구류, 과료에 해당하는 범죄는 형사소송법 제214조에 의하여 주거가 분명하지 아니한 때에 한하여 현행범 체포할 수 있으므로, 장난전화는 주거가 분명한 경우에는 현행범 체포할 수 없다. 다만 거짓신고는 60만원 이하의 벌금, 구류, 과료에 해당하는 범죄이다.

③ (×) 시・도경찰청장은 해당하지 아니한다.

④ (×) 경찰청장, 해양경찰청장은 해당하지 아니하며, 이 경우 즉결심판 청구를 취소하여야 한다.

10 정답 ③

③ (×) 공고 6개월 후 소유권 취득, 3개월 내 그 물건을 찾아가지 아니하면 소유권 상실(제14조) 【소육권, 삼실】

① (○) 7일 이내 반환 또는 제출하면 보상금은 5~20%이다. 【보상금 섭취(7) 오이시(5~20)】

※ '오이시'는 일본어로 '맛있다'는 뜻임.

경찰학 5회 모의고사 정답 및 해설

제5회 모의고사 정답

01	④	02	③	03	②	04	①	05	②
06	④	07	①	08	①	09	④	10	③

01 정답 ④

④ (○) 아동 등 : 실종 당시 18세 미만【아실 가신당】
가출인 : 신고 당시 18세 이상

① (×) 시·도경찰청과 경찰서의 실종경보는 여성청소년과장(미직제 시 생활안전과장 또는 생활안전 교통과장), 유괴경보는 형사과장(미직제 시 수사과장)이 한다.

② (×) 10년간 보관하여야 한다. 아동이나 가출인에 대한 수배 해제 시에는 5년간 자료 보존한다.【아가옷】

③ (×) 장기실종아동 등 : 신고 접수한 지 48시간 경과

02 정답 ③ (㉠, ㉡, ㉤)

▶ 청소년 유해업소

출입·고용금지	유흥/단란주점, 무도장, 사행행위장, 일반게임제공업, 복합유통게임제공업, 노래연습장(청소년실은 청소년 출입 가능), 비디오감상실업(비디오방), 성적 서비스업(성 기구 판매소 등), 전화방, 여가부 장관이 고시한 성적 서비스제공업 등, 경마, 경륜, 경정 장외매장 【유단무사 일복노비 성전 (출입 금지)】
고용금지	티켓다방 배달, 비디오물 소극장업, 인터넷컴퓨터 게임시설 제공업(PC방), 숙박업(민박 제외), 이용업(남자 청소년은 예외), 목욕장업(안마실 영업하는 경우), 청소년게임장, 만화대여업, 소주방, 호프, 카페(주로 주류 판매), 유해화학물질 영업 【티비에서 인숙이 목청만 소카(솔아)유】

03 정답 ②

② (×) 조사하기 전에 조사 과정이 영상녹화된다는 사실과 영상녹화된 영상녹화물이 증거로 사용될 수 있다는 사실을 설명하여야 한다.

04 정답 ①

① (×) 19세미만피해자등에게 변호사가 없는 경우에는 국선변호사를 선정하여야 한다.

05 정답 ②

▶ 미수범 처벌 범죄【미수(美手)로 성 착취물 강매 강요】

① 성 착취물 제작·수입·수출(판매·대여 ×)【제수수】
② 강간죄·강제추행 등(유사 강간, 준강간, 강제추행 등 포함)
③ 인신매매(아동·청소년의 성을 사는 행위 또는 아동·청소년 성 착취물을 제작하는 행위의 대상이 될 것을 알면서 아동·청소년을 매매 또는 국외에 이송하거나 국외에 거주하는 아동·청소년을 국내에 이송)
④ 강요(폭행·협박·선불금 등으로 성을 팔도록 강요) (합의 강요 ×, 유인·권유 ×)

06 정답 ④

④ (×) 신분 비공개수사는 아동·청소년 성 착취물을 구입하거나 무상으로 제공받는 등의 방법 등을 할 수 있고, 신분 위장수사는 아동·청소년 성 착취물을 소지, 판매 또는 광고할 수 있다.

▶ 신분 비공개수사 방법(시행령)

제5조의3(신분 비공개수사의 방법) ② 법 제25조의2 제1항에 따른 접근은 대화의 구성원으로서 관찰하는 등 대화에 참여하거나 아동·청소년 성 착취물, 「성폭력범죄의 처벌 등에 관한 특례법」 제14조 제2항의 촬영물 또는 복제물(복제물의 복제물을 포함한다)을 구입하거나 무상으로 제공받는 등의 방법으로 한다.

▶ 신분 위장 수사 방법(법률)

제25조의2(아동·청소년 대상 디지털 성범죄의 수사 특례) ② (중략) 다음 각 호의 행위(이하 "신분 위장 수사"라 한다)를 할 수 있다.
1. 신분을 위장하기 위한 문서, 도화 및 전자기록 등의 작성, 변경 또는 행사
2. 위장 신분을 사용한 계약·거래
3. 아동·청소년 성 착취물 또는 「성폭력범죄의 처벌 등에 관한 특례법」 제14조 제2항의 촬영물 또는 복제물(복제물의 복제물을 포함한다)의 소지, 판매 또는 광고

② (○) 시행령 제5조의3 제1항

07 정답 ① (㉢, ㉥, ㉧)

▶ 가정폭력범죄에 해당하지 않는 범죄

약취·유인, 업무방해·권리행사방해, 인질강요, 중손괴, 배임, 살인, 사기, 절도, 강도, 횡령, 상해치사, 폭행치사상, 유기치사상, 체포 감금치사상(강간치사는 가정폭력범죄에 포함됨)【약방인 중손괴 배살사절 강행치사】

08 정답 ①

① (×) 아동학대 범죄 신고를 접수한 사법경찰관리나 아동학대 전담 공무원은 **지체 없이** 아동학대 범죄의 현장에 **출동하여야 한다.** 이 경우 **수사기관의 장(경찰관 ×)**이나 시・도지사, 시・군・구청장은 서로 동행하여 줄 것을 **요청할 수 있다.** 현장 출동이 동행하여 이루어지지 아니한 경우 **수사기관의 장(경찰관 ×)**이나 시・도지사 또는 시장・군수・구청장은 현장 출동에 따른 **조사 등의 결과를 서로에게 통지하여야 한다**(제11조).

09 정답 ④

④ (×) 응급조치는 반드시 하여야 한다.

10 정답 ③

③ (○) 제7조 제4항
① (×) 사법경찰관은 지체 없이 검사에게 해당 긴급응급조치에 대한 사후승인을 지방법원 판사에게 청구하여 줄 것을 신청하여야 한다. 잠정조치를 반드시 청구할 필요는 없다.
② (×) 긴급응급조치는 1개월을 초과할 수 없다. 연장에 대한 규정은 없다.
④ (×) 법원은 다음 각호의 잠정조치를 할 수 있으며, 병과할 수 있다. 【경접전구】

1. 피해자에 대한 스토킹 범죄 중단에 관한 **서면 경고**
2. **피해자나 그 주거** 등으로부터 100미터 이내의 **접근 금지**
3. 피해자에 대한 「전기통신 기본법」 제2조 제1호의 **전기통신을 이용한 접근 금지**
4. 위치추적 전자장치의 부착
5. 국가경찰관서의 **유치장 또는 구치소에의 유치**

경찰학 6회 모의고사 정답 및 해설

제6회 모의고사 정답

01	②	02	①	03	①	04	④	05	④
06	④	07	②	08	④	09	②	10	②

01 정답 ②

② (×) 수사국장의 분장사항이다.

02 정답 ①

② (×) 검증적 수사 : '수사사항의 결정 → 수사방법의 결정 → 수사실행' 【검사방실】
③ (×) 수사자료 감식·검토의 원칙이다.
④ (×) 검증적 수사의 원칙이다.

03 정답 ①

① (×) 입건 전 조사는 임의적인 방법으로 하는 것을 원칙으로 하고, 대물적 강제 조치를 실시하는 경우에는 법률에서 정한 바에 따라 필요 최소한의 범위에서 남용되지 않도록 유의하여야 한다. 입건 전 조사 단계에서 대인적 강제조치를 할 수는 없다.

▶ 공람 후 종결 사유

> 진정·탄원·투서 등 서면으로 접수된 신고가 다음 각 목의 어느 하나에 해당하는 경우
> 가. 같은 내용으로 3회 이상 반복하여 접수되고 2회 이상 그 처리 결과를 통지한 신고와 같은 내용인 경우
> 나. 무기명 또는 가명으로 접수된 경우
> 다. 단순한 풍문이나 인신공격적인 내용인 경우
> 라. 완결된 사건 또는 재판에 불복하는 내용인 경우
> 마. 민사소송 또는 행정소송에 관한 사항인 경우

04 정답 ④

④ (O) 사법경찰관은 검사의 지휘 없이 독립적으로 사체를 인도할 수 있다.
① (×) 사법경찰관은 즉시 소속 관서장에게 보고하고(범죄수사규칙 제56조), 관할 검사에게는 통보한다(수사준칙 제17조 제1항).
② (×) 신속히 수사를 개시하고 소속 관서장에게만 보고하면 된다(범죄수사규칙 제57조 제3항).
③ (×) 의사와 가족 등은 참여시켜야 하지만, 검시 조사관은 참여시킬 수 있다(경찰수사규칙 제31조).

05 정답 ④

④ (O) 검사는 다시 재수사를 요청할 수 없으며, 특정한 경우 사건송치를 요구할 수는 있다.

> 제64조(재수사 결과의 처리) ② 검사는 사법경찰관이 제1항 제2호에 따라 재수사 결과를 통보한 사건에 대해서 **다시 재수사를 요청하거나 송치 요구를 할 수 없다.** 다만, 검사는 사법경찰관이 사건을 송치하지 않은 위법 또는 부당이 시정되지 않아 사건을 송치받아 수사할 필요가 있는 다음 각 호의 경우에는 법 제197조의3에 따라 **사건송치를 요구할 수 있다.**
> 1. 관련 법령 또는 법리에 위반된 경우
> 2. 범죄 혐의의 유무를 명확히 하기 위해 재수사를 요청한 사항에 관하여 그 이행이 이루어지지 않은 경우. 다만, 불송치 결정의 유지에 영향을 미치지 않음이 명백한 경우는 제외한다.
> 3. 송부받은 관계 서류 및 증거물과 재수사 결과만으로도 범죄의 혐의가 명백히 인정되는 경우
> 4. 공소시효 또는 형사소추의 요건을 판단하는 데 오류가 있는 경우

① (×) 검사는 불송치 사건에 대하여 재수사를 요청할 수 있다(형사소송법 제245조의8).
② (×) 검사는 사법경찰관으로부터 송치받은 사건에 대해 보완수사가 필요하다고 인정하는 경우에는 직접 보완수사를 하거나 법 제197조의2 제1항 제1호에 따라 사법경찰관에게 보완수사를 요구할 수 있다(제59조 제1항 본문).
③ (×) 검사는 불송치 사건에 대하여 서류와 증거물을 송부받은 날부터 90일 이내에 재수사를 요청해야 한다. 다만, 증거 등의 허위, 위·변조가 있거나 명백히 새로운 증거 등이 발견된 경우에는 90일이 지난 후에도 재수사를 요청할 수 있다. 【불구재 허새】

06 정답 ④

④ (×) 36시간 이내에 허가를 받아야 한다.
① (O) 통신사실 확인자료의 허가요건

범죄수사 목적	① 필요성 원칙 ② 필요성 + 보충성 : '실시간 (위치)추적자료', '특정 기지국에 대한 통신사실확인자료' 【실기보충】
국가안보 목적	필요성

② (O) 범죄수사 목적 : 통신제한 기간은 2월(기본) + 2월(연장), 총1년(내란·외환죄 등은 총3년)
③ (O) 국가안보 목적 : 통신제한 기간은 4월(기본) + 4월(연장)

07 정답 ②

② (×) 기피신청서는 감사부서의 장에게 제출하여야 하고, 기피신청을 한 날부터 3일 이내에 기피사유를 서면으로 소명하여야 한다.

08 정답 ④

① (×) 19세 이상의 사람과 19세 미만의 사람을 분리 유치한다.
② (×) 외표검사이다. 간이검사는 속옷은 벗지 않고 신체검사의를 착용(유치인의 의사에 따른다)하도록 한 상태에서 위험물 등의 은닉여부를 검사하는 것을 말한다.
③ (×) 호송관이 5일 이상일 경우이다.

09 정답 ②

② (×) 시체 굳음은『턱 → 어깨 → 팔・다리 → 손가락・발가락』순서로 이루어진다(Nysten 법칙).

10 정답 ②

② (○) 카리소프로돌(S정)이 골격근 이완의 효과가 있으며 과다복용 시 **인사불성, 혼수쇼크, 호흡저하**를 겪게 된다.【돌처럼 굳어버림】
① (×) L.S.D.에 대한 설명이다.
③ (×) 코데인은 천연마약이다. '코'가 들어가는 것은 결코 마약이 아니지만 '인(in)'이 들어가는 것은 마약 안에(in) 들어간다.

천연마약	코카인, 코데인
반합성마약	하이드로폰, 옥시코돈, 헤로인【반항하면 하옥해!】
한외마약	코데날, 코데잘, 코데솔, 유코데, 세코날【~코 : 결코 마약 아님】

④ (×) 러미나(덱스트로메트로판) : 진해거담제(기침완화, 가래제거)로 약국 구입 가능, 의존성과 독성이 없으며 코데인 대용으로 사용, 술에 타서 마시며 정글주스라고 함【미나리댁 주스 진해】

경찰학 7회 모의고사 정답 및 해설

제7회 모의고사 정답

01	④	02	④	03	①	04	④	05	①
06	④	07	①	08	②	09	②	10	③

01 정답 ④

④ (○) 참고로 '지시의 철저'는 **계속적이고 자세한 안내**방송으로 지시를 철저히 해서 혼잡한 사태를 정리하는 것이다.
① (×) 예비대 운용여부는 경찰이 판단하여 실시한다.
② (×) 「경비업법 시행령」에 의하여 24시간 전 시・도경찰청장(서장×)에 통지하여 줄 것을 요청할 수 있다. 【행사 - 24】 공연법에서 경찰 관련한 규정은 전혀 없다.
③ (×) 1,000명 이상인 경우에 신고하여야 한다. 참고로 100명 이상이 모이는 국제, 문화, 예술, 체육 행사장은 경비업법의 "집단민원현장"에 해당한다.

재해대처계획(시행령 제9조)
- 공연장 운영자 : 매년 수립, 그 계획을 적용하기 전에 변경신고
- 공연장 외의 시설에서 1,000명 이상 관람 공연자 : 공연 14일 전 신고, 변경시 7일 전 신고
- 위반자(공연장 운영자, 공연장 외 시설에서 1,000명 이상 공연자)에 2,000만원 이하 과태료

02 정답 ④

④ (○) 제38조 제1항
① (×) 용어의 정의

재난관리	재난의 예방・대비・대응 및 복구를 위하여 하는 모든 활동
안전관리	재난이나 그 밖의 각종 사고로부터 사람의 생명・신체 및 재산의 안전을 확보하기 위하여 하는 모든 활동

② (×) 재난의 대응단계가 아닌 복구단계에서 특별재난지역으로 선포할 것을 대통령에게 건의할 수 있다.
③ (×) 국무총리가 아닌 행정안전부장관이 재난사태를 선포한다.

03 정답 ①

① (×) 을종사태에 대한 설명이다. "병종사태"란 적의 침투・도발 위협이 예상되거나 소규모의 적이 침투하였을 때에 시・도경찰청장, 지역군사령관 또는 함대사령관의 지휘・통제하에 통합방위작전을 수행하여 단기간 내에 치안이 회복될 수 있는 사태를 말한다.
④ (○) 제12조 제2항

04 정답 ④

④ (×) 대테러 인권보호관 1명을 둔다.

05 정답 ①

① (×) 경찰서장의 감독을 받는다. 관할 경찰서장은 매달 1회 이상 청원경찰을 배치한 경비구역에 대하여 복무규율과 근무상황과 무기의 관리 및 취급 사항을 감독하여야 한다(청원경찰법 시행령 제17조). 시・도경찰청장은 청원경찰의 효율적인 운영을 위하여 청원주를 지도하며 감독상 필요한 명령을 할 수 있다(법 제9조의3 제2항).

06 정답 ④

④ (○) 제151조(물피사건), 「교통사고처리 특례법」 제3조 제1항(인피사건) 또는 「특정범죄 가중처벌 등에 관한 법률」 제5조의13(어린이 보호구역에서 어린이 치사상의 가중처벌)에 따른 형을 감경하거나 면제할 수 있다.
①, ② (×) 모든 긴급자동차에 적용되는 특례는 앞지르기 금지 시기・장소, 자동차의 속도, 끼어들기 금지이며, "앞지르기 방법"이나 신호위반은 제외된다. 【앞시장 속끼】
③ (×) 소방차, 구급차, 혈액 공급차량, 대통령령으로 정하는 경찰용 자동차만 교통사고 등에서 감면할 수 있다(제158조의2). "수사기관의 자동차" 또는 "경호업무 수행 자동차"도 경찰용 자동차에 해당하지 아니하면 감면을 받을 수 없다. 【소구혈경】

▶ 긴급자동차 특례

일반 긴급자동차	① 속도 제한 ② 앞지르기의 금지(시기・장소) ③ 끼어들기의 금지	일반 긴급자동차는 【앞시장속끼】만 적용배제
소방차 구급차 혈액공급차 경찰차	④ 신호위반 ⑤ 중앙선 침범 ⑥ 보도침범 ⑦ 안전거리 확보 등 ⑧ 앞지르기 방법 등 ⑨ 횡단 등의 금지 ⑩ 정차 및 주차의 금지 ⑪ 주차금지 ⑫ 고장 등의 조치	【소구혈경】은 【앞시장속끼】 +【신중보안 앞방행(횡)정주고】 ※ 소구혈경은 ①~⑫까지 특례적용 ※"앞지르기 방법 위반" 특례는 소구혈경에만 적용

07 정답 ①

① (×) 1종 대형 면허자도 특수면허가 필요한 견인형 또는 구난형 차종, 1종 소형(3륜차), 2종 소형(125cc 초과 이륜차)은 운전할 수 없다.
② (○) 차종 변경 승인된 경우는 변경 후의 승차정원이 기준이 되므로 2종 보통면허로 운전할 수 있으며, 차종 변경 승인을 받지 않은 경우는 변경 전의 승차정원이 기준이 된다.

08 정답 ②

② (×) 음주로 인한 특정범죄가중처벌 등에 관한 법률위반(위험운전치사상)죄는 도로교통법 위반(음주운전)죄의 경우와는 달리 형식적으로 혈중 알코올농도의 법정 최저기준치를 초과하였는지 여부와는 상관없이 운전자가 음주의 영향으로 실제 정상적인 운전이 곤란한 상태에 있어야 하고, 그러한 상태에서 자동차를 운전하다가 사람을 상해 또는 사망에 이르게 한 행위를 처벌대상으로 하고 있다(대판 2008.11.13, 2008도7143).

① (○) 대판 1987.2.24, 86도2731

③ (○) 대판 2008.11.13, 2008도7143

④ (○) 대판 2006.1.13, 2005도7125

09 정답 ②

② (×) 경찰관직무집행법 제4조 제1항 제1호의 **'술에 취한 상태'라 함은 피구호자가 술에 만취하여 정상적인 판단능력이나 의사능력을 상실할 정도에 이른 것을 말하고**, 이 사건 조항에 따른 보호조치를 필요로 하는 피구호자에 해당하는지는 구체적인 상황을 고려하여 **경찰관 평균인을 기준으로 판단하되**, 그 판단은 보호조치의 취지와 목적에 비추어 현저하게 불합리하여서는 아니 되며, **피구호자의 가족 등에게 피구호자를 인계할 수 있다면 특별한 사정이 없는 한 경찰관서에서 피구호자를 보호하는 것은 허용되지 않는다.** 당시 피고인이 술에 취한 상태이기는 하였으나 차량을 운전할 정도의 의사능력과 음주단속에 따른 처벌을 회피하기 위하여 도주하려 할 정도의 판단능력은 가지고 있었다고 볼 것이어서, 술에 만취하여 정상적인 판단능력이나 의사능력을 상실할 정도에 이른 것을 뜻하는 이 사건 조항의 술에 취한 상태에 있었다고 보기는 어렵다(대판 2012.12.13, 2012도11162).

10 정답 ③

③ (×) 피고인이 피해자를 미리 발견하지 못하였을 뿐더러 이를 발견할 가능성도 없었던 것으로 인정되거나, 또는 미리 발견하여 운전자에게 요구되는 주의의무를 다하였음에도 불구하고 사고결과를 회피할 수 없었다고 인정될 경우에 한하여 비로소 피고인에게 이 사건 사고결과에 대한 죄책이 없다. 비록 피해자가 다른 차에 충격당하여 피고인의 진로 상으로 들어왔다 하더라도 피고인이 그것을 발견한 것이 15m 전방이었던 점을 고려할 때 이 사건 결과의 발생은 충분히 피할 수도 있었을 것으로 본다(대판 1995.12.26, 95도715).

① (○) 대판 2012.3.15, 2010도3436

② (○) 자동차의 운전, 즉 자동차를 그 본래의 사용 방법에 따라 사용하는 것에 해당하기 위하여는 자동차의 원동기를 사용할 것을 요하고, 따라서 내리막길에 주차되어 있는 자동차의 핸드 브레이크를 풀어 타력주행을 하는 행위는 '운전'에 해당하지 않는다(다만 통상의 운전중에 내리막길에 이르러 원동기를 일시적으로 정지하여 타력으로 주행시키는 것은 별론으로 한다). (대판 1999.11.12, 98다30834)

④ (○) 대판 2015.10.15, 2015도12451

경찰학 8회 모의고사 정답 및 해설

제8회 모의고사 정답

01	①	02	②	03	④	04	③	05	③
06	④	07	②	08	②	09	③	10	④

01 정답 ①

① (×) 정보활동의 범위에 "공공의 안녕과 질서유지"와 같은 포괄적인 개념은 명기되어 있지 않다. 국민의 생명·신체·재산 보호와 관련된 정책에 관한 정보활동이다.

▶ **경찰청과 그 소속기관 직제 제14조 제3항**

1. 공공안녕에 대한 위험의 예방과 대응을 위한 정보업무 기획·지도 및 조정
2. 국민안전과 국가안보를 저해하는 위험 요인에 관한 정보활동
3. 국가중요시설 및 주요 인사의 안전·보호에 관한 정보활동
4. 집회·시위 등 공공갈등과 다중운집에 따른 질서 및 안전 유지에 관한 정보활동
5. 국민의 생명·신체의 안전이나 재산의 보호 등 생활의 평온과 관련된 정책에 관한 정보활동
6. 국가기관·지방자치단체·공공기관의 장이 요청한 신원조사 및 사실확인에 관한 정보활동
7. 그 밖에 범죄·재난·공공갈등 등 공공안녕에 대한 위험의 예방과 대응을 위한 정보활동으로서 제2호부터 제6호까지에 준하는 정보활동

02 정답 ②

① (×) 적시성은 정보 사용자의 사용 시점이 기준이다.

③, ④ (×) 정확성과 객관성을 구별하는 문제이다. 정확성이 없는 정보는 사실관계를 제대로 파악하지 못한 정보이고, 객관성이 없는 정보는 사실을 파악하였지만 이를 왜곡한 정보를 말한다. 임진왜란 사례는 정보를 왜곡한 것으로 객관성과 관련되고, 징기스칸 사례는 정보의 정확성과 관련된다. 【임진왜란－왜곡, 객관성 "ㅐ"】, 【징기스칸－징은 정확하게 친다】

03 정답 ④

④ (×) 선택 → 기록(분류) → 평가 → 분석 → 종합 → 해석 【선기 평발 종해(해산)】

04 정답 ③

③ (×) 집시법상 처벌 대상이 되는 질서유지선은 신고된 집회에 설치된 질서유지선에 한한다. 집회·시위 현장에서 실무상 질서유지선을 사용하더라도 모든 질서유지선이 집시법상 처벌대상이 되는 질서유지선이 되는 것은 아니다.

> 집시법 제13조(질서유지선의 설정) ① 제6조 제1항에 따른 **신고를 받은 관할경찰관서장은** 집회 및 시위의 보호와 공공의 질서 유지를 위하여 필요하다고 인정하면 최소한의 범위를 정하여 **질서유지선을 설정할 수 있다.**

① (○) 주최자 또는 연락책임자에게 이를 알려야 한다. 질서유지인은 집회·시위 현장에서 활동하는 사람으로서 사전에 서면 통지를 받을 수 없다.

② (○) 질서유지선은 물건 또는 안전표지로서 경찰관이 줄지어 서는 방법으로 사실상 질서유지선의 역할을 하더라도 이를 질서유지선이라 할 수 없다(대판 2019.10.10, 2016도21311).

05 정답 ③ (75, 95)

㉠ : 75, ㉡ : 95

06 정답 ④

① (×) 금지를 통고할 수 있다(제8조 제3항).

② (×) 개최 전 통지 누락에 대한 처벌규정은 없다.

③ (×) 100만원 이하의 과태료를 부과한다.

07 정답 ②

㉠ (×) 미신고 옥외시위 주최의 공모공동정범에 해당한다(대판 2011.9.29, 2009도2821).

㉡ (○) 대판 2010.3.11, 2009도10425

㉢ (×) 해산명령의 대상이 된다(대판 2013.7.25, 2010도14545).

㉣ (○) 대판 2016.7.29, 2015도4496

㉤ (○) 대판 2013.10.24, 2012도11518

08 정답 ②

② (×) 횡적 연락은 차단한다. 삼각형은 지하당 구축에 이용되며, 행동공작원의 검거 시 간첩의 정체가 쉽게 노출되고 활동 범위가 좁다.

09 정답 ③

③ (×) 반국가단체란 정부를 참칭하거나 국가를 변란할 것을 목적으로 하는 국내외의 결사 또는 집단으로서 지휘통솔체제를 갖춘 단체를 말한다. '국헌문란'의 개념은 형법상 내란의 죄에 해당하는 개념이다.

④ (○) 주체에 제한이 없는 범죄이므로 반국가단체 구성원 또는 그 지령을 받은 자도 될 수 있다.

▶ 주체에 제한이 있는 범죄【목자직 특허】

> ㉠ 목적수행죄: 반국가단체 구성원, 그 지령 받은 자【반지】
> ㉡ 자진지원죄: 반국가단체 구성원, 그 지령 받은 자 이외의 자【반지 이외】
> ㉢ 직권남용무고・날조죄(제12조 제2항): 정보・수사 공무원, 그 보조・지휘자
> ㉣ 특수직무유기죄: 정보・수사 공무원
> ㉤ 허위사실날조・유포죄(제7조 제4항): 이적단체 구성원

10 정답 ④

① (×) 형법상 모병・시설제공・시설파괴・물건제공 이적죄 등 특수 이적죄는 해당하지만 일반이적죄는 해당하지 아니한다. 다만 군형법상 일반이적죄는 해당한다.

② (×) 형의 합계가 3년 이상인 자이다.

③ (×) 피보안관찰자가 아닌 보안관찰처분대상자의 변동신고 의무가 헌법불합치결정 선고를 받았다.

경찰학 9회 모의고사 정답 및 해설

제9회 모의고사 정답

01	②	02	④	03	②	04	①	05	③
06	④	07	①	08	④	09	③	10	①

01 정답 ②

② (×) 보안경찰은 독립적인 경찰기관이 관할하지만, 협의의 행정경찰은 각종의 일반행정기관이 함께 그것을 관장하는 경우가 많다.

02 정답 ④

④ (×) 위험 혐의에 해당한다.

▶ 위험 인식의 비교

구분	인식	위법성, 보상	경찰관 민・형사 책임
외관적 위험	사려 깊은 판단	적법, 손실보상	×
위험 혐의	사려 깊은 판단	적법, 손실보상	×
오상 위험	위험 존재를 잘못 추정	위법, 손해배상	○

03 정답 ②

② (×) 냉소주의는 합리적 근거 없이 사회에 대한 신념의 결여로 생겨나는 것으로 맥그리거의 Y이론에 입각하여 의사결정 과정에 참여시키고 부하의 의견을 청취하는 조직관리가 바람직하다.

04 정답 ①

① (×) 공직자 등은 직무와 관련하여 대가성 여부를 불문하고 동일인으로부터 1회에 100만원 또는 매 회계연도에 300만원 이하의 금품 등을 받거나 요구 또는 약속해서는 아니 된다.

05 정답 ③

③ (×) "고위공직자"에는 치안감 이상의 경찰공무원 및 시・도 경찰청장이 포함된다.

① (○) 사립학교와 언론사는 포함되지 않는다. 「청탁금지법」의 공공기관에는 사립학교와 언론사가 포함되며, 「부패방지권익위법」의 공공기관에는 사립학교는 포함되지만 언론사는 포함되지 않는다.

06 정답 ④

④ (×) SARA 모형 : 조사 → 분석 → 대응 → 평가
【싸라(SARA) 조석응가】

07 정답 ①

① (×) 최규식 경무관, 정종수 경사에 대한 설명이다. 최천 경무관은 6.25 전쟁 당시 함안 전투에서 경남 경찰을 지휘하여 북한군 4개 사단을 격파하고 방어선을 지켜내었다.

08 정답 ④

④ (×) 할거주의는 자신의 소속에만 충실하여 다른 조직과 협조가 곤란한 것을 의미한다.

09 정답 ③

③ (×) 영기준 예산은 예산편성 시 전년도 예산을 기준으로 점증적으로 예산을 책정하는 폐단을 탈피하기 위한 제도이다. 영기준 예산은 매년 사업의 우선 순위에 영기준을 적용하여 원점에서 재검토하므로 장기 계획이 위축되는 단점이 있다.

10 정답 ①

① (×) 개인정보는 살아 있는 개인에 관한 정보로서, 사망한 사람에 대한 정보는 해당하지 아니한다.

경찰학 10회 모의고사 정답 및 해설

제10회 모의고사 정답

01	②	02	②	03	③	04	①	05	④
06	①	07	②	08	③	09	④	10	①

01 정답 ②

② (×) 행정에 관한 나이는 다른 법령 등에 특별한 규정이 있는 경우를 제외하고는 출생일을 산입하여 만(滿) 나이로 계산하고, 연수(年數)로 표시한다. 다만, 1세에 이르지 아니한 경우에는 월수(月數)로 표시할 수 있다.

02 정답 ② (5, 5, 3, 2)

㉠ : 5, ㉡ : 5, ㉢ : 3, ㉣ : 2

03 정답 ③

③ (×) 자격정지 이상의 형(刑)을 선고받은 사람이다.

04 정답 ①

① (×) 경정 이하의 경찰공무원을 신규 채용할 때에는 1년간 시보(試補)로 임용하고, 그 기간이 만료된 다음 날에 정규 경찰공무원으로 임용한다.

05 정답 ④

④ (×) 진술거부권 고지 의무는 없다. 임의동행 후 변호인 조력권에 대한 고지 의무가 「경찰관직무집행법」상 유일한 고지의무이다.

06 정답 ①

① (×) 출입하는 경찰관은 그 신분을 표시하는 증표를 제시하여야 한다(제7조 제4항). 정복을 착용한 경우에 신분 제시 의무를 배제하는 규정은 없다.

▶ 위험방지를 위한 출입(제7조)

구분	긴급출입(제1항)	예방출입(제2항)	대간첩 긴급검색(제3항)
출입 장소	타인의 토지·건물·배·차 등	공개된 장소	
출입 시간	주야 불문	영업·공개된 시간	주야 불문
관리자 동의	불요	필요	불요

- 예방 출입은 공개된 장소, 공개된 시간에 관리자의 동의를 얻어야 한다. 다만, 관리자나 관계인은 정당한 이유 없이 거절할 수 없다.
- 위험이 임박한 긴급출입과 대간첩 긴급검색은 주야불문, 동의 불문한다.
- 대가택적 즉시강제에 해당한다.

07 정답 ②

② (×) 전자충격기와 전자방패는 경찰장구에 포함된다.

▶ 경찰장비의 종류(제2조) 【무장분기(무장봉기 ×)】

무기	권총, 유탄발사기, 도검 (다목적발사기 ×, 가스발사총 ×)
장구	경찰봉, 호신용경봉, 포승, 수갑, 방패, 전자방패, 전자충격기 【봉포수 방전】
분사기·최루탄 등	근접분사기, 가스분사기, 가스발사총(고무탄겸용 포함), 최루탄(발사장치 포함)
기타	가스차, 살수차, 특수진압차, 물포, 석궁, 도주차량차단장비 다목적발사기 【차에 물석도다】

08 정답 ③

③ (×) 「경찰청과 그 소속기관 직제」 개정으로 기존 외사국에서 담당하던 '외사정보 수집'을 치안정보국 소관으로 변경하고, 외사국의 명칭을 국제협력관으로 변경하였다.

▶ 사무분장 구분 팁

'예방'	'예방'은 범죄예방대응국 및 생활안전교통국 소관 • 경비국 : 대테러 예방 및 진압대책 수립·지도 • 치안정보국 : 공공안녕에 대한 위험의 예방과 대응을 위한 정보업무 기획·지도 및 조정 • 수사국 : 사이버범죄 예방
'수사 피해자 보호'	'수사'는 국가수사본부 소관, '피해자 보호'는 생활안전교통국 소관 • 생활안전교통국 : 경찰 수사 과정상의 범죄피해자 보호 및 지원

09 정답 ④

④ (×) "스토킹범죄"란 지속적 또는 반복적으로 스토킹행위를 하는 것을 말한다.

▶ "스토킹행위" 유형

1. 접근하거나 따라다니거나 진로를 막아서는 행위 2. 주거, 직장, 학교, 그 밖에 일상적으로 생활하는 장소(이하 "주거등"이라 한다) 또는 그 부근에서 기다리거나 지켜보는 행위 3. 우편・전화・팩스 또는 「정보통신망 이용촉진 및 정보보호 등에 관한 법률」 제2조 제1항 제1호의 정보통신망을 이용하여 물건이나 글・말・부호・음향・그림・영상・화상(이하 "물건등"이라 한다)을 도달하게 하는 행위 4. 직접 또는 제3자를 통하여 물건 등을 도달하게 하거나 주거 등 또는 그 부근에 물건 등을 두는 행위 5. 주거 등 또는 그 부근에 놓여져 있는 물건 등을 훼손하는 행위 6. 상대방 등의 개인정보나 개인위치정보를 정보통신망을 이용하여 제3자에게 제공하거나 배포 또는 게시하는 행위 7. 정보통신망을 통하여 상대방 등의 이름, 명칭, 사진, 영상 또는 신분에 관한 정보를 이용하여 자신이 상대방 등인 것처럼 가장하는 행위 【가게(에서) 따지기도훼(해)】

10 정답 ①

②, ④ (×) 연습 면허는 승용, 승합, 화물차만 가능하다. 특수차, 지게차는 운전할 수 없다.

③ (×) 제2종 보통 연습면허

박문각 경찰

경찰직 모의고사

1권 | 헌법·형사법·경찰학

제1판 인쇄 2024. 4. 25. | **제1판 발행** 2024. 4. 30. | **편저자** 박충신·최정훈·박용증

발행인 박 용 | **발행처** (주)박문각출판 | **등록** 2015년 4월 29일 제2015-000104호

주소 06654 서울시 서초구 효령로 283 서경 B/D 4층 | **팩스** (02)584-2927

전화 교재 문의 (02)6466-7202

저자와의 협의하에 인지생략

정가 30,000원

ISBN 979-11-6987-857-9(1권)

979-11-6987-856-2(세트)

MEMO

MEMO

MEMO